풍산자 필수유형

수학 I

엄선된 필수 유형 학습으로

실력을 올리고 상위권으로 도약하는

<풍산자 필수유형>입니다.

멋진 미래는 자신의 꿈의 아름다움을 믿는 이들에게 주어진다.

- Anna Eleanor Roosevelt -

엄선된 유형을 한 권에 가득, **필수 유형서**

풍산자 필수유형

교재 활용 로드맵

중단원별
꼭 알아야 할 개념을
쉽고 명쾌하게 요약한 내용 정리

유형별 필수 문제의
중요도와 난이도를 제시한
실력을 기르는 유형

핵심적이고 출제 빈도
높은 문제로 구성된
내신을 꽉 잡는 서술형

출제 비중이 높은 사고력과
응용력 문제인
고득점을 향한 도약

출제 의도와 다양한
해결 방법을 이해할 수 있는
친절하고 자세한 풀이

꼭 알아야 할 중단원별 개념 정리와 설명	핵심 내용과 문제 해결의 활용 요소를 풍쌤 비법으로 제시
엄선된 문제들의 중요도, 난이도 제시	내신 및 평가원, 교육청 기출 문제를 포함한 엄선된 필수 문제 구성
서술형과 고득점 문항으로 최종 점검	완벽한 시험 대비를 위한 서술형 문항, 사고력과 응용력 강화 문제 제시

머리말

고등학교 수학의 내신이나 수능 기출 문제는 무척 많지만 모두 교과 과정의 개념에서 파생된 문제입니다. 문제를 척 보면 아하! 이것은 무엇을 묻는 문제이구나! 하고 간파할 수 있을까요?

그럴 수 있어야 합니다.

고등학교 수학 문제는 수없이 많지만 그 기저에는 뼈대가 되는 기본 문제 유형이 있습니다. 이 기본 문제 유형을 정복하는 것이 수학 문제 정복의 열쇠입니다.

- 어려운 문제처럼 보이지만 한 단계만 해결하면 쉬운 문제로 변신하는 문제가 있습니다.
- 낯선 문제처럼 보이지만 한 꺼풀만 벗기면 익숙한 문제로 바뀌는 문제가 있습니다.
- 겉모양은 전혀 다른데 본질을 파악하면 사실상 동일한 문제가 있습니다.

가면을 쓰고 다른 문제인 척 가장할 때 속아 넘어 가지 않으려면 어떻게 해야 할까요?

풍산자 필수유형은 어려운 문제를 쉬운 문제로, 낯선 문제를 익숙한 문제로 바꾸는 능력을 기를 수 있도록 구성된 문제기본서입니다. 세상의 모든 수학 문제를 유형별로 정리하고 분석하여 그 뼈대가 되는 문제들로 구성하였습니다.

몇 천 문항씩 되는 많은 문제를 두서없이 풀기보다는 뼈대 문제를 완벽히 이해한다면 어떠한 수학 문제를 만나도 당당하게 맞서는 수학의 고수로 다시 태어날 것입니다.

구성
과
특징

꼭 필요한 유형으로만 꽉 채운
풍산자 필수유형!

핵심 내용 요약 정리

중단원별로 꼭 알아야 하는 개념을 간단하고 명쾌하게 요약하였으며, 예, 참고, 주의 등으로 개념을 쉽게 이해할 수 있도록 하였습니다.

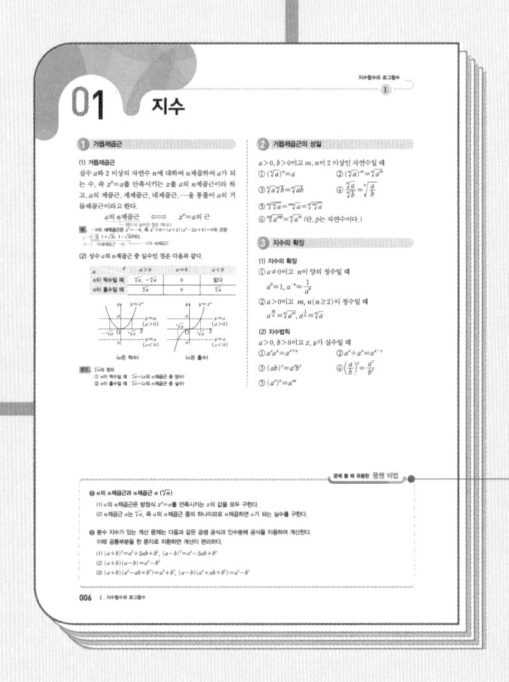

문제 풀 때 유용한 풍쌤 비법

핵심 내용과 연계되어 문제 풀이에 자주 이용되는 개념, 개념을 문제에 적용하는 방법 등을 소개하고 이를 활용할 수 있도록 하였습니다.

실력을 기르는 유형

학습에 필요한 문제들을 유형별로 나누고 유형별 중요도와 문항별 난이도를 제시하여 학습 수준에 맞추어 충분한 연습이 될 수 있도록 구성하였습니다.

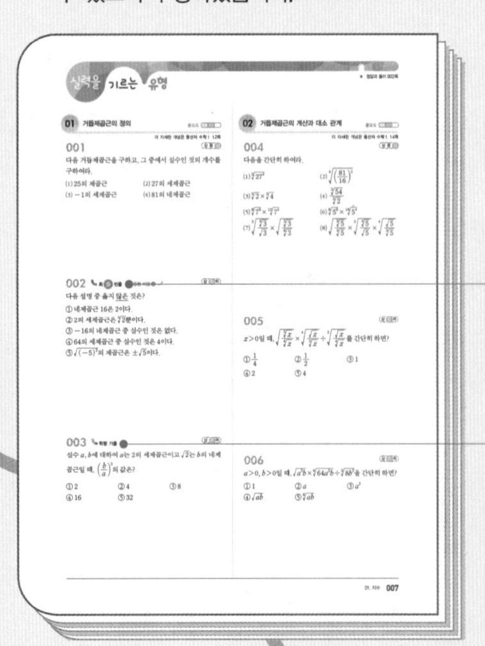

최多빈출

자주 출제되는 유형 중 가장 출제 비중이 높은 문제입니다.

학평 기출

평가원, 교육청의 학력평가 기출 문제 중 자주 출제되는 유형의 문제입니다.

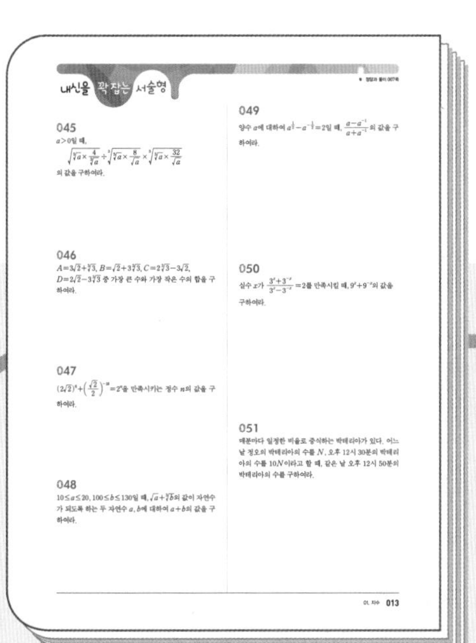

내신을 꽉 잡는 서술형

핵심적이고 출제 빈도가 높은 서술형 기출 문제로 구성하여 강화된 서술형 평가에 대비할 수 있도록 하였습니다.

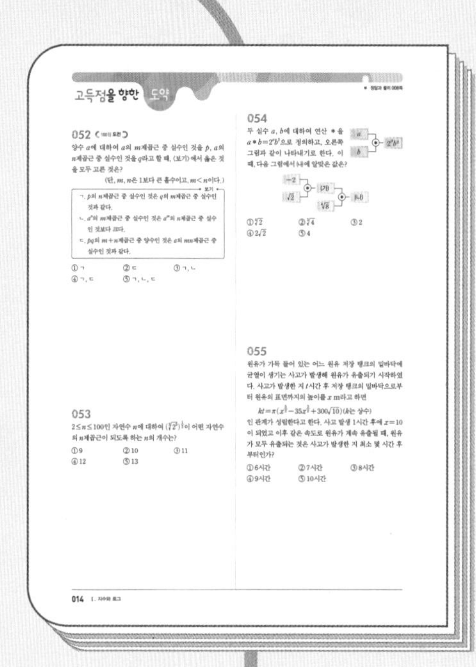

고득점을 향한 도약

난이도가 높고, 출제 비중이 높은 문제로 구성하여 수학적 사고력과 응용력을 기를 수 있도록 하였습니다.

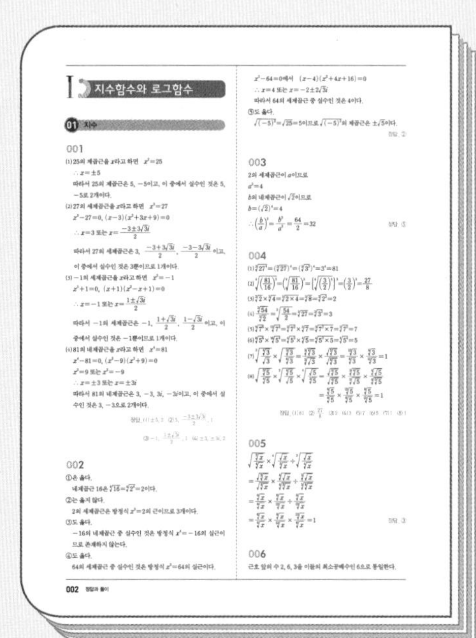

풀이

자세하고 친절한 풀이와 다른 풀이로 문제의 출제 의도와 다양한 해결 방향을 이해할 수 있도록 하였습니다.

차례

Ⅰ 지수함수와 로그함수

Ⅱ 삼각함수

Ⅲ 수열

I

지수함수와 로그함수

01 지수

1 거듭제곱근

(1) 거듭제곱근

실수 a와 2 이상의 자연수 n에 대하여 n제곱하여 a가 되는 수, 즉 $x^n=a$를 만족시키는 x를 a의 n제곱근이라 하고, a의 제곱근, 세제곱근, 네제곱근, …을 통틀어 a의 거듭제곱근이라고 한다.

$$a\text{의 } n\text{제곱근} \iff x^n=a\text{의 근}$$

└ 반드시 실수인 것은 아니다.

예 -8의 세제곱근은 $x^3=-8$, 즉 $x^3+8=(x+2)(x^2-2x+4)=0$의 근은 -2, $1+\sqrt{3}i$, $1-\sqrt{3}i$이다.
$-2=\sqrt[3]{-8}$(세제곱근 -8) └ -8의 세제곱근

(2) 상수 a의 n제곱근 중 실수인 것은 다음과 같다.

n \ a	$a>0$	$a=0$	$a<0$
n이 짝수일 때	$\sqrt[n]{a}$, $-\sqrt[n]{a}$	0	없다
n이 홀수일 때	$\sqrt[n]{a}$	0	$\sqrt[n]{a}$

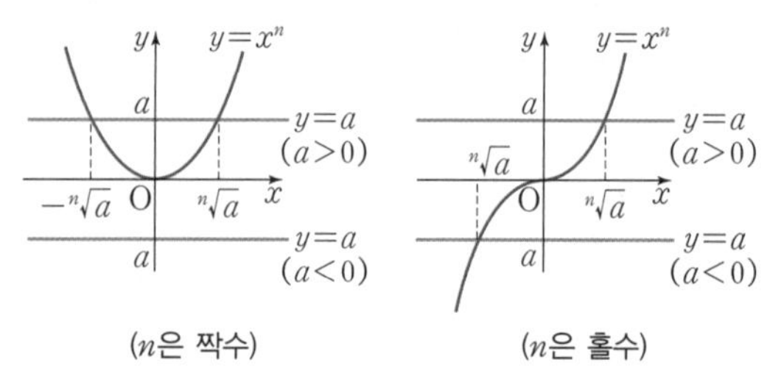

(n은 짝수) (n은 홀수)

참고 $\sqrt[n]{a}$의 정의
① n이 짝수일 때 : $\sqrt[n]{a}=$(a의 n제곱근 중 양수)
② n이 홀수일 때 : $\sqrt[n]{a}=$(a의 n제곱근 중 실수)

2 거듭제곱근의 성질

$a>0$, $b>0$이고 m, n이 2 이상인 자연수일 때

① $(\sqrt[n]{a})^n=a$

② $(\sqrt[n]{a})^m=\sqrt[n]{a^m}$

③ $\sqrt[n]{a}\sqrt[n]{b}=\sqrt[n]{ab}$

④ $\dfrac{\sqrt[n]{a}}{\sqrt[n]{b}}=\sqrt[n]{\dfrac{a}{b}}$

⑤ $\sqrt[m]{\sqrt[n]{a}}=\sqrt[mn]{a}=\sqrt[n]{\sqrt[m]{a}}$

⑥ $\sqrt[np]{a^{mp}}=\sqrt[n]{a^m}$ (단, p는 자연수이다.)

3 지수의 확장

(1) 지수의 확장

① $a\neq0$이고 n이 양의 정수일 때

$a^0=1$, $a^{-n}=\dfrac{1}{a^n}$

② $a>0$이고 m, $n(n\geq2)$이 정수일 때

$a^{\frac{m}{n}}=\sqrt[n]{a^m}$, $a^{\frac{1}{n}}=\sqrt[n]{a}$

(2) 지수법칙

$a>0$, $b>0$이고 x, y가 실수일 때

① $a^xa^y=a^{x+y}$

② $a^x\div a^y=a^{x-y}$

③ $(ab)^x=a^xb^x$

④ $\left(\dfrac{a}{b}\right)^x=\dfrac{a^x}{b^x}$

⑤ $(a^x)^y=a^{xy}$

문제 풀 때 유용한 풍쌤 비법

❶ **a의 n제곱근과 n제곱근 a ($\sqrt[n]{a}$)**

(1) a의 n제곱근은 방정식 $x^n=a$를 만족시키는 x의 값을 모두 구한다.

(2) n제곱근 a는 $\sqrt[n]{a}$, 즉 a의 n제곱근 중의 하나이므로 n제곱하면 a가 되는 실수를 구한다.

❷ 분수 지수가 있는 계산 문제는 다음과 같은 곱셈 공식과 인수분해 공식을 이용하여 계산한다.
이때 공통부분을 한 문자로 치환하면 계산이 편리하다.

(1) $(a+b)^2=a^2+2ab+b^2$, $(a-b)^2=a^2-2ab+b^2$

(2) $(a+b)(a-b)=a^2-b^2$

(3) $(a+b)(a^2-ab+b^2)=a^3+b^3$, $(a-b)(a^2+ab+b^2)=a^3-b^3$

실력을 기르는 유형

정답과 풀이 002쪽

01 거듭제곱근의 정의

중요도

더 자세한 개념은 풍산자 수학Ⅰ 12쪽

001

상 중 하

다음 거듭제곱근을 구하고, 그 중에서 실수인 것의 개수를 구하여라.

(1) 25의 제곱근　(2) 27의 세제곱근

(3) -1의 세제곱근　(4) 81의 네제곱근

002

최多빈출　풍쌤 비법 ❶

상 중 하

다음 설명 중 옳지 않은 것은?

① 네제곱근 16은 2이다.

② 2의 세제곱근은 $\sqrt[3]{2}$뿐이다.

③ -16의 네제곱근 중 실수인 것은 없다.

④ 64의 세제곱근 중 실수인 것은 4이다.

⑤ $\sqrt{(-5)^2}$의 제곱근은 $\pm\sqrt{5}$이다.

003

학평 기출

상 중 하

실수 a, b에 대하여 a는 2의 세제곱근이고 $\sqrt{2}$는 b의 네제곱근일 때, $\left(\frac{b}{a}\right)^3$의 값은?

① 2　② 4　③ 8

④ 16　⑤ 32

02 거듭제곱근의 계산과 대소 관계

중요도

더 자세한 개념은 풍산자 수학Ⅰ 14쪽

004

상 중 하

다음을 간단히 하여라.

(1) $\sqrt[3]{27^4}$　(2) $\sqrt[4]{\left(\frac{81}{16}\right)^3}$

(3) $\sqrt[3]{2}\times\sqrt[3]{4}$　(4) $\frac{\sqrt[3]{54}}{\sqrt[3]{2}}$

(5) $\sqrt[9]{7^6}\times\sqrt[12]{7^4}$　(6) $\sqrt[8]{5^6}\times\sqrt[16]{5^4}$

(7) $\sqrt[3]{\frac{\sqrt[4]{3}}{\sqrt{3}}}\times\sqrt{\frac{\sqrt[3]{3}}{\sqrt[6]{3}}}$　(8) $\sqrt{\frac{\sqrt[3]{5}}{\sqrt[4]{5}}}\times\sqrt[3]{\frac{\sqrt[4]{5}}{\sqrt{5}}}\times\sqrt[4]{\frac{\sqrt{5}}{\sqrt[3]{5}}}$

005

상 중 하

$x>0$일 때, $\sqrt{\frac{\sqrt[3]{x}}{\sqrt[4]{x}}}\times\sqrt[4]{\frac{\sqrt{x}}{\sqrt[3]{x}}}\div\sqrt[3]{\frac{\sqrt{x}}{\sqrt[4]{x}}}$를 간단히 하면?

① $\frac{1}{4}$　② $\frac{1}{2}$　③ 1

④ 2　⑤ 4

006

상 중 하

$a>0, b>0$일 때, $\sqrt{a^3b}\times\sqrt[6]{64a^3b}\div\sqrt[3]{8b^2}$을 간단히 하면?

① 1　② a　③ a^2

④ $\sqrt{ab}$　⑤ $\sqrt[6]{ab}$

007

상중하

$a>0$일 때, $\sqrt{a\sqrt{a\sqrt{a}}}\times\sqrt{\sqrt{a}}\div\sqrt[4]{\sqrt{a}}$를 간단히 하면?

① $\sqrt[8]{a}$ ② $\sqrt{a}$ ③ 1
④ a ⑤ a^2

008 최多빈출

상중하

등식 $\sqrt[3]{16}+\sqrt[3]{54}+\sqrt[3]{2}=a\times\sqrt[3]{2}$를 만족시키는 유리수 a의 값은?

① 4 ② $\frac{9}{2}$ ③ 5
④ $\frac{11}{2}$ ⑤ 6

009

상중하

$a=\frac{\sqrt[6]{36}+\sqrt[3]{81}}{\sqrt{\sqrt[3]{4}}+\sqrt[3]{9\sqrt[3]{3}}}$일 때, a^6의 값은?

① $\sqrt[3]{3}$ ② $\sqrt{3}$ ③ $\sqrt[3]{9}$
④ 3 ⑤ 9

010

상중하

$\sqrt[8]{\frac{8^{10}+4^{10}}{8^4+4^{11}}}$을 간단히 하면?

① $\frac{1}{2}$ ② $\frac{1}{\sqrt{2}}$ ③ 1
④ $\sqrt{2}$ ⑤ 2

011

상중하

$(\sqrt{3\sqrt[3]{2}})^3$보다 큰 자연수 중 가장 작은 수는?

① 4 ② 6 ③ 8
④ 10 ⑤ 12

012

상중하

세 수 $A=\sqrt[3]{4}$, $B=\sqrt{3}$, $C=\sqrt[6]{12}$의 대소 관계를 바르게 나타낸 것은?

① $A<B<C$ ② $A<C<B$
③ $B<A<C$ ④ $C<A<B$
⑤ $C<B<A$

013

상중하

$|\sqrt{2}-\sqrt[3]{3}|+|\sqrt[3]{3}-\sqrt[5]{5}|+|\sqrt[5]{5}-\sqrt{2}|$를 간단히 하면?

① 0 ② $2\sqrt[3]{3}$
③ $2(\sqrt[3]{3}-\sqrt{2})$ ④ $2(\sqrt[3]{3}-\sqrt[5]{5})$
⑤ $2(\sqrt[5]{5}-\sqrt{2})$

03 확장된 지수의 성질과 식의 계산

중요도

더 자세한 개념은 풍산자 수학Ⅰ 17쪽

014

상중하

다음을 간단히 하여라.

(1) $(-3)^0$ (2) 3^{-2}
(3) $\left(\frac{1}{2}\right)^{-3}$ (4) $\left(\frac{3}{5}\right)^{-2}$

015

상 중 하

다음 〈보기〉에서 옳은 것의 개수는? (단, $a>0$)

보기

ㄱ. $\sqrt[3]{a^4}=a^{\frac{3}{4}}$

ㄴ. $\frac{1}{\sqrt[5]{a^6}}=a^{-\frac{6}{5}}$

ㄷ. $\left(\frac{1}{a}\right)^{-\frac{1}{2}}=\frac{1}{a^2}$

ㄹ. $a^{0.5}=\sqrt{a}$

① 0 ② 1 ③ 2
④ 3 ⑤ 4

016 학평 기출

상 중 하

$\sqrt[3]{2}\times\sqrt[6]{16}$의 값은?

① 1 ② 2 ③ 3
④ 4 ⑤ 5

017

상 중 하

100 이하의 자연수 n에 대하여 $\sqrt[3]{4^n}$이 정수가 되도록 하는 n의 개수는?

① 21 ② 24 ③ 27
④ 30 ⑤ 33

018

상 중 하

$\frac{x+x^3+x^5+x^7+x^9}{1+x^{-2}+x^{-4}+x^{-6}+x^{-8}}$을 간단히 하면? (단, $x\neq0$)

① x^6 ② x^7 ③ x^8
④ x^9 ⑤ x^{10}

019

상 중 하

$\frac{8^{20}}{8^{-20}-1}+\frac{4^{-15}}{4^{15}-4^{-15}}$을 간단히 하면?

① $-2^{60}-1$ ② -2^{60} ③ $-2^{60}+1$
④ $2^{60}-1$ ⑤ $2^{60}+1$

020 학평 기출

상 중 하

1이 아닌 양수 a에 대하여 $\sqrt[4]{a\sqrt[3]{a\sqrt{a}}}=a^{\frac{n}{m}}$일 때, $m+n$의 값은? (단, m과 n은 서로소인 자연수이다.)

① 8 ② 9 ③ 10
④ 11 ⑤ 12

021

상 중 하

$a>0, a\neq1$이고 $\sqrt[3]{a^4}=\sqrt{a\sqrt[3]{a^k}}$일 때, 상수 k의 값은?

① $\frac{3}{2}$ ② 2 ③ $\frac{5}{2}$
④ 4 ⑤ 5

022

(상중하)

$\sqrt{2\sqrt[3]{2\sqrt[5]{2}}}\times\sqrt[3]{\sqrt[4]{8}}\times\sqrt[4]{2}=2^k$이 성립할 때, 상수 k의 값은?

① $\frac{3}{2}$ ② $\frac{4}{3}$ ③ $\frac{5}{4}$
④ $\frac{6}{5}$ ⑤ $\frac{7}{6}$

023

(상중하)

$\left(\frac{3^{\sqrt{5}}}{9}\right)^{\sqrt{5}+2}$의 값은?

① 1 ② $\sqrt{3}$ ③ 3
④ 9 ⑤ $3^{\sqrt{5}}$

024 학평 기출

(상중하)

다음 〈보기〉에서 옳은 것을 모두 고른 것은?

보기

ㄱ. $81^{-0.25}=\frac{1}{3}$
ㄴ. $\sqrt[3]{3\sqrt[4]{3\sqrt{3}}}=3^{\frac{11}{24}}$
ㄷ. $(\sqrt{3})^{3\sqrt{3}}=(3\sqrt{3})^{\sqrt{3}}$

① ㄱ ② ㄴ ③ ㄱ, ㄴ
④ ㄴ, ㄷ ⑤ ㄱ, ㄴ, ㄷ

025

(상중하)

세 수

$$A=\sqrt{(\sqrt{2^{\sqrt{2}}})^{\sqrt{2}}},\ B=\{\sqrt{(\sqrt{2})^{\sqrt{2}}}\}^{\sqrt{2}},\ C=\{(\sqrt{2})^{\sqrt{2}}\}^{\sqrt{2}}$$

의 대소 관계를 바르게 나타낸 것은?

① $A<B<C$ ② $A=B<C$
③ $A<B=C$ ④ $C<A<B$
⑤ $C<A=B$

04 지수법칙과 식의 계산

중요도

더 자세한 개념은 풍산자 수학Ⅰ 19쪽

026 최多빈출

(상중하)

다음을 계산하여라.

(1) $2^{\frac{1}{3}}\times 2^{-\frac{1}{3}}$ (2) $3\times 27^{\frac{2}{3}}$
(3) $16^{\frac{3}{4}}\times 2^{-3}$ (4) $4^{-\frac{3}{2}}\times 8^{\frac{5}{3}}$

027

(상중하)

$3^{\frac{2}{3}}\times 9^{\frac{3}{2}}\div 27^{\frac{8}{9}}$의 값은?

① 1 ② $\sqrt{3}$ ③ 3
④ $3\sqrt{3}$ ⑤ 9

028

(상중하)

실수 b에 대하여 $a=\sqrt{3}$, $b^3=\sqrt{5}$일 때, $(ab)^2$의 값은?

① $3^{\frac{1}{3}}\times 5^{\frac{1}{3}}$ ② $3\times 5^{\frac{1}{3}}$ ③ $3\times 5^{\frac{2}{3}}$
④ $5\times 3^{\frac{1}{3}}$ ⑤ $5\times 3^{\frac{2}{3}}$

029

(상중하)

집합 $A=\left\{x \middle| x=\left(\frac{1}{81}\right)^{\frac{1}{n}}, n\text{은 0이 아닌 정수}\right\}$의 원소 중 자연수인 것의 개수는?

① 1 ② 2 ③ 3
④ 4 ⑤ 5

030

상중하

$\dfrac{1}{1-3^{\frac{1}{8}}}+\dfrac{1}{1+3^{\frac{1}{8}}}+\dfrac{2}{1+3^{\frac{1}{4}}}+\dfrac{4}{1+3^{\frac{1}{2}}}$를 간단히 하면?

① -5　② -4　③ -3
④ -2　⑤ -1

031

상중하

$(2^{\frac{3}{2}}+2^{\frac{1}{2}})^2+(2^{\frac{3}{2}}-2^{\frac{1}{2}})^2$을 간단히 하면?

① 12　② 14　③ 16
④ 18　⑤ 20

032 풍쌤 비법 ❷

상중하

$a=2^{\frac{3}{2}}$일 때, $(a-a^{-1})\div(a^{\frac{1}{3}}-a^{-\frac{1}{3}})$의 값은?

① 2　② $\dfrac{5}{2}$　③ 3
④ $\dfrac{7}{2}$　⑤ 4

033 최多빈출

상중하

$a^{\frac{1}{2}}+a^{-\frac{1}{2}}=3$일 때, a^2+a^{-2}의 값은? (단, $a>0$)

① 43　② 45　③ 47
④ 49　⑤ 51

034

상중하

$x^{\frac{1}{2}}+x^{-\frac{1}{2}}=4$일 때, $x^{\frac{3}{2}}+x^{-\frac{3}{2}}$의 값은? (단, $x>0$)

① 51　② 52　③ 53
④ 54　⑤ 55

035

상중하

$x^2+x^{-2}=34$일 때, $\dfrac{x^{\frac{1}{2}}+x^{-\frac{1}{2}}}{x+x^{-1}}$의 값은? (단, $x>0$)

① $\dfrac{1}{2}$　② $\dfrac{\sqrt{2}}{3}$　③ $\dfrac{\sqrt{3}}{3}$
④ $\dfrac{2}{3}$　⑤ $\dfrac{\sqrt{5}}{3}$

036

상중하

$a^{\frac{1}{2}}-a^{-\frac{1}{2}}=3$일 때, $\dfrac{a^{\frac{3}{2}}-a^{-\frac{3}{2}}}{a+a^{-1}+1}$의 값은? (단, $a>0$)

① 3　② $\dfrac{7}{2}$　③ 4
④ $\dfrac{9}{2}$　⑤ 5

037

상중하

$x=3^{\frac{1}{3}}+3^{-\frac{1}{3}}$일 때, $3x^3-9x$의 값은?

① 3　② 5　③ 8
④ 9　⑤ 10

038

상중하

$x=2^{\frac{2}{3}}-2^{-\frac{2}{3}}$일 때, $\sqrt{\frac{x^3+3x}{15}}$의 값은?

① $\frac{1}{2}$ ② $\frac{\sqrt{2}}{2}$ ③ $\frac{\sqrt{3}}{2}$
④ 2 ⑤ $\frac{\sqrt{5}}{2}$

039

상중하

$x=2^{\frac{1}{4}}+2^{-\frac{1}{4}}$일 때, $\sqrt{x^2-4}+x$의 값은?

① $2^{\frac{1}{4}}$ ② $2^{\frac{3}{4}}$ ③ $2^{\frac{5}{4}}$
④ $2^{\frac{7}{4}}$ ⑤ $2^{\frac{9}{4}}$

040

상중하

$a=\sqrt{2}$, $b=\sqrt[3]{3}$일 때, $\sqrt[6]{6}$을 a, b로 나타내면?

① $a^{\frac{1}{3}}b^{\frac{1}{2}}$ ② $a^{\frac{1}{2}}b^{\frac{1}{3}}$ ③ $a^{\frac{1}{2}}b^{\frac{1}{6}}$
④ $a^{\frac{1}{6}}b^{\frac{1}{3}}$ ⑤ $a^{\frac{1}{6}}b^{\frac{1}{6}}$

041 학평 기출

상중하

두 실수 a, b에 대하여 $12^a=16$, $3^b=2$일 때, $2^{\frac{4}{a}-\frac{1}{b}}$의 값은?

① 1 ② 2 ③ 3
④ 4 ⑤ 5

042 최多빈출

상중하

$a^{2x}=5$일 때, $\frac{a^{3x}-a^{-3x}}{a^x-a^{-x}}$의 값은? (단, $a>0$)

① 5 ② $\frac{27}{5}$ ③ $\frac{29}{5}$
④ $\frac{31}{5}$ ⑤ $\frac{33}{5}$

043

상중하

함수 $f(x)=\frac{2018^x-2018^{-x}}{2018^x+2018^{-x}}$에 대하여 $f(a)=\frac{1}{3}$일 때, 2018^{2a}의 값은?

① 2 ② 4 ③ 6
④ 8 ⑤ 10

044 학평 기출

상중하

비행기가 항력을 이겨서 등속수평비행하는 데 필요한 동력을 필요마력이라고 한다. 필요마력 P(마력)와 비행기의 항력계수 C, 비행속력 V(m/초), 날개의 넓이 S(m^2) 사이에는 다음과 같은 관계식이 성립한다고 한다.

$$P=\frac{1}{150}kCV^3S \text{ (단, } k\text{는 양의 상수이다.)}$$

날개의 넓이의 비가 1 : 3인 두 비행기 A, B가 동일한 항력계수를 갖고 각각 등속수평비행하고 있을 때, 필요마력의 비는 1 : $\sqrt{3}$이고 비행속력은 각각 V_A, V_B이다. $\frac{V_A}{V_B}$의 값은?

① $3^{\frac{1}{6}}$ ② $3^{\frac{1}{3}}$ ③ $3^{\frac{1}{2}}$
④ $3^{\frac{2}{3}}$ ⑤ $3^{\frac{5}{6}}$

● 정답과 풀이 007쪽

045

$a>0$일 때,

$$\sqrt{\sqrt[5]{a}\times\frac{4}{\sqrt[3]{a}}}\div\sqrt[3]{\sqrt[5]{a}\times\frac{8}{\sqrt{a}}}\times\sqrt[5]{\sqrt[3]{a}\times\frac{32}{\sqrt{a}}}$$

의 값을 구하여라.

046

$A=3\sqrt{2}+\sqrt[3]{3}$, $B=\sqrt{2}+3\sqrt[3]{3}$, $C=2\sqrt[3]{3}-3\sqrt{2}$, $D=2\sqrt{2}-3\sqrt[3]{3}$ 중 가장 큰 수와 가장 작은 수의 합을 구하여라.

047

$(2\sqrt{2})^6+\left(\frac{\sqrt{2}}{2}\right)^{-18}=2^n$을 만족시키는 정수 n의 값을 구하여라.

048

$10\le a\le 20$, $100\le b\le 130$일 때, $\sqrt{a}+\sqrt[3]{b}$의 값이 자연수가 되도록 하는 두 자연수 a, b에 대하여 $a+b$의 값을 구하여라.

049

양수 a에 대하여 $a^{\frac{1}{2}}-a^{-\frac{1}{2}}=2$일 때, $\frac{a-a^{-1}}{a+a^{-1}}$의 값을 구하여라.

050

실수 x가 $\frac{3^x+3^{-x}}{3^x-3^{-x}}=2$를 만족시킬 때, 9^x+9^{-x}의 값을 구하여라.

051

매분마다 일정한 비율로 증식하는 박테리아가 있다. 어느 날 정오의 박테리아의 수를 N, 오후 12시 30분의 박테리아의 수를 $10N$이라고 할 때, 같은 날 오후 12시 50분의 박테리아의 수를 구하여라.

● 정답과 풀이 009쪽

052 (100점 도전)

양수 a에 대하여 a의 m제곱근 중 실수인 것을 p, a의 n제곱근 중 실수인 것을 q라고 할 때, 〈보기〉에서 옳은 것을 모두 고른 것은?

(단, m, n은 1보다 큰 홀수이고, $m<n$이다.)

보기

ㄱ. p의 n제곱근 중 실수인 것은 q의 m제곱근 중 실수인 것과 같다.

ㄴ. a^n의 m제곱근 중 실수인 것은 a^m의 n제곱근 중 실수인 것보다 크다.

ㄷ. pq의 $m+n$제곱근 중 양수인 것은 a의 mn제곱근 중 실수인 것과 같다.

① ㄱ　② ㄷ　③ ㄱ, ㄴ
④ ㄱ, ㄷ　⑤ ㄱ, ㄴ, ㄷ

053

$2\le n\le 100$인 자연수 n에 대하여 $(\sqrt[3]{2^5})^{\frac{1}{3}}$이 어떤 자연수의 n제곱근이 되도록 하는 n의 개수는?

① 9　② 10　③ 11
④ 12　⑤ 13

054

두 실수 a, b에 대하여 연산 $*$을 $a*b=2^ab^2$으로 정의하고, 오른쪽 그림과 같이 나타내기로 한다. 이때, 다음 그림에서 (나)에 알맞은 값은?

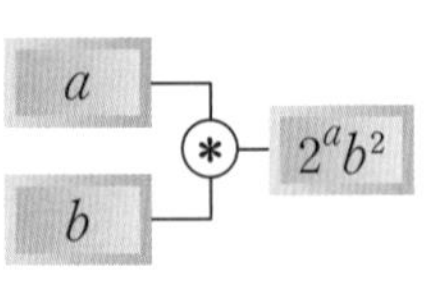

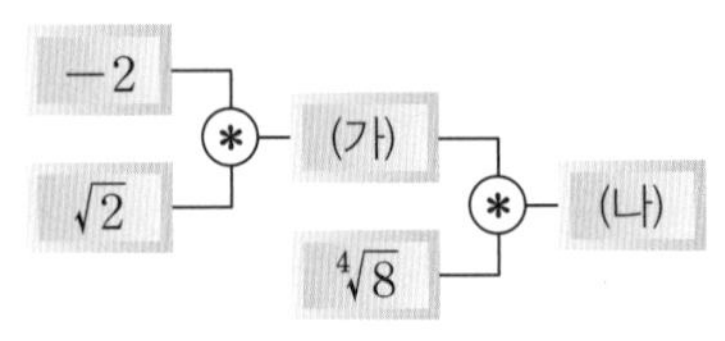

① $\sqrt[4]{2}$　② $\sqrt[3]{4}$　③ 2
④ $2\sqrt{2}$　⑤ 4

055

원유가 가득 들어 있는 어느 원유 저장 탱크의 밑바닥에 균열이 생기는 사고가 발생해 원유가 유출되기 시작하였다. 사고가 발생한 지 t시간 후 저장 탱크의 밑바닥으로부터 원유의 표면까지의 높이를 x m라고 하면

$$kt=\pi(x^{\frac{5}{2}}-35x^{\frac{3}{2}}+300\sqrt{10})\ (k\text{는 상수})$$

인 관계가 성립한다고 한다. 사고 발생 1시간 후에 $x=10$이 되었고 이후 같은 속도로 원유가 계속 유출될 때, 원유가 모두 유출되는 것은 사고가 발생한 지 최소 몇 시간 후부터인가?

① 6시간　② 7시간　③ 8시간
④ 9시간　⑤ 10시간

02 로그

1 로그

$a>0$, $a\neq1$이고 $b>0$일 때, $a^x=b$를 만족시키는 x를 a를 밑으로 하는 b의 로그라 하고, 기호로 $x=\log_a b$와 같이 나타낸다.

$$a^x=b \iff x=\log_a b$$

이때, b를 $\log_a b$의 진수라고 한다.

2 로그의 성질

$a>0, a\neq1, M>0, N>0$일 때,

① $\log_a 1=0, \log_a a=1$

② $\log_a MN=\log_a M+\log_a N$

③ $\log_a \frac{M}{N}=\log_a M-\log_a N$

④ $\log_a N^k=k\log_a N$ (단, k는 실수이다.)

3 로그의 밑의 변환

$a>0, a\neq1, b>0, b\neq1, c>0, c\neq1$일 때

① $\log_a b=\frac{\log_c b}{\log_c a}$

② $\log_a b=\frac{1}{\log_b a}$

4 로그의 여러 가지 성질

$a>0, a\neq1, b>0$이고 m, n은 실수일 때,

① $\log_{a^m} b^n=\frac{n}{m}\log_a b$ (단, $m\neq0$)

② $a^{\log_c b}=b^{\log_c a}$ (단, $c>0, c\neq1$)

③ $a^{\log_a b}=b$

$a^{\log_a b}=b^{\log_a a}=b$

5 상용로그

(1) 상용로그

양수 N에 대하여 10을 밑으로 하는 로그 $\log_{10} N$을 상용로그라 하고, 보통 로그의 밑 10을 생략하여 $\log N$과 같이 나타낸다.

(2) 상용로그표

상용로그표는 0.01의 간격으로 1.00에서 9.99까지의 수에 대한 상용로그의 값을 반올림하여 소수 넷째 자리까지 나타낸 것이다.

예 $\log 2.14=0.3304$

수	0	1	2	3	4
⋮	⋮	⋮	⋮	⋮	⋮
2.0	.3010	.3032	.3054	.3075	.3096
2.1	.3222	.3243	.3263	.3284	.3304

문제 풀 때 유용한 풍쌤 비법

❶ 로그의 계산에서 다음과 같은 착각을 하지 않도록 주의한다.

(1) $\log_a (M+N)\neq\log_a M+\log_a N$

(2) $\frac{\log_a M}{\log_a N}\neq\log_a M-\log_a N$

(3) $\log_a N^k\neq(\log_a N)^k$

❷ 로그의 밑이 다른 식은 먼저 로그의 여러 가지 성질을 이용하여 밑을 통일한 후 계산한다.

❸ $a^x=m$, $b^y=n$의 꼴이 주어질 때, 주어진 식을 x, y로 나타내는 문제는 로그의 정의를 이용하여 $x=\log_a m$, $y=\log_b n$의 꼴로 바꾸어 주어진 식에 대입한다.

실력을 기르는 유형

01 로그의 정의와 밑, 진수의 조건

중요도

더 자세한 개념은 풍산자 수학Ⅰ 25쪽

056

상중하

다음 식을 만족시키는 x의 값을 구하여라.

(1) $\log_9 x=\frac{3}{2}$　(2) $\log_8 x=\frac{2}{3}$

(3) $\log_4 x=-\frac{1}{2}$　(4) $\log_x 16=4$

(5) $\log_x 81=\frac{4}{3}$　(6) $\log_x 4=0.4$

057

상중하

$\log_2 x=\sqrt{2}$, $\log_2 y=\frac{1}{2}$일 때, x^y의 값은?

① $\sqrt{2}$　② 2　③ $2\sqrt{2}$
④ 4　⑤ $4\sqrt{2}$

058 학평 기출

상중하

양수 a에 대하여 $\log_2 \frac{a}{4}=b$일 때, $\frac{2^b}{a}$의 값은?

① $\frac{1}{16}$　② $\frac{1}{8}$　③ $\frac{1}{4}$
④ $\frac{1}{2}$　⑤ 1

059

상중하

방정식 $\log_3(1+\log_3 x)=2$의 근을 $x=a^b$이라고 할 때, $a+b$의 값은? (단, a는 소수, b는 자연수이다.)

① 11　② 12　③ 13
④ 14　⑤ 15

060 최多빈출

상중하

$\log_{8-x}(x-3)$이 정의되도록 하는 모든 정수 x의 값의 합은?

① 14　② 15　③ 16
④ 17　⑤ 18

061

상중하

$\log_{x-3}(-x^2+10x-16)$이 정의되도록 하는 정수 x의 개수는?

① 1　② 2　③ 3
④ 4　⑤ 5

062

상중하

실수 a의 값에 관계없이 항상 정의되는 것을 〈보기〉에서 모두 고른 것은?

보기

ㄱ. $\log_{a^2-a+2}(a^2+1)$　ㄴ. $\log_{2|a|+1}(a^2+1)$
ㄷ. $\log_{a^2+2}(a^2-2a+1)$

① ㄱ　② ㄱ, ㄴ　③ ㄱ, ㄷ
④ ㄴ, ㄷ　⑤ ㄱ, ㄴ, ㄷ

02 로그의 성질과 식의 계산

중요도

더 자세한 개념은 풍산자 수학Ⅰ 28쪽

063

상 중 하

$\log_a x=A$, $\log_a y=B$, $\log_a z=C$일 때, 다음 식을 A, B, C로 나타내어라.

(1) $\log_a x^2y^3z^4$　　(2) $\log_a \dfrac{x^3y^2}{z}$

(3) $\log_a \sqrt{xy^3z}$　　(4) $\log_a \dfrac{x^2}{\sqrt{yz}}$

064 풍쌤 비법 ❶

상 중 하

x, y가 양수이고 a가 1이 아닌 양수일 때, 〈보기〉에서 옳은 것의 개수는?

보기

ㄱ. $\log_a x \log_a y=\log_a x+\log_a y$

ㄴ. $\dfrac{\log_a x}{\log_a y}=\log_a x-\log_a y$

ㄷ. $\log_a (x-y)=\log_a x-\log_a y$

ㄹ. $(\log_a x)^n=n\log_a x$ (단, n은 실수이다.)

① 4　② 3　③ 2
④ 1　⑤ 0

065

상 중 하

다음 계산 과정에서 처음으로 잘못된 곳은?

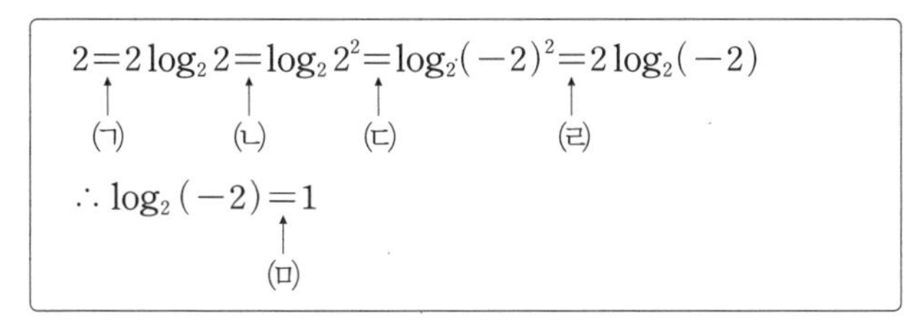

① (ㄱ)　② (ㄴ)　③ (ㄷ)
④ (ㄹ)　⑤ (ㅁ)

066

상 중 하

다음은 지수법칙 $a^{r+s}=a^ra^s(a>0, a\neq1)$으로부터 모든 양수 x, y에 대하여 $\log_a xy=\log_a x+\log_a y$가 성립함을 증명한 것이다.

증명

$r=\log_a x$, $s=\log_a y$로 놓으면

$a^r=x$, $a^s=$ (가)

지수법칙에 의해

$a^{r+s}=$ (나)

로그의 정의에 의해

$r+s=\log_a$ (나)

$\therefore \log_a xy=\log_a x+\log_a y$

위의 증명에서 (가), (나)에 알맞은 것을 차례대로 나열한 것은?

① x, $x+y$　② y, $x+y$　③ x, xy
④ y, xy　⑤ x, $\dfrac{x}{y}$

067

상 중 하

다음 식의 값을 구하여라.

(1) $\log_2 48+\log_2 \dfrac{1}{3}$　　(2) $\log_6 54-\log_6 9$

(3) $3\log_3 \sqrt[3]{12}+\log_3 \dfrac{3}{4}$　　(4) $\dfrac{1}{2}\log_3 27-\log_3 \sqrt{3}$

068 학평 기출

상 중 하

$\log_2 3+\log_2 6-\log_2 9$의 값은?

① 1　② 2　③ 3
④ 4　⑤ 5

069

상중하

$\log_4\sqrt{16}+\log_{2^{-1}}\frac{1}{2}-\log_8 1$을 간단히 하면?

① $\frac{1}{4}$ ② $\frac{1}{2}$ ③ 0
④ 1 ⑤ 2

070

상중하

$\log_3(4-\sqrt{7})+\log_3(4+\sqrt{7})$의 값은?

① 1 ② 2 ③ 3
④ 4 ⑤ 5

071

상중하

$2\log_2 2\sqrt{3}-\log_2\frac{9}{8}+\frac{1}{3}\log_2 216$의 값은?

① 3 ② 4 ③ 5
④ 6 ⑤ 7

072

상중하

$\log_2\left(1-\frac{1}{2}\right)+\log_2\left(1-\frac{1}{3}\right)+\cdots+\log_2\left(1-\frac{1}{32}\right)$의 값은?

① -1 ② -2 ③ -3
④ -4 ⑤ -5

03 로그의 밑의 변환과 식의 계산

중요도

더 자세한 개념은 풍산자 수학 I 30쪽

073

상중하

다음 식의 값을 구하여라.

(1) $\log_2 9\cdot\log_3 8$ (2) $\log_2 5\cdot\log_5 7\cdot\log_7 8$

(3) $\frac{1}{\log_{\frac{9}{2}} 3}+\frac{1}{\log_2 3}$ (4) $\frac{1}{\log_{24} 2}-\frac{1}{\log_6 2}$

074 학평 기출

상중하

$\log_2 48-\log_2 3+\frac{\log_3 64}{\log_3 2}$의 값은?

① 2 ② 4 ③ 6
④ 8 ⑤ 10

075

상중하

$\frac{1}{\log_6 3}+2\log_3 2-\frac{3}{\log_2 3}$의 값은?

① $\frac{1}{2}$ ② 1 ③ 2
④ $\log_3 2$ ⑤ $\log_3 4$

076

상중하

1이 아닌 두 양수 a, x에 대하여

$$\frac{1}{\log_2 x}+\frac{1}{\log_3 x}+\frac{1}{\log_4 x}=\frac{1}{\log_a x}+\frac{1}{\log_5 x}$$

이 성립할 때, a의 값은?

① 0.8 ② 1.2 ③ 2.4
④ 3.6 ⑤ 4.8

077

상중하

1이 아닌 두 양수 a, b에 대하여 $3\log_{10}a=4\log_{10}b$일 때, $\frac{8}{9}\log_{a}b$의 값은?

① $\frac{1}{3}$ ② $\frac{2}{3}$ ③ 1
④ $\frac{4}{3}$ ⑤ $\frac{5}{3}$

078

상중하

$\log_{a}x=\frac{1}{2}$, $\log_{b}x=\frac{1}{3}$, $\log_{c}x=\frac{2}{3}$일 때, $\log_{abc}x$의 값은?

① $\frac{2}{7}$ ② $\frac{2}{9}$ ③ $\frac{2}{11}$
④ $\frac{2}{13}$ ⑤ $\frac{2}{15}$

079

상중하

다음은 $\log_{a}b$를 1이 아닌 양수 c를 밑으로 하는 로그로 바꾸어 나타낼 수 있음을 증명한 것이다.

증명

$\log_{a}b=x$, $\log_{c}a=y$라고 하면
$a^{x}=b$, $c^{y}=a$
이때, $b=c^{(가)}$이므로 (가) $=\log_{c}b$
즉, $\log_{a}b\cdot\log_{c}a=\log_{c}b$이다.
여기서 (나) 이므로 $\log_{c}a\neq0$이다.
$\therefore \log_{a}b=\frac{\log_{c}b}{\log_{c}a}$

위의 증명에서 (가), (나)에 알맞은 것은?

	(가)	(나)		(가)	(나)
①	xy	$a\neq1$	②	xy	$a>1$
③	$x+y$	$a\neq1$	④	$x+y$	$a>1$
⑤	$\frac{x}{y}$	$a\neq1$			

04 로그의 여러 가지 성질과 식의 계산

중요도

더 자세한 개념은 풍산자 수학Ⅰ 30쪽

080

학평 기출

상중하

$\log_{9}36-\log_{3}2$의 값은?

① $\frac{1}{4}$ ② $\frac{1}{2}$ ③ 1
④ 2 ⑤ 4

081

최多빈출 풍쌤 비법 ❷

상중하

$2\log_{\frac{1}{3}}\frac{4}{3}-\log_{9}\frac{9}{16}+\log_{\sqrt{3}}2\sqrt{3}$의 값은?

① $\frac{1}{2}$ ② 1 ③ $\frac{3}{2}$
④ 2 ⑤ $\frac{5}{2}$

082

상중하

$(\log_{2}3+\log_{4}3)(\log_{3}2+\log_{9}2)$의 값은?

① $\frac{2}{3}$ ② $\frac{3}{4}$ ③ $\frac{4}{3}$
④ $\frac{3}{2}$ ⑤ $\frac{9}{4}$

083

상중하

$(\log_{5}30-\log_{25}4)\log_{3}5-1$의 값은?

① $\log_{10}3$ ② $\log_{10}5$ ③ $\log_{3}2$
④ $\log_{3}5$ ⑤ $\log_{3}10$

084

상중하

다음 〈보기〉에서 옳은 것의 개수는?

보기

ㄱ. $2^{\log_3 5}=5^{\log_3 2}$
ㄴ. $2^{\log_2 3}=3$
ㄷ. $2^{\log_4 3}=\sqrt{3}$
ㄹ. $4^{\log_2 3}=9$

① 0 ② 1 ③ 2 ④ 3 ⑤ 4

085

상중하

다음 〈보기〉에서 옳은 것을 모두 고른 것은?

보기

ㄱ. $2^{\log_2 7-\log_2 6}=\frac{7}{6}$
ㄴ. $3^{2\log_3 2+\log_3 5-\log_3 6}=\frac{10}{3}$
ㄷ. $5^{\log_5 1+\log_5 2+\log_5 3+\log_5 4+\log_5 5}=15$

① ㄱ ② ㄱ, ㄴ ③ ㄱ, ㄷ ④ ㄴ, ㄷ ⑤ ㄱ, ㄴ, ㄷ

086

상중하

다음은 $a^{\log_b c}=c^{\log_b a}$임을 증명한 것이다.

증명

주어진 식의 좌변에 밑이 c인 로그를 취하여 정리하면

$\log_c$ (가) $=$ (나) $\cdot \log_c a$

$=$ (나) $\cdot \frac{\log_b a}{\log_b c}$

$=$ (다)

$\therefore a^{\log_b c}=c^{\log_b a}$

위의 증명에서 (가), (나), (다)에 알맞은 것은?

(단, a, b, c는 1이 아닌 양수이다.)

	(가)	(나)	(다)
①	$a^{\log_b c}$	$\log_b c$	$\log_a b$
②	$a^{\log_b c}$	$\log_b c$	$\log_b a$
③	$a^{\log_b c}$	$\log_c b$	$\log_b a$
④	$b^{\log_c a}$	$\log_c b$	$\log_a b$
⑤	$c^{\log_b a}$	$\log_b c$	$\log_b a$

087

상중하

$a=\log_4 9$일 때, $\left(\frac{1}{2}\right)^a+3^{\frac{1}{a}}$의 값은?

① $\frac{1}{3}$ ② 1 ③ $\frac{5}{3}$ ④ $\frac{7}{3}$ ⑤ 3

088

상중하

$a>1, b>1$이고 $P=\frac{\log_b(\log_{b^2} a)}{\log_b a}$일 때, a^P을 간단히 하면?

① 1 ② $\frac{1}{2}\log_b a$ ③ $\log_b a$ ④ $\log_a b$ ⑤ $a^{\log_b a}$

05 로그의 성질의 활용

중요도

더 자세한 개념은 풍산자 수학 I 31쪽

089

상중하

$\log_3 8$의 정수 부분을 a, 소수 부분을 b라고 할 때, 2^a+3^b의 값은?

① $\frac{8}{3}$ ② $\frac{10}{3}$ ③ 4 ④ $\frac{14}{3}$ ⑤ $\frac{16}{3}$

090
상중하

$\log_{10} 35 = n + \alpha$ (n은 정수, $0 \leq \alpha < 1$)일 때, $10^n - 2 \times 10^\alpha$의 값은?

① 1 ② 3 ③ 5
④ 7 ⑤ 9

091
상중하

$\log_{10} 2 = a$, $\log_{10} 3 = b$일 때, $\log_{0.6} 15$를 a, b로 나타내면?

① $\frac{a-b+1}{a+b-1}$ ② $\frac{-a-b+1}{a+b-1}$ ③ $\frac{-a+b+1}{a+b-1}$
④ $\frac{-a+b+1}{a+b+1}$ ⑤ $\frac{-a+b+1}{a-b+1}$

092 학평 기출
상중하

$\log_2 3 = a$, $\log_3 7 = b$일 때, $\log_{42} 56$을 a, b로 나타내면?

① $\frac{3+a+ab}{1+ab}$ ② $\frac{1+a+ab}{3+ab}$ ③ $\frac{1+ab}{1+a+ab}$
④ $\frac{3+ab}{1+a+ab}$ ⑤ $\frac{1+ab}{3+a+ab}$

093
상중하

$\log_2 5 = a$, $\log_3 2 = b$일 때, $\log_6 15$를 a, b로 나타낸 식을 $f(a, b)$라고 하자. 이때, $f(4, 2)$의 값은?

① 2 ② 3 ③ 4
④ 5 ⑤ 6

094
상중하

$\log_2 12 = a$일 때, $\log_6 4$를 a로 나타내면?

① $\frac{1}{a-1}$ ② $\frac{2}{a-1}$ ③ $\frac{1}{a+1}$
④ $\frac{2}{a+1}$ ⑤ $\frac{4}{a+1}$

095 최多빈출
상중하

$\log_6 9 = a$일 때, $\log_{18} 12$를 a로 나타내면?

① $\frac{2-a}{2+a}$ ② $\frac{3-a}{2+a}$ ③ $\frac{4-a}{2+a}$
④ $\frac{2+a}{2-a}$ ⑤ $\frac{3+a}{2-a}$

096
상중하

$\log_2 35 = a$, $\log_2 245 = b$일 때, $\log_2 175$를 a, b로 나타내면?

① $a-3b$ ② $a+3b$ ③ $3a-b$
④ $3a+b$ ⑤ $3a+2b$

097 학평 기출 (상중하)

두 양수 a, b에 대하여 $\log_2 ab=8$, $\log_2 \frac{a}{b}=2$일 때, $\log_2 (a+4b)$의 값은?

① 3 ② 4 ③ 5 ④ 6 ⑤ 7

098 최多빈출 풍쌤 비법 ❸ (상중하)

$10^x=a$, $10^y=b$일 때, $\log_{\sqrt{a}} b$를 x, y로 나타내면? (단, $x\neq 0$)

① $\frac{2y}{x}$ ② $\frac{y^2}{x}$ ③ $\frac{y}{2x}$ ④ $\frac{y^2}{2x}$ ⑤ $\frac{y}{x^2}$

099 (상중하)

$2^a=x$, $2^b=y$, $2^c=z$일 때, $\log_{x^2y} yz^2$을 a, b, c로 나타내면? (단, $ab\neq 0$)

① $\frac{b+c}{a+b}$ ② $\frac{2a+2c}{2a+b}$ ③ $\frac{b+2c}{2a+b}$ ④ $\frac{a+b}{b+c}$ ⑤ $\frac{2a+b}{b+2c}$

100 (상중하)

두 실수 a, b에 대하여 $2^a=5$, $5^b=\sqrt{2}$가 성립할 때, ab의 값은?

① $\frac{1}{6}$ ② $\frac{1}{4}$ ③ $\frac{1}{3}$ ④ $\frac{1}{2}$ ⑤ 1

101 (상중하)

두 양수 a, b에 대하여 $a^x=b^y=3$일 때, $\log_{ab} b^3$을 x, y로 나타내면? (단, $ab\neq 1$)

① $\frac{x}{x+y}$ ② $\frac{y}{x+y}$ ③ $\frac{3x}{x+y}$ ④ $\frac{3y}{x+y}$ ⑤ $\frac{3xy}{x+y}$

102 (상중하)

두 양수 a, b에 대하여 $a^4b^5=1$일 때, $\log_a a^5b^4$의 값은? (단, $a\neq 1$)

① $\frac{9}{5}$ ② 2 ③ $\frac{11}{5}$ ④ $\frac{12}{5}$ ⑤ $\frac{13}{5}$

103

상중하

두 양수 x, y에 대하여 $x^3=y^2$일 때, $\log_x \frac{x^2}{y^3}$의 값은? (단, $x \neq 1$)

① $-\frac{5}{2}$ ② $-\frac{3}{2}$ ③ $-\frac{1}{2}$
④ $\frac{1}{2}$ ⑤ $\frac{3}{2}$

104

상중하

$3^a=16$, $6^b=8$일 때, $\frac{4}{a}-\frac{3}{b}$의 값은?

① -1 ② $-\frac{1}{2}$ ③ 0
④ $\frac{1}{2}$ ⑤ 1

105

상중하

$\left(\frac{1}{5}\right)^x=4$, $30^y=8$일 때, $2^{\frac{2}{x}+\frac{3}{y}}$의 값은?

① 2 ② 3 ③ 4
④ 5 ⑤ 6

106

상중하

$8^a=27^b=\frac{1}{36}$일 때, $\frac{a+b}{ab}$의 값은?

① $-\frac{3}{2}$ ② $-\frac{1}{2}$ ③ 0
④ $\frac{1}{2}$ ⑤ $\frac{3}{2}$

107 학평 기출

상중하

두 실수 x, y가 $2^x=3^y=24$를 만족시킬 때, $(x-3)(y-1)$의 값은?

① 1 ② 2 ③ 3
④ 4 ⑤ 5

108

상중하

$(20.4)^a=(0.0204)^b=1000$일 때, $\log_{10}\left(\frac{1}{a}-\frac{1}{b}\right)$의 값은?

① -1 ② $-\log_{10} 2$ ③ 0
④ $\log_{10}\frac{3}{2}$ ⑤ 1

109 최多빈출

상중하

$2^x=9^y=18^z$일 때, $\frac{1}{x}+\frac{1}{y}-\frac{1}{z}$의 값은? (단, $xyz \neq 0$)

① -2 ② -1 ③ 0
④ 1 ⑤ 2

110

상중하

1이 아닌 세 양수 a, b, c에 대하여 $ab^2c^3=1$, $a^x=b^y=c^z$일 때, $\frac{1}{x}+\frac{2}{y}+\frac{3}{z}$의 값은? (단, $xyz \neq 0$)

① -2 ② -1 ③ 0
④ 1 ⑤ 2

111
상중하

이차방정식 $x^2-6x+2=0$의 두 근을 α, β라고 할 때, $\log_3(\alpha+1)+\log_3(\beta+1)$의 값은?

① 1　② 2　③ 3
④ 4　⑤ 5

112 최多빈출
상중하

이차방정식 $x^2-3x+1=0$의 두 근이 $\log_2 a$, $\log_2 b$일 때, $\log_a b+\log_b a$의 값은?

① 6　② 7　③ 8
④ 9　⑤ 10

113
상중하

어느 지역에서 토네이도라고 불리는 강한 회오리바람이 발생하였다. 토네이도 중심부의 바람의 속력을 v km/시, 이동하는 거리를 d km라고 할 때, v와 d 사이에는

$$v=150\log_{10} d+100$$

인 관계가 성립한다고 한다. 토네이도 중심부의 바람의 속력이 250 km/시였다면 이 토네이도가 지속되는 동안 이동한 거리는?

① 8 km　② 9 km　③ 10 km
④ 11 km　⑤ 12 km

114
상중하

어느 컵에 담긴 녹차의 처음 온도를 T_0 ℃, t분 후의 온도를 T ℃, 주위의 온도를 T_s ℃라고 할 때, t와 T 사이에는

$$t=\frac{1}{k}\log_2\frac{T-T_s}{T_0-T_s} \text{ (}k\text{는 상수)}$$

인 관계가 성립한다고 한다. 주위의 온도가 20 ℃인 곳에 100 ℃의 녹차를 놓았더니 10분 후에 녹차의 온도가 60 ℃가 될 때, 상수 k의 값은?

(단, 주어진 조건 이외의 변수는 무시한다.)

① $-\frac{1}{2}$　② $-\frac{1}{5}$　③ $-\frac{1}{10}$
④ $\frac{1}{10}$　⑤ $\frac{1}{5}$

115 학평 기출
상중하

충전된 전하량이 Q_0인 축전기에 전구를 연결한 지 t초 후에 남아 있는 전하량을 Q_t라고 하면

$$\log_{10} Q_t-\log_{10} Q_0=kt \text{ (}k\text{는 상수)}$$

가 성립한다. 충전된 전하량이 Q_0인 축전기에 전구를 연결한 지 a초 후에 남아 있는 전하량은 $\frac{1}{4}Q_0$이고, 충전된 전하량이 Q_0인 축전기에 전구를 연결한 지 b초 후에 남아 있는 전하량은 $\frac{1}{10}Q_0$이다. 충전된 전하량이 Q_0인 축전기에 전구를 연결한 지 $2a+b$초 후에 남아 있는 전하량은 $\frac{Q_0}{p}$이다. 상수 p의 값을 구하여라.

(단, 전하량의 단위는 쿨롱(C)이다.)

06 상용로그와 활용

중요도

더 자세한 개념은 풍산자 수학 I 40쪽

116

상 중 하

다음 값을 구하여라.

(1) $\log 1000$　　(2) $\log 0.0001$

(3) $\log \sqrt{0.1}$　　(4) $\log \dfrac{1}{\sqrt[3]{100}}$

117

상 중 하

$\log 2=0.3010$, $\log 3=0.4771$일 때, 다음 값을 구하여라.

(1) $\log 1$　　(2) $\log 4$

(3) $\log 5$　　(4) $\log 6$

(5) $\log 8$　　(6) $\log 9$

118

상 중 하

$\log 2.58=0.4116$을 이용하여 다음 상용로그의 값을 구하여라.

(1) $\log 258$　　(2) $\log 25800$

(3) $\log 0.258$　　(4) $\log 0.0258$

119 학평 기출

상 중 하

$a=\log(1+\sqrt{2})$일 때, $\dfrac{10^a+10^{-a}}{10^a-10^{-a}}$의 값은?

① $\dfrac{\sqrt{2}}{2}$　② $\dfrac{1}{2}+\dfrac{\sqrt{2}}{2}$　③ $\sqrt{2}$

④ $1+\dfrac{\sqrt{2}}{2}$　⑤ $\sqrt{2}+1$

120

상 중 하

어느 나라의 1인당 국민소득은 현재 100달러이고, 매년 전년에 비해 10 %씩 증가한다고 한다. 이 나라의 1인당 국민소득이 10000달러가 되는 것은 몇 년 후인가?

(단, $\log 11=1.04$로 계산한다.)

① 46　② 48　③ 50

④ 52　⑤ 54

121

상 중 하

행성의 공전주기 T(년)과 공전궤도의 긴 반지름의 길이 d (AU) 사이에 $T^2=d^3$인 관계가 성립한다고 한다. 어떤 행성의 공전주기가 135년일 때, 이 행성의 공전궤도의 긴 반지름의 길이는?

(단, $\log 1.35=0.130$, $\log 26.3=1.420$으로 계산한다.)

① 13.5 AU　② 20.0 AU　③ 26.3 AU

④ 30.0 AU　⑤ 34.6 AU

122

상 중 하

어떤 박테리아의 개체 수는 매시간 16 %씩 일정하게 증가한다고 한다. 이때, 20시간이 지난 후 박테리아의 수는 처음의 몇 배가 되는지 오른쪽 표를 이용하여 구하면?

x	$\log x$
1.16	0.0645
1.65	0.2175
1.75	0.2430
1.95	0.2900

① 15.5배　② 16.5배　③ 17.5배

④ 18.5배　⑤ 19.5배

내신을 꽉 잡는 서술형

● 정답과 풀이 018쪽

123

$\log_{x-1}(-x^2-4x+12)$가 정의되도록 하는 실수 x의 값의 범위가 $a<x<b$일 때, $a+b$의 값을 구하여라.

124

1이 아닌 세 양수 a, b, c에 대하여 $abc=1$일 때, $(\log_a b+\log_b a)+(\log_b c+\log_c b)+(\log_c a+\log_a c)$의 값을 구하여라.

125

$\log_2 10$의 정수 부분을 x, 소수 부분을 y라고 할 때, $\dfrac{2^y-2^{-y}}{2^x+2^{-x}}$의 값을 구하여라.

126

1이 아닌 세 양수 a, b, c에 대하여 $a^2=b^3=c^5$이 성립할 때, 다음 중 가장 큰 수의 값을 구하여라.

$\log_a b$, $\log_a c$, $\log_b a$, $\log_b c$, $\log_c a$, $\log_c b$

127

$2^a=4^b=5^c=10$일 때, $\dfrac{1}{a}-\dfrac{1}{b}-\dfrac{1}{c}$의 값을 구하여라.

128

이차방정식 $x^2-7x+7=0$의 두 근 α, β에 대하여 $p=\dfrac{5}{\alpha^2+\beta^2}$라고 할 때, $\log_p \alpha+\log_p \beta$의 값을 구하여라.

129

어떤 골동품의 가치는 매년 전년도에 비해 a %씩 증가한다고 한다. 2000년 초에 100만 원에 구입한 이 골동품의 2014년 초의 가격이 173만 원이었을 때, 다음 상용로그표를 이용하여 상수 a의 값을 구하여라.

수	0	1	2	3	4
1.0	.000	.004	.009	.013	.017
1.1	.041	.045	.049	.053	.057
⋮	⋮	⋮	⋮	⋮	⋮
1.7	.230	.233	.236	.238	.241

● 정답과 풀이 020쪽

130

$\log_{x-3}(-x^2+2x+8)$이 정의되도록 하는 실수 x의 값의 범위를 해로 갖는 이차부등식은 $x^2+ax+b<0$이다. 이때, 두 실수 a, b에 대하여 $b-a$의 값을 구하여라.

131

다음 〈보기〉에서 옳은 것을 모두 고른 것은?

보기

ㄱ. $a=2$이면 $a^{a^a}=(a^a)^a$

ㄴ. $a>0$, $a^8=8^{8^8}$이면 $a=8^8$

ㄷ. $a=8^{8^8}$이면 $\log_{\frac{1}{2}}(\log_2 a)=-24-\log_2 3$

① ㄱ ② ㄱ, ㄴ ③ ㄱ, ㄷ
④ ㄴ, ㄷ ⑤ ㄱ, ㄴ, ㄷ

132

1이 아닌 두 양수 a, b와 두 실수 x, y에 대하여 다음 두 조건이 성립할 때, $\log_a(x^2y+xy^2)$을 a, b로 나타내면?

(가) xy의 세제곱근 중 실수인 것은 a^b이다.
(나) b^{x+y}의 제곱근 중 양수인 것은 $(\sqrt{b})^a$이다.

① $2a+1$ ② $3b+1$ ③ $a+b+2$
④ $2a+b$ ⑤ $a+3b$

133

다음 그림에서 두 상수 a, b는 이웃한 선분으로 연결된 세 개의 수의 평균이다. 이때, $a+b$의 값은?

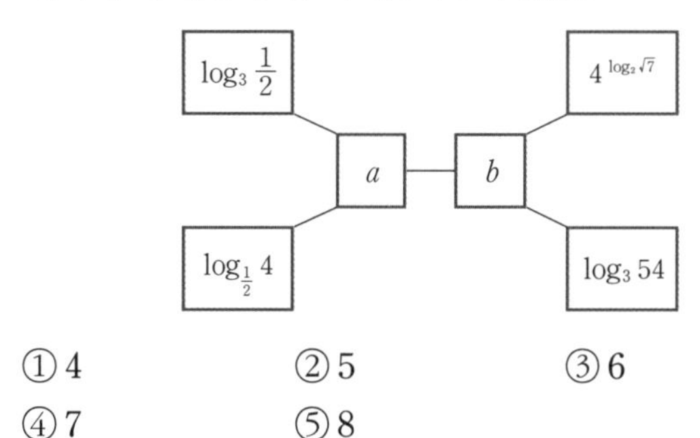

① 4 ② 5 ③ 6
④ 7 ⑤ 8

134

$\log_2 3=a, \log_3 5=b, \log_5 7=c$일 때, 등식

$$\frac{2ab}{1+a+abc}=\log_{42} N$$

을 만족시키는 자연수 N의 값을 구하여라.

135

1이 아닌 두 양수 a, b에 대하여 $b=a^{a^3}$이 성립한다.
$p=\log_{10}(\log_b a), q=a^{\log_a(\log_{10} a)}$일 때, $\frac{p}{q}$의 값은?

① -3　② -2　③ 1
④ 2　⑤ 3

136

두 양수 a, b에 대하여 $2^a=5^b, a+b=2ab$일 때, $8^a \times 5^b$의 값을 구하여라.

137 100점 도전

$\log_2 65$의 소수 부분을 a, $\log_5 72$의 소수 부분을 b라고 하자. 두 자연수 p, q에 대하여 $2^{p+a} \times 5^{q+b}$의 값이 100의 배수가 될 때, $p+q$의 최솟값을 구하여라.

138

잘 조율된 피아노에서 각 음의 진동수는 바로 아래 반음의 진동수의 $2^{\frac{1}{12}}$배가 된다고 한다. 이와 같은 피아노에서 '도' 음의 초당 진동수를 440 Hz로 맞추었을 때, 이 '도' 음보다 한 음 높은 '레' 음의 초당 진동수를 위의 표를 이용하여 구하면?

x	$\log x$
1.12	0.05
1.23	0.09
1.32	0.12
2.00	0.30

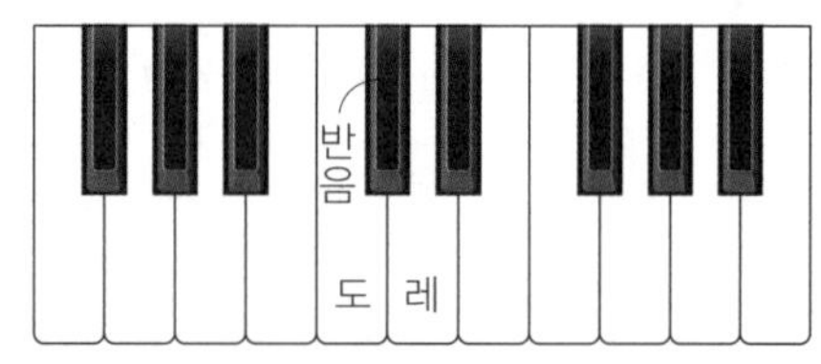

① 492.8 Hz　② 541.2 Hz　③ 580.8 Hz
④ 620.4 Hz　⑤ 880.0 Hz

03 지수함수

1 지수함수

(1) 지수함수

a가 1이 아닌 양수일 때, 임의의 실수 x에 a^x을 대응시킨 함수 $y=a^x$ $(a>0, a\neq1)$을 a를 밑으로 하는 지수함수라고 한다.

참고 $y=a^x$에서 $a=1$인 경우는 항상 $y=1^x=1$로 상수함수이다. 따라서 $y=a^x$에서 $a=1$인 경우는 지수함수에서 제외한다.

(2) 지수함수 $y=a^x$ $(a>0, a\neq1)$의 성질

① 정의역은 실수 전체의 집합이고, 치역은 양의 실수 전체의 집합이다.

② 모든 실수 x에서 연속이고, 일대일함수이다. ($x_1\neq x_2$이면 $f(x_1)\neq f(x_2)$)

③ $a>1$일 때, x의 값이 증가하면 y의 값도 증가한다. ($a>1$일 때, $x_1<x_2 \Longleftrightarrow a^{x_1}<a^{x_2}$)
$0<a<1$일 때, x의 값이 증가하면 y의 값은 감소한다. ($0<a<1$일 때, $x_1<x_2 \Longleftrightarrow a^{x_1}>a^{x_2}$)

④ 그래프는 두 점 $(0, 1)$, $(1, a)$를 지나고 x축을 점근선으로 갖는다. ($y=0$)

$a>1$

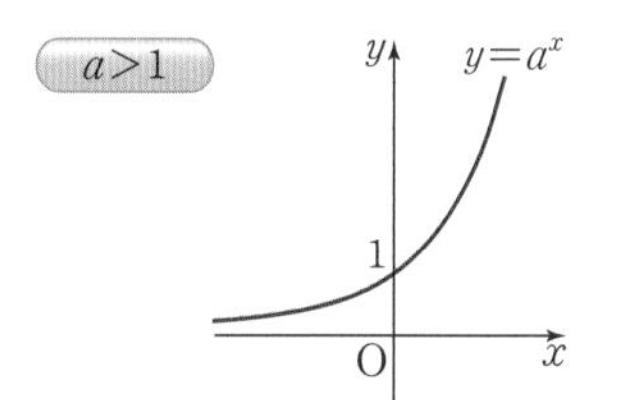

$0<a<1$

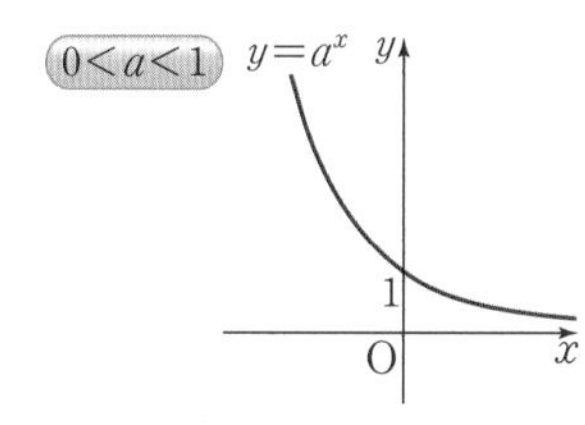

참고 $y=\left(\frac{1}{a}\right)^x=a^{-x}$이므로 $y=\left(\frac{1}{a}\right)^x$의 그래프와 $y=a^x$의 그래프는 y축에 대하여 대칭이다.

2 지수함수의 최대 · 최소

정의역이 $\{x|m\leq x\leq n\}$인 지수함수
$y=a^x$ $(a>0, a\neq1)$은

① $a>1$이면 $x=m$일 때 최솟값 a^m, $x=n$일 때 최댓값 a^n을 갖는다.

② $0<a<1$이면 $x=m$일 때 최댓값 a^m, $x=n$일 때 최솟값 a^n을 갖는다.

3 지수에 미지수가 포함된 방정식

지수에 미지수가 포함된 방정식(지수방정식)은 다음과 같이 푼다.

(1) 밑을 같게 할 수 있는 경우

① $a^{f(x)}=a^{g(x)}$ $(a>0, a\neq1)$ 꼴로 변형한다.

② 방정식 $f(x)=g(x)$를 푼다.

(2) a^x 꼴이 반복되는 경우

① $a^x=t$ $(t>0)$로 치환한다.

② t에 대한 방정식을 푼 후 x의 값을 구한다.

(3) 밑과 지수에 모두 미지수가 있는 경우

① $x^{f(x)}=x^{g(x)}$ 꼴: 방정식 $f(x)=g(x)$의 해 이외에 $x=1, 0, -1$이 해가 될 수도 있다.

② $\{f(x)\}^x=\{g(x)\}^x$ 꼴: 방정식 $f(x)=g(x)$의 해와 $x=0$이 해가 된다.

4 지수에 미지수가 포함된 부등식

지수에 미지수가 포함된 부등식(지수부등식)은 다음과 같이 푼다.

(1) 밑을 같게 할 수 있는 경우

① $a^{f(x)}<a^{g(x)}$ $(a>0, a\neq1)$ 꼴로 변형한다.

② $a>1$일 때, 부등식 $f(x)<g(x)$를 푼다.
$0<a<1$일 때, 부등식 $f(x)>g(x)$를 푼다.

(2) a^x 꼴이 반복되는 경우

① $a^x=t$ $(t>0)$로 치환한다.

② t에 대한 부등식을 푼 후 x의 값의 범위를 구한다.

(3) 밑과 지수에 모두 미지수가 있는 경우

① $x^{f(x)}<x^{g(x)}$ $(x>0, x\neq1)$ 꼴로 변형한다.

② $x>1$일 때, 부등식 $f(x)<g(x)$를 푼다.
$0<x<1$일 때, 부등식 $f(x)>g(x)$를 푼다.

문제 풀 때 유용한 풍쌤 비법

❶ **$y=a^{f(x)}$ $(a>0, a\neq1)$ 꼴의 최대 · 최소**
(1) $a>1$이면, $f(x)$가 최대일 때 y는 최대, $f(x)$가 최소일 때 y는 최소이다.
(2) $0<a<1$이면, $f(x)$가 최소일 때 y는 최대, $f(x)$가 최대일 때 y는 최소이다.

❷ $x^{f(x)}=x^{g(x)}$ $(x>0)$과 같이 밑과 지수에 모두 x가 포함된 경우에는 $f(x)=g(x)$뿐만 아니라 밑이 1인 경우도 꼭 생각해야 한다.

실력을 기르는 유형

01 지수함수

중요도

더 자세한 개념은 풍산자 수학 I 51쪽

139

상 중 하

다음 〈보기〉에서 지수함수를 모두 고른 것은?

보기

ㄱ. $y=x^3$
ㄴ. $y=\left(\frac{1}{3}\right)^x$
ㄷ. $y=\left(\frac{1}{x}\right)^2$
ㄹ. $y=2^x$

① ㄱ ② ㄴ ③ ㄱ, ㄴ
④ ㄴ, ㄷ ⑤ ㄴ, ㄹ

140

상 중 하

함수 $f(x)=2^x$에 대하여 등식 $f(k)=3f(2)$를 만족시키는 실수 k의 값은?

① $1+\log_2 3$ ② $2+\log_2 3$ ③ $3+\log_2 3$
④ $4+\log_2 3$ ⑤ $5+\log_2 3$

141

상 중 하

두 함수 $f(x)=x+1$, $g(x)=x^2-2x+1$이 $(g\circ f)(2^x)=1$을 만족시킬 때, x의 값은?

① -2 ② -1 ③ 0
④ 1 ⑤ 2

142

상 중 하

함수 $f(x)=a^x$ $(a>0, a\neq1)$에 대하여 등식

$$2f(x)=f(x+1)-8f(x-1)$$

이 성립할 때, $\log_2\{f(2)f(3)\}$의 값은?

① 2 ② 4 ③ 6
④ 8 ⑤ 10

143 최多빈출

상 중 하

함수 $f(x)=2^x$의 역함수를 $g(x)$라 할 때, $g(\sqrt{2})g\left(\frac{1}{4}\right)$의 값은?

① -2 ② -1 ③ 0
④ 1 ⑤ 2

144

상 중 하

함수 $f(x)=\frac{3^x+3^{-x}}{3^x-3^{-x}}$의 역함수를 $g(x)$라 할 때, $g(-2)$의 값은?

① $-\frac{1}{2}$ ② -1 ③ $-\frac{3}{2}$
④ -2 ⑤ $-\frac{5}{2}$

02 지수함수의 성질

중요도

더 자세한 개념은 풍산자 수학 I 51쪽

145

상 중 하

함수 $f(x)=a^x$에 대하여 다음 중 옳지 않은 것은?

(단, $a>0, a\neq1$)

① $f(2)=\{f(1)\}^2$ ② $f(6)=\{f(2)\}^3$
③ $f(3)=\sqrt[3]{f(6)}$ ④ $f(-4)=\frac{1}{f(4)}$
⑤ $f\left(\frac{1}{5}\right)=\sqrt[5]{f(1)}$

146

상중하

함수 $f(x)=a^x$에 대하여 〈보기〉에서 옳은 것을 모두 고른 것은? (단, $a>0, a\neq1$)

보기

ㄱ. $f(x)\times f(y)=f(x+y)$

ㄴ. $f(x)\div f(y)=f(x-y)$

ㄷ. $\{f(x)\}^y=f(x^y)$

ㄹ. $f(x)=\dfrac{1}{f(-x)}$

① ㄱ, ㄴ　② ㄷ, ㄹ　③ ㄱ, ㄴ, ㄹ
④ ㄱ, ㄷ, ㄹ　⑤ ㄱ, ㄴ, ㄷ, ㄹ

147

상중하

두 함수 $f(x)=\dfrac{2^x+2^{-x}}{2}$, $g(x)=\dfrac{2^x-2^{-x}}{2}$에 대하여 〈보기〉에서 옳은 것을 모두 고른 것은?

보기

ㄱ. $f(-x)=f\left(\dfrac{1}{x}\right)$ (단, $x\neq0$)

ㄴ. $f(x)g(x)=\dfrac{1}{2}g(2x)$

ㄷ. $\{f(x)\}^2+\{g(x)\}^2=f(2x)$

① ㄱ　② ㄴ　③ ㄷ
④ ㄴ, ㄷ　⑤ ㄱ, ㄴ, ㄷ

03 지수함수의 그래프의 성질

중요도

더 자세한 개념은 풍산자 수학Ⅰ 51쪽

148

상중하

다음 중 함수 $f(x)=3^x$에 대한 설명으로 옳지 않은 것은?

① 정의역은 실수 전체의 집합이고, 치역은 양의 실수 전체의 집합이다.
② 그래프는 점 $(0,\ 1)$을 지난다.
③ 그래프의 점근선은 $y=0$이다.
④ $x_1<x_2$이면 $f(x_1)>f(x_2)$가 성립한다.
⑤ 그래프는 $y=3^{-x}$의 그래프와 y축에 대하여 대칭이다.

149 최多빈출

상중하

함수 $y=a^{x-1}$에 대하여 〈보기〉에서 옳은 것을 모두 고른 것은? (단, $a>0, a\neq1$)

보기

ㄱ. 정의역은 실수 전체의 집합이고, 치역은 양의 실수 전체의 집합이다.

ㄴ. 일대일함수이다.

ㄷ. 그래프는 점 $(0,\ 1)$을 지나고, 점근선은 x축이다.

ㄹ. $a>1$일 때, x의 값이 증가하면 y의 값도 증가한다.

① ㄱ　② ㄷ　③ ㄱ, ㄴ
④ ㄴ, ㄷ　⑤ ㄱ, ㄴ, ㄹ

150

상중하

두 함수 $f(x)=3^x$, $g(x)=\dfrac{|x|}{2}$에 대하여 함수 $y=f(g(x))$의 그래프의 개형은?

①
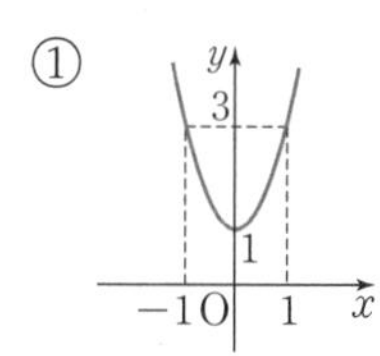

②
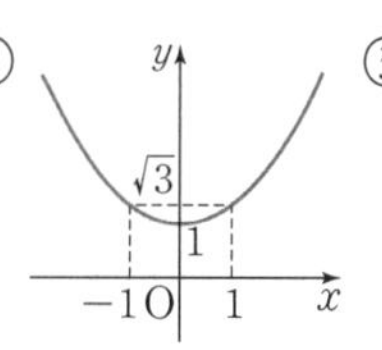

③
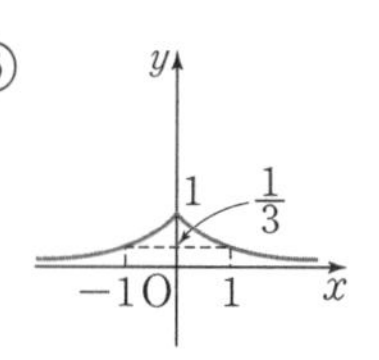

④
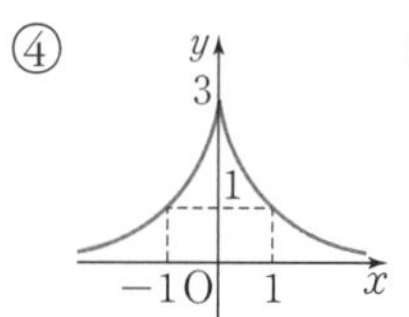

⑤
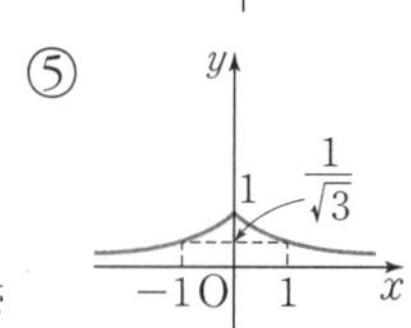

151

상중하

함수 $y=2^x$의 그래프를 평행이동 또는 대칭이동하여 겹쳐질 수 있는 그래프의 식을 〈보기〉에서 모두 고른 것은?

보기

ㄱ. $y=\dfrac{1}{2^x}$　ㄴ. $y=\sqrt{2^x}$

ㄷ. $y=4\cdot2^x$

① ㄱ　② ㄱ, ㄴ　③ ㄱ, ㄷ
④ ㄴ, ㄷ　⑤ ㄱ, ㄴ, ㄷ

152 최多빈출

(상중하)

함수 $y=2^x$의 그래프를 x축의 방향으로 m만큼, y축의 방향으로 n만큼 평행이동한 그래프가 두 점 $(-2,\ -1)$, $(0,\ 5)$를 지날 때, $m+n$의 값은?

① -2 ② -4 ③ -6
④ -8 ⑤ -10

153

(상중하)

함수 $f(x)=2^x$의 그래프를 x축의 방향으로 m만큼, y축의 방향으로 n만큼 평행이동하면 함수 $y=g(x)$의 그래프가 되고, 이 평행이동에 의하여 점 $\mathrm{A}(1,\ f(1))$이 점 $\mathrm{A}'(3,\ g(3))$으로 옮겨진다. 함수 $y=g(x)$의 그래프가 점 $(0,\ 1)$을 지날 때, $m+n$의 값은?

① $\frac{11}{4}$ ② 3 ③ $\frac{13}{4}$
④ $\frac{7}{2}$ ⑤ $\frac{15}{4}$

154

(상중하)

오른쪽 그림은 일차함수 $y=f(x)$의 그래프이다. 함수 $y=2^{f(x)-1}$의 그래프의 개형으로 알맞은 것은?

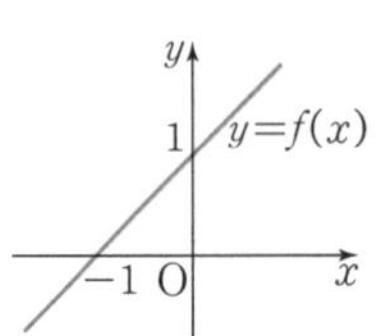

①
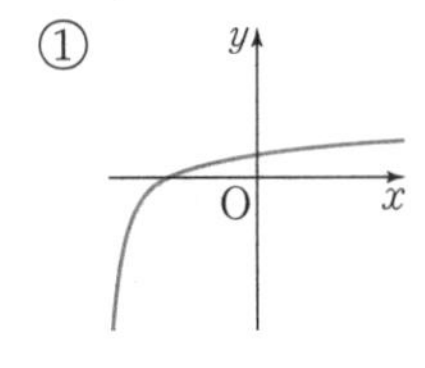

②
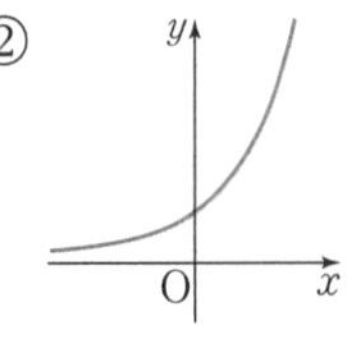

③
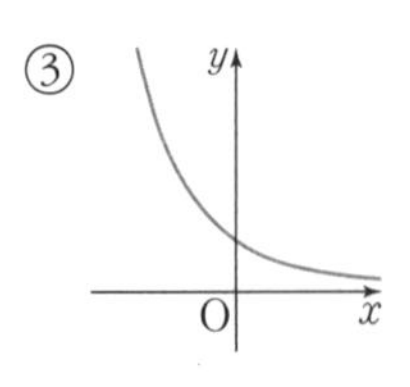

④
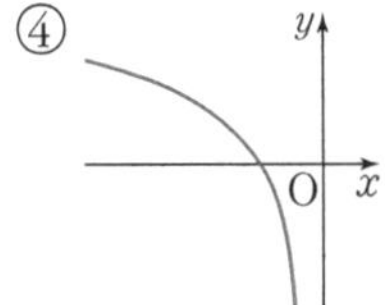

⑤
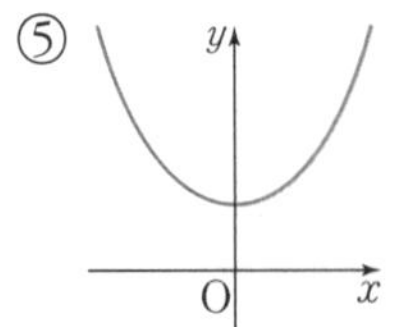

04 지수함수의 그래프의 활용

중요도

더 자세한 개념은 풍산자 수학 I 51쪽

155 학평 기출

(상중하)

함수 $f(x)=a^x$의 그래프가 오른쪽 그림과 같다. $f(b)=3$, $f(c)=6$일 때, $f\left(\frac{b+c}{2}\right)$의 값은?

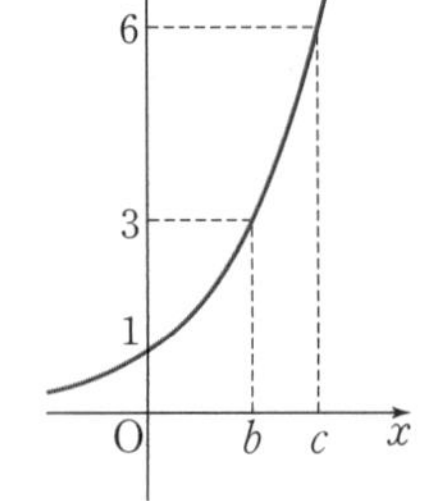

① 4 ② $\sqrt{17}$
③ $3\sqrt{2}$ ④ $\sqrt{19}$
⑤ $2\sqrt{5}$

156

(상중하)

두 함수 $y=2^x$과 $y=x$의 그래프가 오른쪽 그림과 같을 때, $\left(\frac{1}{2}\right)^{a-b+c}$의 값은?

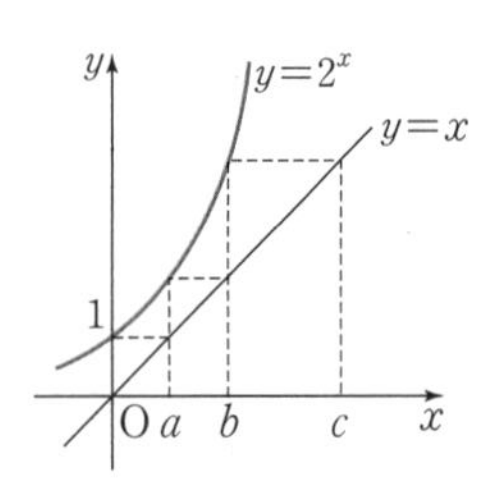

① $\frac{1}{8}$ ② $\frac{1}{4}$
③ $\frac{1}{2}$ ④ 2
⑤ 4

157

(상중하)

오른쪽 그림과 같이 두 함수 $y=4^x$과 $y=2^x$의 그래프가 직선 $y=7$과 만나는 점을 각각 P, Q라고 하자. 이때, 선분 PQ의 길이는?

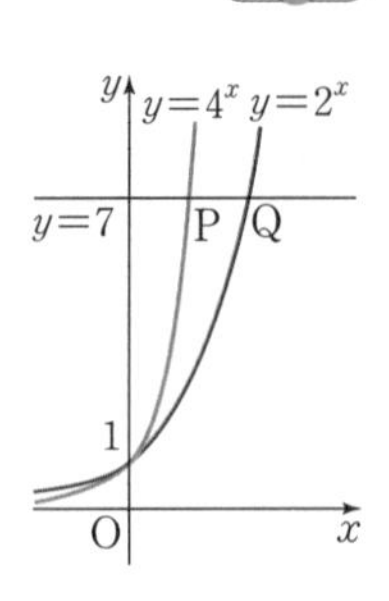

① $\frac{1}{2}\log_2 7$
② $\frac{1}{2}\log_2 7+1$
③ $\frac{1}{2}\log_2 7-1$
④ $\log_2 7-1$
⑤ $\log_2 7-2$

158

상중하

오른쪽 그림에서 사각형 ABCD는 정사각형이고 점 C, E는 함수 $y=2^x$의 그래프 위의 점이다. 점 D의 좌표가 $(0,\ 16)$일 때, $\overline{EB}$의 길이는?

(단, 두 점 C, E의 x좌표는 0보다 크다.)

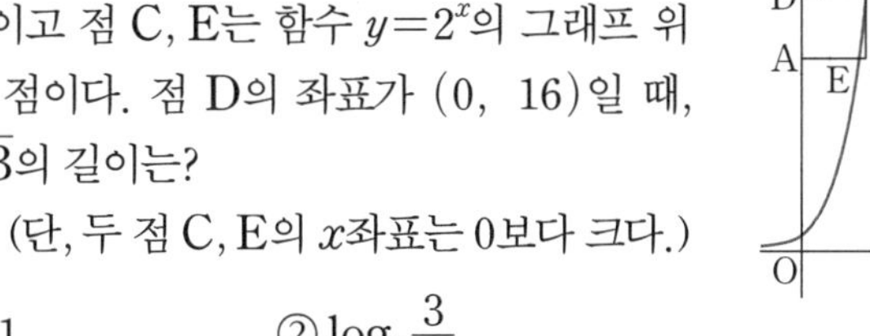

① 1 ② $\log_2 \frac{3}{2}$

③ $\log_2 \frac{4}{3}$ ④ $\log_2 \frac{5}{4}$

⑤ $\log_2 \frac{6}{5}$

159 학평 기출

상중하

오른쪽 그림과 같이 함수 $y=3^{x+1}$의 그래프 위의 한 점 A와 함수 $y=3^{x-2}$의 그래프 위의 두 점 B, C에 대하여 선분 AB는 x축에 평행하고 선분 AC는 y축에 평행하다. $\overline{AB}=\overline{AC}$일 때, 점 A의 y좌표는?

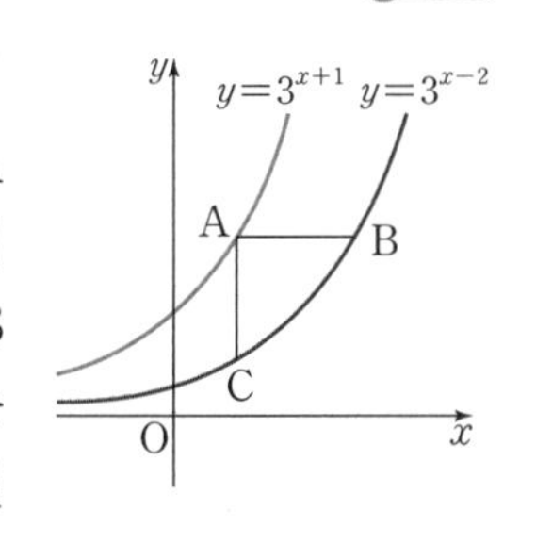

① $\frac{81}{26}$ ② $\frac{44}{13}$ ③ $\frac{95}{26}$

④ $\frac{101}{26}$ ⑤ $\frac{54}{13}$

160 학평 기출

상중하

세 함수 $f(x)=a^{-x}$, $g(x)=b^x$, $h(x)=a^x$ $(1<a<b)$에 대하여 직선 $y=2$가 세 곡선 $y=f(x)$, $y=g(x)$, $y=h(x)$와 만나는 점을 각각 P, Q, R라고 하자. $\overline{PQ}:\overline{QR}=2:1$이고 $h(2)=2$일 때, $g(4)$의 값은?

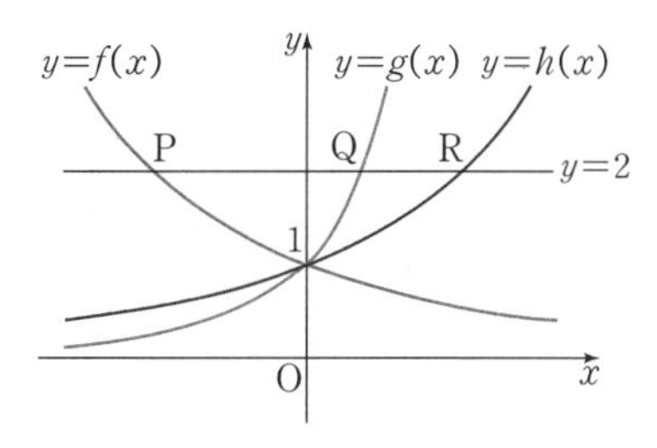

① 16 ② $16\sqrt{2}$ ③ 32

④ $32\sqrt{2}$ ⑤ 64

05 지수함수를 이용한 대소 비교

중요도

더 자세한 개념은 풍산자 수학Ⅰ 56쪽

161

상중하

세 수 $A=2^{\sqrt{3}}$, $B=\sqrt[3]{16}$, $C=\sqrt[4]{256}$의 대소 관계로 옳은 것은?

① $A<B<C$ ② $A<C<B$ ③ $B<A<C$

④ $C<A<B$ ⑤ $C<B<A$

162

상중하

다음 〈보기〉에서 옳은 것을 모두 고른 것은?

보기

ㄱ. $\sqrt{8}>\sqrt[4]{32}$

ㄴ. $\left\{\left(\frac{1}{2}\right)^{\frac{1}{2}}\right\}^{\frac{1}{2}}>\left(\frac{1}{2}\right)^{\left(\frac{1}{2}\right)^{\frac{1}{2}}}$

ㄷ. $\{(\sqrt{2})^{\sqrt{2}}\}^{\sqrt{2}}>(\sqrt{2})^{(\sqrt{2})^{\sqrt{2}}}$

① ㄱ ② ㄱ, ㄴ ③ ㄱ, ㄷ

④ ㄴ, ㄷ ⑤ ㄱ, ㄴ, ㄷ

163
(상중하)

$0<a<1$일 때, 세 수 a, a^a, a^{a^a}의 대소 관계로 옳은 것은?

① $a<a^a<a^{a^a}$ ② $a<a^{a^a}<a^a$ ③ $a^a<a<a^{a^a}$
④ $a^{a^a}<a<a^a$ ⑤ $a^{a^a}<a^a<a$

164
(상중하)

지수함수 $f(x)=2^{-x}$에 대하여 $a_1=f(2)$, $a_{n+1}=f(a_n)$일 때, a_2, a_3, a_4의 대소 관계로 옳은 것은?

(단, $n=1, 2, 3$)

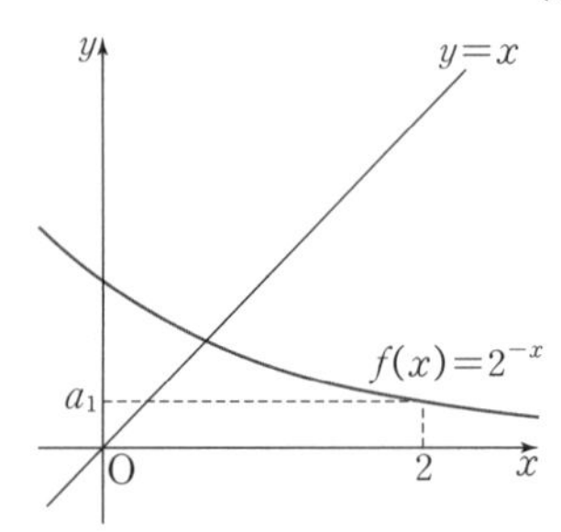

① $a_2<a_3<a_4$ ② $a_2<a_4<a_3$
③ $a_3<a_2<a_4$ ④ $a_3<a_4<a_2$
⑤ $a_4<a_2<a_3$

06 지수함수의 최대 · 최소

중요도

더 자세한 개념은 풍산자 수학 I 57쪽

165
(상중하)

다음 함수의 최댓값과 최솟값을 구하여라.

(1) $y=2^{2x-1}$ (단, $-1\leq x\leq 1$)

(2) $y=\left(\frac{1}{3}\right)^{x+1}$ (단, $0\leq x\leq 2$)

(3) $y=2\cdot 3^{x-1}-1$ (단, $1\leq x\leq 2$)

(4) $y=-3\cdot 2^{1-x}+1$ (단, $-1\leq x\leq 0$)

166 최多빈출
(상중하)

$-1\leq x\leq 1$에서 정의된 두 함수

$$f(x)=2^x,\ g(x)=\left(\frac{1}{2}\right)^{2x}$$

에 대하여 $f(x)$의 최댓값을 M, $g(x)$의 최솟값을 m이라고 할 때, Mm의 값은?

① $\frac{1}{4}$ ② $\frac{1}{2}$ ③ 1
④ 2 ⑤ 4

167
(상중하)

$-2\leq x\leq 1$에서 정의된 함수 $y=2^{x+1}\cdot 3^{-(x+1)}$의 최댓값을 M, 최솟값을 m이라고 할 때, $3Mm$의 값은?

① 1 ② 2 ③ 3
④ 4 ⑤ 5

168
(상중하)

$2\leq x\leq 5$에서 정의된 함수 $f(x)=a^{x-1}$의 최댓값이 최솟값의 27배가 되도록 하는 모든 실수 a의 값의 곱은?

(단, $a>0$, $a\neq 1$)

① 1 ② 2 ③ 3
④ 4 ⑤ 5

169
(상중하)

다음 함수의 최댓값 또는 최솟값을 구하여라.

(1) $y=2^{x^2-2x+3}$

(2) $y=\left(\frac{3}{2}\right)^{-x^2+2x}$

(3) $y=\left(\frac{1}{3}\right)^{x^2-8x+15}$

(4) $y=\left(\frac{2}{3}\right)^{-x^2+4x-3}$

170
상중하

함수 $f(x)=2^{x^2}\times\left(\frac{1}{2}\right)^{2x-3}$의 최솟값은?

① $\frac{1}{8}$　② $\frac{1}{4}$　③ $\sqrt{2}$
④ $2\sqrt{2}$　⑤ 4

171 풍쌤 비법 ❶
상중하

함수 $y=a^{-x^2+2x+3}$의 최댓값이 16일 때, 상수 a의 값은?
(단, $a>1$)

① $\frac{4}{3}$　② $\frac{3}{2}$　③ $\frac{5}{3}$
④ $\frac{11}{6}$　⑤ 2

172
상중하

$-2\le x\le 2$에서 정의된 함수 $y=2^{x^2-2x-2}$은 $x=a$에서 최댓값 b를 갖는다. 이때, $a+b$의 값은?

① 61　② 62　③ 63
④ 64　⑤ 65

173 최多빈출
상중하

함수 $y=9^x-2\cdot 3^{x+1}+1$은 $x=a$에서 최솟값 b를 갖는다. 이때, $a+b$의 값은?

① -1　② -3　③ -5
④ -7　⑤ -9

174
상중하

함수 $y=9^x-2k\cdot 3^{x+1}+3$의 최솟값이 -6일 때, 양수 k의 값은?

① 1　② 2　③ 3
④ 4　⑤ 5

175
상중하

$-2\le x\le 1$에서 정의된 함수 $y=\left(\frac{1}{4}\right)^x-\left(\frac{1}{2}\right)^{x-1}+3$은 $x=a$에서 최솟값 b, $x=c$에서 최댓값 d를 갖는다. 이때, $a+b+c+d$의 값은?

① 11　② 12　③ 13
④ 14　⑤ 15

07 산술 · 기하평균을 이용한 지수함수의 최소 중요도

더 자세한 개념은 풍산자 수학Ⅰ 57쪽

176
상중하

함수 $y=2^x+2^{-x}$의 최솟값은?

① 1　② 2　③ 3
④ 4　⑤ 5

177
상중하

두 실수 x, y에 대하여 $x+y=1$일 때, 2^x+2^y의 최솟값은?

① $\sqrt{2}$　② $2\sqrt{2}$　③ $3\sqrt{2}$
④ $4\sqrt{2}$　⑤ $5\sqrt{2}$

178
상중하

함수 $y=3^{a+x}+3^{a-x}$의 최솟값이 18일 때, 상수 a의 값은?

① 1 ② 2 ③ 3
④ 4 ⑤ 5

179
상중하

함수 $y=4^x+4^{-x}+6(2^x+2^{-x})+4$의 최솟값은?

① 4 ② 8 ③ 14
④ 18 ⑤ 20

180
상중하

두 함수 $y=2^x$, $y=-\left(\frac{1}{2}\right)^x$의 그래프와 직선 $x=k$의 교점을 각각 P, Q라고 할 때, $\overline{PQ}$의 최솟값은?

① $\frac{1}{2}$ ② 1 ③ $\frac{3}{2}$
④ 2 ⑤ $\frac{5}{2}$

08 지수방정식
중요도

더 자세한 개념은 풍산자 수학 I 61쪽

181
상중하

다음 방정식을 풀어라.

(1) $2^{2x+1}=32$ (2) $\left(\frac{1}{3}\right)^{2x-1}=81$
(3) $100^{x+1}=\frac{1}{\sqrt{10}}$ (4) $\left(\frac{1}{2}\right)^{-x+2}=4^{x+2}$

182
상중하

방정식 $\left(\frac{1}{4}\right)^{1-x}=8\sqrt[4]{2}$의 근이 $x=\frac{q}{p}$일 때, $p+q$의 값은? (단, p와 q는 서로소인 자연수이다.)

① 25 ② 26 ③ 27
④ 28 ⑤ 29

183
상중하

방정식 $(2^x-8)(3^{2x}-9)=0$의 두 근을 α, β라고 할 때, $\alpha^2+\beta^2$의 값은?

① 2 ② 4 ③ 6
④ 8 ⑤ 10

184 최多빈출
상중하

$\left(\frac{2}{3}\right)^{x^3+6}=\left(\frac{3}{2}\right)^{-2x^2-5x}$을 만족시키는 모든 x의 값의 곱은?

① -6 ② -4 ③ -2
④ 2 ⑤ 4

185
상중하

다음 방정식을 풀어라.

(1) $4^x-5\cdot2^x+4=0$ (2) $9^x-8\cdot3^x-9=0$

186
상중하

방정식 $(2+\sqrt{3})^x+(2-\sqrt{3})^x=4$의 모든 근의 곱은?

① -2　② -1　③ 0
④ 1　⑤ 2

187
상중하

연립방정식 $\begin{cases} 3^{x+1}+3^{y+1}=36 \\ 3^{x+y-1}=9 \end{cases}$의 해가 $x=\alpha, y=\beta$일 때, $\alpha^2+\beta^2$의 값은?

① 3　② 4　③ 5
④ 6　⑤ 7

188
상중하

x에 대한 방정식 $a^x+\dfrac{1}{a^x}=\dfrac{5}{2}$의 한 근이 1일 때, 다른 한 근은? (단, $a>1$)

① -1　② $-\dfrac{1}{2}$　③ $\dfrac{1}{2}$
④ $-\log_2 3$　⑤ $\log_2 3$

189
상중하

방정식 $3^{x+2}+3^{x-2}=1+9^x$의 두 근을 α, β라고 할 때, $\alpha+\beta$의 값은?

① -2　② -1　③ 0
④ 1　⑤ 2

190
상중하

x에 대한 방정식 $4^x-2^{x+1}-a=0$의 두 근의 합이 -1일 때, $40a^2$의 값은? (단, a는 상수이다.)

① 2　② 4　③ 6
④ 8　⑤ 10

191
상중하

x에 대한 방정식 $2^{2x}-a\cdot 2^x+4=0$이 서로 다른 두 실근을 갖도록 하는 상수 a의 값의 범위는?

① $a>4$　② $0<a<4$
③ $-4<a<4$　④ $a<-4$ 또는 $a>4$
⑤ $a<-4$

09 x^x 꼴의 지수방정식

중요도

더 자세한 개념은 풍산자 수학 I 61쪽

192
상중하

다음 방정식을 풀어라.

(1) $x^{x+3}=x^{9-x}$ (단, $x>0$)
(2) $(x+1)^x=3^x$ (단, $x>-1$)

193
풍쌤 비법 ❷

상중하

$x>1$일 때, 방정식 $(x-1)^{x^2-3x-2}=(x-1)^{x+3}$의 모든 근의 합은?

① 3　② 5　③ 7
④ 9　⑤ 11

194
(상 중 하)

방정식 $(x-1)^{x-2}=2^{x-2}$을 만족시키는 모든 정수 x의 값의 합은?

① 3 ② 4 ③ 5
④ 6 ⑤ 7

195
(상 중 하)

방정식 $(x^2-x-1)^{x+2}=1$을 만족시키는 정수 x의 개수는?

① 1 ② 2 ③ 3
④ 4 ⑤ 5

10 지수부등식

중요도

더 자세한 개념은 풍산자 수학 I 65쪽

196
(상 중 하)

다음 부등식을 풀어라.

(1) $\left(\frac{2}{5}\right)^{2x-3} \geq \left(\frac{2}{5}\right)^{x-1}$ (2) $8^{x-1} < \frac{1}{\sqrt{2}}$

(3) $4^x \leq (\sqrt{2})^{3x-1}$ (4) $\left(\frac{1}{3}\right)^x < \sqrt[3]{3} < \left(\frac{1}{9}\right)^{x-1}$

197
(상 중 하)

부등식 $\left(\frac{1}{5}\right)^{3-x} \geq 5^{2x-5}$을 만족시키는 자연수 x의 최댓값은?

① 1 ② 2 ③ 3
④ 4 ⑤ 5

198 학평 기출
(상 중 하)

부등식 $(3^x-5)(3^x-100)<0$을 만족시키는 모든 자연수 x의 값의 합은?

① 5 ② 7 ③ 9
④ 11 ⑤ 13

199
(상 중 하)

두 부등식 $\left(\frac{1}{3}\right)^{2x} > \frac{1}{81}$, $8^{x^2+2x-4} \leq 4^{x^2+x}$을 모두 만족시키는 정수 x의 개수는?

① 4 ② 5 ③ 6
④ 7 ⑤ 8

200
(상 중 하)

다음 부등식을 풀어라.

(1) $4^x-6\cdot2^x+8<0$ (2) $9^x-4\cdot3^x-45\leq0$

201 최多빈출
(상 중 하)

부등식 $2^{2x-1}-2^{x+2}-2^{x-2}+2<0$의 해는?

① $x<-1$ ② $x>-3$ ③ $-3<x<0$
④ $-1<x<3$ ⑤ $0<x<3$

202
상중하

부등식 $x^{2x-1}<x^{x+3}$의 해가 $\alpha<x<\beta$일 때, $\alpha+\beta$의 값은? (단, $x>0$)

① 3 ② 4 ③ 5
④ 6 ⑤ 7

203
상중하

부등식 $x^{x^2-6}>x^x$의 해의 집합을 S라고 할 때, 다음 중 집합 S의 원소인 것은? (단, $x>0$)

① 0 ② 1 ③ 2
④ 3 ⑤ 4

204
상중하

모든 실수 x에 대하여 부등식 $\frac{1}{2}<2^{ax(x+1)}$이 성립하도록 하는 정수 a의 개수는?

① 1 ② 2 ③ 3
④ 4 ⑤ 5

205 학평 기출
상중하

x에 대한 부등식 $(3^{x+2}-1)(3^{x-p}-1)\le 0$을 만족시키는 정수 x의 개수가 20일 때, 자연수 p의 값은?

① 16 ② 17 ③ 18
④ 19 ⑤ 20

206
상중하

부등식 $a^{2x}-28\cdot a^x+b<0$의 해가 $0<x<3$일 때, 두 실수 a, b의 합 $a+b$의 값은? (단, $a>1$)

① 27 ② 28 ③ 29
④ 30 ⑤ 31

207
상중하

연립부등식 $\begin{cases} \left(\frac{1}{10}\right)^{x-3}>\left(\frac{1}{10}\right)^{2-x} \\ 4^x-3\cdot 2^{x+2}+32<0 \end{cases}$ 의 해가 $\alpha<x<\beta$일 때, $\alpha\beta$의 값은?

① 1 ② 2 ③ 3
④ 4 ⑤ 5

11 지수방정식 · 부등식의 실생활에의 활용 중요도

더 자세한 개념은 풍산자 수학 I 64쪽

208
상중하

방광 속에 기생하는 한 마리의 대장균은 x분 후에 a^x 마리로 증식된다고 한다. 처음에 3000마리였던 대장균이 60분 후에 24000마리가 되었을 때, 3000마리였던 대장균이 192000마리가 되는 것은 몇 분 후인지 구하여라.

(단, $a>0$)

209 학평 기출
상중하

어느 금융상품에 초기자산 W_0을 투자하고 t년이 지난 시점에서의 기대자산 W가 다음과 같이 주어진다고 한다.

$$W=\frac{W_0}{2}10^{at}(1+10^{at})$$

(단, $W_0>0$, $t\ge 0$이고, a는 상수이다.)

이 금융상품에 초기자산 w_0을 투자하고 15년이 지난 시점에서의 기대자산은 초기자산의 3배이다. 이 금융상품에 초기자산 w_0을 투자하고 30년이 지난 시점에서의 기대자산이 초기자산의 k배일 때, 실수 k의 값은? (단, $w_0>0$)

① 9 ② 10 ③ 11
④ 12 ⑤ 13

● 정답과 풀이 029쪽

210

함수 $f(x)=3^{x+1}$에 대하여 집합 A_k를

$$A_k=\{n \mid 27^{k-1}\le f(n)\le 27^k,\ n\text{은 자연수}\}$$

로 정의할 때, 집합 A_3의 모든 원소의 합을 구하여라.

211

0이 아닌 실수 a에 대하여 $\frac{\sqrt{a}}{\sqrt{a-1}}=-\sqrt{\frac{a}{a-1}}$일 때, 부등식 $a^{x(x+2)}>a^{4x+3}$을 만족시키는 정수 x의 개수를 구하여라.

212

함수 $y=\frac{3^{x+3}}{3^{2x}+3^x+1}$의 최댓값을 구하여라.

213

x에 대한 방정식 $4^{2x}-32\cdot 4^x+a=0$의 한 근의 범위가 $\frac{1}{2}\le x<\frac{3}{2}$이 되도록 하는 상수 a의 값의 범위는 $p\le a<q$이다. 이때, $p+q$의 값을 구하여라.

214

연립방정식 $\begin{cases} 3\cdot 2^x-2\cdot 3^y=6 \\ 2^{x-2}-3^{y-1}=-1 \end{cases}$의 해가 $x=\alpha,\ y=\beta$일 때, $\alpha^2+\beta^2$의 값을 구하여라.

215

실수 전체의 집합의 두 부분집합 A, B가

$$A=\left\{x \,\middle|\, 2^{x+3}<4^{x+1}\le\left(\frac{1}{8}\right)^{x-14}\right\}$$

$$B=\{x \mid 4^x+8<9\cdot 2^x\}$$

이다. $A\cap B=\{x \mid x^2-ax+b<0\}$일 때, ab의 값을 구하여라. (단, a, b는 상수이다.)

고득점을 향한 도약

● 정답과 풀이 030쪽

216

다음 〈보기〉에서 옳은 것을 모두 고른 것은?

보기

ㄱ. $y=2^x$의 그래프를 x축에 대하여 대칭이동하면 $y=\frac{1}{2^x}$의 그래프가 된다.

ㄴ. $y=2^x$의 그래프를 x축의 방향으로 1만큼 평행이동하면 $y=2^x$의 그래프보다 아래쪽에 놓이게 된다.

ㄷ. $y=\sqrt{2}\cdot 2^x$의 그래프를 x축의 방향으로 평행이동하여 $y=2^x$의 그래프를 얻을 수 있다.

① ㄱ ② ㄴ ③ ㄴ, ㄷ
④ ㄱ, ㄷ ⑤ ㄱ, ㄴ, ㄷ

217

집합 $G=\{(x,\ y)\,|\,y=5^x,\ x$는 실수$\}$에 대하여 〈보기〉에서 옳은 것을 모두 고른 것은?

보기

ㄱ. $(a,\ b)\in G$이면 $\left(\frac{a}{2},\ \sqrt{b}\right)\in G$

ㄴ. $(-a,\ b)\in G$이면 $\left(a,\ \frac{1}{b}\right)\in G$

ㄷ. $(2a,\ b)\in G$이면 $(a,\ b^2)\in G$

① ㄱ ② ㄱ, ㄴ ③ ㄱ, ㄷ
④ ㄴ, ㄷ ⑤ ㄱ, ㄴ, ㄷ

218

지수함수 $f(x)=5^x$에 대하여

$$f(f(1))\cdot f(f(2))\cdot f(f(3))=f(f(k))$$

를 만족시키는 실수 k의 값이 $\log_5 m$일 때, m의 값은?

① 100 ② 125 ③ 155
④ 175 ⑤ 225

219

오른쪽 그림과 같이 함수 $f(x)=3^x$의 그래프 위에 두 점 $\mathrm{A}(a,\ p)$, $\mathrm{B}(b,\ q)$가 있다. 〈보기〉에서 옳은 것을 모두 고른 것은? (단, $a<0,\ b>0$)

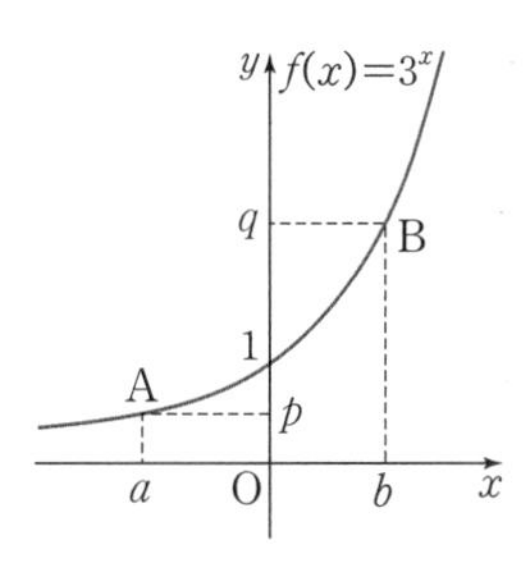

보기

ㄱ. $a+b=\log_3 p\cdot\log_3 q$

ㄴ. $f\left(\frac{a+b}{2}\right)=\sqrt{pq}$

ㄷ. $\frac{q-p}{b-a}>\frac{q-1}{b}$

① ㄱ ② ㄴ ③ ㄱ, ㄴ
④ ㄴ, ㄷ ⑤ ㄱ, ㄴ, ㄷ

220

오른쪽 그림과 같이 두 직선 $y=a$, $y=b$가 함수 $y=8^x$의 그래프와 각각 A, B에서 만나고, 함수 $y=4^x$의 그래프와 각각 C, D에서 만난다. 점 B에서 직선 $y=a$에 내린 수선의 발을 E, 점 C에서 직선 $y=b$에 내린 수선의 발을 F라고 하자. 삼각형 AEB의 넓이가 20일 때, 삼각형 CDF의 넓이는? (단, $a>b>1$)

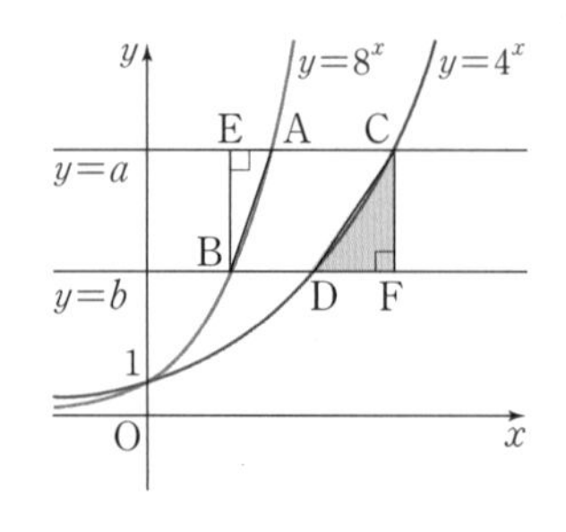

① 26 ② 28 ③ 30 ④ 32 ⑤ 34

221

오른쪽 그림에서 사각형 ABCD는 한 변의 길이가 1인 정사각형이고 점 A, D는 각각 함수 $y=4^x$, $y=2^x$의 그래프 위의 점이다. $\overline{BC}$가 함수 $y=2^x$의 그래프와 만나는 점 E의 좌표가 $(p,\ q)$일 때, $2^p \cdot q$의 값은?

(단, 정사각형의 각 변은 x축 또는 y축에 평행하다.)

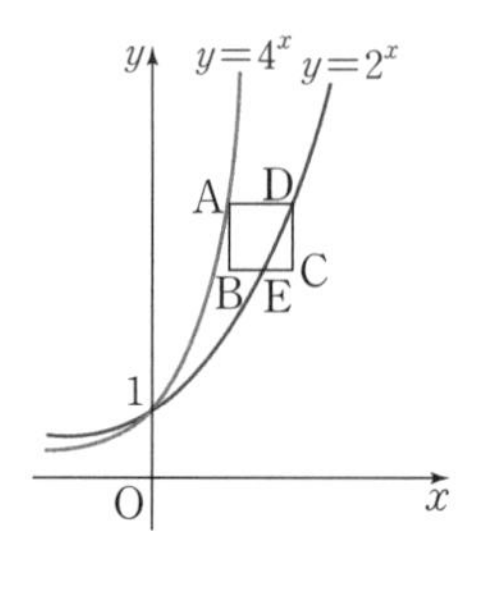

① 7 ② 8 ③ 9 ④ 10 ⑤ 11

222 100점 도전

함수 $y=f(x)\,(-2\le x\le 2)$의 그래프가 오른쪽 그림과 같다. 이때, 함수 $g(x)=a^{f(x)}$ $(a>0,\ a\neq 1)$에 대하여 <보기>에서 옳은 것을 모두 고른 것은?

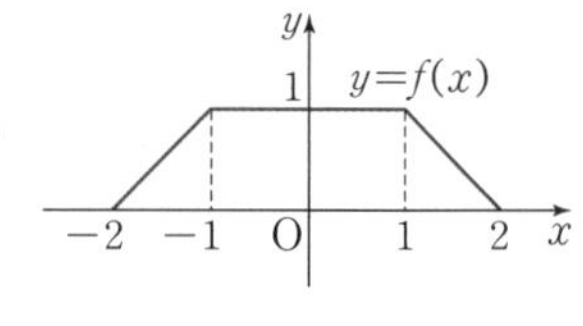

보기

ㄱ. 함수 $y=g(x)$의 그래프는 y축에 대하여 대칭이다.

ㄴ. $0<a<1$일 때, 함수 $y=g(x)$의 최댓값은 1이다.

ㄷ. $a>1$일 때, 함수 $y=g(x)$의 최솟값은 1이다.

① ㄱ ② ㄴ ③ ㄱ, ㄴ ④ ㄱ, ㄷ ⑤ ㄱ, ㄴ, ㄷ

223

방정식 $2^x-2^{-x+3}=2\sqrt{17}$을 만족시키는 x에 대하여 2^x의 값을 $a+\sqrt{b}$라고 하자. 이때, $a+b$의 값은?

(단, a, b는 유리수이다.)

① 14 ② 16 ③ 18 ④ 20 ⑤ 22

04 로그함수

1 로그함수

(1) 로그함수
지수함수 $y=a^x$ $(a>0, a\neq1)$의 역함수
$y=\log_a x$ $(a>0, a\neq1)$를 a를 밑으로 하는 로그함수라 고 한다.

(2) 로그함수 $y=\log_a x$ $(a>0, a\neq1)$의 성질
① 정의역은 양의 실수 전체의 집합이고, 치역은 실수 전체의 집합이다. └ 로그함수 $y=\log_a x$는 지수함수 $y=a^x$의 역함수이므로 $y=a^x$의 정의역이 $y=\log_a x$의 치역이 되고, 치역은 정의역이 된다.
② 양의 실수 x에서 연속이고, 일대일함수이다.
③ $a>1$일 때, x의 값이 증가하면 y의 값도 증가한다.
$0<a<1$일 때, x의 값이 증가하면 y의 값은 감소한다.
④ 그래프는 두 점 $(1,\ 0)$, $(a,\ 1)$을 지나고 y축을 점근선으로 갖는다.
⑤ 지수함수 $y=a^x$의 그래프와 직선 $y=x$에 대하여 대칭이다.

$a>1$

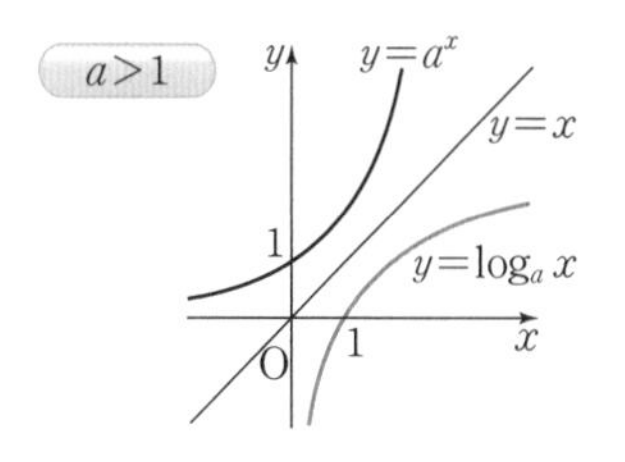

$0<a<1$

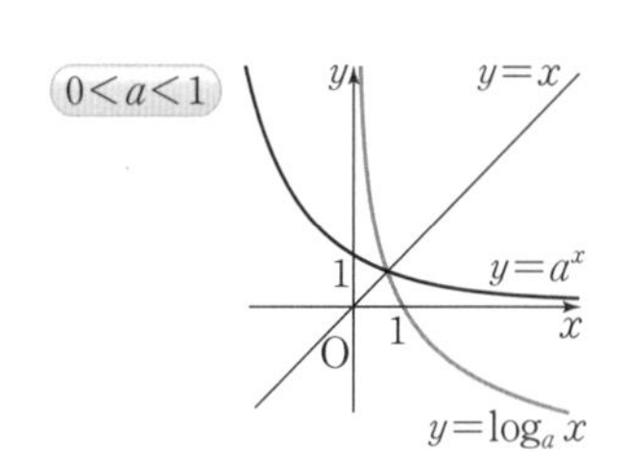

2 로그함수의 최대 · 최소

정의역이 $\{x\mid m\leq x\leq n\}$인 로그함수
$y=\log_a x$ $(a>0, a\neq1)$는
① $a>1$이면 $x=m$일 때 최솟값 $\log_a m$, $x=n$일 때 최댓값 $\log_a n$을 갖는다.
② $0<a<1$이면 $x=m$일 때 최댓값 $\log_a m$, $x=n$일 때 최솟값 $\log_a n$을 갖는다.

3 진수 또는 밑에 미지수가 포함된 방정식

로그의 진수 또는 밑에 미지수가 포함된 방정식은 다음과 같이 푼다. └ 로그방정식

(1) $\log_a f(x)=b$ 꼴인 경우 : 방정식 $f(x)=a^b$을 푼다.

(2) 밑을 같게 할 수 있는 경우
① $\log_a f(x)=\log_a g(x)$ $(a>0, a\neq1)$ 꼴로 변형한다.
② 방정식 $f(x)=g(x)$를 푼다.

(3) $\log_a f(x)$ 꼴이 반복되는 경우
① $\log_a f(x)=t$로 치환한다.
② t에 대한 방정식을 푼 후 x의 값을 구한다.

(4) 진수가 같은 경우
$\log_m f(x)=\log_n f(x)$ 꼴 : $m=n$ 또는 $f(x)=1$을 푼다.

(5) 지수에 로그가 있는 경우 : 양변에 로그를 취한다.

4 진수 또는 밑에 미지수가 포함된 부등식

로그의 진수 또는 밑에 미지수가 포함된 부등식은 다음과 같이 푼다. └ 로그부등식

(1) 밑을 같게 할 수 있는 경우
① $\log_a f(x)>\log_a g(x)$ $(a>0, a\neq1)$ 꼴로 변형한다.
② $a>1$일 때, $f(x)>g(x)>0$을 푼다.
$0<a<1$일 때, $0<f(x)<g(x)$를 푼다. ─ 진수는 항상 양수

(2) $\log_a f(x)$ 꼴이 반복되는 경우
① $\log_a f(x)=t$로 치환한다.
② t에 대한 부등식을 푼 후 x의 값의 범위를 구한다.

(3) 지수에 로그가 있는 경우 : 양변에 로그를 취하여 푼다.

문제 풀 때 유용한 풍쌤 비법

❶ **$y=\log_a f(x)$ $(a>0,\ a\neq1)$ 꼴의 최대 · 최소**
(1) $a>1$이면, $f(x)$가 최대일 때 y는 최대, $f(x)$가 최소일 때 y는 최소이다.
(2) $0<a<1$이면, $f(x)$가 최소일 때 y는 최대, $f(x)$가 최대일 때 y는 최소이다.

❷ 로그부등식 $\log_a f(x)>\log_a g(x)$를 풀 때에는 밑의 범위에 따른 진수의 부등호의 방향에 유의해야 한다.
(1) $a>1$일 때, $\log_a f(x)>\log_a g(x) \Rightarrow f(x)>g(x)>0$ └ 부등호의 방향은 그대로
(2) $0<a<1$일 때, $\log_a f(x)>\log_a g(x) \Rightarrow 0<f(x)<g(x)$ └ 부등호의 방향은 반대로

실력을 기르는 유형

01 로그함수

중요도

더 자세한 개념은 풍산자 수학 I 69쪽

224 (상 중 하)

다음 함수의 정의역을 구하여라.

(1) $y=\log_2(-x)$ (2) $y=\log_{\frac{1}{3}}(x-2)$

(3) $y=\log_2(1-2x)$ (4) $y=\log_{\frac{1}{2}}(2-x)+2$

225 최多빈출 (상 중 하)

함수 $y=\log_2(x^2+ax+4)$가 실수 전체의 집합에서 정의되도록 하는 정수 a의 개수는?

① 4 ② 5 ③ 6
④ 7 ⑤ 8

226 (상 중 하)

다음 〈보기〉에서 서로 같은 함수끼리 짝지어진 것을 모두 고른 것은?

보기

ㄱ. $\begin{cases} y=\log_3 x^3 \\ y=3\log_3 x \end{cases}$ ㄴ. $\begin{cases} y=\log_5 x^2 \\ y=2\log_5 x \end{cases}$

ㄷ. $\begin{cases} y=\log(x-1)(x-2) \\ y=\log(x-1)+\log(x-2) \end{cases}$

① ㄱ ② ㄴ ③ ㄷ
④ ㄴ, ㄷ ⑤ ㄱ, ㄷ

227 (상 중 하)

세 함수 $f(x)=2\log_2(x-1)$, $g(x)=2\log_2|x-1|$, $h(x)=\log_2(x-1)^2$의 정의역을 각각 A, B, C라고 할 때, 세 집합 A, B, C 사이의 관계를 바르게 나타낸 것은?

① $A=B=C$ ② $A=B\subset C$
③ $A\subset B=C$ ④ $B\subset A=C$
⑤ $C\subset B\subset A$

228 (상 중 하)

함수 $f(x)=\log_2\sqrt{1+\frac{1}{x+1}}$에 대하여

$$f(1)+f(2)+f(3)+\cdots+f(k)=4$$

를 만족시키는 자연수 k의 값은?

① 480 ② 490 ③ 500
④ 510 ⑤ 520

229 (상 중 하)

$x>1$에서 정의된 두 함수 $f(x)=9^x$과 $g(x)=\log_x 3$에 대하여 $(g\circ f)(4)$의 값은?

① $\frac{1}{8}$ ② $\frac{1}{4}$ ③ $\frac{1}{2}$
④ 1 ⑤ 2

● 정답과 풀이 032쪽

230

상 중 하

다음 함수의 역함수를 구하여라.

(1) $y=7^x$　　(2) $y=2\cdot 3^{x-1}$

(3) $y=\log_2(x+3)-2$　　(4) $y=2\log_{\frac{1}{3}}(1-x)$

231

상 중 하

함수 $f(x)=\log_4(x-2)+3$에 대하여 $f^{-1}(4)$의 값은?

① 2　② 4　③ 6
④ 8　⑤ 10

232

상 중 하

함수 $f(x)=\log_a x$에 대하여 $f(m)=2,\ f(n)=3$일 때, $f^{-1}(7)$을 m, n으로 나타내면? (단, $a>0,\ a\neq 1$)

① mn^2　② m^2n　③ m^2n^2
④ m^2n^3　⑤ m^3n^2

233

상 중 하

함수 $f(x)=\log_2 x+3$의 역함수를 $g(x)$라고 할 때, 다음 중 함수 $f(x+2)$의 역함수는?

① $g(x+2)$　② $g(x-2)$　③ $g(x)+2$
④ $g(x)-2$　⑤ $2g(x)$

234 학평 기출

상 중 하

함수 $f(x)=1+3\log_2 x$에 대하여 함수 $g(x)$가 $(g\circ f)(x)=x$를 만족시킬 때, $g(13)$의 값을 구하여라.

235

상 중 하

양의 실수 전체의 집합에서 실수 전체의 집합으로의 함수

$$f(x)=\begin{cases}\log_2 x-2 & (0<x<2)\\ \dfrac{x}{2}-2 & (x\geq 2)\end{cases}$$

가 있다. 함수 $f(x)$의 역함수 $g(x)$에 대하여 $(g\circ g\circ g)(k)=18$을 만족시키는 실수 k의 값은?

① $\log_2 3-2$　② $\log_2 3-3$　③ $-\log_2 3-2$
④ $-\log_2 3-3$　⑤ $-\log_2 3+1$

02 로그함수의 그래프의 성질

중요도

더 자세한 개념은 풍산자 수학Ⅰ 69쪽

236

상 중 하

로그함수 $f(x)=\log_2 x$에 대한 다음 설명 중 옳은 것은?

① 정의역은 양의 실수 전체의 집합이고, 치역은 실수 전체의 집합이다.
② 그래프는 점 $(0,\ 1)$을 지난다.
③ 점근선은 $y=0$이다.
④ $x_1<x_2$이면 $f(x_1)>f(x_2)$이다.
⑤ 그래프는 $y=\left(\dfrac{1}{2}\right)^x$의 그래프와 직선 $y=x$에 대하여 대칭이다.

237

상 중 하

두 실수 a, b가 1이 아닌 양수일 때, 함수 $f(x)=a^{x}$의 그래프와 함수 $g(x)=\log_{b}x$의 그래프가 항상 만나는 경우를 〈보기〉에서 모두 고른 것은?

보기

ㄱ. $a>1, b>1$

ㄴ. $a>1, 0<b<1$

ㄷ. $0<a<1, 0<b<1$

① ㄱ ② ㄴ ③ ㄷ

④ ㄱ, ㄴ ⑤ ㄴ, ㄷ

238

상 중 하

함수 $y=a+\log_{2}(x-b)$의 그래프의 점근선의 방정식이 $x=3$이고 이 그래프가 점 $(7, 5)$를 지날 때, $a+b$의 값을 구하여라. (단, a, b는 상수이다.)

239 학평 기출

상 중 하

임의의 양수 x에 대하여 $f(x)+3f\left(\frac{1}{x}\right)=\log_{2}x$를 만족시키는 함수 $y=f(x)$의 그래프의 개형으로 알맞은 것은?

①
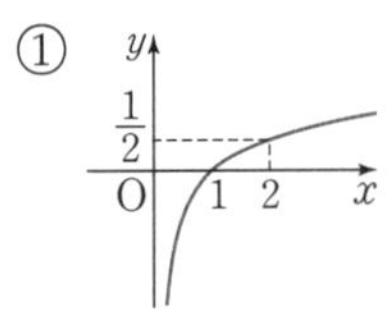

②
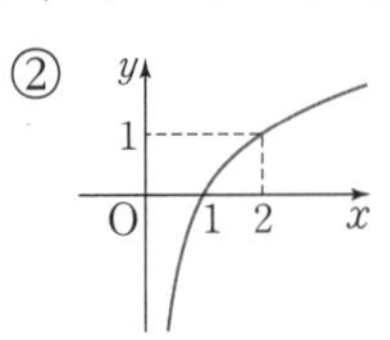

③
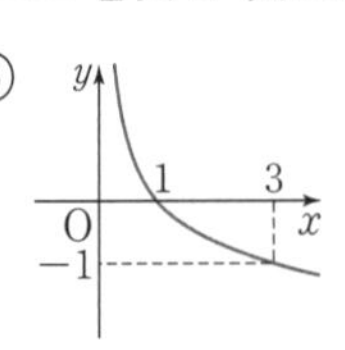

④
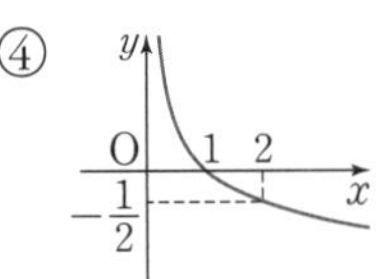

⑤
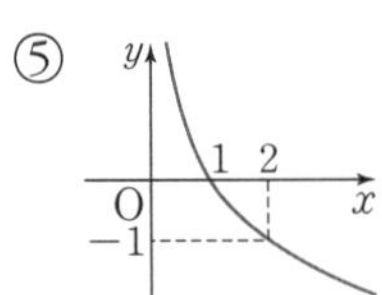

240

상 중 하

다음 함수의 그래프를 그려라.

(1) $y=\log_{2}(-x)$ (2) $y=-\log_{2}x$

(3) $y=\log_{3}(x+1)$ (4) $y=\log_{3}3x$

241

상 중 하

함수 $y=\log_{3}x$의 그래프를 x축의 방향으로 1만큼, y축의 방향으로 -2만큼 평행이동한 그래프가 점 $(4, a)$를 지날 때, a의 값은?

① -1 ② -2 ③ -3

④ -4 ⑤ -5

242 최多빈출

상 중 하

함수 $y=\log_{3}2x$의 그래프를 x축의 방향으로 m만큼, y축의 방향으로 n만큼 평행이동하면 $y=\log_{3}(6x-72)$의 그래프와 일치한다. 이때, $m+n$의 값은?

① 11 ② 12 ③ 13

④ 14 ⑤ 15

243 학평 기출
상중하

함수 $y=\log_2 x$의 그래프를 x축의 방향으로 a만큼 평행이동한 그래프가 함수 $y=\log_b x$의 그래프와 점 $(9,\ 2)$에서 만날 때, $10a+b$의 값을 구하여라.

244
상중하

함수 $y=\log x$의 그래프를 평행이동 또는 대칭이동하여 겹쳐질 수 있는 그래프의 식을 〈보기〉에서 모두 고른 것은?

보기

ㄱ. $y=\log(2x+1)$　　ㄴ. $y=\log\frac{1}{2}x$

ㄷ. $y=2\log x-1$　　ㄹ. $y=\log(-x+1)$

① ㄱ　② ㄱ, ㄴ　③ ㄴ, ㄷ
④ ㄴ, ㄹ　⑤ ㄱ, ㄴ, ㄹ

03 로그함수의 그래프의 활용
중요도

더 자세한 개념은 풍산자 수학 I 69쪽

245
상중하

오른쪽 그림에서 사각형 ABCD는 한 변의 길이가 2인 정사각형이고, 점 A, E는 함수 $y=\log_2 x$의 그래프 위의 점이다. 이때, 선분 CE의 길이는?

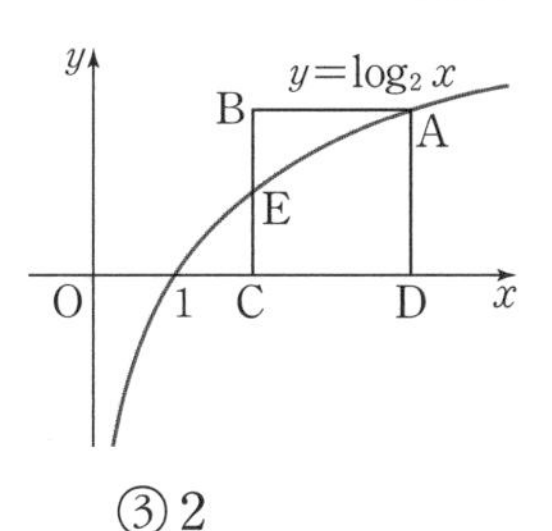

① 1　② $\log_2 3$　③ 2
④ $\log_2 5$　⑤ $1+\log_2 3$

246
상중하

오른쪽 그림은 세 함수 $y=x$, $y=10^x$, $y=\log x$의 그래프이다. $f(x)=\log x$라고 할 때, 다음에 주어진 다섯 개의 값 중 $f(b)f(c)$에 가장 가까운 것은?

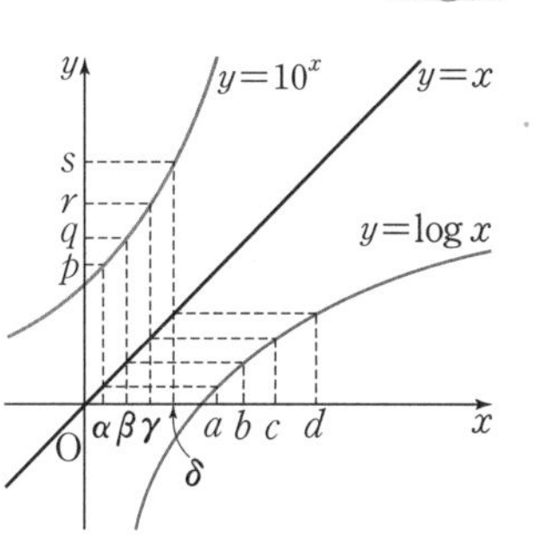

(단, $\alpha, \beta, \gamma, \delta$ 사이의 간격은 모두 같다.)

① α　② γ　③ a
④ p　⑤ q

247
상중하

오른쪽 그림과 같이 y축 위의 한 점 P에서 x축에 평행한 직선을 그어 두 곡선 $y=\log_{\frac{1}{2}}x$, $y=\log_2 x$와 만나는 점을 각각 Q, R라고 하면 $\overline{QR}=2$이다. 두 점 Q, R의 x좌표를 각각 a, b라고 할 때, a^2+b^2의 값은? (단, $0<a<1<b$)

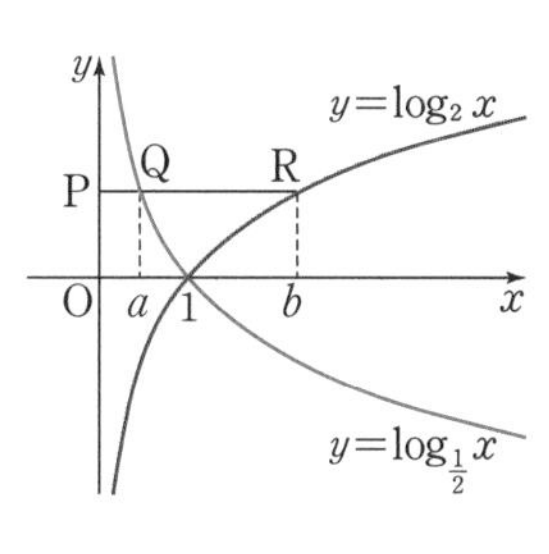

① 5　② 6　③ 7
④ 8　⑤ 9

248
상중하

함수 $f(x)=2^{x-2}$의 역함수의 그래프를 x축의 방향으로 -2만큼, y축의 방향으로 a만큼 평행이동하면 함수 $y=g(x)$의 그래프가 된다. 두 함수 $y=f(x)$, $y=g(x)$의 그래프가 직선 $y=1$과 만나는 점을 각각 A, B라고 할 때, 선분 AB의 중점의 좌표가 $(8,\ 1)$이다. 이때, 실수 a의 값을 구하여라.

249 학평 기출

상중하

오른쪽 그림과 같이 직선 $y=k\ (k>0)$가 두 곡선 $y=\log_{\frac{1}{4}}x$, $y=\log_2 x$와 만나는 점을 각각 A, B라고 하자. 점 A를 지나고 y축에 평행한 직선이 곡선 $y=\log_2 x$와 만나는 점을 C라 하고, 점 C를 지나고 x축에 평행한 직선이 곡선 $y=\log_{\frac{1}{4}}x$와 만나는 점을 D라고 하자. $\frac{\overline{AB}}{\overline{CD}}=\frac{1}{5}$일 때, 실수 k의 값은?

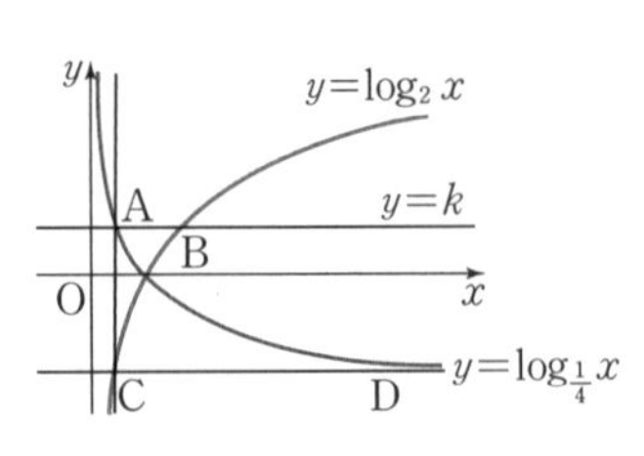

① $\frac{4}{9}$ ② $\frac{5}{9}$ ③ $\frac{2}{3}$

④ $\frac{7}{9}$ ⑤ $\frac{8}{9}$

04 로그함수를 이용한 대소 비교

중요도

더 자세한 개념은 풍산자 수학Ⅰ 75쪽

250

상중하

$0<b<a<1$일 때, 세 수 $\log_a b$, $\log_b a$, $\log_a \frac{a}{b}$의 대소 관계는?

① $\log_a b<\log_b a<\log_a \frac{a}{b}$

② $\log_a b<\log_a \frac{a}{b}<\log_b a$

③ $\log_b a<\log_a b<\log_a \frac{a}{b}$

④ $\log_a \frac{a}{b}<\log_a b<\log_b a$

⑤ $\log_a \frac{a}{b}<\log_b a<\log_a b$

251

상중하

$1<x<3$일 때, 세 수

$$A=\log_3 x^2,\ B=(\log_3 x)^2,\ C=\log_3 (\log_3 x)$$

의 대소 관계는?

① $C<B<A$ ② $B<C<A$

③ $C<A<B$ ④ $A<C<B$

⑤ $B<A<C$

252

상중하

오른쪽 그림과 같은 함수 $y=\log(x+1)$의 그래프를 이용하여 세 수

$$A=\frac{1}{a}\log(a+1)$$

$$B=\frac{1}{b}\log(b+1)$$

$$C=\frac{1}{b-a}\log\frac{b+1}{a+1}$$

의 대소 관계를 바르게 구한 것은? (단, $0<a<b$)

① $A<B<C$ ② $B<A<C$

③ $B<C<A$ ④ $C<A<B$

⑤ $C<B<A$

05 로그함수의 최대 · 최소

중요도

더 자세한 개념은 풍산자 수학Ⅰ 76쪽

253 최多빈출

상중하

다음 함수의 최댓값과 최솟값을 구하여라.

(1) $y=\log x\left(\text{단}, \frac{1}{100}\le x\le 1000\right)$

(2) $y=\log_{\frac{1}{2}} 4x$ (단, $2\le x\le 8$)

(3) $y=\log_3 (2x+3)$ (단, $3\le x\le 12$)

(4) $y=\log_{\frac{1}{3}} (2x+1)+3$ (단, $1\le x\le 4$)

254

상 중 하

정의역이 $\left\{x \middle| -\frac{2}{3} \le x \le 26\right\}$인 함수 $y=\log_{\frac{1}{3}}(x+1)$의 치역이 $\{y|a \le y \le b\}$일 때, $a+b$의 값은?

① -4 ② -3 ③ -2
④ -1 ⑤ 0

255

상 중 하

정의역이 $\{x|6 \le x \le 8\}$인 함수 $y=\log_{\frac{1}{2}}(x-a)$의 최솟값이 -2, 최댓값이 M일 때, aM의 값은?

(단, a는 상수이다.)

① -1 ② -2 ③ -3
④ -4 ⑤ -5

256

상 중 하

정의역이 $\{x|1 \le x \le 3\}$인 함수 $y=\log_2(3x-1)+k$의 최댓값이 최솟값의 2배일 때, 상수 k의 값은?

① 16 ② 8 ③ 4
④ 2 ⑤ 1

257

상 중 하

다음 함수의 최댓값 또는 최솟값을 구하여라.

(1) $y=\log_2(x^2-2x+3)$
(2) $y=\log_3(-x^2+4x+5)$
(3) $y=\log_{\frac{1}{3}}(x^2+2x+4)$
(4) $y=\log_{\frac{1}{2}}(-x^2+8x+16)$

258

상 중 하

$-1 \le x \le 2$에서 정의된 함수 $y=\log_{\frac{1}{2}}(x^2-2x+3)$의 최댓값은?

① $-\log_2 6$ ② $-\log_2 5$ ③ -2
④ $-\log_2 3$ ⑤ -1

259 풍쌤 비법 ❶

상 중 하

함수 $y=\log_a(x^2-2x+5)$의 최솟값이 2일 때, 상수 a의 값은? (단, $a>0$, $a \ne 1$)

① $\frac{1}{4}$ ② $\frac{1}{2}$ ③ $\frac{1}{\sqrt{2}}$
④ $\sqrt{2}$ ⑤ 2

260 최多빈출

상 중 하

$\frac{1}{4} \le x \le 4$일 때, 함수 $y=(\log_2 x)^2-2\log_2 x-8$의 최댓값을 M, 최솟값을 m이라고 할 때, $M+m$의 값은?

① -1 ② -3 ③ -5
④ -7 ⑤ -9

261 학평 기출

상 중 하

정의역이 $\{x|1 \le x \le 81\}$인 함수

$$y=(\log_3 x)(\log_{\frac{1}{3}} x)+2\log_3 x+10$$

의 최댓값을 M, 최솟값을 m이라고 할 때, $M+m$의 값은?

① 11 ② 12 ③ 13
④ 14 ⑤ 15

262
상중하

$y=\left(\log_2 \frac{x}{4}\right)\left(\log_4 \frac{x}{2}\right)$가 $x=a$에서 최솟값 b를 가질 때, a^2b의 값은? (단, $x>0$)

① -1　② -2　③ -3
④ -4　⑤ -5

263
상중하

함수 $y=2^{\log x}\cdot x^{\log 2}-2(2^{\log x}+x^{\log 2})-3$이 $x=a$에서 최솟값 b를 가질 때, $a+b$의 값은? (단, $x>1$)

① 1　② 2　③ 3
④ 4　⑤ 5

264
상중하

함수 $y=\frac{x^4}{100}\div x^{\log x}$은 $x=a$일 때, 최댓값 b를 갖는다. 이때, $\frac{a+b}{100}$의 값은?

① 1　② 2　③ 3
④ 4　⑤ 5

265
상중하

함수 $y=4x^{2-\log_2 x}$의 최댓값은?

① 8　② 16　③ 32
④ 64　⑤ 128

266
상중하

$1\le x\le 1000$에서 함수 $y=(100x)^{6-\log x}$의 최댓값을 M, 최솟값을 m이라고 할 때, $\frac{M}{m}$의 값은?

① 10^3　② 10^4　③ 10^5
④ 10^6　⑤ 10^7

06 산술 · 기하평균을 이용한 로그함수의 최소
중요도

더 자세한 개념은 풍산자 수학 I 76쪽

267 최多빈출
상중하

$x>1$일 때, $\log_2 x+\log_x 16$의 최솟값은?

① 2　② 4　③ 6
④ 8　⑤ 10

268
상중하

두 양수 x, y에 대하여 $3x+y=6$일 때, $\log_{\frac{1}{3}} x+\log_{\frac{1}{3}} y$의 최솟값은?

① -2　② -1　③ 0
④ 1　⑤ 2

269
(상중하)

$x>0, y>0$일 때, $\log_2\left(x+\frac{4}{y}\right)+\log_2\left(y+\frac{4}{x}\right)$의 최솟값은?

① -4　② -2　③ 2
④ 4　⑤ 6

07 로그방정식

중요도

더 자세한 개념은 풍산자 수학 I 82쪽

270
(상중하)

다음 방정식을 풀어라.

(1) $\log_2(x+6)=5$
(2) $\log_2\{\log_3(x-1)\}=2$
(3) $\log_3(x-1)=2\log_3 2$
(4) $\log_2 x=1+\log_2(x-6)$

271 최多빈출
(상중하)

방정식 $\log(x^2+3)-\log(x-1)=\log 2x$의 모든 근의 합은?

① 6　② 5　③ 4
④ 3　⑤ 2

272
(상중하)

방정식 $\log_3(x-4)=\log_9(5x+4)$의 해를 구하여라.

273
(상중하)

x에 대한 방정식 $\log_2 x+\log_2(4-x)-k=0$이 서로 다른 두 개의 실근을 갖도록 하는 자연수 k의 개수는?

① 1　② 2　③ 3
④ 4　⑤ 5

274
(상중하)

다음 방정식을 풀어라.

(1) $(\log x)^2-\log x^3=0$
(2) $(\log_3 x)^2-\log_3 x^2-3=0$

275 학평 기출
(상중하)

방정식 $(\log_2 x)^2-3\log_2 x+2=0$의 두 근을 α, β라고 할 때, $\alpha+\beta$의 값은?

① 2　② 4　③ 6
④ 8　⑤ 10

276
(상중하)

방정식 $\log_2 x+3\log_x 2=4$의 모든 근의 합은?

① 10　② 8　③ 6
④ 4　⑤ 2

277
상 중 하

방정식 $\log_2 x-\log_x 8=2$의 모든 근의 곱은?

① 2 ② 4 ③ 6
④ 8 ⑤ 10

278
상 중 하

방정식 $2^{\log x}\cdot x^{\log 2}=6\cdot 2^{\log x}-8$의 두 실근을 α, β라고 할 때, $\alpha+\beta$의 값은?

① 3 ② 6 ③ 10
④ 100 ⑤ 110

279 최多빈출
상 중 하

방정식 $\log_{\frac{1}{2}} x\cdot\log_2 x+2\log_2 x+k=0$의 한 근이 16일 때, 다른 한 근은? (단, k는 상수이다.)

① $\frac{1}{4}$ ② $\frac{1}{2}$ ③ 1
④ 2 ⑤ 4

280
상 중 하

방정식 $\log_2 x+a\log_x 8=2$의 두 근이 8, b일 때, $a+b$은? (단, a는 상수이다.)

① -1 ② $-\frac{1}{2}$ ③ 0
④ $\frac{1}{2}$ ⑤ 1

281
상 중 하

방정식 $(\log_2 x-3)\log_2 x=1$의 두 근의 곱은?

① 1 ② 3 ③ 8
④ 12 ⑤ 16

282
상 중 하

x에 대한 방정식 $(\log x)^2-k\log x-2=0$의 두 근의 곱이 100일 때, 상수 k의 값은?

① 1 ② 2 ③ 3
④ 4 ⑤ 5

283
상 중 하

방정식 $x^{\log x}=x^2$의 해를 구하면 $x=\alpha$ 또는 $x=\beta$이다. $\alpha\beta$의 값은? (단, $\alpha<\beta$)

① $\frac{1}{10}$ ② 1 ③ 10
④ 100 ⑤ 1000

284 학평 기출
상 중 하

방정식 $x^{\log_2 x}=8x^2$의 두 실근을 α, β라고 할 때, $\alpha\beta$의 값을 구하여라.

285

상 중 하

방정식 $x^{\log x}=\frac{1000}{x^2}$의 두 근을 α, β라고 할 때, $\alpha\beta^4$의 값은? (단, $\alpha<\beta$)

① 1 ② 10 ③ 100
④ 1000 ⑤ 10000

286

상 중 하

연립방정식 $\begin{cases} \log x+\log(y-1)=2 \\ \log(x-y)=\log x-\log y \end{cases}$의 해를 $x=\alpha$, $y=\beta$라고 할 때, $\frac{\beta^2}{\alpha}$의 값은?

① 9 ② 10 ③ 11
④ 12 ⑤ 13

287

상 중 하

연립방정식 $\begin{cases} \log_2 x+\log_3 y=6 \\ \log_3 x\cdot\log_2 y=8 \end{cases}$의 해가 $x=\alpha$, $y=\beta$일 때, $\sqrt{\alpha\beta}$의 값은? (단, $\alpha>\beta$)

① 11 ② 12 ③ 13
④ 14 ⑤ 15

288

상 중 하

두 실수 x, y에 대한 연립방정식

$$\begin{cases} 2^x-2\cdot 4^{-y}=7 \\ \log_2(x-2)-\log_2 y=1 \end{cases}$$

의 해를 $x=\alpha$, $y=\beta$라고 할 때, $10\alpha\beta$의 값은?

① 5 ② 10 ③ 15
④ 20 ⑤ 25

289

상 중 하

두 실수 x, y에 대한 연립방정식

$$\begin{cases} x^2+y^2=25 \\ \log_2 x+\log_2 y=(\log_2 xy)^2 \end{cases}$$

의 해의 순서쌍 (x, y)의 개수는?

① 1 ② 2 ③ 3
④ 4 ⑤ 5

08 로그부등식

중요도

더 자세한 개념은 풍산자 수학 I 87쪽

290

상 중 하

다음 부등식을 풀어라.

(1) $\log_3(x-1)\le 2$

(2) $\log_{\frac{1}{2}}(x+2)>1$

(3) $\log_2(2x-1)>\log_2(x+3)$

(4) $\log_{\frac{1}{3}}(2-x)\le\log_{\frac{1}{3}}(x+1)$

291 풍쌤 비법 ❷

상 중 하

부등식 $2\log_{\frac{1}{3}}(x-4)>\log_{\frac{1}{3}}(x-2)$의 해가 $a<x<b$일 때, ab의 값은?

① 8 ② 12 ③ 18
④ 24 ⑤ 30

292 학평 기출

(상중하)

부등식 $\log_3(2x+1) \geq 1+\log_3(x-2)$를 만족시키는 모든 자연수 x의 값의 합은?

① 10 ② 15 ③ 20
④ 25 ⑤ 30

293

(상중하)

부등식 $\log_2(x-3)+\log_2(x+1)<5$의 해와 이차부등식 $ax^2+bx+21<0$의 해가 서로 같을 때, $a+b$의 값은? (단, a, b는 상수이다.)

① -5 ② -7 ③ -9
④ -11 ⑤ -13

294

(상중하)

다음 부등식을 풀어라.

(1) $(\log_3 x)^2+\log_3 x^2>0$

(2) $(\log_2 x)^2+\log_2 x^2-8 \leq 0$

295 최多빈출

(상중하)

부등식 $(\log_2 x)^2<\log_2 x^5-6$의 해가 $\alpha<x<\beta$일 때, $\alpha\beta$의 값은?

① 6 ② 8 ③ 16
④ 24 ⑤ 32

296

(상중하)

부등식 $\log_3 9x \cdot \log_3 x \leq 15$를 만족시키는 자연수 x의 최댓값은?

① 3^3 ② 3^4 ③ 3^5
④ 3^6 ⑤ 3^7

297

(상중하)

부등식 $x^{\log x} \leq 10$의 해를 구하면?

① $\frac{1}{10} \leq x \leq 10$ ② $1 \leq x \leq 10$
③ $\frac{1}{100} \leq x \leq 1$ ④ $\frac{1}{100} \leq x \leq 10$
⑤ $1 \leq x \leq 100$

298

(상중하)

부등식 $x^{\log x}>1000x^2$을 만족시키는 실수 x의 집합을 S라고 할 때, 다음 중 집합 S의 원소가 아닌 것은?

① 10^{-3} ② 10^2 ③ 10^7
④ 10^{12} ⑤ 10^{17}

● 정답과 풀이 041쪽

299

상중하

부등식 $\left(\frac{1}{2}x\right)^{\log_{\frac{1}{2}} x-2} \geq 2^{-4}$을 만족시키는 자연수 x의 개수는?

① 1 ② 2 ③ 3
④ 4 ⑤ 5

300

상중하

이차함수 $y=x^2-2(\log a)x+\log a+2$의 그래프가 x축과 만나지 않도록 하는 상수 a의 값의 범위가 $\alpha<a<\beta$일 때, $\alpha\beta$의 값은?

① $\frac{1}{10}$ ② 1 ③ 10
④ 100 ⑤ 1000

301

상중하

부등식 $x^2-2(\log_2 a)x+3\log_2 a+4>0$이 모든 실수 x에 대하여 항상 성립하도록 하는 상수 a의 값의 범위가 $\alpha<a<\beta$일 때, $\alpha\beta$의 값은?

① 2 ② 4 ③ 8
④ 16 ⑤ 32

302

상중하

연립부등식

$$\begin{cases} \log_{\frac{1}{2}} |x-5| > -3 \\ \log_3 x+\log_3 (x+2) \geq 1 \end{cases}$$

을 만족시키는 정수 x의 개수는?

① 5 ② 7 ③ 9
④ 11 ⑤ 13

09 로그방정식 · 부등식의 실생활에의 활용

중요도

더 자세한 개념은 풍산자 수학Ⅰ 86쪽

303 학평 기출

상중하

어느 해상에서 태풍의 최대 풍속은 중심 기압에 따라 변한다. 태풍의 중심 기압이 P(hPa)일 때, 최대 풍속 V(m/초)는 다음 식을 만족시킨다고 한다.

$$V=4.86(1010-P)^{0.5}$$

이 해상에서 태풍의 중심 기압이 900(hPa)과 960(hPa)일 때, 최대 풍속이 각각 V_A(m/초), V_B(m/초)이었다. $\frac{V_A}{V_B}$의 값은? (단, $\log 1.1=0.0414$, $\log 1.472=0.1697$, $\log 1.483=0.1712$, $\log 2=0.3010$으로 계산한다.)

① 1.301 ② 1.414 ③ 1.472
④ 1.483 ⑤ 1.679

304

상중하

어느 제과 회사에서는 매년 그 전 해의 과자 1봉지에 들어가는 실제 과자의 질량을 10 %씩 줄이고, 포장을 바꾸어 가격은 20 %씩 올린다고 한다. 이 제과 회사에서 과자를 판매한 이후로 과자 1봉지에 들어가는 실제 과자의 단위 질량당 가격이 처음의 2배 이상이 되는 해는 최소 몇 년 후인지 구하여라.

(단, $\log 2=0.3$, $\log 3=0.48$로 계산한다.)

● 정답과 풀이 043쪽

305

오른쪽 그림과 같이 세 함수 $y=3^x$, $y=\log_9 x$, $y=x$의 그래프에서 $\alpha\beta=8$이 성립할 때, $\alpha+\beta$의 값을 구하여라. (단, 점선은 x축 또는 y축에 평행하다.)

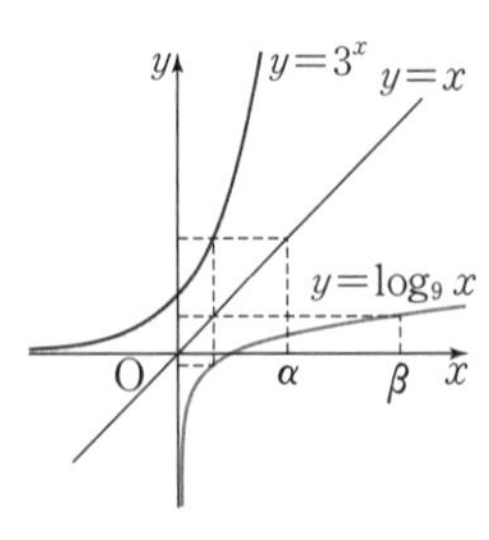

306

$2\le x\le 5$인 실수 x에 대하여 함수 $y=\log_a(x^2-4x+11)$의 최솟값이 -2일 때, 최댓값은 $\log_4 \frac{1}{k}$이다. 이때, k의 값을 구하여라. (단, a, k는 상수이다.)

307

x에 대한 방정식 $\log_2 x\cdot\log_2 \frac{16}{x}=\frac{m}{16}$의 해가 존재하도록 실수 m의 값의 범위를 정할 때, m의 최댓값을 구하여라.

308

다항식 x^2+2x+4를 두 일차식 $x-\log_3 a$와 $x-\log_3 9a$로 각각 나눈 나머지가 서로 같을 때, 상수 a의 값을 구하여라.

309

연립부등식 $\begin{cases} 3^{5(1-x)}\le\left(\frac{1}{3}\right)^{x^2-1} \\ (\log_2 x)^2-4\log_2 x+3<0 \end{cases}$ 을 만족시키는 모든 자연수 x의 값의 곱을 구하여라.

310

$x>0$에서 부등식 $x^{\log_3 x}\ge ax^4$이 항상 성립하도록 하는 양수 a의 값의 범위를 구하여라.

311

$a>1$일 때, 〈보기〉에서 옳은 것을 모두 고른 것은?

보기

ㄱ. 함수 $y=a^{x-1}$의 그래프와 함수 $y=1+\log_a x$의 그래프는 직선 $y=x$에 대하여 대칭이다.

ㄴ. 함수 $y=-a^x$의 그래프와 함수 $y=\log_{\frac{1}{a}} x$의 그래프는 만난다.

ㄷ. 함수 $y=ka^x$의 그래프와 함수 $y=\log_a x$의 그래프가 만나도록 하는 양의 실수 k가 존재한다.

① ㄱ ② ㄱ, ㄴ ③ ㄱ, ㄷ
④ ㄴ, ㄷ ⑤ ㄱ, ㄴ, ㄷ

312

직선 $y=2-x$가 두 로그함수 $y=\log_2 x$, $y=\log_3 x$의 그래프와 만나는 점을 각각 (x_1, y_1), (x_2, y_2)라고 할 때, 〈보기〉에서 옳은 것을 모두 고른 것은?

보기

ㄱ. $x_1>y_2$

ㄴ. $x_2-x_1=y_1-y_2$

ㄷ. $x_1y_1>x_2y_2$

① ㄱ ② ㄷ ③ ㄱ, ㄴ
④ ㄴ, ㄷ ⑤ ㄱ, ㄴ, ㄷ

313

오른쪽 그림과 같이 직선 $x=a$ $(0<a<1)$가 두 곡선 $y=\log_{\frac{1}{9}} x$, $y=\log_3 x$와 만나는 점을 각각 P, Q라 하고, 직선 $x=b$ $(b>1)$가 두 곡선 $y=\log_{\frac{1}{9}} x$, $y=\log_3 x$와 만나는 점을 각각 R, S라고 하자. 네 점 P, Q, R, S는 다음 조건을 만족시킨다.

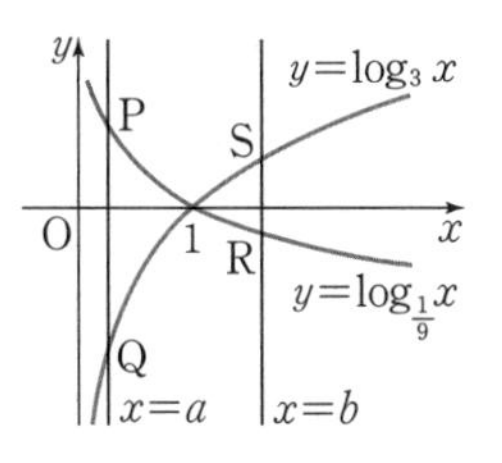

(가) $\overline{PQ}:\overline{SR}=2:1$

(나) 선분 PR의 중점의 x좌표는 $\frac{9}{8}$이다.

이때, $40(b-a)$의 값을 구하여라. (단, a, b는 상수이다.)

314

오른쪽 그림과 같이 두 곡선 $y=\log_6 (x+1)$, $y=\log_6 (x-1)-4$와 두 직선 $y=-2x$, $y=-2x+8$로 둘러싸인 부분의 넓이를 구하여라.

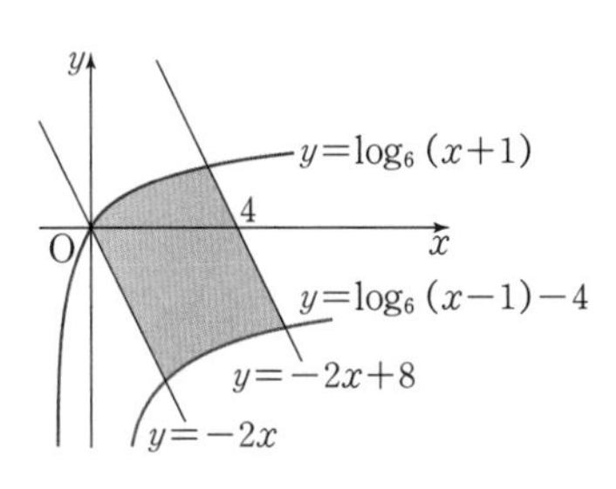

315

$x>1, y>1$인 x, y가 $\log_2 x+\log_2 y=3$을 만족시킬 때, $\log_x 2+\log_y 2$의 최솟값은?

① $\frac{4}{9}$ ② $\frac{5}{9}$ ③ $\frac{2}{3}$
④ $\frac{7}{9}$ ⑤ $\frac{4}{3}$

316

$(\log_2 x)^2+(\log_2 y)^2=10$을 만족시키는 두 양수 x, y에 대하여 xy^3의 최댓값과 최솟값을 각각 M, m이라고 할 때, Mm의 값은?

① 1 ② 2 ③ 3
④ 4 ⑤ 5

317 (100점 도전)

x에 대한 방정식

$$(\log_2 x)^2-4\log_2 x+k=0 \quad \cdots\cdots ㉠$$

의 한 근이 이차방정식 $4x^2-5x+1=0$의 두 근 사이에 있을 때, 〈보기〉에서 옳은 것을 모두 고른 것은?

보기
ㄱ. 상수 k의 값의 범위는 $-12<k<0$
ㄴ. 방정식 ㉠의 두 근의 곱은 4이다.
ㄷ. 방정식 ㉠의 다른 한 근은 방정식 $(x-16)(x-64)=0$의 두 근 사이에 있다.

① ㄱ ② ㄱ, ㄴ ③ ㄱ, ㄷ
④ ㄴ, ㄷ ⑤ ㄱ, ㄴ, ㄷ

318

두 집합

$$A=\{x\,|\,[\log_2 x]^2-8[\log_2 x]+15<0\}$$

$$B=\left\{x\,\middle|\,\log_{0.5}\left(\frac{x}{4}-1\right)\geq -2\right\}$$

에서 $A\cap B=\{x\,|\,x^2+ax+b\leq 0\}$일 때, $a+b$의 값은? (단, a, b는 상수이고, $[x]$는 x보다 크지 않은 최대의 정수이다.)

① 281 ② 282 ③ 283
④ 284 ⑤ 285

319

정수 n에 대하여 두 집합 $A(n), B(n)$이

$$A(n)=\{x\,|\,\log_2 x\leq n\},\ B(n)=\{x\,|\,\log_4 x\leq n\}$$

일 때, 〈보기〉에서 옳은 것을 모두 고른 것은?

보기
ㄱ. $A(1)=\{x\,|\,0<x\leq 1\}$
ㄴ. $A(4)=B(2)$
ㄷ. 자연수 n에 대하여 $B(-n)\subset A(-n)$

① ㄱ ② ㄴ ③ ㄷ
④ ㄱ, ㄷ ⑤ ㄴ, ㄷ

II

삼각함수

05 삼각함수

1 일반각

(1) **시초선과 동경** : $\angle$XOP의 크기를 반직선 OX의 위치에서 반직선 OP가 점 O를 중심으로 회전한 양으로 정의할 때, 반직선 OX를 시초선, 반직선 OP를 동경이라고 한다.

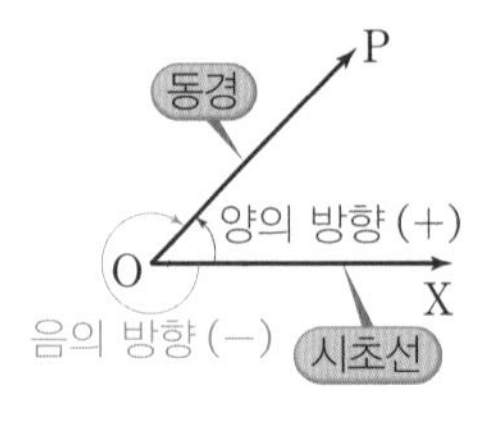

(2) **일반각** : 시초선 OX에 대하여 동경 OP가 나타내는 한 각의 크기를 θ라고 할 때, $\angle$XOP의 크기는

$360^\circ n+\theta$ (n은 정수)

이고, 이를 동경 OP가 나타내는 일반각이라고 한다.

θ는 보통 $0^\circ \le \theta < 360^\circ$인 각을 택한다.

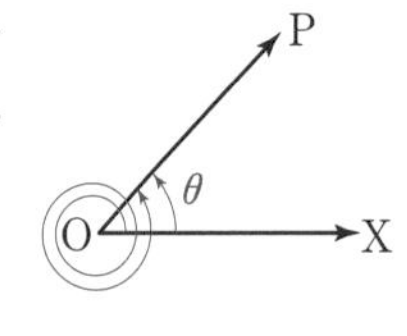

2 호도법

(1) 반지름의 길이가 r인 부채꼴의 호의 길이가 r일 때, 중심각의 크기를 1라디안이라 하고, 라디안을 단위로 하여 각의 크기를 나타내는 것을 호도법이라고 한다.

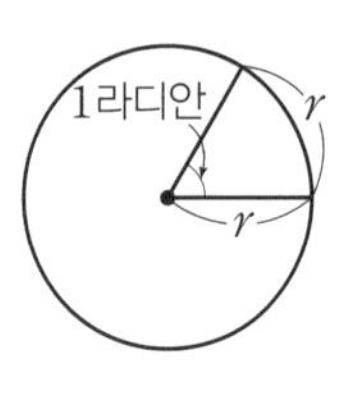

(2) **호도법과 육십분법의 관계**

① $1^\circ=\frac{\pi}{180}$라디안　　② π라디안$=180^\circ$

참고 호도법에서 단위 '라디안'은 생략하는 것이 보통이다.

3 부채꼴의 호의 길이와 넓이

반지름의 길이가 r, 중심각의 크기가 θ인 부채꼴의 호의 길이를 l, 넓이를 S라 고 하면 $l=r\theta$, $S=\frac{1}{2}r^2\theta=\frac{1}{2}rl$

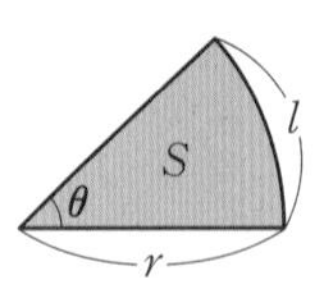

4 삼각함수

$\overline{OP}=r$인 점 P(x, y)에 대하여 동경 OP가 x축의 양의 방향과 이루는 각의 크기를 θ라고 할 때, θ에 대한 삼각함수는

① $\sin\theta=\frac{y}{r}$

② $\cos\theta=\frac{x}{r}$

③ $\tan\theta=\frac{y}{x}$

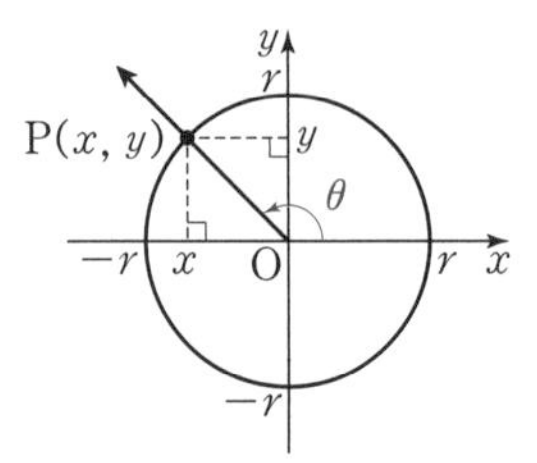

5 삼각함수의 값의 부호

삼각함수의 값의 부호는 '올사탄코'의 규칙을 따른다.

올 : 제1사분면에서는 모든 삼각함수의 값이 양수이다.
사 : 제2사분면에서는 사인함수의 값만이 양수이다.
탄 : 제3사분면에서는 탄젠트함수의 값만이 양수이다.
코 : 제4사분면에서는 코사인함수의 값만이 양수이다.

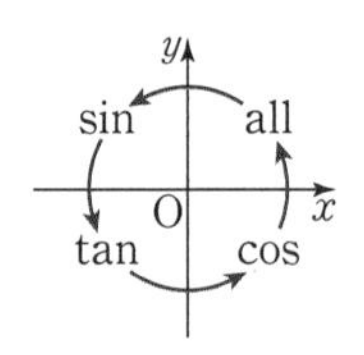

6 삼각함수 사이의 관계

(1) $\tan\theta=\frac{\sin\theta}{\cos\theta}$

(2) $\sin^2\theta+\cos^2\theta=1$

문제 풀 때 유용한 풍쌤 비법

❶ **부채꼴의 넓이의 최댓값**

반지름의 길이가 r, 호의 길이가 l, 넓이가 S인 부채꼴에서 둘레의 길이가 a로 일정한 경우 $2r+l=a$이므로 부채꼴의 넓이의 최댓값은 $S=\frac{1}{2}rl=\frac{1}{2}r(a-2r)$에서 이차함수의 최대, 최소를 이용하여 구한다.

❷ **삼각함수 사이의 관계를 이용하여 식의 값 구하기**

$\sin\theta\pm\cos\theta$의 값이 주어지면 양변을 제곱한 후 $\sin^2\theta+\cos^2\theta=1$임을 이용하여 먼저 $\sin\theta\cos\theta$의 값을 구한다.

실력을 기르는 유형

● 정답과 풀이 047쪽

01 육십분법과 호도법

중요도

더 자세한 개념은 풍산자 수학Ⅰ 105쪽

320

상 중 하

다음 각을 호도법은 육십분법으로, 육십분법은 호도법으로 나타내어라.

(1) $30°$　　(2) $165°$　　(3) $-150°$

(4) $\frac{3}{4}\pi$　　(5) $-\frac{2}{3}\pi$　　(6) 3

321 최多빈출

상 중 하

다음 중 옳지 않은 것은?

① $\frac{\pi}{3}=60°$　　② $36°=\frac{\pi}{5}$　　③ $110°=\frac{13}{18}\pi$

④ $195°=\frac{13}{12}\pi$　　⑤ $\frac{3}{2}\pi=270°$

322

상 중 하

다음 중 세 각의 크기 $1°$, 1, $\frac{\pi}{3}$의 대소 관계를 옳게 나타낸 것은?

① $1°<1<\frac{\pi}{3}$　　② $1°<\frac{\pi}{3}<1$

③ $1<1°<\frac{\pi}{3}$　　④ $1<\frac{\pi}{3}<1°$

⑤ $\frac{\pi}{3}<1°<1$

02 동경의 위치

중요도

더 자세한 개념은 풍산자 수학Ⅰ 102쪽

323

상 중 하

시초선이 $\overrightarrow{OX}$일 때, 다음 각에 대한 동경 OP의 위치를 그림으로 나타내어라.

(1) $60°$　　(2) $495°$　　(3) $-150°$　　(4) $-405°$

324

상 중 하

다음은 $\overrightarrow{OX}$가 시초선일 때, 동경 OP가 나타내는 일반각을 나타낸 것이다. 옳지 않은 것은? (단, n은 정수이다.)

①
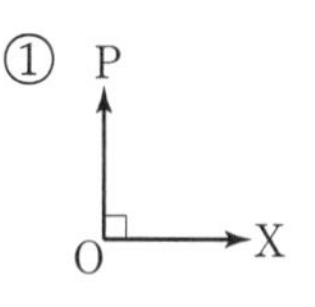

$360°n+90°$

②
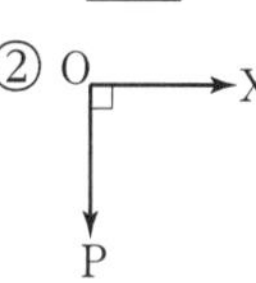

$360°n+90°$

③
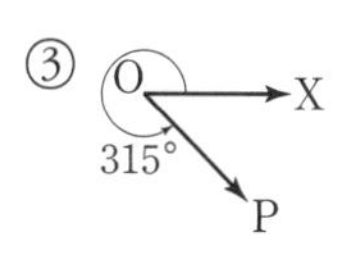

$360°n-45°$

④ O ⟶ X=P

$360°n$

⑤ P ⟵ O ⟶ X

$360°n+180°$

325

상 중 하

다음 각의 동경이 나타내는 일반각을 구하여라.

(1) $400°$　　(2) $-380°$　　(3) $\frac{5}{3}\pi$　　(4) $\frac{11}{4}\pi$

326

상 중 하

다음 〈보기〉의 각 중 $390°$와 동경이 일치하지 않는 것의 개수는?

보기

ㄱ. $750°$　　ㄴ. $690°$　　ㄷ. $1410°$

ㄹ. $-330°$　　ㅁ. $-390°$

① 1　　② 2　　③ 3

④ 4　　⑤ 5

03 동경과 사분면

중요도

더 자세한 개념은 풍산자 수학 I 102쪽

327

상 중 하

다음 각은 제몇 사분면의 각인지 말하여라.

(1) $570°$ (2) $750°$ (3) $-210°$ (4) $1050°$

328

상 중 하

다음 중 제4사분면의 각이 아닌 것은?

① $670°$ ② $\frac{7}{4}\pi$ ③ $280°$

④ $\frac{7}{3}\pi$ ⑤ $-60°$

329 최多빈출

상 중 하

θ가 제3사분면의 각일 때, $\frac{\theta}{3}$의 동경이 존재할 수 없는 사분면은?

① 제1사분면 ② 제2사분면

③ 제3사분면 ④ 제4사분면

⑤ 제1, 3사분면

330

상 중 하

2θ가 제1사분면의 각일 때, θ의 동경이 존재할 수 있는 사분면은?

① 제1, 2사분면 ② 제1, 3사분면

③ 제2, 3사분면 ④ 제2, 4사분면

⑤ 제3, 4사분면

331 학평 기출

상 중 하

θ가 제2사분면의 각일 때, $\frac{\theta}{2}$의 동경이 존재할 수 있는 영역을 바르게 나타낸 것은?

①
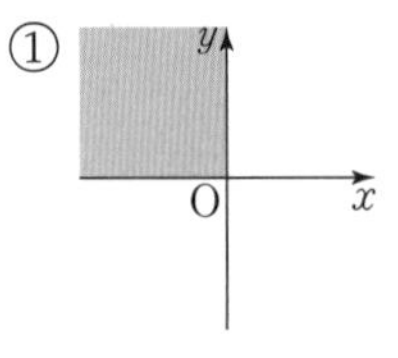

②
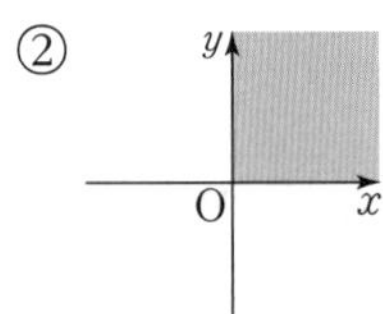

③
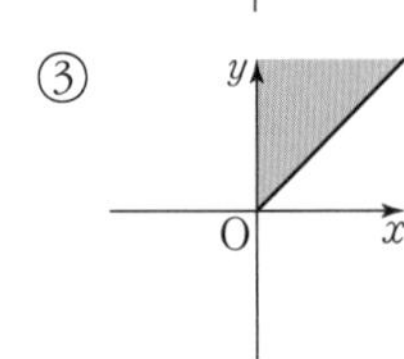

④
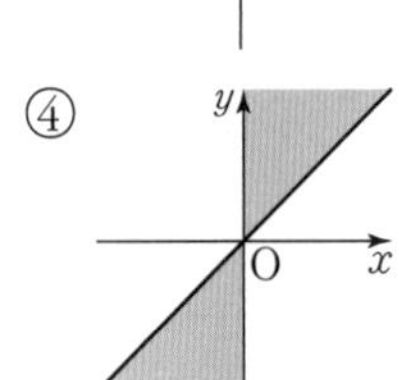

⑤
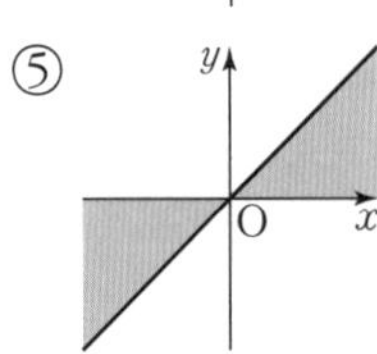

332

상 중 하

다음 〈보기〉에서 옳은 것을 모두 고른 것은?

보기

ㄱ. $\pi° = 180$

ㄴ. $-120°$는 제2사분면의 각이다.

ㄷ. $\frac{\pi}{3}$, $\frac{7}{3}\pi$, $-\frac{5}{3}\pi$의 동경은 모두 일치한다.

① ㄱ ② ㄴ ③ ㄷ

④ ㄱ, ㄷ ⑤ ㄱ, ㄴ, ㄷ

● 정답과 풀이 048쪽

04 두 동경의 위치 관계

중요도

더 자세한 개념은 풍산자 수학 I 104쪽

333 최多빈출

상 중 하

각 θ를 나타내는 동경과 각 6θ를 나타내는 동경이 일치하도록 하는 모든 θ의 크기의 합은? (단, $0<\theta<\pi$)

① $\frac{2}{5}\pi$ ② $\frac{3}{5}\pi$ ③ $\frac{4}{5}\pi$
④ π ⑤ $\frac{6}{5}\pi$

334

상 중 하

각 θ를 나타내는 동경과 각 7θ를 나타내는 동경이 일직선 위에 있고 방향이 반대일 때, $\sin\left(\theta-\frac{\pi}{3}\right)$의 값은? $\left(\text{단, } \frac{\pi}{2}<\theta<\pi\right)$

① -1 ② $-\frac{1}{2}$ ③ 0
④ $\frac{1}{2}$ ⑤ 1

335

상 중 하

각 θ를 나타내는 동경과 각 5θ를 나타내는 동경이 원점에 대하여 대칭일 때, $\tan\theta$의 값은? (단, θ는 예각이다.)

① $\sqrt{3}$ ② 1 ③ $\frac{\sqrt{3}}{3}$
④ -1 ⑤ $-\sqrt{3}$

336

상 중 하

각 θ를 나타내는 동경과 각 2θ를 나타내는 동경이 x축에 대하여 대칭일 때, θ의 크기는? $\left(\text{단, } \frac{\pi}{2}<\theta<\pi\right)$

① $\frac{\pi}{3}$ ② $\frac{\pi}{2}$ ③ $\frac{2}{3}\pi$
④ $\frac{5}{6}\pi$ ⑤ $\frac{6}{7}\pi$

337

상 중 하

각 θ를 나타내는 동경과 각 3θ를 나타내는 동경이 y축에 대하여 대칭일 때, $\cos\theta$의 값은? $\left(\text{단, } 0<\theta<\frac{\pi}{2}\right)$

① -1 ② $-\frac{1}{2}$ ③ $\frac{1}{2}$
④ $\frac{\sqrt{2}}{2}$ ⑤ 1

338

상 중 하

각 θ를 나타내는 동경과 각 2θ를 나타내는 동경이 직선 $y=x$에 대하여 대칭일 때, $\sin\theta$의 값은? $\left(\text{단, } 0<\theta<\frac{\pi}{2}\right)$

① $-\frac{\sqrt{3}}{2}$ ② $-\frac{1}{2}$ ③ $\frac{1}{2}$
④ $\frac{\sqrt{2}}{2}$ ⑤ $\frac{\sqrt{3}}{2}$

339

상 중 하

각 θ를 나타내는 동경과 각 3θ를 나타내는 동경이 직선 $y=-x$에 대하여 대칭이 되도록 하는 모든 θ의 크기의 합은? (단, $0<\theta<\pi$)

① $\frac{3}{8}\pi$ ② $\frac{7}{8}\pi$ ③ π
④ $\frac{5}{4}\pi$ ⑤ 2π

05 부채꼴의 호의 길이와 넓이

중요도

더 자세한 개념은 풍산자 수학 I 107쪽

340
상 중 하

반지름의 길이가 4이고, 중심각의 크기가 $\frac{\pi}{8}$인 부채꼴의 호의 길이 l과 넓이 S를 구하여라.

341
상 중 하

호의 길이가 4π이고, 넓이가 12π인 부채꼴의 반지름의 길이 r와 중심각의 크기 θ를 구하여라.

342
상 중 하

호의 길이가 2π이고, 넓이가 2π인 부채꼴의 중심각의 크기는?

① π ② $\frac{3}{2}\pi$ ③ 2π
④ 1 ⑤ 2

343 최多빈출
상 중 하

반지름의 길이가 1이고, 넓이가 $\frac{2}{3}\pi$인 부채꼴의 중심각의 크기 θ와 호의 길이 l을 바르게 구한 것은?

① $\theta=\frac{2}{3}\pi$, $l=\frac{2}{3}\pi$ ② $\theta=\frac{2}{3}\pi$, $l=\frac{4}{3}\pi$
③ $\theta=\frac{4}{3}\pi$, $l=\frac{2}{3}\pi$ ④ $\theta=\frac{4}{3}\pi$, $l=\frac{4}{3}\pi$
⑤ $\theta=\frac{\pi}{3}$, $l=\frac{2}{3}\pi$

344
상 중 하

중심각의 크기가 $45°$이고, 호의 길이가 π인 부채꼴의 넓이는?

① π ② $\frac{3}{2}\pi$ ③ 2π
④ $\frac{5}{2}\pi$ ⑤ 3π

345 학평 기출
상 중 하

중심각의 크기가 2이고, 넓이가 36인 부채꼴의 호의 길이는?

① 6 ② 8 ③ 10
④ 12 ⑤ 14

346
상 중 하

중심각의 크기가 $\frac{2}{3}\pi$이고, 둘레의 길이가 $6+2\pi$인 부채꼴의 넓이는?

① π ② 2π ③ 3π
④ 4π ⑤ 5π

06 부채꼴의 호의 길이와 넓이의 활용

중요도

더 자세한 개념은 풍산자 수학 I 107쪽

347

상 중 하

둘레의 길이가 80 cm인 부채꼴의 넓이가 최대일 때의 부채꼴의 반지름의 길이를 a cm, 중심각의 크기를 b라디안이라고 하자. 이때, $a+b$의 값은?

① 18 ② 19 ③ 20
④ 21 ⑤ 22

348 학평 기출 풍쌤 비법 ❶

상 중 하

둘레의 길이가 일정한 부채꼴의 넓이가 최대일 때, 중심각의 크기는?

① 1 ② 2 ③ 3
④ 4 ⑤ 5

349

상 중 하

밑면인 원의 반지름의 길이가 2이고, 모선의 길이가 3인 원뿔의 겉넓이는?

① 6π ② 8π ③ 10π
④ 12π ⑤ 14π

350

상 중 하

호의 길이가 6π cm, 넓이가 15π cm^{2}인 부채꼴로 원뿔을 만들 때, 이 원뿔의 부피는?

① 9π cm^3 ② 12π cm^3 ③ 15π cm^3
④ 18π cm^3 ⑤ 21π cm^3

07 삼각함수의 정의

중요도

더 자세한 개념은 풍산자 수학 I 112쪽

351

상 중 하

좌표평면 위의 점 P(3, 4)에 대하여 동경 OP가 나타내는 각의 크기를 θ라고 할 때, 다음 삼각함수의 값을 구하여라.

(1) $\sin\theta$ (2) $\cos\theta$ (3) $\tan\theta$

352

상 중 하

원점 O와 점 P$(-12, 5)$를 지나는 동경 OP가 나타내는 각의 크기를 θ라고 할 때, $13\sin\theta-13\cos\theta+12\tan\theta$의 값은?

① 8 ② 10 ③ 12
④ 14 ⑤ 16

353

상 중 하

원점 O와 점 P$(-8, 15)$를 이은 선분 OP를 동경으로 하는 각의 크기를 θ라고 할 때, $\dfrac{17\sin\theta+16\tan\theta}{17\cos\theta+3}$의 값은?

① -2 ② -1 ③ 1
④ 2 ⑤ 3

354 최多빈출

상 중 하

원점과 점 P$(-1, -a)$를 이은 선분을 동경으로 하는 각의 크기를 θ라고 할 때, $\cos\theta=-\dfrac{2}{3}$를 만족시키는 양수 a의 값은?

① $\dfrac{1}{2}$ ② $\dfrac{\sqrt{2}}{2}$ ③ $\dfrac{\sqrt{3}}{2}$
④ 1 ⑤ $\dfrac{\sqrt{5}}{2}$

355
상중하

직선 $y=-\frac{3}{4}x$ 위의 점 $\mathrm{P}(a,\ b)(b>0)$에 대하여 $\overline{\mathrm{OP}}$가 x축의 양의 방향과 이루는 각의 크기를 θ라고 할 때, $5\sin\theta-4\tan\theta$의 값은? (단, O는 원점이다.)

① 4　② 6　③ 8　④ 10　⑤ 12

08 삼각함수의 값의 부호
중요도

더 자세한 개념은 풍산자 수학 I 113쪽

356
상중하

다음 조건을 만족시키는 각 θ는 제몇 사분면의 각인지 구하여라.

(1) $\sin\theta<0,\ \cos\theta>0$　(2) $\cos\theta<0,\ \tan\theta>0$

(3) $\sin\theta>0,\ \tan\theta<0$　(4) $\sin\theta<0,\ \cos\theta<0$

357
상중하

$\sin\theta\cos\theta>0$일 때, 다음 중 항상 옳은 것은?

① $\sin\theta>0$　② $\sin\theta<0$　③ $\cos\theta>0$　④ $\tan\theta>0$　⑤ $\tan\theta<0$

358
상중하

다음 중 $\sin\theta\tan\theta>0$, $\sin\theta+\tan\theta<0$을 동시에 만족시키는 θ의 동경이 존재할 수 있는 사분면은?

① 제1사분면　② 제2사분면　③ 제3사분면　④ 제4사분면　⑤ 제1, 4사분면

359
상중하

다음 중 $\sin\theta\cos\theta<0$, $\cos\theta\tan\theta>0$을 동시에 만족시키는 θ의 크기가 될 수 있는 것은?

① $\frac{\pi}{3}$　② $\frac{3}{4}\pi$　③ $\frac{6}{5}\pi$　④ $\frac{11}{6}\pi$　⑤ $\frac{15}{7}\pi$

360
상중하

θ가 $\cos\theta>0$, $\tan\theta<0$을 모두 만족시킬 때, $\frac{\theta}{2}$의 동경은 제m사분면에 존재한다. 이때, m의 값이 될 수 있는 것을 모두 적은 것은?

① 1, 2　② 1, 3　③ 2, 3　④ 2, 4　⑤ 3, 4

361 최多빈출
상중하

$\pi<x<\frac{3}{2}\pi$일 때, $\cos x-\sin x+|\cos x|+\sqrt{\sin^2 x}$를 간단히 하면?

① -2　② 0　③ 2　④ $-2\sin x$　⑤ $-2\cos x$

362

(상중하)

$\frac{3}{2}\pi<\theta<2\pi$일 때,

$$|1+\cos\theta|+\sqrt{\sin^2\theta}-\sqrt{(\sin\theta-\cos\theta)^2}$$

을 간단히 하면?

① $1-2\sin\theta$ ② $1-2\cos\theta$ ③ 1
④ $1+2\sin\theta$ ⑤ $1+2\cos\theta$

09 삼각함수 사이의 관계 – 식 간단히 하기 중요도

더 자세한 개념은 풍산자 수학 I 115쪽

363

(상중하)

$\frac{\cos^2\theta-\sin^2\theta}{1+2\sin\theta\cos\theta}-\frac{1-\tan\theta}{1+\tan\theta}$를 간단히 하면?

① -1 ② 0 ③ 1
④ $\sin\theta$ ⑤ $\cos\theta$

364

(상중하)

$\left(\sin\theta+\frac{1}{\sin\theta}\right)^2+\left(\cos\theta+\frac{1}{\cos\theta}\right)^2-\left(\tan\theta+\frac{1}{\tan\theta}\right)^2$

을 간단히 하면?

① 1 ② 2 ③ 3
④ 4 ⑤ 5

365

(상중하)

다음 〈보기〉에서 옳은 것을 모두 고른 것은?

보기

ㄱ. $\frac{1+\sin\theta}{\cos\theta}+\frac{\cos\theta}{1+\sin\theta}=\frac{2}{\sin\theta}$

ㄴ. $(1+\tan^2\theta)\left(1+\frac{\cos^2\theta}{\sin^2\theta}\right)(1-\sin^2\theta)(1-\cos^2\theta)=1$

ㄷ. $\tan^2\theta-\sin^2\theta=\tan^2\theta\sin^2\theta$

① ㄱ ② ㄴ ③ ㄱ, ㄷ
④ ㄴ, ㄷ ⑤ ㄱ, ㄴ, ㄷ

10 삼각함수 사이의 관계 – 식의 값 구하기 중요도

더 자세한 개념은 풍산자 수학 I 116쪽

366 학평 기출

(상중하)

$\cos\theta=-\frac{1}{3}$일 때, $\sin\theta\tan\theta$의 값은?

① $-\frac{10}{3}$ ② $-\frac{8}{3}$ ③ $-\frac{5}{3}$
④ $\frac{5}{3}$ ⑤ $\frac{8}{3}$

367 최多빈출

(상중하)

θ가 제2사분면의 각이고, $\sin\theta=\frac{3}{5}$일 때, $\cos\theta$, $\tan\theta$의 값을 차례대로 적은 것은?

① $-\frac{4}{5}$, $-\frac{3}{4}$ ② $-\frac{3}{4}$, $-\frac{4}{5}$ ③ $\frac{4}{5}$, $-\frac{3}{4}$
④ $-\frac{4}{5}$, $\frac{3}{4}$ ⑤ $\frac{4}{5}$, $\frac{3}{4}$

368

(상중하)

θ가 제3사분면의 각이고, $\cos\theta=-\frac{4}{5}$일 때, $\sin\theta+\tan\theta$의 값은?

① $\frac{1}{20}$ ② $\frac{3}{20}$ ③ $\frac{1}{4}$
④ $\frac{7}{20}$ ⑤ $\frac{9}{20}$

369

(상중하)

θ가 제4사분면의 각이고 $\tan\theta=-\frac{5}{12}$일 때, $13(\sin\theta-\cos\theta)$의 값은?

① -17 ② -7 ③ 0
④ 7 ⑤ 17

370
상 중 하

$\sin\theta+\cos\theta=\frac{1}{2}$일 때, 다음 식의 값을 구하여라.

(1) $\sin\theta\cos\theta$ (2) $\sin^3\theta+\cos^3\theta$

371
풍쌤 비법 ❷

상 중 하

$\sin\theta-\cos\theta=\frac{1}{3}$일 때, $\frac{1}{\sin\theta}-\frac{1}{\cos\theta}$의 값은?

① $-\frac{1}{2}$ ② $-\frac{3}{4}$ ③ -1
④ $-\frac{5}{4}$ ⑤ $-\frac{3}{2}$

372
상 중 하

θ가 제1사분면의 각이고, $\sin\theta\cos\theta=\frac{1}{2}$일 때, $\sin\theta+\cos\theta$의 값은?

① $-\sqrt{3}$ ② $-\sqrt{2}$ ③ -1
④ $\sqrt{2}$ ⑤ $\sqrt{3}$

373
상 중 하

θ가 제2사분면의 각이고, $\sin\theta+\cos\theta=\frac{\sqrt{2}}{2}$일 때, $\sin\theta-\cos\theta$의 값은?

① $-\frac{\sqrt{7}}{2}$ ② $-\frac{\sqrt{5}}{2}$ ③ $\frac{\sqrt{5}}{2}$
④ $\frac{\sqrt{6}}{2}$ ⑤ $\frac{\sqrt{10}}{2}$

374
학평 기출

상 중 하

$\sin\theta+\cos\theta=\frac{1}{3}$일 때, $\frac{1}{\cos\theta}\left(\tan\theta+\frac{1}{\tan^2\theta}\right)$의 값은?

① $\frac{45}{16}$ ② $\frac{43}{16}$ ③ $\frac{41}{16}$
④ $\frac{39}{16}$ ⑤ $\frac{37}{16}$

11 삼각함수를 이용한 이차방정식

중요도

더 자세한 개념은 풍산자 수학Ⅰ 118쪽

375
최多빈출

상 중 하

이차방정식 $2x^2-x+a=0$의 두 근이 $\sin\theta$, $\cos\theta$일 때, 상수 a의 값은?

① $-\frac{3}{8}$ ② $-\frac{5}{7}$ ③ $-\frac{5}{6}$
④ $-\frac{2}{5}$ ⑤ $-\frac{3}{4}$

376
학평 기출

상 중 하

이차방정식 $2x^2-\sqrt{2}x+a=0$의 두 근이 $\sin\theta$, $\cos\theta$일 때, $\frac{\sin^3\theta+\cos^3\theta}{a}$의 값은? (단, a는 상수이다.)

① $-\frac{5\sqrt{2}}{8}$ ② $-\frac{5\sqrt{2}}{4}$ ③ $-\frac{1}{2}$
④ $\frac{5\sqrt{2}}{4}$ ⑤ $\frac{5\sqrt{2}}{8}$

377
상 중 하

계수가 유리수인 이차방정식
$4x^2-8(\sin\theta+\cos\theta)x-1=0$의 한 근이 $\frac{\sqrt{2}-1}{2}$일 때, $\sin\theta\cos\theta$의 값은?

① $\frac{3}{8}$ ② $\frac{3}{4}$ ③ $\frac{3}{2}$
④ $-\frac{3}{4}$ ⑤ $-\frac{3}{8}$

내신을 꽉 잡는 서술형

● 정답과 풀이 054쪽

378

각 θ를 나타내는 동경과 각 7θ를 나타내는 동경이 일치할 때, $\cos\left(\frac{\pi}{2}-\theta\right)$의 값을 구하여라. (단, θ는 예각이다.)

379

반지름의 길이가 r, 중심각의 크기가 θ인 부채꼴의 둘레의 길이와 반지름의 길이가 $2r$인 원의 둘레의 길이가 같을 때, $\sin\frac{\theta+2}{8}$의 값을 구하여라.

380

둘레의 길이가 20인 부채꼴은 반지름의 길이가 r일 때, 넓이의 최댓값 M을 갖는다. 이때, $r+M$의 값을 구하여라.

381

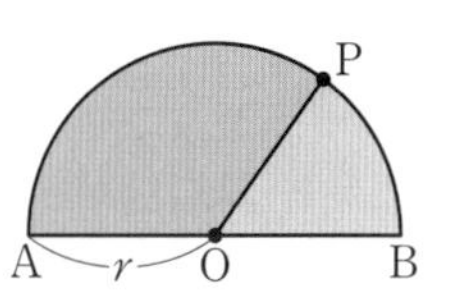

오른쪽 그림과 같이 반지름의 길이가 r인 반원에서 $\widehat{AP}=\overline{AB}$가 되도록 원의 둘레 위에 점 P를 잡아 두 부채꼴 OAP와 부채꼴 OBP를 만들었다. 이때, $\frac{(\text{부채꼴 OAP의 넓이})}{(\text{부채꼴 OBP의 넓이})}$의 값을 구하여라.

382

$\sqrt{\sin\theta\cos\theta}=-\sqrt{\sin\theta}\sqrt{\cos\theta}$를 만족시키는 각 θ에 대하여 $|\sin\theta|+\sqrt{\cos^2\theta}-\sqrt{1-\cos^2\theta}-\cos\theta$를 간단히 하여라. (단, $\sin\theta\cos\theta\neq0$)

383

이차방정식 $2x^2+kx+1=0$의 두 근이 $\sin\theta$, $\cos\theta$일 때, $\frac{k}{\tan\theta}$의 값을 구하여라. (단, $k>0$)

고득점을 향한 도약

384

오른쪽 그림에서 동경 OP가 나타내는 일반각을 θ라고 할 때, $-4\pi \le \theta \le 4\pi$에 속하는 모든 θ의 크기의 합은?

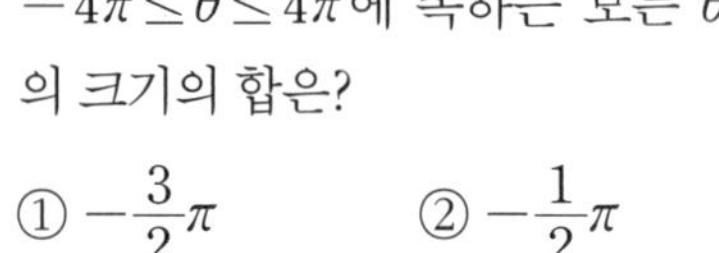

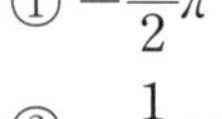

① $-\frac{3}{2}\pi$　② $-\frac{1}{2}\pi$

③ $-\frac{1}{3}\pi$　④ $\frac{2}{3}\pi$

⑤ $\frac{4}{3}\pi$

385

각 θ를 나타내는 동경이 각 5θ를 나타내는 동경과 y축에 대하여 대칭이고, 각 2θ를 나타내는 동경과 직선 $y=x$에 대하여 대칭일 때, θ의 크기가 될 수 있는 것을 모두 고르면? (단, $0<\theta<\pi$) (정답 2개)

① $\frac{\pi}{6}$　② $\frac{\pi}{3}$　③ $\frac{\pi}{2}$

④ $\frac{2}{3}\pi$　⑤ $\frac{5}{6}\pi$

386

길이가 16인 끈을 사용하여 넓이가 12 이상이 되는 부채꼴을 만들려고 한다. 이때, 중심각의 크기의 최댓값은?

① 2　② 3　③ 4

④ 5　⑤ 6

387 (100점 도전)

밑면인 원의 반지름의 길이가 1, 높이가 5인 원기둥 6개를 오른쪽 그림과 같이 쌓을 때 원기둥 사이의 어두운 부분의 부피를 $a\sqrt{3}+b\pi$라고 하자. 이때, $a+b$의 값을 구하여라. (단, a, b는 유리수이다.)

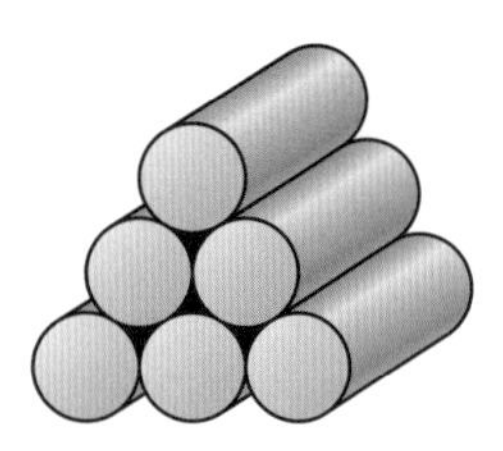

388

반지름의 길이가 30인 구 위의 한 점 N에 길이가 5π인 실의 한 끝을 고정한다. 실을 팽팽하게 유지하면서 구의 표면을 따라 실의 나머지 한 끝을 한 바퀴 돌렸을 때, 구의 표면에 생기는 실 끝의 자취의 길이를 l이라고 하자. 이때, $\frac{l}{\pi}$의 값은?

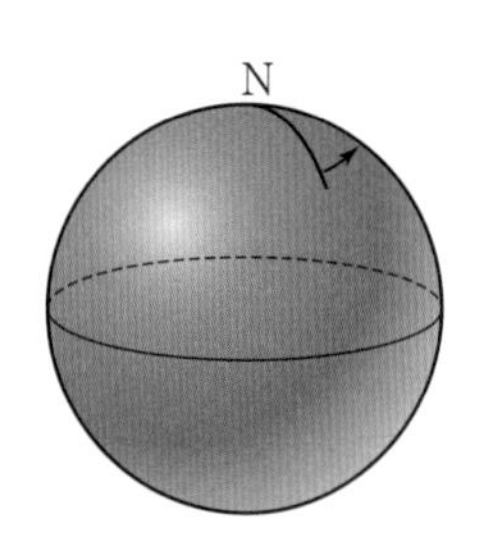

① 15　② $15\sqrt{3}$　③ 30

④ $30\sqrt{3}$　⑤ 45

389

오른쪽 그림과 같은 부채꼴 OAB에서 중심각의 크기를 10 % 줄이고, 반지름의 길이를 10 % 늘였다. 이때, 부채꼴의 넓이는 어떻게 변하는가?

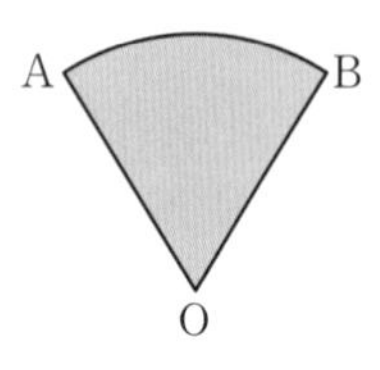

① 9.1 % 증가한다.　② 9.1 % 감소한다.

③ 8.9 % 증가한다.　④ 8.9 % 감소한다.

⑤ 8.7 % 증가한다.

390

오른쪽 그림과 같이 $\angle B=90°$인 직각삼각형 ABC에서 $\overline{AC}$의 삼등분점이 D, E이다.
$\overline{BD}=\cos x$, $\overline{BE}=\sin x$일 때, $\overline{AC}$의 길이를 구하여라.

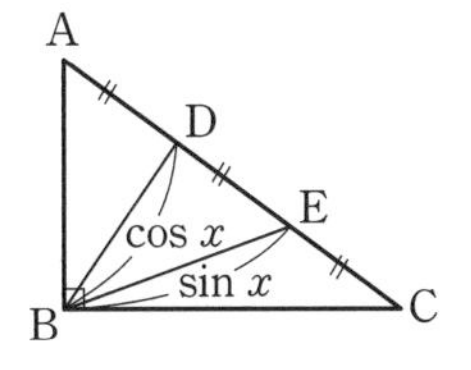

391

θ가 제2사분면의 각이고 $\frac{1-\tan\theta}{1+\tan\theta}=2+\sqrt{3}$일 때, $\sin\theta-\cos^2\theta$의 값은?

① $-\frac{1}{2}$　② $-\frac{1}{4}$　③ 0
④ $\frac{1}{4}$　⑤ $\frac{1}{2}$

392

오른쪽 그림과 같이 중심각의 크기가 4θ이고 반지름의 길이가 a인 부채꼴에 내접하는 원을 그렸다. 이 원의 반지름의 길이를 a와 θ에 대한 식으로 나타내면?

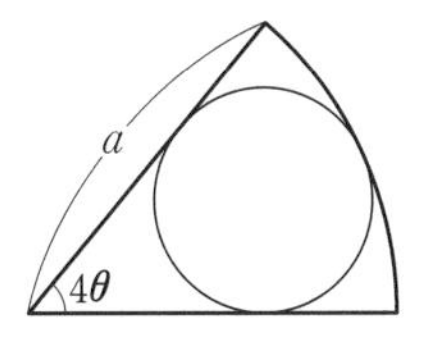

① $\frac{a}{1+\sin 2\theta}$　② $\frac{a}{2(1+\sin 2\theta)}$
③ $\frac{a\sin\theta}{1+\sin 2\theta}$　④ $\frac{a\sin 2\theta}{1+\sin 2\theta}$
⑤ $\frac{a\sin 2\theta}{2(1+\sin 2\theta)}$

393

x에 대한 이차방정식 $2x^2+x\cos\theta+3\cos\theta\tan\theta=0$이 서로 다른 부호의 실근을 갖는다고 한다. 음의 근의 절댓값이 양의 근보다 크도록 θ의 크기를 정할 때, 다음 중 θ의 크기가 될 수 있는 것은?

① $-\frac{3}{4}\pi$　② $-\frac{1}{5}\pi$　③ $\frac{2}{7}\pi$
④ $\frac{5}{8}\pi$　⑤ $\frac{10}{9}\pi$

394

계수가 유리수인 이차방정식

$$x^2-\left(\tan\theta+\frac{1}{\tan\theta}\right)x+1=0$$

의 한 근이 $3+2\sqrt{2}$일 때, $\sin\theta+\cos\theta$의 값을 구하여라. $\left(단, 0<\theta<\frac{\pi}{2}\right)$

395

θ가 제1사분면의 각이고 이차방정식 $x^2-\sqrt{3}x+2a=0$의 한 근이 $\cos\theta+i\sin\theta$일 때, $a\theta$의 값을 구하여라.

(단, a는 실수이고, $i=\sqrt{-1}$이다.)

06 삼각함수의 그래프

1 함수 $y=\sin x$, $y=\cos x$의 그래프

(1) **정의역** : 실수 전체의 집합

(2) **치역** : $\{y \mid -1 \le y \le 1\}$

(3) **주기** : 2π

(4) **대칭성** : $y=\sin x$의 그래프는 원점에 대하여 대칭, $y=\cos x$의 그래프는 y축에 대하여 대칭이다.
└ 기함수
└ 우함수

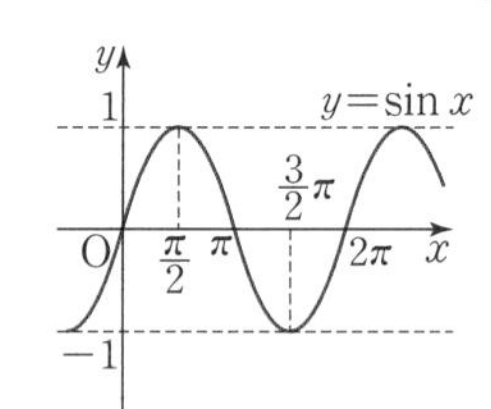

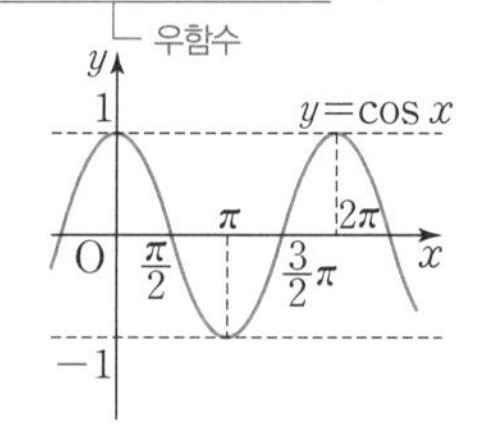

2 함수 $y=\tan x$의 그래프

(1) **정의역** : $x \ne n\pi + \frac{\pi}{2}$인 실수 전체의 집합 (단, n은 정수이다.)

(2) **치역** : 실수 전체의 집합

(3) **주기** : π

(4) **대칭성** : 원점에 대하여 대칭

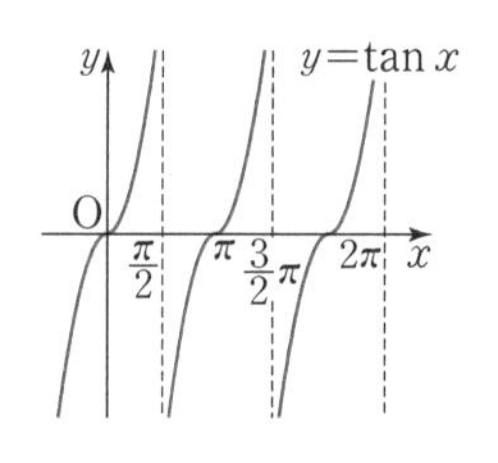

3 삼각함수의 최대, 최소와 주기

삼각함수	최댓값	최솟값	주기
$y=a\sin(bx+c)+d$	$\lvert a\rvert+d$	$-\lvert a\rvert+d$	$\frac{2\pi}{\lvert b\rvert}$
$y=a\cos(bx+c)+d$	$\lvert a\rvert+d$	$-\lvert a\rvert+d$	$\frac{2\pi}{\lvert b\rvert}$
$y=a\tan(bx+c)+d$	없다.	없다.	$\frac{\pi}{\lvert b\rvert}$

4 일반각에 대한 삼각함수의 성질

(1) **주기 공식**

$\sin(2n\pi+\theta)=\sin\theta$, $\cos(2n\pi+\theta)=\cos\theta$,
$\tan(2n\pi+\theta)=\tan\theta$ (단, n은 정수이다.)

(2) **음의 각 공식**

$\sin(-\theta)=-\sin\theta$, $\cos(-\theta)=\cos\theta$,
$\tan(-\theta)=-\tan\theta$

(3) **$\frac{\pi}{2}\pm\theta$ 공식**

$\sin\left(\frac{\pi}{2}\pm\theta\right)=\cos\theta$, $\cos\left(\frac{\pi}{2}\pm\theta\right)=\mp\sin\theta$

(복호동순)

(4) **$\pi\pm\theta$ 공식**

$\sin(\pi\pm\theta)=\mp\sin\theta$, $\cos(\pi\pm\theta)=-\cos\theta$
$\tan(\pi\pm\theta)=\pm\tan\theta$ (복호동순)

5 삼각방정식과 삼각부등식

(1) **삼각방정식**

① $\sin x=a$의 해 : $y=\sin x$의 그래프와 직선 $y=a$의 교점의 x좌표를 구한다.

② $a\sin^2 x+b\sin x+c=0$의 해 : $\sin x=t$로 치환한 후 $at^2+bt+c=0$의 해를 구한다. (단, $-1\le t\le 1$)

(2) **삼각부등식**

① $\sin x>a$의 해 : $y=\sin x$의 그래프가 직선 $y=a$보다 위쪽인 x의 값의 범위를 구한다.

② $a\sin^2 x+b\sin x+c>0$의 해 : $\sin x=t$로 치환한 후 $at^2+bt+c>0$의 해를 구한다. (단, $-1\le t\le 1$)

문제 풀 때 유용한 풍쌤 비법

❶ $\frac{\pi}{2}\times n\pm\theta$ (n은 정수) 꼴의 삼각함수의 변환

(1) n이 홀수이면 sin ➡ cos으로, cos ➡ sin으로 변형한다.
n이 짝수이면 sin ➡ sin으로, cos ➡ cos으로 변형한다.

(2) 부호 : θ는 항상 예각으로 생각하고 $\frac{\pi}{2}\times n\pm\theta$가 나타내는 동경이 속하는 사분면에서 원래 주어진 삼각함수의 부호를 따른다.

❷ 이차식 꼴의 삼각함수의 최대, 최소는 다음과 같은 방법으로 구한다.

① $\sin^2 x+\cos^2 x=1$을 이용하여 주어진 식을 한 종류의 삼각함수의 식으로 변형한다.
② 삼각함수를 t로 치환하고 t의 값의 범위를 구한다.
③ t의 값의 범위에서 이차함수의 최대, 최소를 구한다.

실력을 기르는 유형

● 정답과 풀이 058쪽

01 주기함수의 정의와 삼각함수

중요도

더 자세한 개념은 풍산자 수학 I 124쪽

396 상 중 하

다음 함수의 주기를 구하여라.

(1) $y=\sin 2x+3$

(2) $y=3\cos(x-2)$

(3) $y=\tan 2x-5$

397 상 중 하

다음 함수 중 주기가 2인 것은?

① $y=\cos \pi x$ ② $y=\cos \sqrt{2}\pi x$

③ $y=2\sin \sqrt{2}\pi x$ ④ $y=\sin \dfrac{\sqrt{2}}{\pi}x$

⑤ $y=\sqrt{2}\tan \pi x$

398 상 중 하

함수 $y=\sin \dfrac{\pi}{2}x+\cos \dfrac{\pi}{3}x$의 주기를 구하여라.

399 상 중 하

두 함수 $y=\cos \dfrac{x}{a}$와 $y=\tan ax$의 주기가 같을 때, 양수 a의 값은?

① $\dfrac{\sqrt{2}}{2}$ ② $\sqrt{2}$ ③ $\sqrt{3}$

④ $2\sqrt{2}$ ⑤ $3\sqrt{2}$

02 주기함수의 활용

중요도

더 자세한 개념은 풍산자 수학 I 124쪽

400 상 중 하

다음 함수 중 모든 실수 x에 대하여 $f(x)=f(x+2)$를 만족시키는 것은?

① $f(x)=2\cos x$ ② $f(x)=\cos 2x$

③ $f(x)=\cos \pi x$ ④ $f(x)=\cos \sqrt{2}\pi x$

⑤ $f(x)=\cos \dfrac{\sqrt{2}}{2}\pi x$

401 상 중 하

다음 중 모든 실수 x에 대하여 $f(x-1)=f(x+1)$을 만족시키는 함수는?

① $f(x)=\sin x$ ② $f(x)=\sin 2x$

③ $f(x)=\cos \pi x$ ④ $f(x)=\cos \dfrac{2}{\pi}x$

⑤ $f(x)=\tan 2x$

402 상 중 하

함수 $f(x)$가 다음 조건을 만족시킬 때, $f\left(\dfrac{2017}{3}\right)$의 값은?

(가) 모든 실수 x에 대하여 $f(x+3)=f(x)$

(나) $0\le x<3$일 때, $f(x)=\sin \pi x$

① $-\dfrac{\sqrt{3}}{2}$ ② $-\dfrac{1}{2}$ ③ $\dfrac{1}{2}$

④ $\dfrac{\sqrt{2}}{2}$ ⑤ $\dfrac{\sqrt{3}}{2}$

403

(상)(중)(하)

함수 $f(x)=\cos 2x+\sin\left(3x+\frac{\pi}{6}\right)+1$의 주기를 a라고 할 때, $f(a)$의 값은?

① $\frac{1}{2}$ ② $\frac{\sqrt{3}}{2}$ ③ $\frac{3}{2}$
④ $\frac{5}{2}$ ⑤ $\frac{3\sqrt{3}}{2}$

406

(상)(중)(하)

임의의 각 θ에 대하여 〈보기〉에서 옳은 것을 모두 고른 것은?

보기

ㄱ. $\sin\left(\frac{\pi}{2}+\theta\right)=\cos(\pi+\theta)$

ㄴ. $\cos\left(\frac{\pi}{2}+\theta\right)=\sin(\pi+\theta)$

ㄷ. $\tan(\pi+\theta)=-\tan(\pi-\theta)$

① ㄱ ② ㄱ, ㄴ ③ ㄱ, ㄷ
④ ㄴ, ㄷ ⑤ ㄱ, ㄴ, ㄷ

03 일반각에 대한 삼각함수의 성질

중요도

더 자세한 개념은 풍산자 수학 I 133쪽

404

(상)(중)(하)

다음 중 옳지 않은 것은?

① $\cos\left(-\frac{8}{3}\pi\right)=-\frac{1}{2}$ ② $\sin\frac{13}{4}\pi=-\frac{\sqrt{2}}{2}$
③ $\tan 495^\circ=-1$ ④ $\sin 870^\circ=\frac{\sqrt{3}}{2}$
⑤ $\cos\left(-\frac{5}{6}\pi\right)=-\frac{\sqrt{3}}{2}$

405

(상)(중)(하)

$\frac{\sin 840^\circ-\cos 150^\circ}{\sin 150^\circ-\cos 840^\circ}$의 값은?

① $-\sqrt{3}$ ② $-\frac{1}{\sqrt{3}}$ ③ $\frac{1}{\sqrt{3}}$
④ 1 ⑤ $\sqrt{3}$

407 최多빈출

(상)(중)(하)

$\sin\left(\frac{\pi}{2}+\frac{\pi}{3}\right)+\cos\left(\frac{\pi}{2}-\frac{\pi}{6}\right)+\tan\left(\pi+\frac{\pi}{4}\right)$의 값은?

① $\frac{1}{2}$ ② 1 ③ $\frac{3}{2}$
④ 2 ⑤ $\frac{5}{2}$

408

(상)(중)(하)

$\frac{\sin(\pi-\theta)}{1+\sin\left(\frac{\pi}{2}+\theta\right)}+\frac{\cos\left(\frac{\pi}{2}-\theta\right)}{1+\cos(\pi+\theta)}$를 간단히 하면?

① 0 ② 1 ③ $2\sin\theta$
④ $\frac{2}{\sin\theta}$ ⑤ $\frac{2}{\cos\theta}$

409 풍쌤 비법 ❶ (상중하)

$$\frac{\cos(-\theta)}{\cos(\pi+\theta)\sin^2\left(\frac{3}{2}\pi-\theta\right)}-\frac{\sin(-\theta)\tan^2(\pi-\theta)}{\cos\left(\frac{3}{2}\pi+\theta\right)}$$

를 간단히 하면?

① -1　② 0　③ 1
④ $\cos\theta$　⑤ $\sin\theta$

410 (상중하)

$\triangle ABC$에서 $\sin\frac{A}{2}=\frac{1}{3}$일 때, $\cos\frac{B+C-2\pi}{2}$의 값은?

① $-\frac{2\sqrt{2}}{3}$　② $-\frac{1}{3}$　③ 0
④ $\frac{1}{3}$　⑤ $\frac{2\sqrt{2}}{3}$

411 (상중하)

다음 식의 값을 구하여라. (단, $0^\circ<\theta<45^\circ$)

(1) $\sin^2(45^\circ+\theta)+\sin^2(45^\circ-\theta)$
(2) $\cos^2(\theta-40^\circ)+\cos^2(\theta+50^\circ)$

412 (상중하)

$\cos(-110^\circ)=a$라고 할 때, $\cos 160^\circ$를 a로 나타낸 것은?

① $-\sqrt{1-a^2}$　② $\sqrt{1-a^2}$　③ $1-a$
④ $1-a^2$　⑤ $a-1$

413 (상중하)

$\theta=\frac{\pi}{20}$일 때,
$\sin^2\theta+\sin^2 3\theta+\sin^2 5\theta+\sin^2 7\theta+\sin^2 9\theta$의 값은?

① $\frac{3}{2}$　② 2　③ $\frac{5}{2}$
④ 3　⑤ $\frac{7}{2}$

414 (상중하)

$\cos^2 1^\circ+\cos^2 2^\circ+\cos^2 3^\circ+\cdots+\cos^2 88^\circ+\cos^2 89^\circ$의 값을 구하여라.

415 학평 기출 (상중하)

오른쪽 그림과 같이 좌표평면 위의 단위원을 10등분하여 각 분점을 차례로

$P_1, P_2, \cdots, P_{10}$

이라고 하자. $P_1(1, 0)$, $\angle P_1OP_2=\theta$일 때, 〈보기〉에서 옳은 것을 모두 고른 것은?

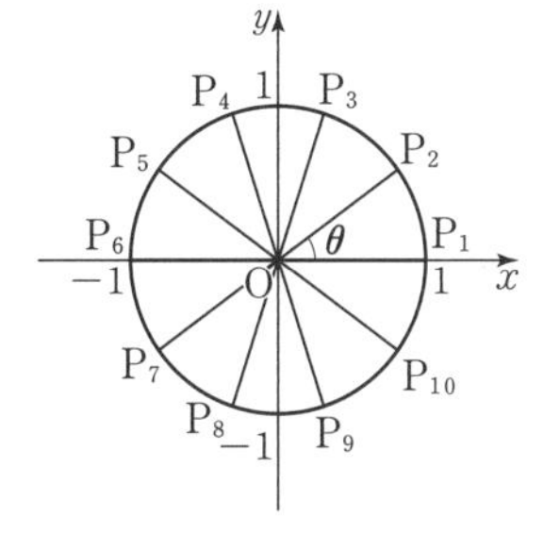

보기
ㄱ. $\sin\theta+\sin 2\theta+\sin 3\theta+\cdots+\sin 10\theta=0$
ㄴ. $\cos\theta+\cos 2\theta+\cos 3\theta+\cdots+\cos 10\theta=0$
ㄷ. $\tan\theta+\tan 2\theta+\tan 3\theta+\cdots+\tan 10\theta=0$

① ㄱ　② ㄴ　③ ㄷ
④ ㄱ, ㄴ　⑤ ㄱ, ㄴ, ㄷ

04 삼각함수의 그래프의 성질

중요도

더 자세한 개념은 풍산자 수학Ⅰ 125쪽

416 최多 빈출

상 중 하

함수 $f(x)=\sin x$에 대한 다음 설명 중 옳은 것은?

① 정의역은 $\{x \mid -1 \le x \le 1\}$이다.
② 치역은 실수 전체의 집합이다.
③ 모든 실수 x에 대하여 $f(x+2\pi)=f(x)$를 만족시킨다.
④ 그래프는 y축에 대하여 대칭이다.
⑤ 일대일함수이다.

417

상 중 하

함수 $y=\cos x$에 대한 다음 설명 중 옳지 않은 것은?

① 정의역은 실수 전체의 집합이다.
② 치역은 $\{y \mid -1 \le y \le 1\}$이다.
③ 주기는 2π이다.
④ 그래프는 x축에 대하여 대칭이다.
⑤ 그래프는 함수 $y=\sin x$의 그래프를 x축의 방향으로 $-\frac{\pi}{2}$만큼 평행이동한 것과 같다.

418

상 중 하

함수 $y=\tan x$에 대한 다음 설명 중 옳은 것은?

① 정의역은 실수 전체의 집합이다.
② 치역은 $\{y \mid -1 \le y \le 1\}$이다.
③ 주기는 $\frac{\pi}{2}$이다.
④ 그래프는 y축에 대하여 대칭이다.
⑤ 그래프의 점근선의 방정식은 $x=n\pi+\frac{\pi}{2}$ (n은 정수)이다.

05 삼각함수의 값의 대소 비교

중요도

더 자세한 개념은 풍산자 수학Ⅰ 125쪽

419

상 중 하

함수 $f(x)=\sin x$에 대하여 다음 중 옳은 것은?

① $f(1)<f(2)<f(3)$
② $f(1)<f(3)<f(2)$
③ $f(2)<f(3)<f(1)$
④ $f(3)<f(1)<f(2)$
⑤ $f(3)<f(2)<f(1)$

420 학평 기출

상 중 하

세 함수 $f(x)=\sin x$, $g(x)=\cos x$, $h(x)=\tan x$에 대하여 다음 중 옳은 것은?

① $f(1)<g(1)<h(1)$
② $f(1)<h(1)<g(1)$
③ $g(1)<f(1)<h(1)$
④ $g(1)<h(1)<f(1)$
⑤ $h(1)<f(1)<g(1)$

421

상 중 하

다음 중 A, B, C의 대소 관계를 옳게 나타낸 것은?

$A=\cos 40°$, $B=\tan 50°$, $C=-\sin 300°$

① $A<B<C$
② $A<C<B$
③ $B<C<A$
④ $C<A<B$
⑤ $C<B<A$

06 삼각함수의 그래프의 평행이동과 대칭이동 중요도

더 자세한 개념은 풍산자 수학 I 127쪽

422

상 중 하

다음 함수의 그래프를 그리고, 치역과 주기를 구하여라.

(1) $y=3\sin 2x+3$

(2) $y=3\cos(2x-\pi)$

(3) $y=2\tan\left(x-\frac{\pi}{2}\right)$

423

상 중 하

다음 중 함수 $y=\sin 2x$의 그래프를 x축의 방향으로 $\frac{\pi}{4}$만큼 평행이동한 그래프가 나타내는 함수의 식은?

① $y=\sin 2x$ ② $y=-\sin 2x$
③ $y=\cos 2x$ ④ $y=-\cos 2x$
⑤ $y=\tan 2x$

424

상 중 하

다음 중 함수 $y=\cos 2x$의 그래프를 x축의 방향으로 $\frac{\pi}{2}$만큼 평행이동한 후 x축에 대하여 대칭이동한 그래프가 나타내는 함수의 식은?

① $y=\sin 2x$ ② $y=-\sin 2x$
③ $y=\cos 2x$ ④ $y=-\cos 2x$
⑤ $y=\tan 2x$

425

상 중 하

함수 $y=2\sin 3x$의 그래프를 x축의 방향으로 a만큼, y축의 방향으로 b만큼 평행이동한 그래프가 나타내는 함수의 식이 $y=2\sin(3x-3)+1$일 때, $a+b$의 값은?

① 1 ② 2 ③ 3
④ 4 ⑤ 5

426

상 중 하

다음 중 함수 $y=\tan x$의 그래프를 x축에 대하여 대칭이동한 후 다시 평행이동 $(x,\ y) \longrightarrow (x+\pi,\ y)$에 의해 이동한 그래프가 나타내는 함수의 식은?

① $y=\tan\frac{x}{2}$ ② $y=-\tan\frac{x}{2}$
③ $y=\tan x$ ④ $y=-\tan x$
⑤ $y=\tan 2x$

07 절댓값 기호를 포함한 삼각함수 중요도

더 자세한 개념은 풍산자 수학 I 131쪽

427 최多빈출

상 중 하

두 함수 $y=|\sin 2x|$와 $y=|\tan 3x|$의 주기를 차례대로 적은 것은?

① $\pi,\ \frac{\pi}{3}$ ② $\frac{\pi}{2},\ \frac{\pi}{3}$ ③ $\frac{\pi}{2},\ \frac{\pi}{6}$
④ $\pi,\ \frac{\pi}{6}$ ⑤ $\frac{\pi}{3},\ \frac{\pi}{2}$

428
상중하

다음 함수 중 주기함수가 아닌 것은?

① $y=|\sin(x+\pi)|$ ② $y=\cos\left(|x|-\frac{\pi}{2}\right)$

③ $y=|\cos(x-\pi)|$ ④ $y=\sin\left(|x|+\frac{\pi}{2}\right)$

⑤ $y=|\tan(x-\pi)|$

429
상중하

다음 〈보기〉에서 함수 $y=\sin \pi x+1$과 주기가 같은 함수를 모두 고른 것은?

보기

ㄱ. $y=|\sin 2\pi x|$

ㄴ. $y=\left|\cos\frac{\pi}{2}x\right|$

ㄷ. $y=\left|\tan\frac{\pi}{2}x\right|$

① ㄱ ② ㄱ, ㄴ ③ ㄱ, ㄷ

④ ㄴ, ㄷ ⑤ ㄱ, ㄴ, ㄷ

08 삼각함수의 최대 · 최소

중요도

더 자세한 개념은 풍산자 수학 I 141쪽

430
상중하

다음 함수의 최댓값, 최솟값을 구하여라.

(1) $y=2\sin\left(x+\frac{\pi}{4}\right)$

(2) $y=-3\cos\left(2x+\frac{\pi}{6}\right)-1$

(3) $y=\tan\frac{\pi}{4}x+1$

431
최多빈출 상중하

함수 $y=2\sin\left(3\pi x+\frac{\pi}{2}\right)-1$의 최댓값을 M, 최솟값을 m이라고 할 때, Mm의 값은?

① -3 ② -2 ③ -1

④ 1 ⑤ 3

432
상중하

다음 함수의 최댓값, 최솟값을 구하여라.

(1) $y=|\sin x|$ (2) $y=\cos|x|$ (3) $y=|\tan x|$

433
상중하

함수 $f(x)=a\sin bx+c$의 최댓값이 1, 최솟값이 -3, 주기가 π일 때, 상수 a, b, c의 값을 각각 구하여라.

(단, $a>0$, $b>0$)

434
상중하

함수 $y=2\cos\left(x+\frac{\pi}{3}\right)+1$의 최댓값을 a, 최솟값을 b, 주기를 c라고 할 때, $\cos\frac{c}{a+b}$의 값은?

① -1 ② $-\frac{1}{2}$ ③ $\frac{1}{2}$

④ $\frac{\sqrt{2}}{2}$ ⑤ 1

435
(상중하)

함수 $f(x)=a\sin bx+c$가 다음 조건을 만족시킬 때, $a+b+c$의 값은? (단, $a>0$, $b>0$이고, c는 상수이다.)

> (가) 함수 $f(x)$의 주기는 $\frac{\pi}{2}$이다.
> (나) 함수 $f(x)$의 최솟값은 0이다.
> (다) $f\left(\frac{\pi}{8}\right)=4$

① 5 ② 6 ③ 7 ④ 8 ⑤ 9

436
학평 기출 (상중하)

함수 $f(x)=a\cos\frac{x}{2}+b$의 최댓값이 7이고, $f\left(\frac{2}{3}\pi\right)=5$일 때, $f(x)$의 최솟값은? (단, $a>0$이고, b는 상수이다.)

① -2 ② -1 ③ 0 ④ 1 ⑤ 2

437
(상중하)

함수 $f(x)=a\cos\left(bx-\frac{\pi}{3}\right)+c$의 주기가 2π, 최댓값이 5, $f\left(\frac{2}{3}\pi\right)=3$일 때, $a+2b+3c$의 값은?

(단, $a>0$, $b>0$이고, c는 상수이다.)

① 6 ② 7 ③ 8 ④ 9 ⑤ 10

438
(상중하)

함수 $f(x)=a|\sin bx|+c$의 주기가 $\frac{\pi}{2}$, 최댓값이 6, $f\left(-\frac{\pi}{12}\right)=4$일 때, $a+b-c$의 값은?

(단, $a>0$, $b>0$이고, c는 상수이다.)

① 1 ② 2 ③ 3 ④ 4 ⑤ 5

09 그래프가 주어진 삼각함수의 미정계수 구하기 중요도

더 자세한 개념은 풍산자 수학 I 141쪽

439
(상중하)

함수 $y=a\cos bx$의 그래프가 다음 그림과 같을 때, $a+b$의 값은? (단, $a>0$, $b>0$)

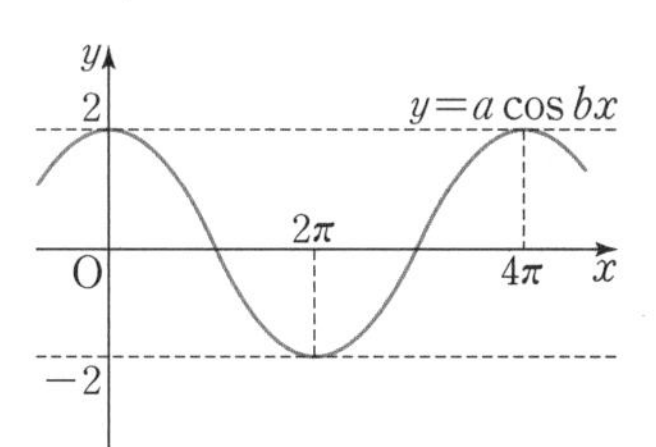

① $\frac{5}{4}$ ② $\frac{3}{2}$ ③ $\frac{9}{4}$ ④ $\frac{5}{2}$ ⑤ $\frac{9}{2}$

440
(상중하)

함수 $y=a\sin(bx+c)+d$의 그래프가 다음 그림과 같을 때, $abcd$의 값은?

(단, $a>0$, $b>0$, $0<c<\pi$이고, d는 상수이다.)

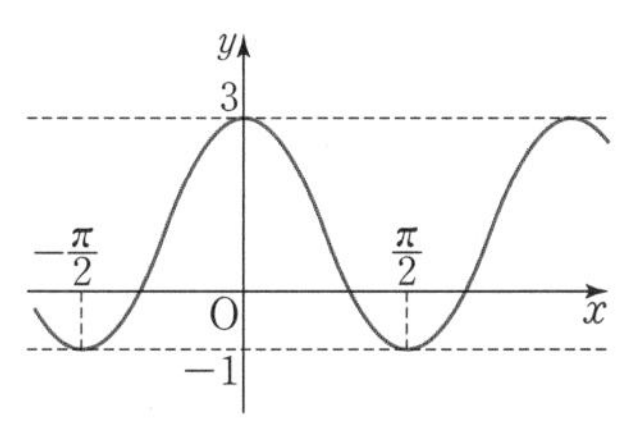

① $\frac{\pi}{2}$ ② π ③ $\frac{3}{2}\pi$ ④ 2π ⑤ $\frac{5}{2}\pi$

441
(상 중 하)

함수 $y=\tan(ax-b)$의 그래프가 다음 그림과 같을 때, ab의 값은? (단, $a>0$, $0<b<\pi$)

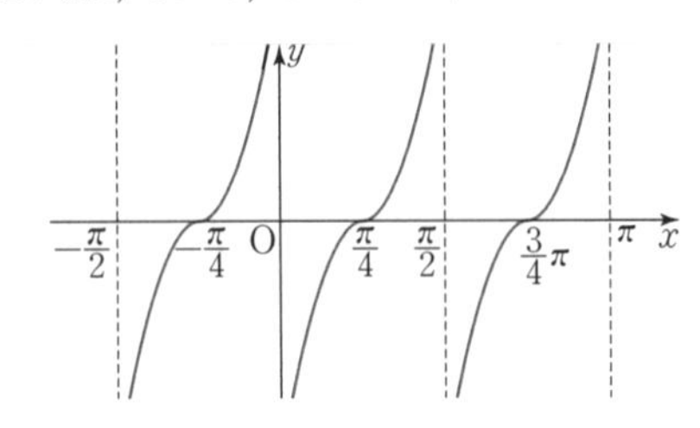

① $\frac{\pi}{2}$　　② π　　③ $\frac{3}{2}\pi$
④ 2π　　⑤ $\frac{5}{2}\pi$

442
(상 중 하)

함수 $y=a\sin(bx-c)$의 그래프가 오른쪽 그림과 같을 때, abc의 값은?
(단, $a>0$, $b>0$, $0<c<\pi$)

① $\frac{3}{2}\pi$　　② 2π
③ $\frac{7}{3}\pi$　　④ 3π
⑤ 4π

10 복잡한 형태의 삼각함수의 최대 · 최소
중요도

더 자세한 개념은 풍산자 수학Ⅰ 141쪽

443
(상 중 하)

함수 $y=|2\sin x+1|-3$의 최댓값을 M, 최솟값을 m이라고 할 때, $M+m$의 값은?

① -3　　② -2　　③ -1
④ 0　　⑤ 1

444
(상 중 하)

함수 $y=2-\left|\sin\left(x-\frac{\pi}{2}\right)-3\right|$의 최댓값과 최솟값의 곱은?

① -2　　② -1　　③ 0
④ 1　　⑤ 2

445
(상 중 하)

함수 $y=a|\cos x+2|+b$의 최댓값이 4, 최솟값이 2일 때, ab의 값은? (단, $a>0$이고, b는 상수이다.)

① 1　　② 2　　③ 3
④ 4　　⑤ 5

446
최多빈출 풍쌤 비법 ❷ (상 중 하)

함수 $y=3-4\cos^2 x+4\sin x$의 최댓값을 M, 최솟값을 m이라고 할 때, $M+m$의 값은?

① 1　　② 2　　③ 3
④ 4　　⑤ 5

447

상중하

$0\le x\le\frac{\pi}{2}$일 때, 함수 $y=2\cos^2 x+4\sin x-1$의 최댓값과 최솟값을 차례대로 적은 것은?

① 1, 0 ② 2, −1 ③ 3, 1
④ 3, −2 ⑤ 4, 2

448

상중하

함수 $y=a\cos^2 x-a\sin x+b$의 최댓값이 8, 최솟값이 −1일 때, $a+b$의 값은? (단, $a>0$이고, b는 상수이다.)

① 5 ② 6 ③ 7
④ 8 ⑤ 9

449

상중하

함수 $y=\sin^2\left(x+\frac{\pi}{2}\right)+\sin(x+\pi)$의 최댓값을 M, 최솟값을 m이라고 할 때, $M+m$의 값은?

① $\frac{1}{4}$ ② $\frac{1}{2}$ ③ $\frac{3}{4}$
④ 1 ⑤ $\frac{5}{4}$

450

상중하

$-\frac{\pi}{4}\le x\le\frac{\pi}{4}$일 때, 함수 $y=\tan^2 x-\tan(\pi-x)+1$의 최댓값을 M, 최솟값을 m이라고 하자. $M-m$의 값은?

① $\frac{5}{4}$ ② $\frac{3}{2}$ ③ $\frac{7}{4}$
④ $\frac{9}{4}$ ⑤ $\frac{5}{2}$

451 학평 기출

상중하

함수 $y=\cos^2\left(\frac{\pi}{2}+\theta\right)+2\sin^2\left(\frac{3}{2}\pi-\theta\right)+2\sin(\pi+\theta)$의 최댓값을 M, 최솟값을 m이라고 할 때, $M+m$의 값은?

① 1 ② 2 ③ 3
④ 4 ⑤ 5

452

상중하

함수 $y=\frac{\sin x+1}{\sin x-2}$의 최댓값을 M, 최솟값을 m이라고 할 때, $M+m$의 값은?

① −2 ② −1 ③ 0
④ 1 ⑤ 2

453

상중하

$0 \leq x \leq \frac{\pi}{4}$에서 정의된 함수 $y=\frac{2\tan x+3}{\tan x+1}$의 최댓값을 M, 최솟값을 m이라고 할 때, $M+m$의 값은?

① $\frac{5}{2}$ ② $\frac{7}{2}$ ③ $\frac{9}{2}$
④ $\frac{11}{2}$ ⑤ $\frac{13}{2}$

11 삼각방정식

중요도

더 자세한 개념은 풍산자 수학 I 144쪽

454

상중하

다음 방정식을 풀어라. (단, $0 \leq x < 2\pi$)

(1) $\sin x = \frac{1}{2}$

(2) $\cos x = -\frac{\sqrt{2}}{2}$

(3) $\tan x = \sqrt{3}$

455 학평 기출

상중하

$0 \leq x < 4\pi$일 때, 방정식 $2\sin x = \sqrt{2}$의 모든 실근의 합은 $k\pi$이다. 실수 k의 값을 구하여라.

456 최多빈출

상중하

$0 \leq x < 2\pi$일 때, 방정식 $\sin x = \cos x$는 두 근 α, β를 갖는다. 이때, $\alpha+\beta$의 값은?

① π ② $\frac{3}{2}\pi$ ③ 2π
④ $\frac{5}{2}\pi$ ⑤ 3π

457

상중하

$0 \leq \theta < 2\pi$일 때, 다음 중 방정식 $2\cos 2\theta = \sqrt{2}$를 만족시키는 θ의 크기가 될 수 없는 것은?

① $\frac{\pi}{8}$ ② $\frac{7}{8}\pi$ ③ $\frac{9}{8}\pi$
④ $\frac{13}{8}\pi$ ⑤ $\frac{15}{8}\pi$

458

상중하

$0 \leq x < 2\pi$일 때, 방정식 $\sqrt{3}\tan\left(x+\frac{\pi}{6}\right)=3$을 만족시키는 모든 x의 값의 합은?

① $\frac{7}{6}\pi$ ② $\frac{4}{3}\pi$ ③ $\frac{3}{2}\pi$
④ $\frac{5}{3}\pi$ ⑤ $\frac{11}{6}\pi$

● 정답과 풀이 065쪽

459 학평 기출 (상중하)

$0\le x<2\pi$일 때, 방정식 $2\cos^2 x+3\sin x-3=0$의 모든 근의 합은?

① π ② $\frac{3}{2}\pi$ ③ 2π
④ $\frac{5}{2}\pi$ ⑤ 3π

460 (상중하)

삼각형 ABC에 대하여 $2\sin^2 A-3\cos A=3$이 성립할 때, $\sin\frac{B+C-2\pi}{2}$의 값은?

① $-\frac{\sqrt{3}}{2}$ ② $-\frac{\sqrt{2}}{2}$ ③ $-\frac{1}{2}$
④ $\frac{\sqrt{2}}{2}$ ⑤ $\frac{\sqrt{3}}{2}$

461 (상중하)

$0\le x<\pi$일 때, 방정식 $\sin^2 x=1+\sin x\cos x$의 두 근을 α, β라고 하자. 이때, $\frac{\beta}{\alpha}$의 값은? (단, $\alpha<\beta$)

① $\frac{5}{4}$ ② $\frac{4}{3}$ ③ $\frac{3}{2}$
④ 2 ⑤ 3

462 최多 빈출 (상중하)

방정식 $2\cos\theta-1=\sin\theta$를 만족시키는 θ에 대하여 $\sin\theta$의 값은? $\left(단,\ 0<\theta<\frac{\pi}{2}\right)$

① $\frac{2}{3}$ ② $\frac{3}{4}$ ③ $\frac{3}{5}$
④ $\frac{4}{5}$ ⑤ $\frac{5}{6}$

463 (상중하)

$0\le\theta<2\pi$일 때, 방정식 $2\sin\theta=\tan\theta$의 모든 근의 합은?

① π ② $\frac{3}{2}\pi$ ③ 2π
④ $\frac{5}{2}\pi$ ⑤ 3π

464 (상중하)

$0\le x<2\pi$일 때, 방정식 $\tan x+\frac{\sqrt{3}}{\tan x}=1+\sqrt{3}$을 만족시키는 x의 개수는?

① 1 ② 2 ③ 3
④ 4 ⑤ 5

12 삼각방정식의 실근의 개수

중요도

더 자세한 개념은 풍산자 수학 I 144쪽

465

상 중 하

방정식 $\cos x=\frac{1}{8}x$의 실근의 개수는?

① 3 ② 4 ③ 5
④ 6 ⑤ 7

466

상 중 하

방정식 $\sin \pi x=\frac{3}{10}x$의 실근의 개수는?

① 1 ② 3 ③ 5
④ 7 ⑤ 무수히 많다.

467 학평 기출

상 중 하

두 함수 $f(x)=\cos \pi x$, $g(x)=\sqrt{\frac{x}{10}}$ 에 대하여 방정식 $f(x)=g(x)$의 실근의 개수는?

① 7 ② 8 ③ 9
④ 10 ⑤ 11

13 삼각부등식

중요도

더 자세한 개념은 풍산자 수학 I 147쪽

468

상 중 하

다음 부등식을 풀어라. (단, $0\le x<2\pi$)

(1) $\sin x>\frac{1}{2}$

(2) $\cos x\le -\frac{\sqrt{2}}{2}$

(3) $\tan x>\sqrt{3}$

469

상 중 하

$0\le\theta\le\pi$일 때, 부등식 $\sin\left(\theta+\frac{\pi}{6}\right)>\frac{\sqrt{2}}{2}$를 만족시키는 θ의 값의 범위는 $\alpha<\theta<\beta$이다. 이때, $\beta-\alpha$의 값은?

① $\frac{\pi}{6}$ ② $\frac{\pi}{4}$ ③ $\frac{\pi}{3}$
④ $\frac{\pi}{2}$ ⑤ π

470 최多빈출

상 중 하

$0\le x<2\pi$일 때, 부등식 $2\cos\left(\frac{x}{2}-\frac{\pi}{3}\right)<1$의 해는 $a<x<b$이다. 이때, $b-a$의 값은?

① $\frac{2}{3}\pi$ ② π ③ $\frac{4}{3}\pi$
④ $\frac{3}{2}\pi$ ⑤ $\frac{5}{3}\pi$

471

상 중 하

$0\le x<\pi$일 때, 부등식 $\tan\left(x+\frac{\pi}{3}\right)<1$의 해는 $a<x<b$이다. 이때, $b-a$의 값은?

① $\frac{\pi}{2}$ ② $\frac{3}{4}\pi$ ③ π
④ $\frac{5}{4}\pi$ ⑤ $\frac{3}{2}\pi$

472
상중하

$0 \le x < 2\pi$일 때, 부등식 $2\cos^2 x + 5\sin x + 1 < 0$의 해가 $a < x < b$이다. 이때, $a+b$의 값은?

① π ② $\frac{3}{2}\pi$ ③ 2π
④ $\frac{5}{2}\pi$ ⑤ 3π

473
상중하

$0 \le \theta < 2\pi$일 때, 부등식 $\cos^2\left(\theta + \frac{\pi}{2}\right) - \cos\theta - 1 \ge 0$의 해가 $\alpha \le \theta \le \beta$이다. 이때, $\frac{\beta}{\alpha}$의 값은?

① $\frac{3}{2}$ ② $\frac{4}{3}$ ③ $\frac{5}{4}$
④ 2 ⑤ 3

474
상중하

$0 < x < \frac{\pi}{2}$일 때, 부등식

$$(\sqrt{3}\sin x - \cos x)(\sin x - \sqrt{3}\cos x) < 0$$

의 해는 $a < x < b$이다. 이때, $b-a$의 값은?

① $\frac{\pi}{6}$ ② $\frac{\pi}{4}$ ③ $\frac{\pi}{3}$
④ $\frac{\pi}{2}$ ⑤ $\frac{2}{3}\pi$

14 삼각방정식과 삼각부등식의 활용
중요도

더 자세한 개념은 풍산자 수학 I 149쪽

475
상중하

$0 \le \theta < 2\pi$일 때, 모든 실수 x에 대하여 부등식 $x^2 + (2\cos\theta + 1)x + 1 > 0$이 항상 성립하도록 하는 θ의 크기의 범위는?

① $\frac{\pi}{3} < \theta < \pi$ ② $\frac{\pi}{3} < \theta < \frac{5}{3}\pi$
③ $\frac{2}{3}\pi < \theta < \pi$ ④ $\frac{2}{3}\pi < \theta < \frac{4}{3}\pi$
⑤ $\frac{2}{3}\pi < \theta < \frac{5}{3}\pi$

476 최多빈출
상중하

x에 대한 이차방정식 $x^2 - 4x\sin\theta + 3 = 0$이 중근을 갖도록 하는 모든 θ의 값의 합은? (단, $0 \le \theta < \pi$)

① $\frac{2}{3}\pi$ ② $\frac{5}{6}\pi$ ③ π
④ $\frac{7}{6}\pi$ ⑤ 2π

477
상중하

x에 대한 이차방정식 $x^2 - (2\sin\theta - 1)x + 1 = 0$이 실근을 가지도록 하는 θ의 값의 범위는 $\alpha \le \theta \le \beta$이다. 이때, $\beta - \alpha$의 값을 구하여라. (단, $0 \le \theta < 2\pi$)

478 학평 기출
상중하

부등식 $\cos^2\theta - 4\cos\theta - a \ge 0$이 모든 실수 θ에 대하여 항상 성립하도록 하는 실수 a의 최댓값은?

① -4 ② -3 ③ -2
④ -1 ⑤ 0

● 정답과 풀이 069쪽

479

함수 $f(x)=a\tan\frac{\pi}{7}x$에 대하여 $f(1)=3$일 때, $f(6)+f(12)+f(16)$의 값을 구하여라.

(단, a는 상수이다.)

480

오른쪽 그림은 두 함수 $y=\tan x$와 $y=a\sin bx$의 그래프이다. 두 함수의 그래프가 점 $\left(\frac{\pi}{3},\ c\right)$에서 만날 때, abc의 값을 구하여라.

(단, $a>0,\ b>0$)

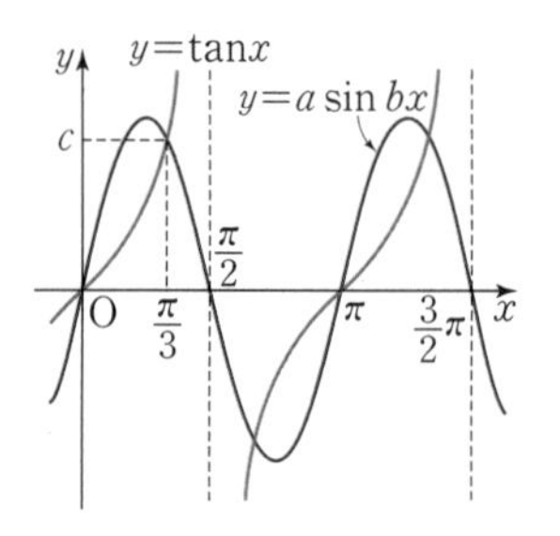

481

함수 $y=a\cos(bx+c)$의 그래프가 다음 그림과 같을 때, abc의 값을 구하여라. $\left(단,\ a>0,\ b>0,\ 0<c<\frac{\pi}{2}\right)$

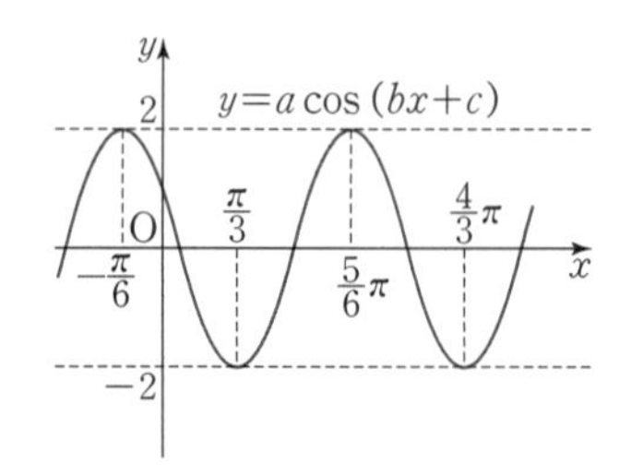

482

$0\le x\le 1$일 때, 함수 $y=\sin^2\pi x+\cos\pi x$는 $x=a$에서 최댓값 b를 갖는다. 이때, $a+b$의 값을 구하여라.

483

$\frac{3}{2}\pi\le x<2\pi$일 때, 방정식 $2\sin^2 x=1+\cos x$의 해를 구하여라.

484

부등식 $\cos^2\theta-3\cos\theta-a+9\ge 0$이 모든 실수 θ에 대하여 항상 성립하도록 하는 실수 a의 값의 범위를 구하여라.

고득점을 향한 도약

● 정답과 풀이 070쪽

485

다음은 $\cos\left(\frac{3}{2}\pi+\theta\right)=\sin\theta$임을 증명한 것이다.

증명

중심이 원점이고, 반지름의 길이가 1인 원과 각 θ, $\frac{3}{2}\pi+\theta$를 나타내는 동경의 교점을 각각 P, P′이라고 하면 두 동경 OP, OP′은 서로 (가) 이다. 그러므로 점 P의 좌표를 $(x,\ y)$라고 하면 점 P′의 좌표는 (나) 이다.

따라서 $\cos\left(\frac{3}{2}\pi+\theta\right)$와 $\sin\theta$를 x, y로 나타내면

$\cos\left(\frac{3}{2}\pi+\theta\right)=$ (다), $\sin\theta=$ (다)

$\therefore \cos\left(\frac{3}{2}\pi+\theta\right)=\sin\theta$

위의 과정에서 (가), (나), (다)에 알맞은 것은?

	(가)	(나)	(다)
①	원점에 대하여 대칭	$(-x,\ -y)$	$-y$
②	원점에 대하여 대칭	$(x,\ -y)$	y
③	x축에 대하여 대칭	$(x,\ -y)$	x
④	수직	$(y,\ -x)$	y
⑤	수직	$(x,\ -y)$	x

486

함수 $y=\dfrac{4\sin^2 x+1}{\cos\left(\frac{\pi}{2}-x\right)}$은 $x=a$일 때, 최솟값 b를 갖는다. 이때, ab의 값은? $\left(\text{단, } 0<x<\frac{\pi}{2}\right)$

① $\frac{\pi}{2}$　② $\frac{2}{3}\pi$　③ $\frac{4}{3}\pi$
④ $\frac{3}{2}\pi$　⑤ $\frac{5}{3}\pi$

487

a, b는 양수이고 $\alpha+\beta+\gamma=\pi$이다. $a^2+b^2=3ab\cos\gamma$일 때, $9\sin^2(\pi+\alpha+\beta)+9\cos\gamma$의 최댓값은?

① 9　② 10　③ 11
④ 12　⑤ 13

488

다음 그래프는 어떤 사람이 정상적인 상태에 있을 때 시각에 따라 호흡기에 유입되는 공기의 흡입률(리터/초)을 나타낸 것이다. 숨을 들이쉬기 시작한 지 t초 후 호흡기에 유입되는 공기의 흡입률을 y라고 하면 함수

$y=a\sin bt\ (a>0, b>0)$

로 나타낼 수 있다. 이때, y의 값은 숨을 들이쉴 때에는 양수, 내쉴 때에는 음수가 된다.

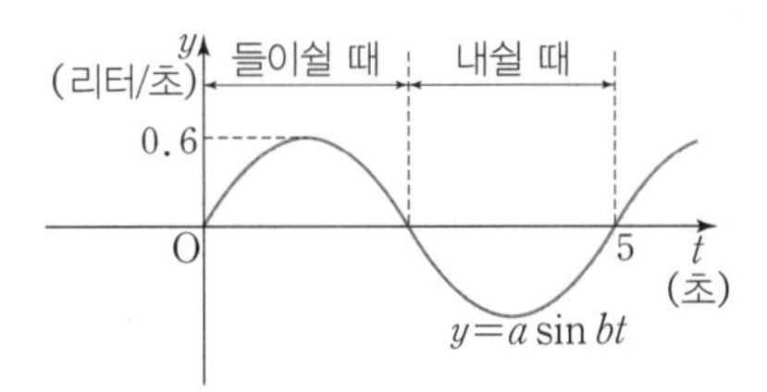

이 함수의 주기가 5초이고, 최대 흡입률이 0.6(리터/초)일 때, 숨을 들이쉬기 시작한 시각으로부터 처음으로 흡입률이 -0.3(리터/초)이 되는 데 걸리는 시간은?

① $\frac{35}{12}$초　② $\frac{37}{12}$초　③ $\frac{30}{11}$초
④ $\frac{31}{11}$초　⑤ $\frac{35}{11}$초

489

x에 대한 이차방정식 $x^2+x+a=0$의 한 허근을 $\cos\theta+i\sin\theta$라고 할 때, $\frac{\theta}{a}$의 값은?

(단, a는 실수, $0<\theta<\pi$, $i=\sqrt{-1}$이다.)

① $\frac{\pi}{6}$　② $\frac{\pi}{3}$　③ $\frac{\pi}{2}$　④ $\frac{2}{3}\pi$　⑤ $\frac{5}{6}\pi$

490

함수 $y=2\sin\frac{1}{4}(x-\pi)$ $(0\le x\le 10\pi)$의 그래프와 직선 $y=1$이 만나는 점들 중 서로 다른 두 점 A, B와 이 곡선 위의 점 P에 대하여 삼각형 PAB의 넓이의 최댓값을 구하여라. (단, 점 P는 직선 $y=1$ 위의 점이 아니다.)

491

방정식 $\sin^2\theta-2\cos\left(\theta+\frac{3}{2}\pi\right)-a-1=0$을 만족시키는 θ가 존재할 때, 상수 a의 값의 범위를 구하여라.

492

$0\le x<2\pi$에서 함수 $f(x)=3\sin 2x$의 그래프와 직선 $y=2$의 교점의 x좌표의 합을 α라고 할 때, $\sqrt{2}f\left(\alpha+\frac{\pi}{8}\right)$의 값을 구하여라.

493

이차함수 $y=x^2-2x\sin\theta+1$의 그래프의 꼭짓점의 좌표 (x, y)가 $y<\sqrt{2}x-\frac{1}{2}$을 만족시키는 θ의 크기의 범위가 $a<\theta<b$일 때, $b-a$의 값은? (단, $0\le\theta\le\pi$)

① $\frac{\pi}{4}$　② $\frac{\pi}{3}$　③ $\frac{\pi}{2}$　④ $\frac{2}{3}\pi$　⑤ $\frac{3}{4}\pi$

494

x에 대한 이차방정식 $x^2+4x\sin\theta+6\cos\theta=0$의 두 근이 모두 음수일 때, θ의 값의 범위를 구하여라.

(단, $0\le\theta<2\pi$)

07 삼각함수의 활용

1 사인법칙

삼각형 ABC의 외접원의 반지름의 길이를 R라고 할 때,

$$\frac{a}{\sin A}=\frac{b}{\sin B}=\frac{c}{\sin C}=2R$$

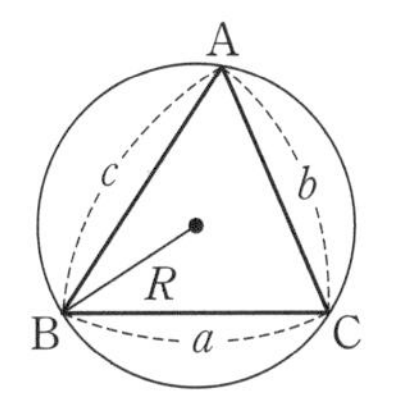

2 사인법칙의 변형

삼각형 ABC의 외접원의 반지름의 길이를 R라고 할 때,

① $\sin A=\frac{a}{2R}$, $\sin B=\frac{b}{2R}$, $\sin C=\frac{c}{2R}$

② $a=2R\sin A$, $b=2R\sin B$, $c=2R\sin C$

③ $a : b : c=\sin A : \sin B : \sin C$

3 코사인법칙

삼각형 ABC에서

① $a^2=b^2+c^2-2bc\cos A$

② $b^2=c^2+a^2-2ca\cos B$

③ $c^2=a^2+b^2-2ab\cos C$

4 코사인법칙의 변형

삼각형 ABC에서

① $\cos A=\frac{b^2+c^2-a^2}{2bc}$

② $\cos B=\frac{c^2+a^2-b^2}{2ca}$

③ $\cos C=\frac{a^2+b^2-c^2}{2ab}$

5 삼각형의 넓이

(1) 두 변의 길이와 그 끼인 각의 크기가 주어진 경우

$S=\frac{1}{2}ab\sin C=\frac{1}{2}bc\sin A$
$=\frac{1}{2}ca\sin B$

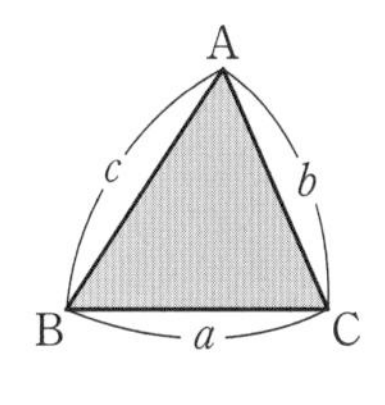

(2) 세 변의 길이(또는 세 각의 크기)와 외접원의 반지름의 길이 R가 주어진 경우

$S=\frac{abc}{4R}=2R^2\sin A\sin B\sin C$

(3) 세 변의 길이와 내접원의 반지름의 길이 r가 주어진 경우

$S=rs$ $\left(\text{단, } s=\frac{a+b+c}{2}\right)$

(4) 세 변의 길이가 주어진 경우 (헤론의 공식)

$S=\sqrt{s(s-a)(s-b)(s-c)}$ $\left(\text{단, } s=\frac{a+b+c}{2}\right)$

6 사각형의 넓이

(1) 평행사변형의 넓이

평행사변형의 이웃하는 두 변의 길이가 a, b이고, 그 끼인 각의 크기가 θ일 때, 평행사변형의 넓이 S는

$S=ab\sin\theta$

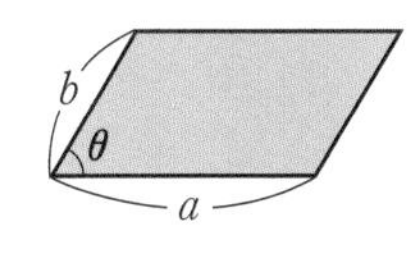

(2) 사각형의 넓이

사각형의 두 대각선의 길이가 a, b이고, 두 대각선이 이루는 각의 크기가 θ일 때, 사각형의 넓이 S는

$S=\frac{1}{2}ab\sin\theta$

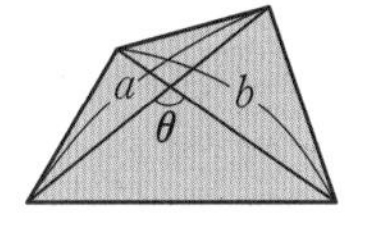

문제 풀 때 유용한 풍쌤 비법

❶ 변의 길이 또는 각의 크기 구하기

(1) 두 변의 길이와 그 끼인 각의 크기가 주어질 때, 나머지 한 변의 길이는 코사인법칙을 이용하여 구한다.

(2) 세 변의 길이가 주어질 때, 각의 크기는 코사인법칙의 변형을 이용하여 구한다.

❷ 삼각형의 모양 구하기

사인에 대한 식은 사인법칙의 변형을, 코사인에 대한 식은 코사인법칙의 변형을 이용하여 각에 대한 식을 변에 대한 식으로 나타낸다.

실력을 기르는 유형

01 사인법칙

중요도

더 자세한 개념은 풍산자 수학Ⅰ 156쪽

495 상 중 하

삼각형 ABC에 대하여 다음 물음에 답하여라.

(1) $A=30°$, $B=45°$, $b=10$일 때, a의 값을 구하여라.

(2) $b=2$, $c=2\sqrt{2}$, $C=135°$일 때, B의 값을 구하여라.

496 상 중 하

삼각형 ABC의 외접원의 반지름의 길이를 R라고 할 때, 다음 물음에 답하여라.

(1) $a=3$, $A=30°$일 때, R의 값을 구하여라.

(2) $b=6$, $R=2\sqrt{3}$일 때, B의 값을 구하여라.

(3) $C=120°$, $R=8$일 때, c의 값을 구하여라.

497 최多빈출 상 중 하

오른쪽 그림과 같이 $\angle A=150°$인 삼각형 ABC의 외접원의 반지름의 길이가 30일 때, $\overline{BC}$의 길이는?

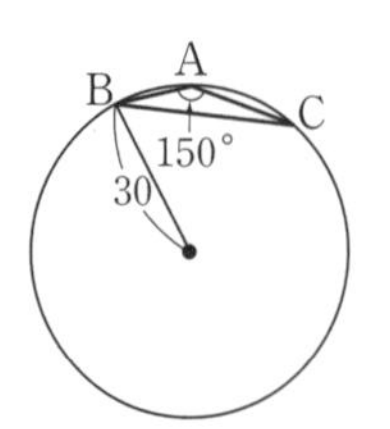

① 15 ② $15\sqrt{3}$ ③ 30 ④ $30\sqrt{3}$ ⑤ 60

498 상 중 하

삼각형 ABC에서 $b=10$, $A=105°$, $B=30°$일 때, c와 외접원의 반지름의 길이 R의 곱 cR의 값은?

① 50 ② $50\sqrt{2}$ ③ $50\sqrt{3}$ ④ $100\sqrt{2}$ ⑤ $100\sqrt{3}$

499 상 중 하

삼각형 ABC의 외접원의 반지름의 길이가 R이고, $a=2$, $c=2\sqrt{3}$, $C=120°$일 때 $\dfrac{\tan 2A}{R}$의 값은?

① $2\sqrt{3}$ ② $\sqrt{3}$ ③ $\dfrac{\sqrt{3}}{2}$ ④ $\dfrac{\sqrt{3}}{3}$ ⑤ $\dfrac{\sqrt{3}}{6}$

500 상 중 하

오른쪽 그림과 같이 $\overline{AB}=12$, $\overline{AC}=8$인 삼각형 ABC에서 $\overline{BC}$의 중점 M에 대하여 $\angle BAM=\alpha$, $\angle CAM=\beta$라고 할 때, $\dfrac{\sin\beta}{\sin\alpha}$의 값은?

① $\dfrac{1}{3}$ ② $\dfrac{1}{2}$ ③ $\dfrac{2}{3}$ ④ $\dfrac{4}{3}$ ⑤ $\dfrac{3}{2}$

501

상중하

오른쪽 그림에서 삼각형 ABC는 $\overline{AB}=\overline{BC}=2\sqrt{2}$인 이등변삼각형이고 점 O는 삼각형 ABC의 외접원의 중심이다. $\angle ABD=60°$일 때, 선분 CD의 길이는?

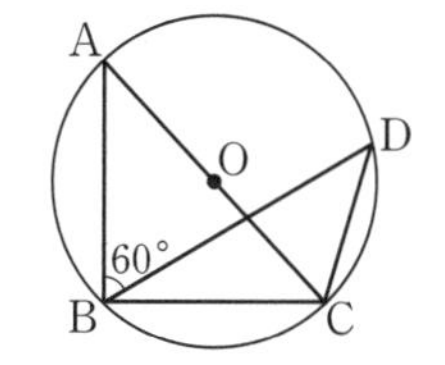

① 2 ② $2\sqrt{2}$ ③ 3
④ $2\sqrt{3}$ ⑤ $3\sqrt{2}$

504 최多빈출

상중하

삼각형 ABC에서

$(a+b):(b+c):(c+a)=5:7:6$

일 때, $\sin A:\sin B:\sin C$는?

① 1 : 2 : 3 ② 2 : 3 : 4 ③ 3 : 4 : 5
④ 4 : 6 : 5 ⑤ 5 : 7 : 6

02 사인법칙의 변형

중요도

더 자세한 개념은 풍산자 수학 I 156쪽

502

상중하

오른쪽 그림과 같이 반지름의 길이가 5인 원에 내접하는 삼각형 ABC의 둘레의 길이가 20일 때,

$\sin A+\sin B+\sin C$

의 값은?

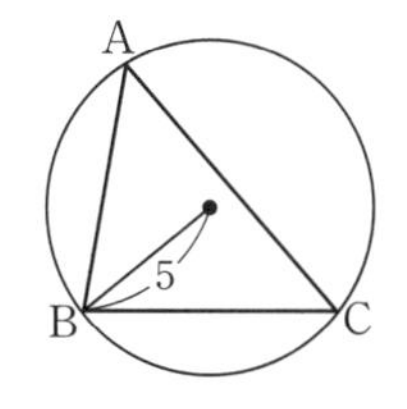

① 1 ② 2 ③ 3
④ 4 ⑤ 5

503

상중하

삼각형 ABC에서 $A:B:C=1:2:3$일 때, $\dfrac{b^2}{ac}$의 값은?

① $\frac{1}{3}$ ② $\frac{1}{2}$ ③ $\frac{2}{3}$
④ $\frac{4}{3}$ ⑤ $\frac{3}{2}$

505

상중하

삼각형 ABC의 세 변의 길이 a, b, c 사이에

$2a+b-2c=0$, $a-2b+3c=0$

이 성립할 때, $\sin A:\sin B:\sin C$는?

① 1 : 2 : 3 ② 1 : 8 : 5 ③ 2 : 1 : 3
④ 2 : 3 : 8 ⑤ 2 : 5 : 8

03 코사인법칙

중요도

더 자세한 개념은 풍산자 수학 I 159쪽

506

상중하

삼각형 ABC에 대하여 다음 물음에 답하여라.

(1) $b=2$, $c=\sqrt{3}$, $A=30°$일 때, a의 값을 구하여라.
(2) $a=3$, $c=2\sqrt{2}$, $B=45°$일 때, b의 값을 구하여라.
(3) $a=2$, $b=3$, $C=120°$일 때, c의 값을 구하여라.

507

(상중하)

오른쪽 그림과 같은 삼각형 ABC에서 $\overline{AB}=3$, $\overline{BC}=6$, $B=120°$일 때, 삼각형 ABC의 외접원의 넓이는?

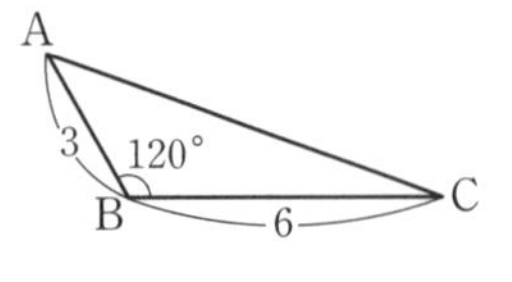

① 12π ② 15π ③ 18π
④ 21π ⑤ 24π

508 최多빈출

(상중하)

오른쪽 그림과 같이 원에 내접하는 사각형 ABCD에서 $\overline{AB}=1$, $\overline{CD}=3$, $\overline{DA}=3$, $A=120°$일 때, $\overline{BC}$의 길이는?

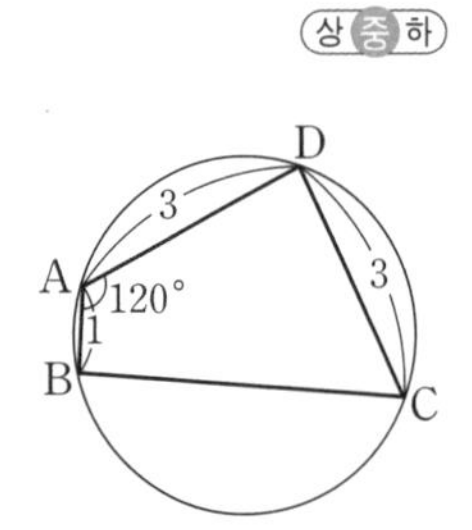

① 3 ② $\frac{7}{2}$
③ 4 ④ $\frac{9}{2}$
⑤ 5

509

(상중하)

삼각형 ABC에서 $\angle A=120°$, $\overline{AB}=x$, $\overline{AC}=\frac{4}{x}$일 때, $\overline{BC}$의 길이의 최솟값은?

① $\sqrt{2}$ ② $\sqrt{3}$ ③ $2\sqrt{2}$
④ $2\sqrt{3}$ ⑤ 5

04 코사인법칙의 변형

중요도

더 자세한 개념은 풍산자 수학Ⅰ 159쪽

510 최多빈출

(상중하)

삼각형 ABC에서 $a:b:c=2:\sqrt{3}:3$일 때, $\cos A$의 값은?

① $\frac{\sqrt{3}}{18}$ ② $\frac{\sqrt{3}}{9}$ ③ $\frac{\sqrt{11}}{9}$
④ $\frac{\sqrt{33}}{9}$ ⑤ $\frac{4\sqrt{3}}{9}$

511

(상중하)

삼각형 ABC에서 $\sin A:\sin B:\sin C=5:2:4$일 때, $\cos C$의 값은?

① $-\frac{13}{20}$ ② $-\frac{12}{19}$ ③ $\frac{7}{12}$
④ $\frac{12}{19}$ ⑤ $\frac{13}{20}$

512 풍쌤 비법 ❶

(상중하)

오른쪽 그림과 같은 삼각형 ABC에서 변 BC 위의 점 D에 대하여 $\overline{AB}=3$, $\overline{AC}=5$, $\overline{BD}=2$, $\overline{DC}=5$일 때, $\overline{AD}$의 길이를 구하여라.

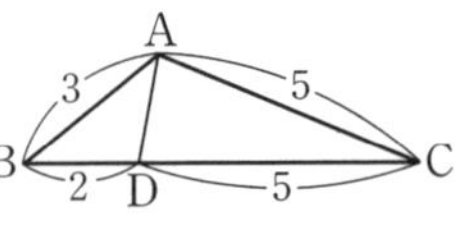

513

(상중하)

사각형 ABCD에서 $\overline{AB}=5$, $\overline{BC}=3$, $\overline{CD}=2$, $\overline{DA}=3$, $D=120°$일 때, B의 값은?

① 30° ② 45° ③ 60°
④ 90° ⑤ 120°

● 정답과 풀이 074쪽

514

(상중하)

세 변의 길이가 $a=\sqrt{2}$, $b=2$, $c=\sqrt{3}+1$인 삼각형 ABC의 세 내각 중 크기가 가장 작은 각의 크기는?

① $15°$ ② $30°$ ③ $45°$
④ $60°$ ⑤ $75°$

515

(상중하)

오른쪽 그림과 같이 길이가 $\sqrt{10}$인 선분 AB를 지름으로 하는 원 O 위의 한 점을 P라고 한다. $\overline{AP}=3$이고, $\angle PAB=\theta$라고 할 때, $\cos 2\theta$의 값은?

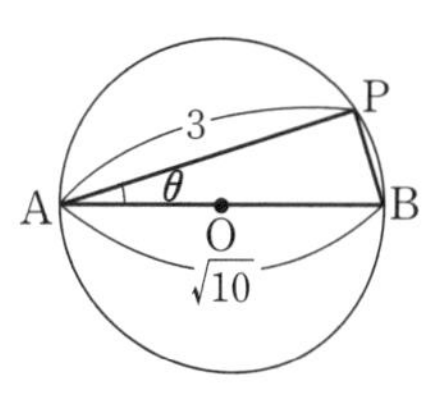

① $\frac{1}{5}$ ② $\frac{1}{4}$ ③ $\frac{2}{5}$
④ $\frac{3}{5}$ ⑤ $\frac{4}{5}$

516

(상중하)

삼각형 ABC에서 $a=2$, $c=1$이고, C의 크기가 최대일 때, b의 값은?

① $\sqrt{2}$ ② $\sqrt{3}$ ③ $2\sqrt{2}$
④ $2\sqrt{3}$ ⑤ 5

05 삼각형의 모양 구하기

중요도

더 자세한 개념은 풍산자 수학 I 163쪽

517

(상중하)

삼각형 ABC에서 $\sin^2 A=\sin^2 B+\sin^2 C$가 성립할 때, 삼각형 ABC는 어떤 삼각형인지 구하여라.

518

(상중하)

삼각형 ABC에서 $a\sin B=b\sin C=c\sin A$가 성립할 때, 삼각형 ABC는 어떤 삼각형인가?

① 정삼각형
② 둔각삼각형
③ 직각이등변삼각형
④ $A=90°$인 직각삼각형
⑤ $B=90°$인 직각삼각형

519

(상중하)

삼각형 ABC에서 $\cos^2 A+1=\cos^2 B+\cos^2 C$가 성립할 때, 삼각형 ABC는 어떤 삼각형인가?

① 정삼각형
② $A=90°$인 직각삼각형
③ $C=90°$인 직각삼각형
④ $\overline{AB}=\overline{BC}$인 이등변삼각형
⑤ $\overline{AC}=\overline{BC}$인 이등변삼각형

520

(상중하)

삼각형 ABC에 대하여 x에 대한 이차방정식 $ax^2-2\sqrt{b}x\sin B+\sin^2 A=0$이 중근을 가질 때, 삼각형 ABC는 어떤 삼각형인가?

① 정삼각형
② $A=90°$인 직각삼각형
③ $B=90°$인 직각삼각형
④ $a=b$인 이등변삼각형
⑤ $b=c$인 이등변삼각형

521 최多빈출 풍쌤 비법 ❷

(상중하)

삼각형 ABC에서 $2\sin A\cos B=\sin C$가 성립할 때, 삼각형 ABC는 어떤 삼각형인가?

① $A=90^\circ$인 직각삼각형
② $C=90^\circ$인 직각삼각형
③ $a=b$인 이등변삼각형
④ $a=c$인 이등변삼각형
⑤ $C=90^\circ$인 직각이등변삼각형

522

(상중하)

삼각형 ABC에서 $a\cos B-b\cos A=c$가 성립할 때, 삼각형 ABC는 어떤 삼각형인가?

① 정삼각형
② $a=b$인 이등변삼각형
③ $b=c$인 이등변삼각형
④ $A=90^\circ$인 직각삼각형
⑤ $B=90^\circ$인 직각삼각형

523

(상중하)

삼각형 ABC가 다음 두 조건을 만족시킬 때, 삼각형 ABC의 모양을 구하여라.

> (가) $\sin A=\sin C\cos B$
> (나) $a^2=b^2+c^2-\sqrt{2}bc$

06 삼각형의 넓이 (1)

중요도

더 자세한 개념은 풍산자 수학Ⅰ 167쪽

524

(상중하)

다음 조건을 만족시키는 삼각형 ABC의 넓이를 구하여라.

(1) $a=10$, $b=6$, $C=30^\circ$
(2) $b=8$, $c=4\sqrt{2}$, $A=45^\circ$
(3) $a=2\sqrt{2}$, $c=6\sqrt{6}$, $B=120^\circ$

525

(상중하)

오른쪽 그림과 같은 삼각형 ABC에서 $\angle C=120^\circ$, $\overline{AC}=10$, $\overline{BC}=12$이다. $\angle C$의 이등분선이 $\overline{AB}$와 만나는 점을 D라고 할 때, $\overline{CD}$의 길이는?

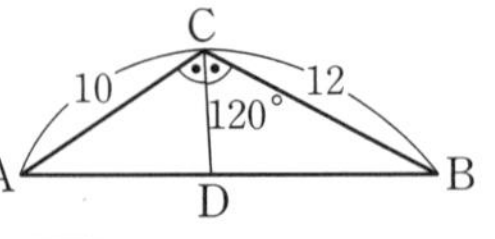

① $\frac{56}{11}$ ② $\frac{58}{11}$ ③ $\frac{60}{11}$
④ $\frac{62}{11}$ ⑤ $\frac{64}{11}$

526 최多빈출

(상중하)

오른쪽 그림과 같은 삼각형 ABC에서 $\overline{AB}=\sqrt{2}$, $\overline{AC}=\sqrt{5}$, $\angle B=45^\circ$일 때, 삼각형 ABC의 넓이는?

① $\frac{\sqrt{3}}{2}$ ② $\frac{3}{2}$ ③ $\sqrt{3}$
④ $2\sqrt{3}$ ⑤ 4

527

(상 중 하)

삼각형 ABC에서 $\overline{AB}=3$, $\overline{AC}=4$이고 넓이가 $3\sqrt{3}$일 때, $\overline{BC}$의 길이는? $\left(\text{단, } 0<A<\dfrac{\pi}{2}\right)$

① $\sqrt{11}$ ② $2\sqrt{3}$ ③ $\sqrt{13}$
④ $3\sqrt{2}$ ⑤ $3\sqrt{3}$

528

(상 중 하)

$\overline{AB}=6$, $\overline{AC}=2\sqrt{3}$, $B=30^\circ$인 둔각삼각형 ABC의 넓이는?

① $\sqrt{3}$ ② $2\sqrt{3}$ ③ $3\sqrt{3}$
④ $4\sqrt{3}$ ⑤ $5\sqrt{3}$

529

(상 중 하)

오른쪽 그림과 같이 반지름의 길이가 4인 원에 두 내각의 크기가 30°, 120°인 삼각형 ABC가 내접하고 있다. 이때, 삼각형 ABC의 넓이는?

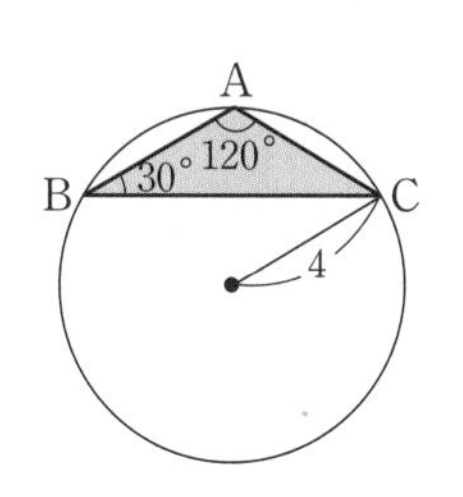

① $2\sqrt{3}$ ② $2\sqrt{2}$
③ $3\sqrt{3}$ ④ $4\sqrt{2}$
⑤ $4\sqrt{3}$

530

(상 중 하)

오른쪽 그림과 같이 삼각형 ABC의 외접원의 반지름의 길이가 2이다. $\widehat{AB} : \widehat{BC} : \widehat{CA}=3 : 4 : 5$일 때, 삼각형 ABC의 넓이를 구하여라.

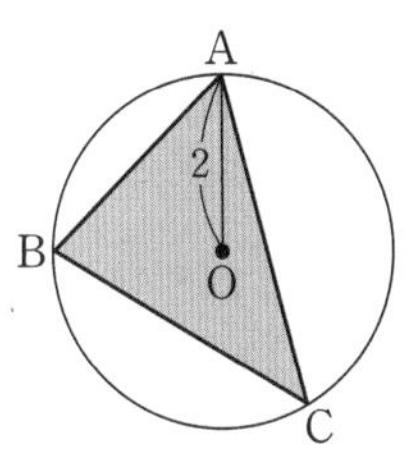

07 삼각형의 넓이 (2)

중요도

더 자세한 개념은 **풍산자 수학 I** 167쪽

531

(상 중 하)

반지름의 길이가 4인 원에 외접하는 삼각형의 넓이가 12일 때, 삼각형의 세 변의 길이의 합은?

① 4 ② 6 ③ 8
④ 10 ⑤ 12

532

(상 중 하)

삼각형 ABC에서 $b=3$, $c=5$, $A=120^\circ$일 때, 삼각형 ABC의 내접원의 반지름의 길이는?

① $\dfrac{1}{2}$ ② $\dfrac{\sqrt{3}}{2}$ ③ 1
④ $\sqrt{3}$ ⑤ 2

533
(상 중 하)

반지름의 길이가 4인 원에 내접하는 삼각형 ABC가

$$\sin A+\sin B+\sin C=\frac{3}{2}$$

을 만족시킨다. 삼각형 ABC의 내접원의 반지름의 길이가 2일 때, 삼각형 ABC의 넓이를 구하여라.

534
(상 중 하)

반지름의 길이가 2인 원에 내접하고 넓이가 3인 삼각형 ABC의 세 변의 길이의 곱 abc의 값은?

① 8 ② 12 ③ 16 ④ 20 ⑤ 24

535
(상 중 하)

세 변의 길이가 4, 5, 6인 삼각형 ABC의 외접원의 반지름의 길이를 R, 내접원의 반지름의 길이를 r라고 할 때, rR의 값은?

① 12 ② 10 ③ 8 ④ 6 ⑤ 4

08 삼각형의 넓이 (3) – 헤론의 공식

중요도

더 자세한 개념은 **풍산자 수학Ⅰ** 167쪽

536
(상 중 하)

세 변의 길이가 5, 6, 7인 삼각형의 넓이는?

① $3\sqrt{2}$ ② $4\sqrt{3}$ ③ $3\sqrt{6}$ ④ $6\sqrt{3}$ ⑤ $6\sqrt{6}$

537
(상 중 하)

세 변의 길이가 5, 7, 8인 삼각형의 내접원의 반지름의 길이는?

① 1 ② $\sqrt{2}$ ③ $\sqrt{3}$ ④ 2 ⑤ $\sqrt{5}$

09 사각형의 넓이

중요도

더 자세한 개념은 **풍산자 수학Ⅰ** 170쪽

538
(상 중 하)

오른쪽 그림과 같은 사각형 ABCD에서

$\overline{AB}=4$, $\overline{BC}=3$, $\overline{AD}=2$,

$A=60°$, $\angle CBD=30°$

일 때, 사각형 ABCD의 넓이는?

① $\frac{5\sqrt{3}}{2}$ ② $3\sqrt{3}$ ③ $\frac{7\sqrt{3}}{2}$ ④ $4\sqrt{3}$ ⑤ $\frac{9\sqrt{3}}{2}$

539

상중하

오른쪽 그림과 같은 사각형 ABCD에서 $\overline{AB}=4$, $\overline{BC}=2+2\sqrt{3}$, $\overline{CD}=\sqrt{2}$, $B=30°$, $C=105°$일 때, 사각형 ABCD의 넓이는 $p+q\sqrt{3}$이다. 이때, $p+q$의 값은? (단, p, q는 유리수이다.)

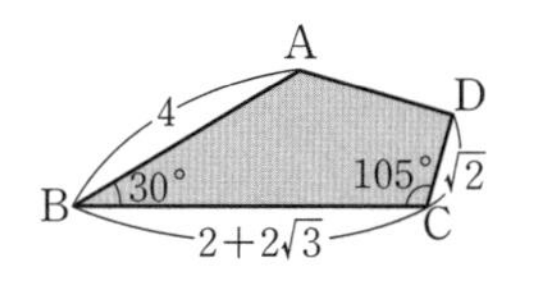

① 3　② 4　③ 5
④ 6　⑤ 7

540

상중하

원에 내접하는 사각형 ABCD에서 $\overline{AB}=1$, $\overline{BC}=2$, $\overline{CD}=3$, $\overline{DA}=4$일 때, 사각형 ABCD의 넓이는?

① $2\sqrt{3}$　② $3\sqrt{3}$　③ $2\sqrt{6}$
④ $4\sqrt{6}$　⑤ $8\sqrt{3}$

541

상중하

오른쪽 그림과 같이 $\overline{AB}=4$, $\overline{BC}=5$인 평행사변형 ABCD의 넓이가 10일 때, A의 값은? (단, $90°<A<180°$)

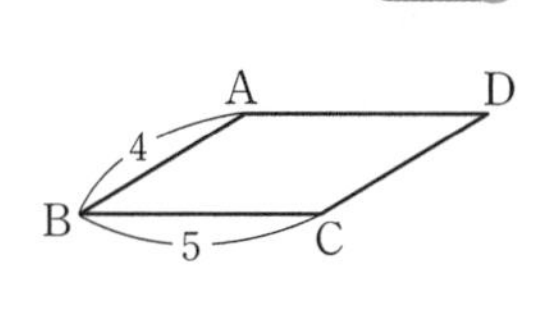

① 105°　② 120°　③ 135°
④ 150°　⑤ 165°

542

상중하

사각형 ABCD에서 두 대각선의 길이가 8, 10이고 두 대각선이 이루는 각의 크기가 135°일 때, 사각형 ABCD의 넓이를 구하여라.

543

상중하

넓이가 10인 등변사다리꼴의 두 대각선이 이루는 각의 크기가 30°일 때, 대각선의 길이는?

① $2\sqrt{5}$　② 5　③ 6
④ $2\sqrt{10}$　⑤ 20

544

상중하

오른쪽 그림과 같이 두 대각선의 길이가 각각 4, 6이고, 두 대각선이 이루는 각의 크기가 θ인 사각형 ABCD에서 $\cos\theta=\frac{1}{3}$일 때, 사각형 ABCD의 넓이를 구하여라.

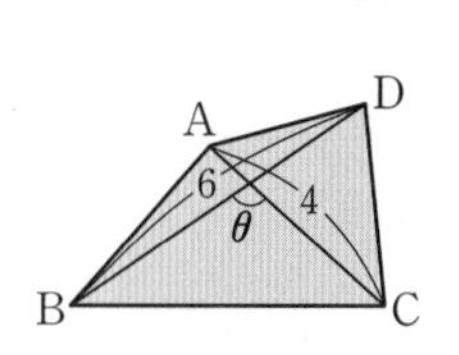

● 정답과 풀이 079쪽

545

예각삼각형 ABC에서 $b=4\sqrt{2}$, $C=45°$이고, 외접원의 반지름의 길이가 $R=\frac{4\sqrt{6}}{3}$일 때, B와 c의 값을 각각 구하여라.

546

오른쪽 그림과 같이 원에 내접하는 사각형 ABCD가 있다.

$\angle\text{ABD}=50°$, $\angle\text{ADB}=40°$,
$\angle\text{CBD}=70°$, $\overline{\text{BD}}=2\sqrt{3}$

일 때, $\overline{\text{AC}}$의 길이를 구하여라.

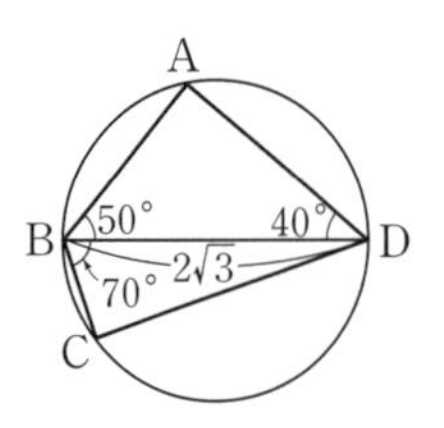

547

삼각형 ABC에서

$(a+b):(b+c):(c+a)=4:5:6$

이 성립할 때, C의 값을 구하여라.

548

오른쪽 그림과 같은 사각형 ABCD에서 $\overline{\text{AB}}=7$, $\overline{\text{BC}}=8$, $\overline{\text{CD}}=9$, $\overline{\text{DA}}=10$, $\text{B}=120°$일 때, 사각형 ABCD의 넓이를 구하여라.

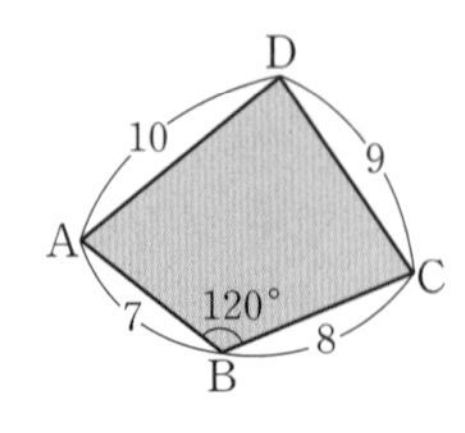

549

오른쪽 그림과 같이 세 변의 길이가 5, 6, 7인 삼각형 ABC에 반원 O가 내접해 있다. 이 반원의 반지름의 길이 r의 값을 구하여라.

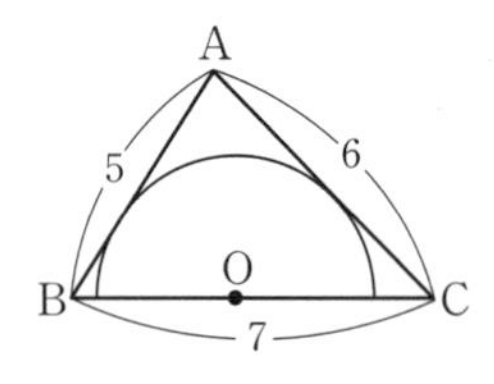

550

오른쪽 그림과 같은 평행사변형 ABCD에서 $\overline{\text{AB}}=5$, $\overline{\text{AD}}=9$이고 두 대각선 AC와 BD가 이루는 각의 크기가 120°일 때, 평행사변형 ABCD의 넓이를 구하여라.

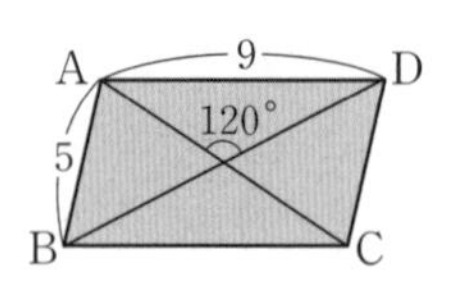

고득점을 향한 도약

● 정답과 풀이 081쪽

551

다음 그림과 같이 선분 AP, 선분 PQ, 선분 QB를 연결하는 도로가 있다. $\angle QPB=30^\circ$이고, $\overline{PB}=60$ km가 되도록 P지점에서 B지점까지 직선 도로를 새로 건설하여 A지점에서 B지점까지 이동할 때, 단축되는 거리는 몇 km인가? (단, 직선 PQ와 직선 QB가 이루는 각의 크기는 60°이다.)

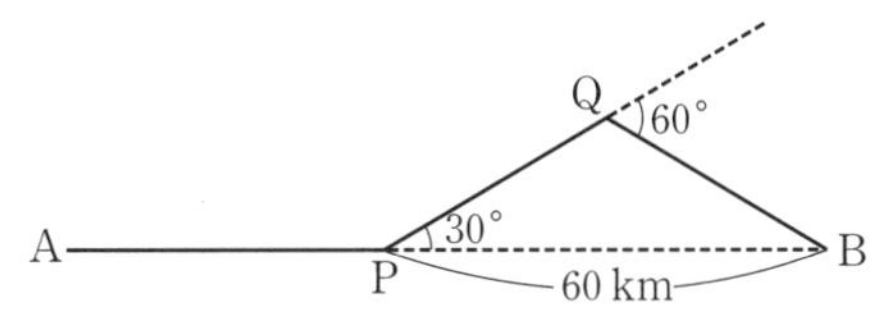

① $(36\sqrt{3}-60)$ km ② $(38\sqrt{3}-60)$ km
③ $(40\sqrt{3}-60)$ km ④ $(42\sqrt{3}-60)$ km
⑤ $(44\sqrt{3}-60)$ km

552

[그림 1]과 같이 지구의 한 경도를 따라 일정한 높이의 원형 궤도로 움직이는 두 개의 위성 A, B와 지구 중심 O를 이은 직선이 지표면과 만나는 점을 각각 C, D라고 하자. $\angle DBC=26^\circ$이고, 빛의 방향과 직선 AC가 이루는 각의 크기는 32°이다. [그림 2]와 같이 위성에서 지표면까지의 거리 h는? (단, 위성의 크기는 무시하고, 지구는 구로 가정하며 그 반지름의 길이는 r이다.)

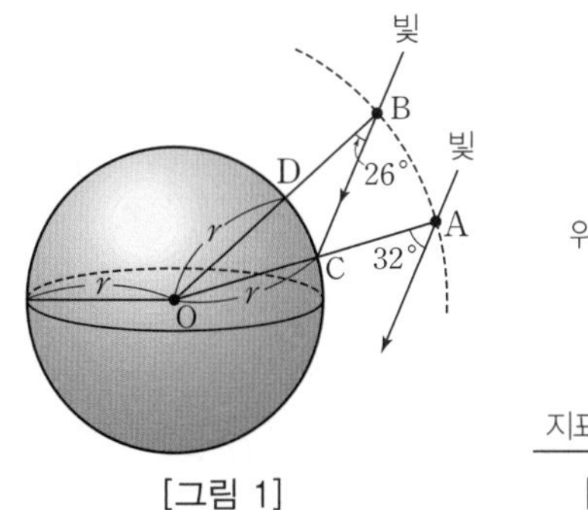

[그림 1]

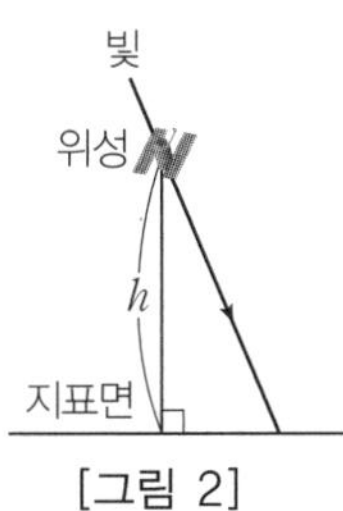

[그림 2]

① $\left(\dfrac{\sin 26^\circ}{\sin 6^\circ}-1\right)\dfrac{1}{r}$ ② $\left(1-\dfrac{\sin 26^\circ}{\sin 6^\circ}\right)r$
③ $\left(\dfrac{\sin 32^\circ}{\sin 26^\circ}-1\right)\dfrac{1}{r}$ ④ $\left(\dfrac{\sin 32^\circ}{\sin 26^\circ}-1\right)r$
⑤ $\left(1-\dfrac{\sin 32^\circ}{\sin 26^\circ}\right)r$

553

오른쪽 그림과 같은 사각형 ABCD에서 $\overline{AB}=3$, $\overline{BC}=8$, $\overline{CD}=5\sqrt{2}$이고, $\angle B=90^\circ$, $\angle C=45^\circ$일 때, $\overline{AD}$의 길이는?

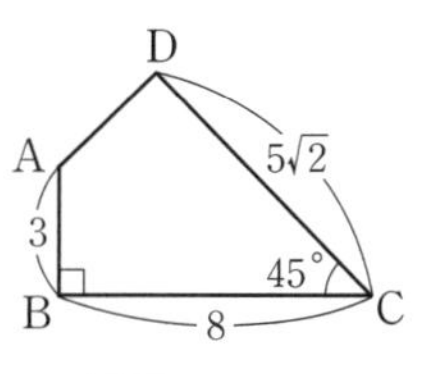

① $2\sqrt{3}$ ② $\sqrt{13}$ ③ $\sqrt{15}$
④ 4 ⑤ $3\sqrt{2}$

554

오른쪽 그림과 같은 정사각형 ABCD에서 $\overline{AD}$를 $1:2$로 내분하는 점을 E, $\overline{CD}$를 $1:2$로 내분하는 점을 F, $\angle EBF=\theta$라고 할 때, $\sin\theta$의 값은?

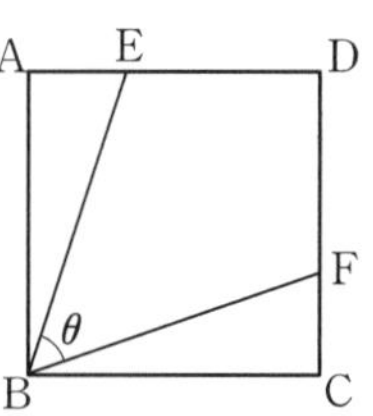

① $\dfrac{\sqrt{6}}{5}$ ② $\dfrac{3}{5}$ ③ 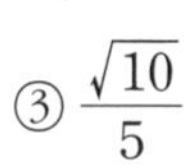 $\dfrac{\sqrt{10}}{5}$
④ $\dfrac{2\sqrt{3}}{5}$ ⑤ $\dfrac{4}{5}$

555

오른쪽 그림은 모선의 길이가 3이고, 밑면의 반지름의 길이가 1인 원뿔이다. $\overline{OB}$ 위의 점 P가 $\overline{PB}=1$을 만족시킬 때, 원뿔의 옆면을 따라 두 점 A, P를 잇는 거리의 최솟값은? (단, 두 점 A, B는 밑면의 지름의 양 끝점이다.)

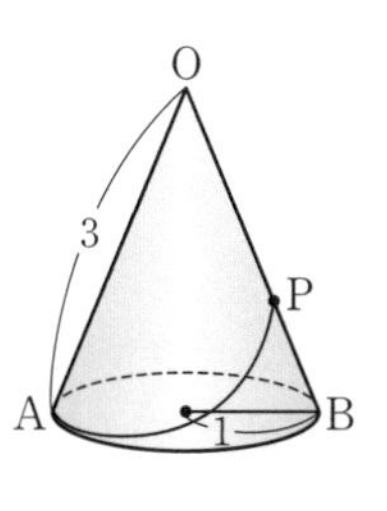

① $\sqrt{6}$ ② $\sqrt{7}$ ③ $\sqrt{14}$
④ $2\sqrt{6}$ ⑤ $2\sqrt{7}$

556

오른쪽 그림과 같이 모든 모서리의 길이가 1인 정사각뿔이 있다. 모서리 EC 위를 움직이는 점 P에 대하여 $\angle BPD=\theta$라고 할 때, $\cos\theta$의 최댓값과 최솟값의 합은?

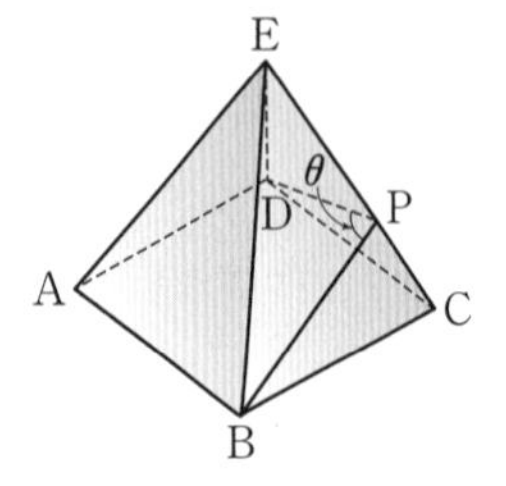

① $-\frac{1}{3}$　② $-\frac{\sqrt{3}}{6}$　③ 0
④ $\frac{\sqrt{3}}{6}$　⑤ $\frac{1}{3}$

557 (100점 도전)

오른쪽 그림과 같이 한 변의 길이가 4 m인 정사각형 모양의 운동장의 한 모퉁이 O에 높이가 6 m인 기둥이 수직으로 서 있다. 이 기둥의 꼭대기를 A, 지면으로부터 1 m가 되는 기둥 위의 한 지점을 B, 운동장의 한 지점을 P라 하고, $\angle APB=\alpha$라고 하자. 이때, $\alpha\geq 45°$가 되도록 하는 운동장의 지점 P가 존재하는 영역의 넓이는? (단, 기둥의 두께는 무시한다.)

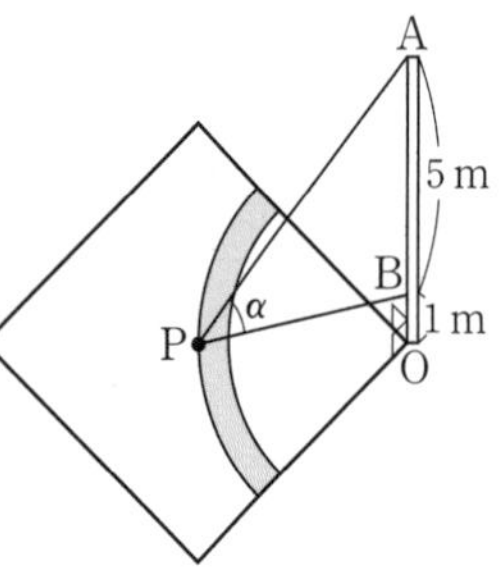

① π m²　② $\frac{5}{4}\pi$ m²　③ $\frac{4}{3}\pi$ m²
④ $\frac{3}{2}\pi$ m²　⑤ 2π m²

558

삼각형 ABC에서 $\overline{AB}$의 길이는 20 % 줄이고, $\overline{BC}$의 길이는 r % 늘였더니 넓이는 변함이 없었다. 이때, r의 값은?

① 17　② 19　③ 21
④ 23　⑤ 25

559

오른쪽 그림과 같이 $A=60°$, $\overline{AB}=8$, $\overline{AC}=3$인 삼각형 ABC에서 $\overline{AB}$, $\overline{AC}$ 위의 점을 각각 P, Q라고 하자. 삼각형 APQ의 넓이가 삼각형 ABC의 넓이의 $\frac{1}{6}$일 때, $\overline{PQ}$의 길이의 최솟값을 구하여라.

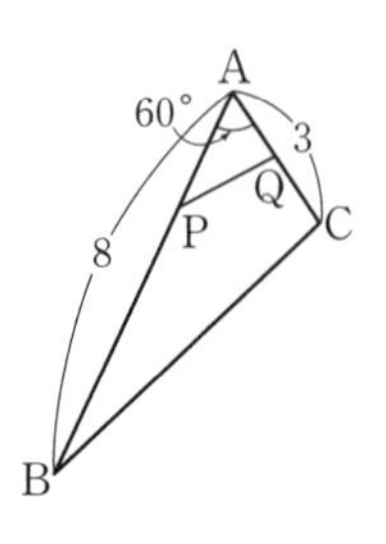

560

넓이가 9이고 $B=30°$인 삼각형 ABC에서 $\overline{AC}$의 길이가 최소일 때, $\overline{AB}+\overline{BC}$의 값은?

① 6　② 8　③ 10
④ 12　⑤ 14

561

사각형 ABCD의 두 대각선의 길이가 각각 x, y이고, 두 대각선이 이루는 각의 크기가 $\frac{\pi}{3}$이다. $x+y=8$일 때, 사각형 ABCD의 넓이의 최댓값은?

① $2\sqrt{3}$　② $4\sqrt{3}$　③ 8
④ $4\sqrt{6}$　⑤ 10

III

수열

08 등차수열과 등비수열

1 수열의 뜻

(1) **수열** : 차례로 나열된 수의 열로 $a_1, a_2, a_3, \cdots, a_n, \cdots$ 또는 간단히 $\{a_n\}$으로 나타낸다.
└ 제n항 a_n을 수열의 일반항이라고 한다.

(2) **항** : 수열에서 나열된 각각의 수

2 등차수열

(1) **등차수열** : 첫째항부터 차례로 일정한 수를 더하여 만든 수열

(2) **공차** : 등차수열에서 더하는 일정한 수

(3) **등차수열의 일반항** : 첫째항이 a, 공차가 d인 등차수열의 일반항 a_n은
$a_n=a+(n-1)d$ (단, $n=1, 2, 3, \cdots$)

(4) **등차중항** : 세 수 a, b, c가 이 순서로 등차수열을 이룰 때, b를 a와 c의 등차중항이라고 한다.
⇨ $b=\frac{a+c}{2}$

3 등차수열의 합

등차수열의 첫째항부터 제n항까지의 합을 S_n이라고 하면
① 첫째항이 a, 제n항이 l일 때,
$S_n=\frac{n(a+l)}{2}$
② 첫째항이 a, 공차가 d일 때,
$S_n=\frac{n\{2a+(n-1)d\}}{2}$

4 등비수열

(1) **등비수열** : 첫째항부터 차례로 일정한 수를 곱하여 만든 수열

(2) **공비** : 등비수열에서 곱하는 일정한 수

(3) **등비수열의 일반항** : 첫째항이 a, 공비가 r인 등비수열의 일반항 a_n은
$a_n=ar^{n-1}$ (단, $n=1, 2, 3, \cdots$)

(4) **등비중항** : 0이 아닌 세 수 a, b, c가 이 순서로 등비수열을 이룰 때, b를 a와 c의 등비중항이라고 한다.
⇨ $b^2=ac$

5 등비수열의 합

첫째항이 a, 공비가 r인 등비수열의 첫째항부터 제n항까지의 합을 S_n이라고 하면
① $r\neq1$일 때, $S_n=\frac{a(1-r^n)}{1-r}=\frac{a(r^n-1)}{r-1}$
② $r=1$일 때, $S_n=na$

6 수열의 합과 일반항 사이의 관계

수열 $\{a_n\}$의 첫째항부터 제n항까지의 합을 S_n이라고 하면
$a_1=S_1, a_n=S_n-S_{n-1}$ $(n\geq2)$

(1) $S_n=An^2+Bn+C$ (A, B, C는 상수)일 때,
① $C=0$이면 수열 $\{a_n\}$은 첫째항부터 등차수열
② $C\neq0$이면 수열 $\{a_n\}$은 제2항부터 등차수열

(2) $S_n=Ar^n+B$ (A, B는 상수)일 때,
① $B=-A$이면 수열 $\{a_n\}$은 첫째항부터 등비수열
② $B\neq-A$이면 수열 $\{a_n\}$은 제2항부터 등비수열

문제 풀 때 유용한 풍쌤 비법

❶ **등차수열의 합의 최대, 최소**
(1) 첫째항이 양수이고 공차가 음수인 등차수열의 합이 최대가 되려면 양수인 항들만 모두 더하면 된다.
(2) 첫째항이 음수이고 공차가 양수인 등차수열의 합이 최소가 되려면 음수인 항들만 모두 더하면 된다.

❷ 수열 $\{a_n\}$에 대하여 $\frac{a_2}{a_1}=\frac{a_3}{a_2}=\cdots=\frac{a_{n+1}}{a_n}=\cdots=r$ $(n=1, 2, 3, \cdots)$이면 수열 $\{a_n\}$은 공비가 r인 등비수열이다.

실력을 기르는 유형

● 정답과 풀이 083쪽

01 일반적인 수열의 일반항

중요도

더 자세한 개념은 풍산자 수학 I 180쪽

562 상 중 하

다음 수열의 일반항 a_n을 구하여라.

(1) 1, 3, 5, 7, ⋯

(2) 5, 10, 20, 40, ⋯

563 상 중 하

수열 $\{a_n\}$의 일반항을 $a_n=$(3^n의 일의 자리 숫자)로 정의할 때, a_{2018}의 값은?

① 1 ② 3 ③ 5
④ 7 ⑤ 9

02 등차수열과 항

중요도

더 자세한 개념은 풍산자 수학 I 181쪽

564 상 중 하

다음 등차수열의 일반항 a_n을 구하여라.

(1) 3, 8, 13, 18, ⋯

(2) -2, -5, -8, -11, ⋯

565 학평 기출 상 중 하

등차수열 $\{a_n\}$에 대하여 $a_3=8$, $a_7=20$일 때, a_{11}의 값은?

① 30 ② 32 ③ 34
④ 36 ⑤ 38

566 최多빈출 상 중 하

등차수열 $\{a_n\}$에 대하여 $a_1+a_3=6$, $a_3+a_5=26$일 때, a_{10}의 값은?

① 35 ② 37 ③ 39
④ 41 ⑤ 43

567 상 중 하

다음 두 조건을 만족시키는 등차수열 $\{a_n\}$에 대하여 a_6의 값은?

> (가) 제3항과 제5항의 비는 1 : 4이다.
> (나) 제2항과 제4항의 합은 4이다.

① 5 ② 8 ③ 11
④ 14 ⑤ 17

568 상 중 하

제5항이 31, 제9항이 15인 등차수열에서 처음으로 음수가 되는 항은?

① 제13항 ② 제14항 ③ 제15항
④ 제16항 ⑤ 제17항

569

상중하

9, a_1, a_2, a_3, a_4, 24가 이 순서대로 등차수열을 이룰 때, 이 수열의 공차는?

① 1 ② 2 ③ 3
④ 4 ⑤ 5

570 학평 기출

상중하

두 수 4와 34 사이에 n개의 수를 넣어서 공차가 2인 등차수열을 만들려고 한다. 이때, n의 값은?

① 11 ② 12 ③ 13
④ 14 ⑤ 15

571

상중하

두 등차수열 $\{a_n\}$, $\{b_n\}$의 공차가 각각 -2, 3일 때, 등차수열 $\{3a_n+5b_n\}$의 공차는?

① 4 ② 6 ③ 8
④ 9 ⑤ 15

572

상중하

공차가 $d_1(d_1\neq 0)$인 등차수열 $\{a_n\}$에 대하여 두 수열 $\{b_n\}$, $\{c_n\}$이 다음과 같다.

$\{b_n\}$: a_1+a_2, a_3+a_4, a_5+a_6, $\cdots$

$\{c_n\}$: $a_1+a_2+a_3$, $a_4+a_5+a_6$, $a_7+a_8+a_9$, $\cdots$

수열 $\{b_n\}$, $\{c_n\}$의 공차를 각각 d_2, d_3이라고 할 때, 다음 중 옳은 것은?

① $2d_2=3d_3$ ② $3d_2=2d_3$ ③ $5d_2=2d_3$
④ $7d_2=3d_3$ ⑤ $9d_2=4d_3$

573

상중하

수열 $\{a_n\}$은 첫째항이 3이고 공차가 d인 등차수열이다. $a_n=3d$를 만족시키는 n이 존재하도록 하는 모든 자연수 d의 값의 합은?

① 3 ② 4 ③ 5
④ 6 ⑤ 7

03 등차중항

중요도

더 자세한 개념은 풍산자 수학 I 185쪽

574

상중하

세 수 $x-1$, x^2-2x, $x-3$이 이 순서대로 등차수열을 이룰 때, x의 값을 구하여라.

575

상중하

두 자연수 a, b에 대하여 6, a, b와 a^2, 10, b^2이 각각 이 순서대로 등차수열을 이룰 때, ab의 값은?

① 2 ② 4 ③ 6
④ 8 ⑤ 10

576

상중하

오른쪽 표의 빈칸에 6개의 자연수를 한 칸에 하나씩 써넣어 가로, 세로, 대각선 방향으로 각각 등차수열을 이루도록 할 때, 빈칸에 써넣을 6개의 수의 합은?

3		7
	11	

① 49 ② 50 ③ 51 ④ 52 ⑤ 53

577

학평 기출 상중하

오른쪽 그림과 같이 점 P(2, 0)에서 원 $x^2+y^2=2$에 그은 두 접선이 y축과 만나는 서로 다른 두 점을 각각 A, B라 하고, 직선 $y=kx$가 직선 AP와 만나는 점을 Q라고 하자. 삼각형 OAQ의 넓이를 S_1, 삼각형 OPQ의 넓이를 S_2, 삼각형 OBP의 넓이를 S_3이라고 하자. S_1, S_2, S_3이 이 순서대로 등차수열을 이룰 때, 상수 k에 대하여 $100k$의 값을 구하여라.

(단, O는 원점, $k>1$이고, 점 A의 y좌표는 양수이다.)

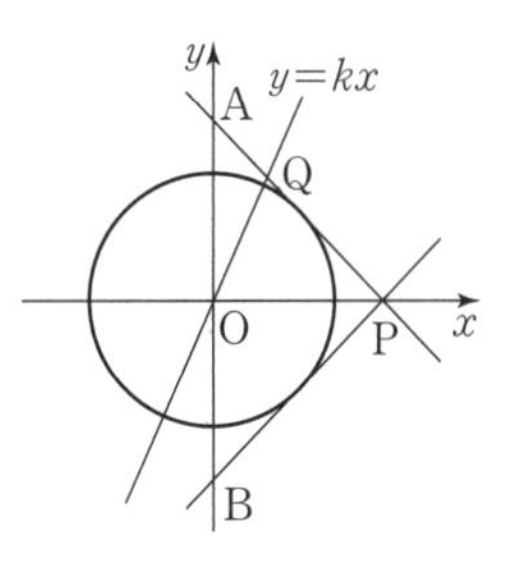

04 등차수열을 이루는 세 수

중요도

더 자세한 개념은 풍산자 수학 I 185쪽

578

최多빈출 상중하

삼차방정식 $x^3+3x^2-6x-k=0$의 세 근이 등차수열을 이룰 때, 상수 k의 값은?

① 2 ② 4 ③ 6 ④ 8 ⑤ 10

579

상중하

세 변의 길이가 등차수열을 이루는 직각삼각형이 있다. 빗변의 길이가 15일 때, 이 직각삼각형의 넓이는?

① 54 ② 52 ③ 50 ④ 48 ⑤ 46

580

상중하

네 사람에게 100개의 사탕을 나누어 주려고 한다. 각 사람이 받는 사탕의 개수가 등차수열을 이루고, 가장 적게 받는 사람의 사탕의 개수가 가장 많이 받는 사람의 사탕의 개수의 $\frac{5}{11}$가 되도록 나누어 주었더니 사탕이 4개 남았다. 사탕을 가장 많이 받는 사람의 사탕의 개수는?

① 21 ② 24 ③ 27 ④ 30 ⑤ 33

581

상중하

고대 이집트의 수학 문헌인 아메스 파피루스에는 다음과 같은 문제가 기록되어 있다.

> 다섯 사람에게 120개의 빵을 나누어 주는데, 각자의 배당 몫이 등차수열을 이루고, 가장 적게 배당받는 사람과 그 다음으로 적게 배당받는 사람의 몫의 합이 나머지 세 사람 몫의 합의 $\frac{1}{7}$이 되도록 하라.

위와 같이 빵을 나누어 줄 때, 가장 많이 배당받는 사람의 몫은?

① 44 ② 46 ③ 48 ④ 50 ⑤ 52

05 등차수열의 합

중요도

더 자세한 개념은 풍산자 수학Ⅰ 187쪽

582

상 중 하

다음 등차수열의 합을 구하여라.

(1) 첫째항이 5, 끝항이 35, 항수가 7

(2) 첫째항이 -16, 공차가 5, 항수가 9

583

상 중 하

다음 등차수열의 합을 구하여라.

(1) 2, 5, 8, 11, ⋯, 29

(2) -19, -17, -15, -13, ⋯, 1

584

상 중 하

등차수열 -5, -1, 3, 7, 11, ⋯의 첫째항부터 제n항까지의 합이 72일 때, n의 값은?

① 7 ② 8 ③ 9
④ 10 ⑤ 11

585

상 중 하

두 등차수열 $\{a_n\}$, $\{b_n\}$의 첫째항의 합이 -10이고 공차의 합이 4일 때, $(a_1+a_2+\cdots+a_{10})+(b_1+b_2+\cdots+b_{10})$의 값은?

① 60 ② 70 ③ 80
④ 90 ⑤ 100

586

상 중 하

등차수열 $\{a_n\}$의 첫째항부터 제n항까지의 합 S_n에 대하여 $S_5=20$, $S_{10}=90$일 때, S_{20}의 값은?

① 320 ② 340 ③ 360
④ 380 ⑤ 400

587 최多빈출

상 중 하

첫째항부터 제10항까지의 합이 140이고 제11항부터 제20항까지의 합이 340인 등차수열의 제21항부터 제30항까지의 합은?

① 510 ② 520 ③ 530
④ 540 ⑤ 550

588 풍쌤 비법 ❶ 상중하

등차수열 31, 27, 23, 19, …의 첫째항부터 제n항까지의 합을 S_n이라고 하자. S_n이 최대가 되는 n의 값을 a, 그 최댓값을 b라고 할 때, $\frac{b}{a}$의 값을 구하여라.

589 상중하

제11항이 -10이고 첫째항부터 제10항까지의 합이 65인 등차수열에서 첫째항부터 제몇 항까지의 합이 최대가 되는가?

① 5 ② 6 ③ 7
④ 8 ⑤ 9

06 등차수열의 합의 활용

중요도

더 자세한 개념은 풍산자 수학Ⅰ 187쪽

590 상중하

100 이하의 자연수 중에서 3으로 나누었을 때의 나머지가 2인 수의 총합은?

① 1550 ② 1600 ③ 1650
④ 1700 ⑤ 1750

591 상중하

50과 100 사이의 자연수 중에서 3 또는 7로 나누어떨어지는 수의 총합을 구하여라.

592 학평 기출 상중하

1과 2 사이에 n개의 수를 넣어 만든 등차수열

1, a_1, a_2, …, a_n, 2의 합이 24일 때, n의 값은?

① 11 ② 12 ③ 13
④ 14 ⑤ 15

593 상중하

두 수 -3과 11 사이에 n개의 수 a_1, a_2, …, a_n을 넣어 공차가 d인 등차수열 -3, a_1, a_2, …, a_n, 11을 만들었다. 이 수열의 모든 항의 합이 32일 때, n과 d의 값은?

① $n=4$, $d=2$ ② $n=4$, $d=3$
③ $n=5$, $d=2$ ④ $n=6$, $d=2$
⑤ $n=6$, $d=3$

594
(상 중 하)

선미는 문제 수가 x인 수학책을 샀다. 이 수학책으로 공부하는데, 첫째 날에는 15문제를 풀고 둘째 날부터는 매일 전날보다 d만큼씩 문제 수를 증가시키면서 아홉째 날까지 문제를 풀고 나면 24문제가 남게 된다. 한편, 첫째 날에는 30문제를 풀고 둘째 날부터는 매일 전날보다 d만큼씩 문제 수를 증가시키면서 일곱째 날까지 문제를 풀고 나면 39문제가 남게 된다. 이때, x의 값은?

① 373 ② 374 ③ 375
④ 376 ⑤ 377

595
(상 중 하)

크기가 같은 벽돌로 쌓은 15층짜리 탑이 있다. 이 탑의 각 층의 벽돌의 개수는 맨 아래층에서 한 층씩 위로 올라갈수록 일정하게 줄어든다. 맨 위층의 벽돌은 9개이고, 탑 전체 벽돌의 개수는 3층 벽돌의 개수의 10배일 때, 탑 전체 벽돌의 개수는?

① 410 ② 420 ③ 430
④ 440 ⑤ 450

07 등비수열과 항

중요도

더 자세한 개념은 풍산자 수학 I 195쪽

596
(상 중 하)

다음 등비수열의 일반항 a_n을 구하여라.

(1) 3, 9, 27, 81, …

(2) 16, 8, 4, 2, …

597 학평 기출
(상 중 하)

모든 항이 양수인 등비수열 $\{a_n\}$에 대하여 $a_1=1$, $a_2+a_3=6$일 때, a_6의 값은?

① 8 ② 16 ③ 32
④ 64 ⑤ 128

598 최多빈출
(상 중 하)

제4항이 6, 제7항이 12인 등비수열 $\{a_n\}$에서 제10항의 값은?

① 21 ② 22 ③ 23
④ 24 ⑤ 25

599
(상 중 하)

제2항이 6이고 제5항이 48인 등비수열 $\{a_n\}$에서 1536은 제몇 항인가? (단, 공비는 실수이다.)

① 7 ② 8 ③ 9
④ 10 ⑤ 11

600
상중하

모든 항이 실수인 등비수열 $\{a_n\}$에 대하여 $a_1+a_2=\frac{5}{8}$, $a_1a_2a_3=\frac{1}{8}$일 때, 2^7은 제몇 항인가?

① 5 ② 6 ③ 7
④ 8 ⑤ 9

601 풍쌤 비법 ❷
상중하

수열 $\{a_n\}$이 다음 두 조건을 만족시킨다.

(가) $a_1=a_2+4$
(나) $a_{n+1}=3a_n$ $(n\geq 1)$

a_5의 값은?

① -156 ② -158 ③ -160
④ -162 ⑤ -164

602 학평 기출
상중하

두 수 3과 768 사이에 세 양수 a_1, a_2, a_3을 넣어 3, a_1, a_2, a_3, 768이 이 순서대로 등비수열을 이루도록 할 때, $a_1+a_2+a_3$의 값은?

① 192 ② 238 ③ 252
④ 264 ⑤ 286

603
상중하

한 변의 길이가 3인 정사각형이 있다. 아래 그림과 같이 첫 번째 시행에서 정사각형을 9등분하여 중앙의 정사각형을 제거한다. 두 번째 시행에서는 첫 번째 시행의 결과로 남은 8개의 정사각형을 각각 다시 9등분하여 중앙의 정사각형을 제거한다. 이와 같은 시행을 반복할 때, 20회 시행 후 남아 있는 도형의 넓이는?

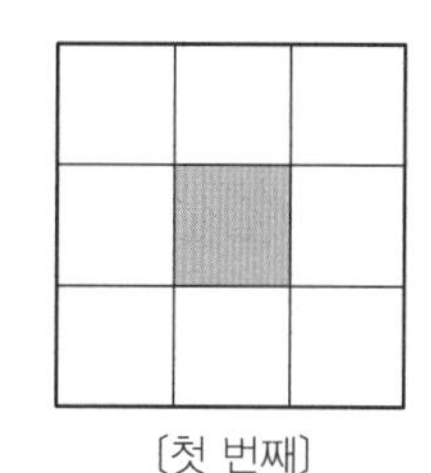

[첫 번째] [두 번째]

① $\frac{2^{57}}{3^{40}}$ ② $\frac{2^{57}}{3^{38}}$ ③ $\frac{2^{60}}{3^{40}}$
④ $\frac{2^{60}}{3^{38}}$ ⑤ $\frac{2^{60}}{3^{36}}$

08 등비중항
중요도

더 자세한 개념은 풍산자 수학 I 200쪽

604
상중하

세 수 $x-2$, x, 9가 이 순서대로 등비수열을 이룰 때, x의 값을 구하여라.

605

(상중하)

이차방정식 $x^2-kx+125=0$의 두 근 α, $\beta(\alpha<\beta)$에 대하여 α, $\beta-\alpha$, β가 이 순서대로 등비수열을 이룰 때, 양수 k의 값은?

① 15 ② 20 ③ 25
④ 30 ⑤ 35

606 학평 기출

(상중하)

첫째항이 a이고 공비가 $\frac{1}{2}$인 등비수열 $\{a_n\}$에 대하여 세 수 a_3, 2, a_7이 이 순서대로 등비수열을 이룰 때, 양수 a의 값은?

① 16 ② 20 ③ 24
④ 28 ⑤ 32

607 최多빈출

(상중하)

세 수 a, 0, b가 이 순서대로 등차수열을 이루고, 세 수 $2b$, a, -7이 이 순서대로 등비수열을 이룰 때, a의 값은?

① 10 ② 12 ③ 14
④ 16 ⑤ 18

09 등비수열을 이루는 세 수

중요도

더 자세한 개념은 풍산자 수학 I 200쪽

608

(상중하)

등비수열을 이루는 세 양수가 있다. 세 수의 합이 $\frac{7}{2}$이고 곱이 1일 때, 세 수의 제곱의 합은?

① $\frac{13}{4}$ ② $\frac{15}{4}$ ③ $\frac{17}{4}$
④ $\frac{19}{4}$ ⑤ $\frac{21}{4}$

609

(상중하)

삼차방정식 $x^3+4x^2-8x+k=0$의 세 근이 등비수열을 이룰 때, 상수 k의 값은?

① -8 ② -4 ③ 0
④ 4 ⑤ 8

10 등비수열의 합

중요도

더 자세한 개념은 풍산자 수학 I 202쪽

610

(상중하)

다음 등비수열의 합을 구하여라.

(1) 첫째항이 3, 공비가 2, 항수가 7
(2) 첫째항이 4, 공비가 -3, 항수가 6

611
상 중 하

다음 등비수열의 합을 구하여라.

(1) 2, 4, 8, 16, ⋯, 256

(2) $1, \frac{1}{3}, \frac{1}{9}, \frac{1}{27}, \cdots, \frac{1}{243}$

612
상 중 하

공비가 2인 등비수열 $\{a_n\}$에 대하여 $a_1+a_2+a_4=55$일 때, 첫째항부터 제5항까지의 합은?

① 135 ② 140 ③ 145
④ 150 ⑤ 155

613
상 중 하

모든 항이 양수인 등비수열 $\{a_n\}$의 첫째항부터 제n항까지의 합 S_n에 대하여 $\frac{S_4}{S_2}=10$일 때, $\frac{a_6}{a_4}$의 값은?

① 5 ② 6 ③ 7
④ 8 ⑤ 9

614 최多빈출
상 중 하

모든 항이 실수인 등비수열 $\{a_n\}$의 첫째항부터 제n항까지의 합을 S_n이라고 할 때, $S_3=8$이고, $S_6=72$이다. 이때, S_9의 값은?

① 580 ② 584 ③ 588
④ 592 ⑤ 596

615 학평 기출
상 중 하

첫째항이 10이고 공비가 양수인 등비수열 $\{a_n\}$의 첫째항부터 제n항까지의 합을 S_n이라고 하자.

$\frac{a_8}{S_{10}-S_8}=\frac{4}{3}$일 때, a_2의 값은?

① 1 ② 3 ③ 5
④ 7 ⑤ 9

11 등비수열의 합의 활용
중요도

더 자세한 개념은 풍산자 수학 I 202쪽

616
상 중 하

800의 양의 약수의 개수를 x, 양의 약수의 총합을 y라고 할 때, $x+y$의 값은?

① 1953 ② 1963 ③ 1971
④ 1983 ⑤ 2005

617
상 중 하

$A=3^{100}$, $B=5^{100}$일 때, 15^{100}의 양의 약수의 총합을 A와 B로 바르게 나타낸 것은?

① AB ② $(A-1)(B-1)$
③ $(A+1)(B+1)$ ④ $\frac{(3A-1)(5B-1)}{8}$
⑤ $\frac{(2A-1)(4B-1)}{10}$

618

상중하

진기는 방학 기간을 이용하여 30일 동안 여행하는 계획을 세웠다. 첫째 날에는 10 km를 이동하고 둘째 날부터는 이동 거리를 전날의 10 %씩 줄여서 여행할 때, 30일 동안 진기가 이동할 거리는? (단, $0.9^{30}=0.04$로 계산한다.)

① 90 km ② 92 km ③ 94 km
④ 96 km ⑤ 98 km

619 학평 기출

상중하

다음은 어느 회사의 연봉에 관한 규정이다.

(가) 입사 첫째 해의 연봉은 a원이고, 입사 19년째 해까지의 연봉은 해마다 직전 연봉에서 8 %씩 인상된다.
(나) 입사 20년째 해부터의 연봉은 입사 19년째 해 연봉의 $\frac{2}{3}$로 한다.

이 회사에 입사한 사람이 28년 동안 근무하여 받는 연봉의 총합은? (단, $1.08^{18}=4$로 계산한다.)

① $\frac{101}{2}a$ ② $\frac{111}{2}a$ ③ $\frac{121}{2}a$
④ $\frac{131}{2}a$ ⑤ $\frac{141}{2}a$

620 최多빈출

상중하

월이율 1 %, 한 달마다 복리로 매월 초 10만 원씩 적립할 때, 2년 후의 원리합계는? (단, $1.01^{24}=1.3$으로 계산한다.)

① 130만 원 ② 202만 원 ③ 303만 원
④ 440만 원 ⑤ 505만 원

621

상중하

연이율 3 %, 1년마다 복리로 매년 말에 30만 원씩 적립할 때, 10년 후의 원리합계는?

(단, $1.03^{10}=1.34$로 계산한다.)

① 280만 원 ② 300만 원 ③ 320만 원
④ 340만 원 ⑤ 360만 원

622

상중하

이달 초에 가격이 100만 원인 물건을 할부로 구입하고 이달 말부터 매월 말에 일정액씩 12개월 동안 갚기로 하였다. 월이율 0.8 %의 복리로 계산할 때, 매달 갚아야 하는 금액은 얼마인가? (단, $1.008^{12}=1.1$로 계산한다.)

① 86000원 ② 87000원 ③ 88000원
④ 89000원 ⑤ 90000원

623

상중하

올해부터 매년 말에 100만 원씩 10년 동안 지급받는 연금이 있다. 이 연금을 올해 초에 한꺼번에 받는다면 얼마를 받게 되는가?

(단, $1.05^{10}=1.6$, 연이율 5 %, 1년마다 복리로 계산한다.)

① 700만 원 ② 750만 원 ③ 800만 원
④ 850만 원 ⑤ 900만 원

624

(상 중 하)

김부장은 무역회사에서 올해 초에 정년퇴직을 하면서 퇴직금 2억 2천만 원을 매년 말에 일정한 금액의 연금으로 받기로 하였다. 정년퇴직한 해의 연말부터 연이율 6 %의 복리로 20년간 지급받는다면 김부장이 매년 말에 받는 금액은 얼마인가? (단, $1.06^{20}=3.2$로 계산한다.)

① 1910만 원 ② 1920만 원 ③ 1930만 원
④ 1940만 원 ⑤ 1950만 원

625

(상 중 하)

어느 회사원이 2014년 초에 200만 원을 적립하고, 다음 해부터 매년 초에 전년도 적립 금액의 5 %씩 증액하여 적립하기로 하였다. 2033년 말까지 적립되는 금액의 원리합계는? (단, $1.05^{20}=2.65$, 연이율 5 %, 1년마다 복리로 계산한다.)

① 9600만 원 ② 1억 600만 원
③ 1억 1600만 원 ④ 1억 2600만 원
⑤ 1억 3600만 원

626

(상 중 하)

정부가 70세 이상의 노인의 복지 기금을 마련하기 위하여 2018년부터 매년 1월 1일에 예산의 일부를 적립한다고 하자. 적립할 금액은 경제성장률을 감안하여 매년 전년도보다 6 %씩 증액한다. 2018년 1월 1일부터 100억 원을 적립하기 시작하여 향후 10년간 적립할 때, 2027년 12월 31일까지 적립되는 금액의 원리합계는?
(단, $1.06^{10}=1.8$, 연이율 6 %, 1년마다 복리로 계산한다.)

① 1750억 원 ② 1800억 원
③ 1850억 원 ④ 1900억 원
⑤ 1950억 원

12 수열의 합과 일반항 사이의 관계

중요도

더 자세한 개념은 풍산자 수학Ⅰ 192쪽

627

학평 기출 (상 중 하)

수열 $\{a_n\}$의 첫째항부터 제n항까지의 합 S_n이 $S_n=n^2+2n$일 때, a_{10}의 값을 구하여라.

628

(상 중 하)

수열 $\{a_n\}$의 첫째항부터 제n항까지의 합 S_n이 $S_n=3^n+3$일 때, $\frac{a_2+a_4}{a_1}$의 값은?

① 10 ② 20 ③ 30
④ 40 ⑤ 50

629

(상 중 하)

수열 $\{a_n\}$의 첫째항부터 제n항까지의 합 S_n이 $S_n=2n^2-3n+k-3$일 때, 수열 $\{a_n\}$이 첫째항부터 등차수열을 이루도록 하는 상수 k의 값은?

① 1 ② 2 ③ 3
④ 4 ⑤ 5

630

최多빈출 (상 중 하)

$S_n=2^{n-1}+k$가 등비수열의 합이 되도록 하는 상수 k의 값은?

① -2 ② -1 ③ $-\frac{1}{2}$
④ $\frac{1}{2}$ ⑤ 1

631

등차수열 $\{a_n\}$에서 제3항과 제8항은 절댓값이 같고 부호가 반대이며 제5항은 -2이다. 이때, 246은 제몇 항인지 구하여라.

632

다항식 $f(x)=ax^2+x+1$을 일차식 $x+1$, $x-2$, $x-3$으로 나누었을 때의 나머지를 각각 r_1, r_2, r_3이라고 하자. r_2가 r_1과 r_3의 등차중항일 때, 상수 a의 값을 구하여라.

633

등차수열 $\{a_n\}$에 대하여 $a_3=26$, $a_9=8$일 때, 첫째항부터 제n항까지의 합이 최대가 되도록 하는 자연수 n의 값을 구하여라.

634

첫째항이 50, 공차가 -3인 등차수열 $\{a_n\}$에서 첫째항부터 제30항까지의 각 항의 절댓값의 합을 구하여라.

635

이차방정식 $x^2-mx+n=0$의 두 근 α, β에 대하여 α, 2, β는 이 순서대로 등차수열을 이루고, α, 3, β는 이 순서대로 등비수열을 이룰 때, $m+n$의 값을 구하여라.

(단, m, n은 상수이다.)

636

이차함수 $f(x)=ax^2+bx+c$가 다음 세 조건을 만족시킨다.

(가) $f(0)=-3$
(나) $\frac{1}{a}$, $\frac{1}{b}$, $\frac{1}{c}$이 이 순서대로 등차수열을 이룬다.
(다) a, c, b가 이 순서대로 등비수열을 이룬다.

이때, $f(2)$의 값을 구하여라. (단, $a>0$, b, c는 상수이다.)

637

가격이 200만 원인 TV를 이달 초에 구입하여 100만 원은 일시불로 지불하고, 나머지 100만 원은 이달 말부터 매월 말에 일정한 금액으로 n회에 걸쳐 모두 갚으려고 한다. 매월 말에 갚아야 할 금액을 n에 대한 식으로 나타내어라. (단, 월이율 1 %, 1개월마다 복리로 계산하고, 단위는 만 원으로 한다.)

고득점을 향한 도약

● 정답과 풀이 095쪽

638

공차가 $d\,(d\neq0)$인 등차수열 $\{a_n\}$에 대하여 수열 $\{T_n\}$을

$$T_n=a_1-a_2+a_3-a_4+\cdots+(-1)^{n-1}a_n$$

으로 정의할 때, 〈보기〉에서 옳은 것을 모두 고른 것은?

보기

ㄱ. $T_4=2d$

ㄴ. $T_5=a_3$

ㄷ. 수열 $\{T_{2n}\}$은 등차수열이다.

① ㄱ ② ㄴ ③ ㄱ, ㄴ
④ ㄱ, ㄷ ⑤ ㄴ, ㄷ

639 (100점 도전)

오른쪽 그림과 같이 원 O 위에 두 점 A, B가 있다. 점 A에서 원 O와 접하는 접선 l과 선분 AB가 이루는 예각의 크기가 18°이고, 선분 OB 위의 한 점 C에 대하여 삼각형 OAC의 세 내각의 크기가 등차수열을 이룰 때, 세 내각 중 가장 큰 내각의 크기는?

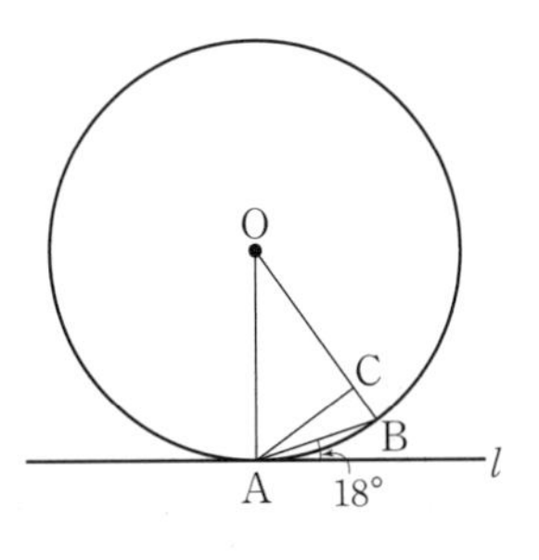

① 68° ② 72° ③ 76°
④ 80° ⑤ 84°

640

첫째항이 a이고 공차가 -4인 등차수열 $\{a_n\}$의 첫째항부터 제n항까지의 합을 S_n이라고 하자. 모든 자연수 n에 대하여 $S_n<800$일 때, 자연수 a의 최댓값을 구하여라.

641

n개의 항으로 이루어진 등차수열 $a_1,\ a_2,\ a_3,\ \cdots,\ a_n$이 다음 세 조건을 만족시킬 때, n의 값을 구하여라.

(가) 처음 4개 항의 합은 26이다.
(나) 마지막 4개 항의 합은 134이다.
(다) $a_1+a_2+a_3+\cdots+a_n=260$

642

다섯 개의 실수 a, b, c, d, e를 적당히 배열하여 공비가 1보다 큰 등비수열을 만들었다. a, b, c, d, e가 다음 세 조건을 만족시킬 때, b는 이 수열의 제몇 항인가?

(가) $e=\sqrt{cd}$　(나) $\frac{a}{e}=\frac{c}{d}$　(다) $a<b$

① 1 ② 2 ③ 3
④ 4 ⑤ 5

643

다음은 등비수열 $\{a_n\}$의 첫째항부터 제n항까지의 합 S_n에 대하여 $S_n=p$, $S_{2n}=q$라고 할 때, S_{3n}을 p, q로 나타내는 과정이다. (단, $p\neq0$, $q\neq0$)

> 자연수 n에 대하여
> $A=a_1+a_2+a_3+\cdots+a_n$
> $B=a_{n+1}+a_{n+2}+a_{n+3}+\cdots+a_{2n}$
> $C=a_{2n+1}+a_{2n+2}+a_{2n+3}+\cdots+a_{3n}$
> 이라고 하자.
> 등비수열 $\{a_n\}$의 공비를 r라고 하면 A, B, C는 이 순서대로 공비가 (가) 인 등비수열을 이룬다.
> 등비중항의 성질에 의해 (나) $=AC$
> 이때,
> $A=S_n=p$
> $B=S_{2n}-S_n=q-p$
> $C=S_{3n}-S_{2n}=S_{3n}-q$
> 이므로 $S_{3n}=$ (다) 이다.

위의 과정에서 (가), (나), (다)에 알맞은 것은?

	(가)	(나)	(다)
①	r^{n-1}	B^2	$\dfrac{(p-q)^2}{p}$
②	r^n	$2B$	$\dfrac{(p+q)^2}{p}$
③	r^n	B^2	$\dfrac{p^2-pq+q^2}{p}$
④	r^n	B^2	$\dfrac{p^2+pq+q^2}{p}$
⑤	r^{2n}	$2B$	$\dfrac{p^2-pq+q^2}{p}$

644

양수 x를 $x=n+\alpha$(n은 정수, $0\leq\alpha<1$)로 나타낼 수 있다. 다음은 α, n, x가 이 순서대로 등비수열을 이룰 때, x의 값을 구하는 과정이다.

> α, n, x가 이 순서대로 등비수열을 이루므로 $\dfrac{\alpha}{n}=$ (가)
> 한편, $n\neq0$, $\alpha\neq0$이므로
> $1\leq n<\dfrac{n}{\alpha}=\dfrac{1}{\text{(가)}}=\dfrac{n+\alpha}{n}=1+\text{(나)}<2$
> $\therefore n=1$
> 따라서 $n=1$을 $\dfrac{\alpha}{n}=$ (가) 에 대입하여 x의 값을 구하면
> $x=$ (다)

위의 과정에서 (가), (나), (다)에 알맞은 것을 차례대로 적은 것은?

① $\dfrac{x}{\alpha}$, $\dfrac{\alpha}{n}$, $\dfrac{\sqrt{5}-1}{2}$　② $\dfrac{x}{\alpha}$, $\dfrac{n}{\alpha}$, $\dfrac{\sqrt{5}+1}{2}$
③ $\dfrac{n}{x}$, $\dfrac{\alpha}{n}$, $\dfrac{\sqrt{5}-1}{2}$　④ $\dfrac{n}{x}$, $\dfrac{\alpha}{n}$, $\dfrac{\sqrt{5}+1}{2}$
⑤ $\dfrac{n}{x}$, $\dfrac{n}{\alpha}$, $\dfrac{\sqrt{5}+1}{2}$

645

수열 $\{a_n\}$에 대하여 첫째항부터 제n항까지의 합을 S_n이라고 하자.

$a_1=2$, $a_2=5$
$(S_{n+1}-S_{n-1})^2=4a_na_{n+1}+9$ $(n=2, 3, 4, \cdots)$

일 때, a_{10}의 값은? (단, $a_1<a_2<a_3<\cdots<a_n<\cdots$)

① 21　② 23　③ 25
④ 27　⑤ 29

09 여러 가지 수열의 합

1 $\sum$의 뜻

수열 $\{a_n\}$의 첫째항부터 제n항까지의 합

$a_1+a_2+a_3+\cdots+a_n$은 기호 $\sum$를 사용하여 $\sum_{k=1}^{n} a_k$로 나타낸다.

$$a_1+a_2+a_3+\cdots+a_n=\sum_{k=1}^{n} a_k$$

i, j 등과 같은 다른 문자를 사용해도 된다.

예 $1+3+5+\cdots+(2n-1)$을 기호 $\sum$를 사용하여 나타내면 $\sum_{k=1}^{n}(2k-1)$

2 $\sum$의 기본 성질

① $\sum_{k=1}^{n}(a_k+b_k)=\sum_{k=1}^{n} a_k+\sum_{k=1}^{n} b_k$

② $\sum_{k=1}^{n}(a_k-b_k)=\sum_{k=1}^{n} a_k-\sum_{k=1}^{n} b_k$

③ $\sum_{k=1}^{n} ca_k=c\sum_{k=1}^{n} a_k$ (단, c는 상수이다.)

④ $\sum_{k=1}^{n} c=cn$ (단, c는 상수이다.)

참고 $\sum$의 계산에서 다음에 주의한다.

① $\sum_{k=1}^{n}a_kb_k\neq\sum_{k=1}^{n}a_k\sum_{k=1}^{n}b_k$

② $\sum_{k=1}^{n}\frac{b_k}{a_k}\neq\frac{\sum_{k=1}^{n}a_k}{\sum_{k=1}^{n}b_k}$

3 자연수의 거듭제곱의 합

① $\sum_{k=1}^{n} k=1+2+3+\cdots+n=\frac{n(n+1)}{2}$

② $\sum_{k=1}^{n} k^2=1^2+2^2+3^2+\cdots+n^2=\frac{n(n+1)(2n+1)}{6}$

③ $\sum_{k=1}^{n} k^3=1^3+2^3+3^3+\cdots+n^3=\left\{\frac{n(n+1)}{2}\right\}^2$

4 분수꼴인 수열의 합

① $\sum_{k=1}^{n}\frac{1}{k(k+1)}=\sum_{k=1}^{n}\left(\frac{1}{k}-\frac{1}{k+1}\right)$

② $\sum_{k=1}^{n}\frac{1}{(k+a)(k+b)}=\sum_{k=1}^{n}\frac{1}{b-a}\left(\frac{1}{k+a}-\frac{1}{k+b}\right)$

참고 $\frac{1}{AB}=\frac{1}{B-A}\left(\frac{1}{A}-\frac{1}{B}\right)$

5 (등차수열)×(등비수열)꼴로 이루어진 수열

각 항이 (등차수열)×(등비수열) 꼴로 이루어진 수열의 합은 다음과 같은 방법으로 구한다.

① 주어진 수열의 합을 S로 놓고 양변에 등비수열의 공비 r를 곱한다.

② $S-rS$를 계산한 후, 이 식으로부터 S의 값을 구한다.

문제 풀 때 유용한 풍쌤 비법

❶ 일반항 a_k를 구하여 $\sum_{k=1}^{n}a_k$를 계산할 때

(1) a_k가 다항식이면 자연수의 거듭제곱의 합의 공식을 떠올린다.

예를 들어 $a_k=3k^2+2k$이면

$$\sum_{k=1}^{n}a_k=\sum_{k=1}^{n}(3k^2+2k)=3\sum_{k=1}^{n}k^2+2\sum_{k=1}^{n}k=3\cdot\frac{n(n+1)(2n+1)}{6}+2\cdot\frac{n(n+1)}{2}$$

(2) a_k가 지수에 대한 식이면 등비수열의 합의 공식을 떠올린다.

예를 들어 $a_k=2^k$이면 $\sum_{k=1}^{n}a_k=\sum_{k=1}^{n}2^k=\frac{2(2^n-1)}{2-1}$

❷ 분모에 근호가 있는 수열의 합은 먼저 분모를 유리화하여 계산한다.

⇨ $\frac{1}{\sqrt{a}+\sqrt{b}}=\frac{\sqrt{a}-\sqrt{b}}{(\sqrt{a}+\sqrt{b})(\sqrt{a}-\sqrt{b})}=\frac{\sqrt{a}-\sqrt{b}}{a-b}$

실력을 기르는 유형

01 ∑의 뜻과 기본 성질

중요도

더 자세한 개념은 풍산자 수학 I 216쪽

646

상 중 하

다음 <보기>에서 $\sum_{k=1}^{10} a_k$의 값과 같은 것을 모두 고른 것은?

보기

ㄱ. $\sum_{k=1}^{5} a_k + \sum_{k=6}^{10} a_k$

ㄴ. $\sum_{k=1}^{5} (a_k + a_{k+5})$

ㄷ. $\sum_{k=1}^{5} (a_{2k-1} + a_{2k})$

① ㄱ ② ㄱ, ㄴ ③ ㄱ, ㄷ
④ ㄴ, ㄷ ⑤ ㄱ, ㄴ, ㄷ

647

상 중 하

다음 <보기>에서 옳은 것을 모두 고른 것은?

보기

ㄱ. $\sum_{i=1}^{3} i^2 = \sum_{j=1}^{3} j^2$

ㄴ. $\sum_{i=1}^{3} ij = \sum_{j=1}^{3} ij$

ㄷ. $\sum_{i=0}^{3} i^3 = \sum_{i=1}^{3} i^3$

① ㄱ ② ㄱ, ㄴ ③ ㄱ, ㄷ
④ ㄴ, ㄷ ⑤ ㄱ, ㄴ, ㄷ

648

상 중 하

두 수열 $\{a_n\}$, $\{b_n\}$에 대하여 $\sum_{k=1}^{5} a_k = 4$, $\sum_{k=1}^{5} b_k = 14$일 때, 다음 식의 값을 구하여라.

(1) $\sum_{k=1}^{5} (5a_k + b_k)$

(2) $\sum_{k=1}^{5} (a_k - 3b_k)$

649

상 중 하

$\sum_{k=1}^{10} a_k^2 = 20$, $\sum_{k=1}^{10} a_k = 10$일 때, $\sum_{k=1}^{10} (2a_k - p)^2 = 50$을 만족시키는 모든 실수 p의 값의 합은?

① 1 ② 2 ③ 3
④ 4 ⑤ 5

650 최多빈출

상 중 하

$\sum_{k=1}^{10} (a_k + b_k)^2 = 50$, $\sum_{k=1}^{10} a_k b_k = 10$일 때, $\sum_{k=1}^{10} (a_k^2 + b_k^2)$의 값은?

① 10 ② 20 ③ 30
④ 40 ⑤ 50

02 자연수의 거듭제곱의 합

중요도

더 자세한 개념은 풍산자 수학 I 220쪽

651

상 중 하

다음 식의 값을 구하여라.

(1) $\sum_{k=1}^{10}(k-1)(k+2)$

(2) $\sum_{k=1}^{10}(k+2)(k-2)$

652

상 중 하

$\sum_{k=1}^{9}\frac{k^3}{k+1}+\sum_{k=1}^{9}\frac{1}{k+1}$의 값은?

① 241　② 243　③ 245
④ 247　⑤ 249

653

상 중 하

$\sum_{n=1}^{10}\frac{1^3+2^3+3^3+\cdots+n^3}{n^2+n}$의 값은?

① 100　② 110　③ 120
④ 130　⑤ 140

654 학평 기출

상 중 하

$\sum_{k=1}^{n}(k^2-2)-\sum_{k=1}^{n-1}(k^2+3)=53$을 만족시키는 자연수 n의 값은?

① 8　② 9　③ 10
④ 11　⑤ 12

655

상 중 하

이차함수 $f(x)=\sum_{k=1}^{10}(x-k)^2$이 $x=a$에서 최솟값을 가질 때, a의 값은?

① $\frac{9}{2}$　② 5　③ $\frac{11}{2}$
④ 6　⑤ $\frac{13}{2}$

03 일반항을 찾아 수열의 합 구하기

중요도

더 자세한 개념은 풍산자 수학 I 222쪽

656

상 중 하

다음 수열의 합을 구하여라.

(1) $1\cdot2,\ 2\cdot3,\ 3\cdot4,\ \cdots,\ 15\cdot16$

(2) $1\cdot3,\ 2\cdot5,\ 3\cdot7,\ \cdots,\ 10\cdot21$

657 풍쌤 비법 ❶

상중하

수열 2, $2+4$, $2+4+6$, $2+4+6+8$, $\cdots$의 첫째항부터 제n항까지의 합은?

① $\frac{1}{2}n(n+1)(n+2)$ ② $\frac{1}{3}n(n+1)(n+2)$
③ $\frac{1}{4}n(n+1)(n+2)$ ④ $\frac{1}{5}n(n+1)(n+2)$
⑤ $\frac{1}{6}n(n+1)(n+2)$

658 풍쌤 비법 ❶

상중하

수열 9, 99, 999, 9999, $\cdots$의 첫째항부터 제9항까지의 합은?

① $\frac{1}{9}(10^9-82)$ ② $\frac{1}{9}(10^9-91)$
③ $\frac{1}{9}(10^{10}-91)$ ④ $\frac{1}{9}(10^{10}-100)$
⑤ $\frac{1}{9}(10^{11}-100)$

659

상중하

수열 1, $1+2$, $1+2+4$, $1+2+4+8$, $\cdots$의 첫째항부터 제10항까지의 합은?

① 2016 ② 2026 ③ 2036
④ 2046 ⑤ 2056

660

상중하

수열의 합

$1\cdot n+2\cdot(n-1)+3\cdot(n-2)+\cdots+(n-1)\cdot 2+n\cdot 1$

을 간단히 하면?

① $\frac{1}{2}n(n+1)(n+2)$ ② $\frac{1}{3}n(n+1)(n+2)$
③ $\frac{1}{4}n(n+1)(n+2)$ ④ $\frac{1}{5}n(n+1)(n+2)$
⑤ $\frac{1}{6}n(n+1)(n+2)$

661 학평 기출

상중하

첫째항이 1이고 공비가 2인 등비수열 $\{a_n\}$에 대하여 $\sum_{k=1}^{5} a_{2k-1}$의 값은?

① 341 ② 343 ③ 345
④ 347 ⑤ 349

662

상중하

다항식 $(x+2)^n$을 $x-1$로 나눈 나머지를 a_n이라고 할 때, $\sum_{n=1}^{5} a_n$의 값은?

① 354 ② 357 ③ 360
④ 363 ⑤ 369

663 학평 기출 (상중하)

수열 $\{a_n\}$에 대하여 $\sum_{k=1}^{n} a_k = n^2 - n$일 때, $\sum_{k=1}^{10} ka_{4k+1}$의 값은?

① 2960 ② 3000 ③ 3040
④ 3080 ⑤ 3120

664 최多빈출 (상중하)

수열 $\{a_n\}$에 대하여 $\sum_{k=1}^{n} a_k = 2^n - 1$일 때, $\sum_{k=1}^{5} a_{2k+1}$의 값은?

① 1164 ② 1264 ③ 1364
④ 1464 ⑤ 1564

665 (상중하)

자연수 n에 대하여 3^{n-1}의 모든 양의 약수의 합을 a_n이라 고 할 때, $\sum_{n=1}^{4} a_n$의 값을 구하여라.

04 중복된 Σ의 계산

중요도

더 자세한 개념은 풍산자 수학 I 224쪽

666 (상중하)

$\sum_{k=1}^{5}\left\{\sum_{l=1}^{5}(k+l)\right\}$의 값은?

① 100 ② 125 ③ 150
④ 175 ⑤ 200

667 (상중하)

두 수열 $\{a_n\}$, $\{b_n\}$의 일반항이 각각 $a_n = 2^n - 10$, $b_n = 2n - 6$일 때, $\sum_{i=1}^{6}\left(\sum_{j=1}^{6} a_i b_j\right)$의 값은?

① 356 ② 366 ③ 376
④ 386 ⑤ 396

668 (상중하)

$\sum_{i=1}^{6}\left\{\sum_{j=1}^{i}\left(\sum_{k=1}^{j} 6\right)\right\}$의 값은?

① 332 ② 334 ③ 336
④ 338 ⑤ 340

669 (상중하)

$\sum_{n=1}^{5}\left(\sum_{k=1}^{n} 2^{k-n}\right) = p$일 때, p의 정수 부분은?

① 5 ② 6 ③ 7
④ 8 ⑤ 9

05 분수꼴인 수열의 합

중요도

더 자세한 개념은 풍산자 수학 I 226쪽

670 학평 기출

상중하

$\sum_{k=1}^{7} \frac{1}{(k+1)(k+2)}$의 값은?

① $\frac{1}{6}$ ② $\frac{2}{9}$ ③ $\frac{5}{18}$
④ $\frac{1}{3}$ ⑤ $\frac{7}{18}$

671

상중하

$\sum_{k=1}^{n} \frac{2}{k(k+1)} = \frac{15}{8}$일 때, n의 값은?

① 11 ② 13 ③ 15
④ 17 ⑤ 19

672 최多빈출

상중하

수열 $\frac{1}{1\cdot4}, \frac{1}{4\cdot7}, \frac{1}{7\cdot10}, \frac{1}{10\cdot13}, \cdots$의 첫째항부터 제 10항까지의 합은?

① $\frac{9}{31}$ ② $\frac{10}{31}$ ③ $\frac{11}{31}$
④ $\frac{29}{31}$ ⑤ $\frac{30}{31}$

673

상중하

수열의 합 $\frac{1}{1\cdot2\cdot3} + \frac{1}{2\cdot3\cdot4} + \frac{1}{3\cdot4\cdot5} + \cdots + \frac{1}{8\cdot9\cdot10}$의 값을 S라고 할 때, $45S$의 값은?

① 8 ② 9 ③ 10
④ 11 ⑤ 12

674

상중하

$a_k = \log_2 \frac{k+1}{k}$일 때, $\sum_{k=1}^{15} a_k$의 값은?

① 2 ② 4 ③ 8
④ 16 ⑤ 32

675

상중하

이차방정식 $x^2 - x + n(n+1) = 0$의 서로 다른 두 실근을 α_n, β_n이라고 할 때, $\sum_{n=1}^{50} \left(\frac{1}{\alpha_n} + \frac{1}{\beta_n} \right)$의 값은?

(단, n은 실수이다.)

① $\frac{1}{51}$ ② $\frac{1}{50}$ ③ $\frac{49}{50}$
④ $\frac{50}{51}$ ⑤ $\frac{52}{51}$

676

상중하

$\sum_{k=1}^{n} a_k = 2n^2 + n$일 때, $\sum_{k=1}^{10} \frac{1}{a_k a_{k+1}} = \frac{q}{p}$이다. 이때, $p+q$의 값은? (단, p와 q는 서로소인 자연수이다.)

① 139 ② 142 ③ 145
④ 148 ⑤ 151

06 근호가 포함된 수열의 합

중요도

더 자세한 개념은 풍산자 수학 I 228쪽

677

상중하

$f(x)=\sqrt{x}+\sqrt{x+1}$일 때, $\sum_{k=1}^{99} \frac{1}{f(k)}$의 값은?

① 5 ② 6 ③ 7
④ 8 ⑤ 9

상중하

678 풍쌤 비법 ❷

$\sum_{k=1}^{80} \frac{2}{\sqrt{k-1}+\sqrt{k+1}}$의 값은?

① $8+4\sqrt{5}$ ② $4+8\sqrt{5}$ ③ $-4+8\sqrt{5}$
④ $-8+4\sqrt{5}$ ⑤ $8-4\sqrt{5}$

679

상중하

첫째항과 공차가 모두 2인 등차수열 $\{a_n\}$에 대하여
$\sum_{k=1}^{15} \frac{1}{\sqrt{a_{k+1}}+\sqrt{a_k}}$의 값은?

① $\frac{3\sqrt{2}}{2}$ ② $2\sqrt{2}$ ③ $\frac{5\sqrt{2}}{2}$
④ $3\sqrt{2}$ ⑤ $\frac{7\sqrt{2}}{2}$

07 (등차수열)×(등비수열)꼴로 이루어진 수열의 합

중요도

더 자세한 개념은 풍산자 수학 I 230쪽

680

상중하

수열의 합 $\frac{1}{2}+\frac{2}{2^2}+\frac{3}{2^3}+\cdots+\frac{10}{2^{10}}$의 값은?

① $\frac{507}{256}$ ② $\frac{509}{256}$ ③ $\frac{511}{256}$
④ $\frac{513}{256}$ ⑤ $\frac{515}{256}$

681

상중하

수열의 합 $1\cdot1+2\cdot2+3\cdot2^2+\cdots+7\cdot2^6$의 값은?

① 763 ② 766 ③ 769
④ 772 ⑤ 775

682

상중하

$f(x)=1+3x+5x^2+\cdots+21x^{10}$일 때, $f(2)$의 값은?

① $17\cdot2^{10}+1$ ② $17\cdot2^{11}+3$ ③ $19\cdot2^{11}+1$
④ $19\cdot2^{11}+3$ ⑤ $19\cdot2^{12}+3$

● 정답과 풀이 101쪽

683

함수 $f(x)=x^2+x$에 대하여

$$\sum_{k=1}^{n} f(k+1)-\sum_{k=2}^{n+1} f(k-2)=720$$

을 만족시키는 자연수 n의 값을 구하여라.

684

$\sum_{n=1}^{50}[\sqrt{n}]$의 값을 구하여라.

(단, $[x]$는 x보다 크지 않은 최대의 정수이다.)

685

수열 1, $\frac{1}{1+2}$, $\frac{1}{1+2+3}$, $\frac{1}{1+2+3+4}$, $\cdots$의 첫째항부터 제10항까지의 합을 $\frac{q}{p}$라고 할 때, $p+q$의 값을 구하여라. (단, p와 q는 서로소인 자연수이다.)

686

x에 대한 이차방정식 $nx^2-(3n^2+2n)x+3=0$의 두 근의 합을 a_n이라고 할 때, $\sum_{n=1}^{10} a_n$의 값을 구하여라.

(단, n은 자연수이다.)

687

첫째항이 1이고 공차가 2인 등차수열 $\{a_n\}$에 대하여 $\sum_{n=1}^{10} \frac{1}{a_{n+1}a_{n+2}}$의 값을 구하여라.

688

$1\cdot1+3\cdot3+5\cdot3^2+7\cdot3^3+\cdots+19\cdot3^9$의 값을 구하여라.

고득점을 향한 도약

● 정답과 풀이 102쪽

689

다항식 $f(x)$를 일차식 $x+1$, $x-2$로 나눈 나머지가 각각 2, 5이다. 다항식 $f(x)$를 이차식 $(x+1)(x-2)$로 나눈 나머지를 $R(x)$라고 할 때, $\sum_{k=1}^{10} R(k)$의 값은?

① 80 ② 85 ③ 90
④ 95 ⑤ 100

690

첫째항이 3이고 공차가 양수인 등차수열 $\{a_n\}$에 대하여 이차방정식 $x^2-(a_n-a_{n+1})x+a_{n+2}=0$의 서로 다른 두 실근을 α_n, β_n이라고 하자. $\sum_{n=1}^{10}(\alpha_n+1)(\beta_n+1)=150$일 때, a_5의 값은?

① 5 ② 7 ③ 9
④ 11 ⑤ 13

691

등차수열 $\{a_n\}$에 대하여 $a_1=k-4$, $a_2=\frac{2}{3}k$, $a_3=2k-1$일 때, $\sum_{n=1}^{5} a_n$의 값은? (단, k는 상수이다.)

① 5 ② 10 ③ 15
④ 20 ⑤ 25

692

함수 $f(x)=3^x-10\cdot\left[\frac{3^x}{10}\right]$에 대하여 $\sum_{k=1}^{100} f(2k)$의 값은?

(단, $[x]$는 x보다 크지 않은 최대의 정수이다.)

① 400 ② 450 ③ 500
④ 650 ⑤ 750

693 (100점 도전)

다음 그림과 같은 모양의 4층 탑을 쌓았을 때, 크기가 같은 44개의 정육면체가 필요하였다. 이와 같은 규칙으로 10층 탑을 쌓는 데 필요한 정육면체의 개수는?

① 650 ② 670 ③ 690
④ 710 ⑤ 730

10 수학적 귀납법

1 수열의 귀납적 정의

수열 $\{a_n\}$을
(i) 처음 몇 개의 항의 값
(ii) 이웃하는 여러 항 사이의 관계식
으로 정의하는 것을 수열의 귀납적 정의라고 한다.

예 수열 $\{a_n\}$을 $a_1=1$, $a_{n+1}-a_n=2(n=1, 2, 3, \cdots)$로 정의하면
$a_1=1$, $a_2=a_1+2=3$, $a_3=a_2+2=5$, $\cdots$, $a_{n+1}=a_n+2$
와 같이 수열 $\{a_n\}$의 모든 항을 구할 수 있다.

2 기본적인 수열의 귀납적 정의

(1) 등차수열 : $a_{n+1}=a_n+d$ ← 공차가 d인 등차수열
$2a_{n+1}=a_n+a_{n+2}$ ← a_{n+1}이 a_n과 a_{n+2}의 등차중항 ⟺ 수열 $\{a_n\}$은 등차수열

(2) 등비수열 : $a_{n+1}=ra_n$ ← 공비가 r인 등비수열
${a_{n+1}}^2=a_na_{n+2}$ ← a_{n+1}이 a_n과 a_{n+2}의 등비중항 ⟺ 수열 $\{a_n\}$은 등비수열

3 귀납적으로 정의된 수열의 일반항 구하기

(1) 중요한 수열의 일반항 구하기

① $a_{n+1}=a_n+f(n)$ 꼴
n 대신 $1, 2, 3, \cdots, n-1$을 대입하여 변끼리 더한다.

② $a_{n+1}=a_nf(n)$ 꼴
n 대신 $1, 2, 3, \cdots, n-1$을 대입하여 변끼리 곱한다.

③ $a_{n+1}=pa_n+q$ $(p\neq1, pq\neq0)$ 꼴
$a_{n+1}-\alpha=p(a_n-\alpha)$ 꼴로 변형하여 수열 $\{a_n-\alpha\}$는 첫째항이 $a_1-\alpha$, 공비가 p인 등비수열임을 이용한다.

④ $pa_{n+2}+qa_{n+1}+ra_n=0$ $(p+q+r=0, pqr\neq0)$ 꼴
$a_{n+2}-a_{n+1}=\frac{r}{p}(a_{n+1}-a_n)$ 꼴로 변형하여 수열 $\{a_{n+1}-a_n\}$은 첫째항이 a_2-a_1, 공비가 $\frac{r}{p}$인 등비수열임을 이용한다.

(2) 여러 가지 수열의 일반항 구하기

① $a_{n+1}=\frac{ra_n}{pa_n+q}$ 꼴
역수를 취하여 $\frac{1}{a_{n+1}}=\frac{q}{ra_n}+\frac{p}{r}$ 꼴로 변형하고 $\frac{1}{a_n}=b_n$으로 놓은 후 b_n의 일반항을 이용하여 a_n의 일반항을 구한다.

② $a_na_{n+1}=pa_n-qa_{n+1}$ 꼴
양변을 a_na_{n+1}로 나누고 $\frac{1}{a_n}=b_n$으로 놓은 후 b_n의 일반항을 이용하여 a_n의 일반항을 구한다.

4 수학적 귀납법

자연수 n에 대한 명제 $p(n)$이 모든 자연수 n에 대하여 성립함을 증명하려면 다음 두 가지를 보이면 된다.
(i) $n=1$일 때, 명제 $p(n)$이 성립한다.
(ii) $n=k$일 때, 명제 $p(n)$이 성립한다고 가정하면 $n=k+1$일 때에도 명제 $p(n)$이 성립한다.

참고 자연수 n에 대한 명제 $p(n)$이 $n\geq m$ (m은 자연수)인 모든 자연수 n에 대하여 성립함을 증명하려면 다음 두 가지를 보이면 된다.
(i) $n=m$일 때, 명제 $p(n)$이 성립한다.
(ii) $n=k$ $(k\geq m)$일 때, 명제 $p(n)$이 성립한다고 가정하면 $n=k+1$일 때에도 명제 $p(n)$이 성립한다.

문제 풀 때 유용한 풍쌤 비법

❶ **수열의 귀납적 정의**
모든 자연수 n에 대하여 수열 $\{a_n\}$이 다음과 같이 정의될 때
(1) $a_{n+1}=a_n+d$ 또는 $2a_{n+1}=a_n+a_{n+2}$ 꼴로 주어지면 ⇨ 등차수열
(2) $a_{n+1}=ra_n$ 또는 ${a_{n+1}}^2=a_na_{n+2}$ 꼴로 주어지면 ⇨ 등비수열

❷ **수학적 귀납법을 이용한 증명 문제에서 빈칸 채우기**
문제에서 주어진 증명 과정을 처음부터 끝까지 모두 살피지 말고 빈칸이 있는 식의 앞뒤와 주어진 조건만 살펴서 빈칸에 알맞은 식을 구한다.

실력을 기르는 유형

● 정답과 풀이 103쪽

01 수열의 귀납적 정의

중요도

더 자세한 개념은 풍산자 수학 I 238쪽

694

상 중 하

수열 $\{a_n\}$을 $a_1=1$, $a_{n+1}=2a_n+1$ $(n=1, 2, 3, \cdots)$로 정의할 때, a_3의 값은?

① 1 ② 3 ③ 5
④ 7 ⑤ 9

695

상 중 하

수열 $\{a_n\}$을 $a_1=2$, $a_2=3$,
$a_{n+2}=2a_n-a_{n+1}$ $(n=1, 2, 3, \cdots)$로 정의할 때, a_5의 값은?

① -1 ② -3 ③ -5
④ -7 ⑤ -9

696

상 중 하

수열 $\{a_n\}$이 모든 자연수 n에 대하여 $a_{n+1}=\dfrac{n+1}{1+a_n}+1$을 만족시키고 $a_1=1$일 때, a_4의 값은?

① 2 ② $\dfrac{7}{3}$ ③ $\dfrac{8}{3}$
④ 3 ⑤ $\dfrac{10}{3}$

02 등차수열의 귀납적 정의

중요도

더 자세한 개념은 풍산자 수학 I 239쪽

697

상 중 하

수열 $\{a_n\}$을 $a_1=2$, $a_{n+1}=a_n+3$ $(n=1, 2, 3, \cdots)$으로 정의할 때, a_{10}의 값은?

① 21 ② 23 ③ 25
④ 27 ⑤ 29

698

상 중 하

수열 $\{a_n\}$을 $a_1=3$, $a_n=a_{n+1}-6$ $(n=1, 2, 3, \cdots)$으로 정의할 때, $a_k=111$을 만족시키는 자연수 k의 값은?

① 18 ② 19 ③ 20
④ 21 ⑤ 22

699

학평 기출 풍쌤 비법 ❶

상 중 하

수열 $\{a_n\}$이 모든 자연수 n에 대하여 $2a_{n+1}=a_n+a_{n+2}$를 만족시킨다. $a_2=-1$, $a_3=2$일 때, 수열 $\{a_n\}$의 첫째항부터 제10항까지의 합은?

① 95 ② 90 ③ 85
④ 80 ⑤ 75

03 등비수열의 귀납적 정의

중요도

더 자세한 개념은 풍산자 수학 I 239쪽

700

상 중 하

수열 $\{a_n\}$을 $a_1=8$, $a_n=2a_{n+1}$ $(n=1, 2, 3, \cdots)$로 정의할 때, a_{10}의 값은?

① $\frac{1}{16}$ ② $\frac{1}{32}$ ③ $\frac{1}{64}$
④ $\frac{1}{128}$ ⑤ $\frac{1}{256}$

701 풍쌤 비법 ❶

상 중 하

수열 $\{a_n\}$을 $a_1=1$, $a_2=2$,
${a_{n+1}}^2=a_na_{n+2}$ $(n=1, 2, 3, \cdots)$로 정의할 때, a_6의 값은?

① 16 ② 32 ③ 64
④ 128 ⑤ 256

702

상 중 하

$a_1=1$, $a_2=10$, ${a_{n+1}}^2=a_na_{n+2}(n=1, 2, 3, \cdots)$로 정의되는 수열 $\{a_n\}$에 대하여 $a_k=100^{100}$을 만족시키는 자연수 k의 값은?

① 100 ② 101 ③ 199
④ 200 ⑤ 201

04 $a_{n+1}=a_n+f(n)$ 꼴

중요도

더 자세한 개념은 풍산자 수학 I 240쪽

703 최多빈출

상 중 하

수열 $\{a_n\}$이 $a_1=2$, $a_{n+1}=a_n+2n-1(n=1, 2, 3, \cdots)$을 만족시킬 때, a_{10}의 값은?

① 81 ② 82 ③ 83
④ 84 ⑤ 85

704

상 중 하

수열 $\{a_n\}$을 $a_1=1$, $a_n=a_{n-1}+3^{n-1}(n=2, 3, 4, \cdots)$으로 정의할 때, $a_k=364$를 만족시키는 자연수 k의 값은?

① 5 ② 6 ③ 7
④ 8 ⑤ 9

705

상 중 하

$a_1=1$, $a_{n+1}=a_n+\frac{1}{n(n+1)}$ $(n=1, 2, 3, \cdots)$로 정의되는 수열 $\{a_n\}$에 대하여 $a_{10}=\frac{q}{p}$일 때, $p+q$의 값은?

(단, p와 q는 서로소인 자연수이다.)

① 25 ② 27 ③ 29
④ 31 ⑤ 33

706

상 중 하

수열 $\{a_n\}$이 $a_1=1$, $a_{n+1}=a_n+f(n)$ $(n=1, 2, 3, \cdots)$으로 정의되고 $\sum_{k=1}^{n} f(k)=n(n+1)$일 때, a_{20}의 값은?

① 375 ② 377 ③ 379
④ 381 ⑤ 383

● 정답과 풀이 104쪽

05 $a_{n+1}=a_n f(n)$ 꼴

중요도

더 자세한 개념은 풍산자 수학 I 240쪽

707

상중하

수열 $\{a_n\}$이 $a_1=\frac{1}{2}$, $a_n=\frac{n-1}{n+1}a_{n-1}(n=2, 3, 4, \cdots)$을 만족시킬 때, a_{10}의 값은?

① $\frac{1}{110}$ ② $\frac{1}{100}$ ③ $\frac{1}{90}$
④ $\frac{1}{55}$ ⑤ $\frac{1}{50}$

708 최多빈출

상중하

수열 $\{a_n\}$을 $a_1=1$, $a_{n+1}=2^n a_n$ $(n=1, 2, 3, \cdots)$으로 정의할 때, a_4의 값은?

① 32 ② 64 ③ 128
④ 256 ⑤ 512

709

상중하

$a_1=2$, $\sqrt{n}\,a_{n+1}=\sqrt{n+1}\,a_n(n=1, 2, 3, \cdots)$으로 정의되는 수열 $\{a_n\}$에서 a_{100}의 값은?

① 2 ② 10 ③ 20
④ 100 ⑤ 200

06 $a_{n+1}=pa_n+q$ 꼴

중요도

더 자세한 개념은 풍산자 수학 I 240쪽

710 학평 기출

상중하

$a_1=2$, $a_{n+1}=3a_n+2(n=1, 2, 3, \cdots)$로 정의되는 수열 $\{a_n\}$에서 a_{20}의 값은?

① $3^{20}-1$ ② $3^{21}-1$ ③ $3^{22}-1$
④ $3^{23}-1$ ⑤ $3^{24}-1$

711

상중하

$a_1=2$, $a_{n+1}=2a_n-1$ $(n=1, 2, 3, \cdots)$로 정의되는 수열 $\{a_n\}$에서 부등식 $a_{n+1}-a_n\geq 100$을 만족시키는 최소의 자연수 n의 값은?

① 6 ② 8 ③ 10
④ 12 ⑤ 14

07 $pa_{n+2}+qa_{n+1}+ra_n=0$ 꼴

중요도

더 자세한 개념은 풍산자 수학 I 240쪽

712

상중하

$a_1=1$, $a_2=2$, $a_{n+2}+4a_n=5a_{n+1}(n=1, 2, 3, \cdots)$로 정의되는 수열 $\{a_n\}$에 대하여 $3a_{10}$의 값은?

① 2^9+2 ② $2^{10}+2$ ③ $2^{16}+2$
④ $2^{18}+2$ ⑤ $2^{20}+2$

713
(상중하)

수열 $\{a_n\}$이

$a_2=2a_1,\ 2a_{n+2}-3a_{n+1}+a_n=0\ (n=1, 2, 3, \cdots)$

을 만족시키고 $a_8=191$일 때, a_1의 값은?

① 48 ② 52 ③ 56
④ 60 ⑤ 64

08 $a_{n+1}=\dfrac{ra_n}{pa_n+q}$ 꼴
중요도

더 자세한 개념은 풍산자 수학Ⅰ 240쪽

714
(상중하)

$a_1=-2,\ a_{n+1}=\dfrac{a_n}{2a_n+1}\ (n=1, 2, 3, \cdots)$으로 정의되는 수열 $\{a_n\}$에 대하여 a_{20}의 값은?

① $\frac{2}{71}$ ② $\frac{2}{73}$ ③ $\frac{2}{75}$
④ $\frac{2}{77}$ ⑤ $\frac{2}{79}$

715
(상중하)

$a_1=3,\ a_{n+1}=\dfrac{3a_n}{a_n+3}\ (n=1, 2, 3, \cdots)$으로 정의되는 수열 $\{a_n\}$에 대하여 $a_k=\frac{1}{3}$을 만족시키는 자연수 k의 값은?

① 6 ② 9 ③ 12
④ 15 ⑤ 18

09 $a_na_{n+1}=pa_n-qa_{n+1}$ 꼴
중요도

더 자세한 개념은 풍산자 수학Ⅰ 240쪽

716
(상중하)

$a_1=1,\ a_na_{n+1}=a_n-a_{n+1}\ (n=1, 2, 3, \cdots)$로 정의되는 수열 $\{a_n\}$에 대하여 a_{10}의 값은?

① $\frac{1}{6}$ ② $\frac{1}{8}$ ③ $\frac{1}{10}$
④ $\frac{1}{12}$ ⑤ $\frac{1}{14}$

717 학평 기출
(상중하)

수열 $\{a_n\}$에서 $a_1=2,\ a_2=1$이고

$a_{n+1}a_n-2a_{n+2}a_n+a_{n+1}a_{n+2}=0\ (n=1, 2, 3, \cdots)$

이 성립할 때, $\displaystyle\sum_{k=1}^{20}\frac{1}{a_k}$의 값은?

① 101 ② 102 ③ 103
④ 104 ⑤ 105

10 복합된 형태로 정의된 수열
중요도

더 자세한 개념은 풍산자 수학Ⅰ 243쪽

718
(상중하)

$a_1=1,\ a_{n+1}=3a_n+3^{n+1}\ (n=1, 2, 3, \cdots)$으로 정의되는 수열 $\{a_n\}$에 대하여 a_4의 값은?

① 240 ② 250 ③ 260
④ 270 ⑤ 280

● 정답과 풀이 106쪽

719

상 중 하

수열 $\{a_n\}$의 첫째항부터 제n항까지의 합을 S_n이라고 할 때, $a_1=1$, $2S_n=a_{n+1}-1(n=1, 2, 3, \cdots)$이 성립한다. 이때, S_{10}의 값은?

① $\frac{1}{2}(2^{10}-1)$ ② $\frac{1}{2}(2^{10}+1)$ ③ $\frac{1}{2}(3^{10}-1)$
④ $\frac{1}{2}(3^{10}+1)$ ⑤ $\frac{1}{2}(5^{10}-1)$

11 수열의 귀납적 정의의 활용

중요도

더 자세한 개념은 풍산자 수학Ⅰ 242쪽

720

상 중 하

축구선수 K군의 올해 연봉은 5000만 원이다. 매년 전해의 연봉에서 20 % 인상된 금액보다 400만 원씩 덜 받기로 한다면, 10년 후 K군의 연봉은 얼마인가?

(단, $1.2^9=5.25$로 계산한다.)

① 1억 9600만 원 ② 2억 500만 원
③ 2억 900만 원 ④ 2억 1500만 원
⑤ 2억 2000만 원

721

상 중 하

어느 배양액에 미생물을 배양하면 1시간마다 2마리는 죽고 나머지는 각각 3마리로 분열한다. 이 배양액에 미생물 6마리를 넣고 1시간 간격으로 관찰할 때, 처음으로 1000마리가 넘게 관찰되는 것은 몇 시간 후인가?

① 5 ② 6 ③ 7
④ 8 ⑤ 9

12 수학적 귀납법

중요도

더 자세한 개념은 풍산자 수학Ⅰ 247쪽

722

상 중 하

자연수 n에 대한 명제 $p(n)$이 모든 홀수에 대하여 성립함을 증명하려고 한다. 다음 〈보기〉에서 반드시 보여야 할 것을 모두 고른 것은?

보기

ㄱ. $p(1)$이 참이다.
ㄴ. $p(3)$이 참이다.
ㄷ. $p(k)$가 참이면 $p(k+2)$도 참이다.
ㄹ. $p(k)$가 참이면 $p(2k+1)$도 참이다.

① ㄱ, ㄴ ② ㄱ, ㄷ ③ ㄱ, ㄹ
④ ㄴ, ㄷ ⑤ ㄴ, ㄹ

723

상 중 하

자연수 n에 대한 명제 $p(n)$이 다음 두 조건을 만족시킨다.

(가) $p(1)$과 $p(2)$가 참이다.
(나) 자연수 k에 대하여 $p(k)$가 참이면 $p(k+3)$도 참이다.

이때, 〈보기〉에서 반드시 참인 명제를 모두 고른 것은?

보기

ㄱ. $p(11)$ ㄴ. $p(15)$ ㄷ. $p(20)$ ㄹ. $p(31)$

① ㄱ ② ㄱ, ㄴ ③ ㄱ, ㄷ
④ ㄱ, ㄴ, ㄷ ⑤ ㄱ, ㄷ, ㄹ

724

상 중 하

자연수 n에 대한 명제 $p(n)$이 다음 두 조건을 만족시킨다.

3 이상의 자연수 k에 대하여 $p(k)$와 $p(k+1)$이 참이면 $p(k+2)$도 참이다.

이 명제 $p(n)$이 3 이상의 모든 자연수에 대하여 성립함을 증명하기 위하여 참임을 반드시 보여야 하는 명제를 모두 나열한 것은?

① $p(1)$, $p(3)$ ② $p(3)$ ③ $p(4)$
④ $p(3)$, $p(4)$ ⑤ $p(3)$, $p(5)$

13 수학적 귀납법을 이용한 증명

중요도

더 자세한 개념은 풍산자 수학 I 247쪽

725

(상 중 하)

다음은 임의의 자연수 n에 대하여 등식

$$\frac{1}{1\cdot3}+\frac{1}{3\cdot5}+\cdots+\frac{1}{(2n-1)(2n+1)}=\frac{n}{2n+1}$$

이 성립함을 수학적 귀납법으로 증명한 것이다.

증명

(i) $n=1$일 때, (좌변)=(우변)$=\frac{1}{3}$이므로 주어진 등식이 성립한다.

(ii) $n=k$일 때, 주어진 등식이 성립한다고 가정하면

$$\frac{1}{1\cdot3}+\frac{1}{3\cdot5}+\cdots+\frac{1}{(2k-1)(2k+1)}=\frac{k}{2k+1}$$

위의 식의 양변에 (가) 을 더하면

$$\frac{1}{1\cdot3}+\frac{1}{3\cdot5}+\cdots+\frac{1}{(2k-1)(2k+1)}+\boxed{(가)}$$

$$=\boxed{(나)}$$

즉, $n=k+1$일 때에도 주어진 등식이 성립한다.

따라서 (i), (ii)에 의해 임의의 자연수 n에 대하여 주어진 등식이 성립한다.

위의 (가), (나)에 알맞은 식을 각각 $f(k)$, $g(k)$라고 할 때, $\frac{g(1)}{f(1)}$의 값은?

① 4　② 6　③ 8　④ 10　⑤ 12

726

학평 기출 (상 중 하)

다음은 모든 자연수 n에 대하여

$$\sum_{k=1}^{n}(2k-1)2^{k-1}=(2n-3)2^n+3 \quad \cdots\cdots (*)$$

이 성립함을 수학적 귀납법으로 증명한 것이다.

증명

(i) $n=1$일 때,

(좌변)$=(2\times1-1)\times2^0=1$,

(우변)$=(2\times1-3)\times2^1+3=1$이므로 $(*)$이 성립한다.

(ii) $n=m$일 때, $(*)$이 성립한다고 가정하면

$$\sum_{k=1}^{m}(2k-1)2^{k-1}=(2m-3)2^m+3$$

$n=m+1$일 때, $(*)$이 성립함을 보이자.

$$\sum_{k=1}^{m+1}(2k-1)2^{k-1}$$

$$=\sum_{k=1}^{m}(2k-1)2^{k-1}+(\boxed{(가)})\times2^m$$

$$=(2m-3)2^m+3+(\boxed{(가)})\times2^m$$

$$=(\boxed{(나)})\times2^{m+1}+3$$

즉, $n=m+1$일 때에도 $(*)$이 성립한다.

따라서 (i), (ii)에 의해 모든 자연수 n에 대하여 $(*)$이 성립한다.

위의 (가), (나)에 알맞은 식을 각각 $f(m)$, $g(m)$이라고 할 때, $f(4)\times g(2)$의 값은?

① 15　② 18　③ 21　④ 24　⑤ 27

727 학평 기출 · 풍쌤 비법 ❷ (상 중 하)

수열 $\{a_n\}$의 일반항은 $a_n=n+1$이다.
다음은 모든 자연수 n에 대하여

$$\left(\sum_{k=1}^{n} a_k\right)^2=\sum_{k=1}^{n}(a_k)^3-2\sum_{k=1}^{n}a_k \qquad \cdots\cdots(*)$$

가 성립함을 수학적 귀납법을 이용하여 증명한 것이다.

증명

(i) $n=1$일 때,

(좌변)$=\left(\sum_{k=1}^{1}a_k\right)^2=$ (가),

(우변)$=\sum_{k=1}^{1}(a_k)^3-2\sum_{k=1}^{1}a_k=$ (가) 이므로 $(*)$이 성립한다.

(ii) $n=m\ (m\ge1)$일 때, $(*)$이 성립한다고 가정하면

$\left(\sum_{k=1}^{m}a_k\right)^2=\sum_{k=1}^{m}(a_k)^3-2\sum_{k=1}^{m}a_k$이므로

$$\begin{aligned}&\left(\sum_{k=1}^{m+1}a_k\right)^2\\&=\left(\sum_{k=1}^{m}a_k+a_{m+1}\right)^2\\&=\left(\sum_{k=1}^{m}a_k\right)^2+2\left(\sum_{k=1}^{m}a_k\right)a_{m+1}+(a_{m+1})^2\\&=\sum_{k=1}^{m}(a_k)^3-2\sum_{k=1}^{m}a_k+2\left(\sum_{k=1}^{m}a_k\right)a_{m+1}+(a_{m+1})^2\\&=\sum_{k=1}^{m}(a_k)^3+(\boxed{(나)})\sum_{k=1}^{m}a_k+(a_{m+1})^2\\&=\sum_{k=1}^{m}(a_k)^3+m^3+5m^2+7m+4\\&=\sum_{k=1}^{m}(a_k)^3+(a_{m+1})^3-(m^2+5m+4)\\&=\sum_{k=1}^{m+1}(a_k)^3-2\sum_{k=1}^{m+1}a_k\end{aligned}$$

즉, $n=m+1$일 때에도 $(*)$이 성립한다.

따라서 (i), (ii)에 의해 모든 자연수 n에 대하여 $(*)$이 성립한다.

위의 (가)에 알맞은 수를 p, (나)에 알맞은 식을 $f(m)$이라고 할 때, $f(p)$의 값은?

① 10　② 11　③ 12
④ 13　⑤ 14

728 (상 중 하)

다음은 모든 자연수 n에 대하여 등식

$$1^4+2^4+3^4+\cdots+n^4=\boxed{(가)}$$

가 성립함을 수학적 귀납법으로 증명하는 과정의 일부이다.

증명

$n=k$일 때, 주어진 등식이 성립한다고 가정하고 양변에 $(k+1)^4$을 더하여 정리하면

$$\begin{aligned}&1^4+2^4+3^4+\cdots+k^4+(k+1)^4\\&=\frac{(k+1)(k+2)(2k+3)(3k^2+9k+5)}{30}\end{aligned}$$

위의 (가)에 알맞은 식이 $\dfrac{n(n+1)(2n+1)(an^2+bn+c)}{30}$일 때, $a+b-c$의 값을 구하여라. (단, a, b, c는 상수이다.)

729 최多빈출 (상 중 하)

다음은 $h>0$일 때, $n\ge2$인 모든 자연수 n에 대하여 부등식

$$(1+h)^n>1+nh$$

가 성립함을 수학적 귀납법으로 증명한 것이다.

증명

(i) $n=$ (가) 일 때, $(1+h)^{(가)}>$ (나) 이므로 주어진 부등식이 성립한다.

(ii) $n=k(k\ge$ (가) $)$일 때, 주어진 부등식이 성립한다고 가정하면

$(1+h)^k>1+kh$

위의 식의 양변에 (다) 를 곱하면

$(1+h)^{k+1}>(1+kh)(\boxed{(다)})$

우변을 전개하여 정리하면

$1+(k+1)h+kh^2>1+(k+1)h$

$\therefore (1+h)^{k+1}>1+(k+1)h$

즉, $n=k+1$일 때에도 주어진 부등식이 성립한다.

따라서 (i), (ii)에 의해 $n\ge2$인 모든 자연수 n에 대하여 주어진 부등식이 성립한다.

위의 (가)에 알맞은 수를 p, (나), (다)에 알맞은 식을 $f(h)$, $g(h)$라고 할 때, $f(p)\times g(p)$의 값은?

① 6　② 9　③ 12
④ 15　⑤ 18

730 학평 기출 (상 중 하)

다음은 $n \geq 2$인 모든 자연수 n에 대하여 부등식

$$\frac{1}{1^2}+\frac{1}{2^2}+\frac{1}{3^2}+\cdots+\frac{1}{n^2}<2-\frac{1}{n}$$

이 성립함을 수학적 귀납법으로 증명한 것이다.

증명

(i) $n=2$일 때, (좌변)$=\frac{5}{4}$, (우변)$=\frac{3}{2}$이므로 주어진 부등식이 성립한다.

(ii) $n=k(k \geq 2)$일 때, 주어진 부등식이 성립한다고 가정하면

$$\frac{1}{1^2}+\frac{1}{2^2}+\frac{1}{3^2}+\cdots+\frac{1}{k^2}<2-\frac{1}{k}$$

위의 식의 양변에 (가) 을 더하면

$$\frac{1}{1^2}+\frac{1}{2^2}+\frac{1}{3^2}+\cdots+\frac{1}{k^2}+\boxed{(가)}$$

$$<2-\frac{1}{k}+\boxed{(가)}$$

$$\left(2-\frac{1}{k+1}\right)-\left\{2-\frac{1}{k}+\boxed{(가)}\right\}=\boxed{(나)}>0\text{에서}$$

$$2-\frac{1}{k}+\boxed{(가)}<2-\frac{1}{k+1}$$

$$\therefore \frac{1}{1^2}+\frac{1}{2^2}+\frac{1}{3^2}+\cdots+\frac{1}{(k+1)^2}<2-\frac{1}{k+1}$$

즉, $n=k+1$일 때에도 주어진 부등식이 성립한다.

따라서 (i), (ii)에 의해 $n \geq 2$인 모든 자연수 n에 대하여 주어진 부등식은 성립한다.

위의 증명에서 (가), (나)에 알맞은 것은?

	(가)	(나)
①	$\frac{1}{k^2}$	$\frac{1}{k(k+1)^2}$
②	$\frac{1}{k^2}$	$\frac{1}{\{k(k+1)\}^2}$
③	$\frac{1}{(k+1)^2}$	$\frac{1}{k^2(k+1)}$
④	$\frac{1}{(k+1)^2}$	$\frac{1}{k(k+1)^2}$
⑤	$\frac{1}{(k+1)^2}$	$\frac{1}{\{k(k+1)\}^2}$

731 (상 중 하)

다음은 2 이상의 자연수 n에 대하여 n^3-n이 3의 배수임을 수학적 귀납법으로 증명한 것이다.

증명

(i) $n=2$일 때, $2^3-2=6$이므로 3의 배수이다.

(ii) $n=k(k \geq 2)$일 때, k^3-k가 3의 배수라고 가정하면

$$(k+1)^3-(k+1)=\boxed{(가)}+3(\boxed{(나)})$$

이때, (가), 3((나))는 모두 3의 배수이다.

즉, $n=k+1$일 때에도 n^3-n은 3의 배수이다.

따라서 (i), (ii)에 의해 2 이상의 모든 자연수 n에 대하여 n^3-n은 3의 배수이다.

위의 (가), (나)에 알맞은 식을 각각 $f(k)$, $g(k)$라고 할 때, $f(2) \times g(1)$의 값은?

① 10 ② 12 ③ 14
④ 16 ⑤ 18

732 (상 중 하)

수열 $\{a_n\}$이

$$a_1=1,\ a_2=2,\ a_{n+2}=2a_{n+1}+a_n\ (n=1, 2, 3, \cdots)$$

으로 정의될 때, 다음은 모든 자연수 n에 대하여 a_{4n}은 12의 배수임을 수학적 귀납법으로 증명한 것이다.

증명

(i) $n=1$일 때, $a_4=\boxed{(가)}$이므로 12의 배수이다.

(ii) $n=k$일 때, a_{4k}가 12의 배수라고 가정하면

$$a_{4(k+1)}=\boxed{(나)}a_{4k+1}+\boxed{(다)}a_{4k}$$

즉, $n=k+1$일 때에도 a_{4n}은 12의 배수이다.

따라서 (i), (ii)에 의해 모든 자연수 n에 대하여 a_{4n}은 12의 배수이다.

위의 증명에서 (가), (나), (다)에 알맞은 수들의 합은?

① 26 ② 27 ③ 28
④ 29 ⑤ 30

733

수열 $\{a_n\}$이 $a_1=2$,

$$a_{n+1}=\begin{cases}\frac{1}{2}a_n & (a_n\geq 2)\\ \sqrt{2}a_n & (a_n<2)\end{cases}\quad (n=1, 2, 3, \cdots)$$

을 만족시킬 때, a_{2018}의 값을 구하여라.

734

$a_1=1$, $a_{n+1}=a_n+f(n)\,(n=1, 2, 3, \cdots)$으로 정의되는 수열 $\{a_n\}$에서 $\sum_{k=1}^{n} f(k)=n^2-1$일 때, a_{100}의 값을 구하여라.

735

정수 n에 대하여 실수 x가 부등식 $n-1<x\leq n$을 만족시킬 때, $<x>=n$으로 나타내기로 하자. 예를 들면 $<3.2>=4$, $<4>=4$이다. 수열 $\{a_n\}$이

$$a_1=\frac{1}{2},\ a_{n+1}=\left\langle \frac{10}{2n-1}\right\rangle\times a_n\,(n=1, 2, 3, \cdots)$$

으로 정의될 때, a_{100}의 값을 구하여라.

736

다음과 같이 정의된 수열 $\{a_n\}$의 일반항을 구하여라.

(단, $n=1, 2, 3, \cdots$)

(1) $a_1=1$, $a_2=2$, $a_{n+2}-4a_{n+1}+3a_n=0$

(2) $a_1=2$, $a_{n+1}=\dfrac{a_n}{3a_n+1}$

737

$a_1=1$, $3a_na_{n+1}=a_n-a_{n+1}\,(n=1, 2, 3, \cdots)$로 정의되는 수열 $\{a_n\}$에 대하여 부등식

$$a_1a_2+a_2a_3+a_3a_4+\cdots+a_ka_{k+1}>\frac{33}{100}$$

을 만족시키는 자연수 k의 최솟값을 구하여라.

738

어느 화산이 폭발하여 용암을 분출하기 시작하였다. 분출을 시작한 후 처음 1분 동안 용암은 150 m를 흘러갔고, 그 후 매분 용암이 흘러간 거리는 이전 1분 동안에 흘러간 거리의 0.8배보다 20 m가 더 길었다고 한다. 용암이 분출하기 시작한 후 10분 동안 흘러간 총거리를 구하여라.

(단, $0.8^{10}=0.1$로 계산한다.)

739

오른쪽 그림과 같이 한 변의 길이가 1인 정십각형의 각 꼭짓점에 0부터 9까지 숫자가 적혀 있다. 점 P는 0에서 출발하여 다음 규칙에 따라서 정십각형 위를 시계 방향으로 움직인다.

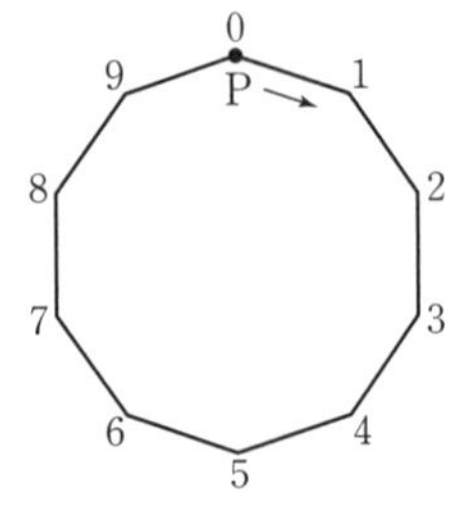

(가) 점 P의 이동 거리는 다음과 같이 정의된 수열 $\{a_n\}$으로 표시한다.

$a_1=1,\ a_{n+1}=a_n+2^n\ (n=1, 2, 3, \cdots)$

(나) 점 P가 0에서 a_1만큼 움직인 점의 위치를 P_1, 점 P가 P_1에서 a_2만큼 움직인 점의 위치를 P_2, $\cdots$, 점 P가 P_{n-1}에서 a_n만큼 움직인 점의 위치를 P_n이라고 한다.

이때, P_{10}에 적힌 수는?

① 0 ② 2 ③ 4
④ 6 ⑤ 8

740

수열 $\{a_n\}$의 첫째항부터 제n항까지의 합을 S_n이라고 할 때, $a_1=3$, $2S_n=(n+1)a_n (n=1, 2, 3, \cdots)$이 성립한다. 이때, a_{12}의 값은?

① 12 ② 24 ③ 36
④ 48 ⑤ 60

741 (100점 도전)

다음은 제품 P_n을 만드는 방법과 소요 시간에 대한 설명이다. (단, $n=2^k$, $k=0, 1, 2, 3, \cdots$)

(가) 제품 P_1을 한 개 만드는 데 걸리는 시간은 1이다.

(나) 제품 P_1을 차례로 두 개 만든 다음에 이를 연결하면 제품 P_2가 만들어진다.

(다) 제품 P_n을 차례로 두 개 만든 다음에 이를 연결하면 제품 P_{2n}이 한 개 만들어진다. 이때, 제품 P_n 두 개를 연결하는 데 걸리는 시간은 $2n$이다.

이때, 제품 P_{16}을 한 개 만드는 데 걸리는 시간은?

① 32 ② 64 ③ 80
④ 96 ⑤ 112

742

$a_1=4$, $a_n+a_{n+1}=n^2+5\ (n=1, 2, 3, \cdots)$로 정의되는 수열 $\{a_n\}$에 대하여 a_{20}의 값은?

① 191 ② 192 ③ 193
④ 194 ⑤ 195

743

수열 $\{a_n\}$을 $a_1=2$, $a_{2n}=a_n+2$,
$a_{2n+1}=a_n-2\ (n=1, 2, 3, \cdots)$로 정의할 때, 다음 〈보기〉에서 옳은 것을 모두 고른 것은?

보기

ㄱ. $a_6=4$

ㄴ. $n=2^k$ (k는 자연수)이면 $a_n=2k+2$이다.

ㄷ. $n=2^k+1$ (k는 자연수)이면 $a_n=2k-2$이다.

① ㄱ ② ㄴ ③ ㄱ, ㄴ
④ ㄴ, ㄷ ⑤ ㄱ, ㄴ, ㄷ

I 지수함수와 로그함수

001 (1) ±5, 2 (2) 3, $\frac{-3\pm3\sqrt{3}i}{2}$, 1 (3) -1, $\frac{1\pm\sqrt{3}i}{2}$, 1
(4) ±3, $\pm3i$, 2

002 ② **003** ⑤

004 (1) 81 (2) $\frac{27}{8}$ (3) 2 (4) 3 (5) 7 (6) 5 (7) 1 (8) 1

005 ③ **006** ③ **007** ④ **008** ⑤ **009** ⑤

010 ⑤ **011** ③ **012** ④ **013** ④

014 (1) 1 (2) $\frac{1}{9}$ (3) 8 (4) $\frac{25}{9}$ **015** ③ **016** ②

017 ⑤ **018** ④ **019** ① **020** ④ **021** ⑤

022 ④ **023** ③ **024** ⑤ **025** ②

026 (1) 1 (2) 27 (3) 1 (4) 4 **027** ③ **028** ②

029 ③ **030** ② **031** ⑤ **032** ④ **033** ③

034 ② **035** ② **036** ① **037** ⑤ **038** ①

039 ③ **040** ① **041** ④ **042** ④ **043** ①

044 ① **045** 2 **046** $3\sqrt{2}$ **047** 10 **048** 141

049 $\frac{2\sqrt{2}}{3}$ **050** $\frac{10}{3}$ **051** $10^{\frac{5}{3}}N$ **052** ④ **053** ③

054 ⑤ **055** ①

056 (1) 27 (2) 4 (3) $\frac{1}{2}$ (4) 2 (5) 27 (6) 32 **057** ④

058 ③ **059** ① **060** ② **061** ③ **062** ①

063 (1) $2A+3B+4C$ (2) $3A+2B-C$ (3) $\frac{1}{2}(A+3B+C)$
(4) $2A-\frac{1}{2}B-\frac{1}{2}C$

064 ⑤ **065** ④ **066** ④

067 (1) 4 (2) 1 (3) 2 (4) 1 **068** ① **069** ⑤

070 ② **071** ④ **072** ⑤

073 (1) 6 (2) 3 (3) 2 (4) 2 **074** ⑤ **075** ②

076 ⑤ **077** ② **078** ④ **079** ① **080** ③

081 ④ **082** ⑤ **083** ④ **084** ⑤ **085** ②

086 ② **087** ④ **088** ② **089** ④ **090** ②

091 ③ **092** ④ **093** ② **094** ② **095** ③

096 ③ **097** ④ **098** ① **099** ③ **100** ④

101 ③ **102** ① **103** ① **104** ① **105** ⑤

106 ① **107** ③ **108** ③ **109** ③ **110** ③

111 ② **112** ② **113** ③ **114** ③ **115** 160

116 (1) 3 (2) -4 (3) $-\frac{1}{2}$ (4) $-\frac{2}{3}$

117 (1) 0 (2) 0.6020 (3) 0.6990 (4) 0.7781 (5) 0.9030 (6) 0.9542

118 (1) 2.4116 (2) 4.4116 (3) -0.5884 (4) -1.5884

119 ③ **120** ③ **121** ③ **122** ⑤ **123** 3

124 -3 **125** $\frac{18}{325}$ **126** $\frac{5}{2}$ **127** -1 **128** -1

129 4 **130** 19 **131** ③ **132** ② **133** ①

134 25 **135** ① **136** 100 **137** 8 **138** ①

139 ⑤ **140** ② **141** ③ **142** ⑤ **143** ②

144 ① **145** ③ **146** ③ **147** ④ **148** ④

149 ⑤ **150** ② **151** ③ **152** ③ **153** ①

154 ② **155** ③ **156** ① **157** ① **158** ③

159 ① **160** ⑤ **161** ③ **162** ⑤ **163** ②

164 ④

165 (1) 최댓값 : 2, 최솟값 : $\frac{1}{8}$ (2) 최댓값 : $\frac{1}{3}$, 최솟값 : $\frac{1}{27}$
(3) 최댓값 : 5, 최솟값 : 1 (4) 최댓값 : -5, 최솟값 : -11

166 ② **167** ② **168** ①

169 (1) 최솟값 : 4 (2) 최댓값 : $\frac{3}{2}$ (3) 최댓값 : 3 (4) 최솟값 : $\frac{2}{3}$

170 ⑤ **171** ⑤ **172** ② **173** ④ **174** ①

175 ① **176** ② **177** ② **178** ② **179** ④

180 ④ **181** (1) $x=2$ (2) $x=-\frac{3}{2}$ (3) $x=-\frac{5}{4}$ (4) $x=-6$

182 ⑤ **183** ⑤ **184** ①

185 (1) $x=0$ 또는 $x=2$ (2) $x=2$ **186** ② **187** ③

188 ① **189** ③ **190** ⑤ **191** ①

192 (1) $x=1$ 또는 $x=3$ (2) $x=0$ 또는 $x=2$ **193** ③

194 ③ **195** ④

196 (1) $x\le2$ (2) $x<\frac{5}{6}$ (3) $x\le-1$ (4) $-\frac{1}{3}<x<\frac{5}{6}$

197 ② **198** ③ **199** ⑤ **200** (1) $1<x<2$ (2) $x\le2$

201 ④ **202** ③ **203** ⑤ **204** ④ **205** ②

206 ④ **207** ⑤ **208** 120분 후 **209** ②

210 26 **211** 3 **212** 9 **213** 252 **214** 13

215 12 **216** ③ **217** ② **218** ③ **219** ②

220 ③ **221** ③ **222** ⑤ **223** ⑤

224 (1) $\{x\mid x<0\}$ (2) $\{x\mid x>2\}$ (3) $\left\{x\,\middle|\,x<\frac{1}{2}\right\}$ (4) $\{x\mid x<2\}$

225 ④ **226** ① **227** ③ **228** ④ **229** ①

230 (1) $y=\log_7 x$ (2) $y=\log_3\frac{x}{2}+1$ (3) $y=2^{x+2}-3$
(4) $y=-\left(\frac{1}{3}\right)^{\frac{x}{2}}+1$

231 ③ **232** ② **233** ④ **234** 16 **235** ②

236 ① **237** ⑤ **238** 6 **239** ④

240 풀이 참조 **241** ① **242** ③ **243** 53

244 ⑤ **245** ① **246** ① **247** ② **248** -5

249 ③ **250** ⑤ **251** ① **252** ⑤

253 (1) 최댓값 : 3, 최솟값 : -2 (2) 최댓값 : -3, 최솟값 : -5
(3) 최댓값 : 3, 최솟값 : 2 (4) 최댓값 : 2, 최솟값 : 1

254 ③ **255** ④ **256** ⑤

257 (1) 최솟값 : 1 (2) 최댓값 : 2 (3) 최댓값 : -1 (4) 최솟값 : -5

258 ⑤ **259** ⑤ **260** ⑤ **261** ③ **262** ①

263 ③ **264** ② **265** ① **266** ② **267** ②

268 ② **269** ④

270 (1) $x=26$ (2) $x=82$ (3) $x=5$ (4) $x=12$ **271** ④

272 $x=12$ **273** ①

274 (1) $x=1$ 또는 $x=1000$ (2) $x=\frac{1}{3}$ 또는 $x=27$ **275** ③

276 ① **277** ② **278** ⑤ **279** ① **280** ②

281 ③ **282** ② **283** ④ **284** 4 **285** ②

286 ① **287** ② **288** ③ **289** ④

290 (1) $1<x\le 10$ (2) $-2<x<-\frac{3}{2}$ (3) $x>4$ (4) $-1<x\le\frac{1}{2}$

291 ④ **292** ④ **293** ③

294 (1) $0<x<\frac{1}{9}$ 또는 $x>1$ (2) $\frac{1}{16}\le x\le 4$ **295** ⑤

296 ① **297** ① **298** ② **299** ④ **300** ③

301 ③ **302** ④ **303** ④ **304** 3년 후

305 6 **306** 7 **307** 64 **308** $\frac{1}{9}$ **309** 12

310 $0<a\le\frac{1}{81}$ **311** ③ **312** ⑤ **313** 70

314 16 **315** ⑤ **316** ① **317** ③ **318** ④

319 ⑤

Ⅱ 삼각함수

320 (1) $\frac{\pi}{6}$ (2) $\frac{11}{12}\pi$ (3) $-\frac{5}{6}\pi$ (4) $135°$ (5) $-120°$ (6) $\frac{540°}{\pi}$

321 ③ **322** ① **323** 풀이 참조 **324** ②

325 풀이 참조 **326** ③

327 (1) 제3사분면의 각 (2) 제1사분면의 각
(3) 제2사분면의 각 (4) 제4사분면의 각

328 ④ **329** ② **330** ② **331** ④ **332** ③

333 ⑤ **334** ⑤ **335** ② **336** ③ **337** ④

338 ③ **339** ④ **340** $l=\frac{\pi}{2}$, $S=\pi$

341 $r=6$, $\theta=\frac{2}{3}\pi$ **342** ① **343** ④ **344** ③

345 ④ **346** ③ **347** ⑤ **348** ② **349** ③

350 ② **351** (1) $\frac{4}{5}$ (2) $\frac{3}{5}$ (3) $\frac{4}{3}$ **352** ③ **353** ⑤

354 ⑤ **355** ②

356 (1) 제4사분면의 각 (2) 제3사분면의 각
(3) 제2사분면의 각 (4) 제3사분면의 각

357 ④ **358** ④ **359** ② **360** ④ **361** ④

362 ③ **363** ② **364** ⑤ **365** ④ **366** ②

367 ① **368** ② **369** ①

370 (1) $-\frac{3}{8}$ (2) $\frac{11}{16}$ **371** ② **372** ④ **373** ④

374 ④ **375** ⑤ **376** ② **377** ⑤ **378** $\frac{\sqrt{3}}{2}$

379 1 **380** 30 **381** $\frac{2}{\pi-2}$ **382** $-2\cos\theta$

383 $2\sqrt{2}$ **384** ④ **385** ①, ⑤ **386** ⑤ **387** 10

388 ③ **389** ③ **390** $\frac{3\sqrt{5}}{5}$ **391** ② **392** ④

393 ② **394** $\frac{2\sqrt{3}}{3}$ **395** $\frac{\pi}{12}$

396 (1) π (2) 2π (3) $\frac{\pi}{2}$ **397** ① **398** 12 **399** ①

400 ③ **401** ③ **402** ⑤ **403** ④ **404** ④

405 ⑤ **406** ④ **407** ④ **408** ④ **409** ①

410 ② **411** (1) 1 (2) 1 **412** ① **413** ③

414 $\frac{89}{2}$ **415** ⑤ **416** ③ **417** ④ **418** ⑤

419 ④ **420** ③ **421** ② **422** 풀이 참조

423 ④ **424** ③ **425** ② **426** ④ **427** ②

428 ② **429** ④

430 (1) 최댓값 : 2, 최솟값 : -2 (2) 최댓값 : 2, 최솟값 : -4
(3) 최댓값, 최솟값 : 없다

431 ①

432 (1) 최댓값 : 1, 최솟값 : 0 (2) 최댓값 : 1, 최솟값 : -1
(3) 최댓값 : 없다, 최솟값 : 0

433 $a=2$, $b=2$, $c=-1$ **434** ① **435** ④ **436** ②

437 ④ **438** ④ **439** ④ **440** ④ **441** ②

442 ⑤ **443** ① **444** ③ **445** ① **446** ⑤

447 ③ **448** ③ **449** ① **450** ④ **451** ②

452 ① **453** ④

454 (1) $x=\frac{\pi}{6}$ 또는 $x=\frac{5}{6}\pi$ (2) $x=\frac{3}{4}\pi$ 또는 $x=\frac{5}{4}\pi$
(3) $x=\frac{\pi}{3}$ 또는 $x=\frac{4}{3}\pi$

455 6 **456** ② **457** ④ **458** ② **459** ②
460 ③ **461** ③ **462** ③ **463** ⑤ **464** ④
465 ③ **466** ④ **467** ⑤

468 (1) $\frac{\pi}{6}<x<\frac{5}{6}\pi$ (2) $\frac{3}{4}\pi\le x\le\frac{5}{4}\pi$
(3) $\frac{\pi}{3}<x<\frac{\pi}{2}$ 또는 $\frac{4}{3}\pi<x<\frac{3}{2}\pi$

469 ④ **470** ① **471** ② **472** ⑤ **473** ⑤
474 ① **475** ② **476** ③ **477** $\frac{2}{3}\pi$ **478** ②
479 -3 **480** $4\sqrt{3}$ **481** $\frac{4}{3}\pi$ **482** $\frac{19}{12}$ **483** $x=\frac{5}{3}\pi$
484 $a\le7$ **485** ④ **486** ② **487** ③ **488** ①
489 ④ **490** 12π **491** $-2\le a\le2$ **492** 3
493 ③ **494** $\frac{\pi}{3}\le\theta<\frac{\pi}{2}$ **495** (1) $5\sqrt{2}$ (2) 30°
496 (1) 3 (2) 60° 또는 120° (3) $8\sqrt{3}$ **497** ③ **498** ④
499 ③ **500** ⑤ **501** ① **502** ② **503** ⑤
504 ② **505** ② **506** (1) 1 (2) $\sqrt{5}$ (3) $\sqrt{19}$
507 ④ **508** ③ **509** ④ **510** ⑤ **511** ⑤
512 $\frac{5\sqrt{7}}{7}$ **513** ③ **514** ② **515** ⑤ **516** ②
517 $A=90^\circ$인 직각삼각형 **518** ① **519** ②
520 ④ **521** ③ **522** ④
523 $C=90^\circ$인 직각이등변삼각형 **524** (1) 15 (2) 16 (3) 18
525 ③ **526** ② **527** ③ **528** ③ **529** ⑤
530 $3+\sqrt{3}$ **531** ② **532** ② **533** 12 **534** ⑤
535 ⑤ **536** ⑤ **537** ③ **538** ③ **539** ③
540 ③ **541** ④ **542** $20\sqrt{2}$ **543** ④ **544** $8\sqrt{2}$
545 $B=60^\circ$, $c=\frac{8\sqrt{3}}{3}$ **546** 3 **547** 120°
548 $14\sqrt{3}+12\sqrt{14}$ **549** $\frac{12\sqrt{6}}{11}$ **550** $28\sqrt{3}$ **551** ③
552 ④ **553** ② **554** ⑤ **555** ② **556** ①
557 ② **558** ⑤ **559** 2 **560** ④ **561** ②

III 수열

562 (1) $a_n=2n-1$ (2) $a_n=5\cdot2^{n-1}$ **563** ⑤
564 (1) $a_n=5n-2$ (2) $a_n=-3n+1$ **565** ② **566** ⑤
567 ③ **568** ① **569** ③ **570** ④ **571** ④
572 ⑤ **573** ② **574** $x=1$ 또는 $x=2$ **575** ④
576 ③ **577** 200 **578** ④ **579** ① **580** ⑤
581 ② **582** (1) 140 (2) 36 **583** (1) 155 (2) -99
584 ② **585** ③ **586** ④ **587** ④ **588** 17
589 ③ **590** ③ **591** 1667 **592** ④ **593** ④
594 ③ **595** ⑤ **596** (1) $a_n=3^n$ (2) $a_n=\left(\frac{1}{2}\right)^{n-5}$
597 ③ **598** ④ **599** ④ **600** ② **601** ④
602 ③ **603** ④ **604** $x=3$ 또는 $x=6$ **605** ③
606 ⑤ **607** ③ **608** ⑤ **609** ①
610 (1) 381 (2) -728 **611** (1) 510 (2) $\frac{364}{243}$ **612** ⑤
613 ⑤ **614** ② **615** ③ **616** ③ **617** ④
618 ④ **619** ④ **620** ③ **621** ④ **622** ③
623 ② **624** ② **625** ② **626** ② **627** 21
628 ① **629** ③ **630** ③ **631** 67 **632** 1
633 11 **634** 689 **635** 13 **636** 15
637 $\frac{1.01^n}{1.01^n-1}$만 원 **638** ⑤ **639** ⑤ **640** 77
641 13 **642** ⑤ **643** ③ **644** ④ **645** ⑤
646 ⑤ **647** ③ **648** (1) 34 (2) -38 **649** ④
650 ③ **651** (1) 420 (2) 345 **652** ⑤ **653** ②
654 ③ **655** ③ **656** (1) 1360 (2) 825 **657** ②
658 ③ **659** ③ **660** ⑤ **661** ① **662** ④
663 ④ **664** ③ **665** 58 **666** ③ **667** ⑤
668 ③ **669** ④ **670** ⑤ **671** ③ **672** ②
673 ④ **674** ② **675** ④ **676** ① **677** ⑤
678 ① **679** ① **680** ② **681** ③ **682** ④
683 18 **684** 217 **685** 31 **686** 185 **687** $\frac{10}{69}$
688 $3^{12}+1$ **689** ② **690** ④ **691** ⑤ **692** ③
693 ② **694** ④ **695** ② **696** ② **697** ⑤
698 ② **699** ① **700** ③ **701** ② **702** ⑤
703 ③ **704** ② **705** ③ **706** ④ **707** ①
708 ② **709** ③ **710** ① **711** ② **712** ④
713 ⑤ **714** ③ **715** ② **716** ③ **717** ⑤
718 ④ **719** ③ **720** ③ **721** ② **722** ②
723 ⑤ **724** ④ **725** ② **726** ⑤ **727** ①
728 7 **729** ④ **730** ④ **731** ② **732** ④
733 1 **734** 99^2 **735** 160
736 (1) $a_n=\frac{3^{n-1}+1}{2}$ (2) $a_n=\frac{2}{6n-5}$
737 34 **738** 1225 m **739** ④ **740** ③ **741** ③
742 ① **743** ④

엄선된 유형을 **한 권에 가득!**

풍산자 필수유형

정답과 풀이

수학 I

지학사

풍산자 필수유형

수학 I 정답과 풀이

I 지수함수와 로그함수

01 지수

001

(1) 25의 제곱근을 x라고 하면 $x^2=25$

$\therefore x=\pm5$

따라서 25의 제곱근은 5, -5이고, 이 중에서 실수인 것은 5, -5로 2개이다.

(2) 27의 세제곱근을 x라고 하면 $x^3=27$

$x^3-27=0$, $(x-3)(x^2+3x+9)=0$

$\therefore x=3$ 또는 $x=\frac{-3\pm3\sqrt{3}i}{2}$

따라서 27의 세제곱근은 3, $\frac{-3+3\sqrt{3}i}{2}$, $\frac{-3-3\sqrt{3}i}{2}$이고, 이 중에서 실수인 것은 3뿐이므로 1개이다.

(3) -1의 세제곱근을 x라고 하면 $x^3=-1$

$x^3+1=0$, $(x+1)(x^2-x+1)=0$

$\therefore x=-1$ 또는 $x=\frac{1\pm\sqrt{3}i}{2}$

따라서 -1의 세제곱근은 -1, $\frac{1+\sqrt{3}i}{2}$, $\frac{1-\sqrt{3}i}{2}$이고, 이 중에서 실수인 것은 -1뿐이므로 1개이다.

(4) 81의 네제곱근을 x라고 하면 $x^4=81$

$x^4-81=0$, $(x^2-9)(x^2+9)=0$

$x^2=9$ 또는 $x^2=-9$

$\therefore x=\pm3$ 또는 $x=\pm3i$

따라서 81의 네제곱근은 3, -3, $3i$, $-3i$이고, 이 중에서 실수인 것은 3, -3으로 2개이다.

정답_(1) ±5, 2 (2) 3, $\frac{-3\pm3\sqrt{3}i}{2}$, 1 (3) -1, $\frac{1\pm\sqrt{3}i}{2}$, 1 (4) ±3, $\pm3i$, 2

002

①은 옳다.

네제곱근 16은 $\sqrt[4]{16}=\sqrt[4]{2^4}=2$이다.

②는 옳지 않다.

2의 세제곱근은 방정식 $x^3=2$의 근이므로 3개이다.

③도 옳다.

-16의 네제곱근 중 실수인 것은 방정식 $x^4=-16$의 실근이므로 존재하지 않는다.

④도 옳다.

64의 세제곱근 중 실수인 것은 방정식 $x^3=64$의 실근이다.

$x^3-64=0$에서 $(x-4)(x^2+4x+16)=0$

$\therefore x=4$ 또는 $x=-2\pm2\sqrt{3}i$

따라서 64의 세제곱근 중 실수인 것은 4이다.

⑤도 옳다.

$\sqrt{(-5)^2}=\sqrt{25}=5$이므로 $\sqrt{(-5)^2}$의 제곱근은 $\pm\sqrt{5}$이다.

정답_②

003

2의 세제곱근이 a이므로

$a^3=2$

b의 네제곱근이 $\sqrt{2}$이므로

$b=(\sqrt{2})^4=4$

$\therefore \left(\frac{b}{a}\right)^3=\frac{b^3}{a^3}=\frac{64}{2}=32$

정답_⑤

004

(1) $\sqrt[3]{27^4}=(\sqrt[3]{27})^4=(\sqrt[3]{3^3})^4=3^4=81$

(2) $\sqrt[4]{\left(\frac{81}{16}\right)^3}=\left(\sqrt[4]{\frac{81}{16}}\right)^3=\left\{\sqrt[4]{\left(\frac{3}{2}\right)^4}\right\}^3=\left(\frac{3}{2}\right)^3=\frac{27}{8}$

(3) $\sqrt[3]{2}\times\sqrt[3]{4}=\sqrt[3]{2\times4}=\sqrt[3]{8}=\sqrt[3]{2^3}=2$

(4) $\frac{\sqrt[3]{54}}{\sqrt[3]{2}}=\sqrt[3]{\frac{54}{2}}=\sqrt[3]{27}=\sqrt[3]{3^3}=3$

(5) $\sqrt[9]{7^6}\times\sqrt[12]{7^4}=\sqrt[3]{7^2}\times\sqrt[3]{7}=\sqrt[3]{7^2\times7}=\sqrt[3]{7^3}=7$

(6) $\sqrt[8]{5^6}\times\sqrt[16]{5^4}=\sqrt[4]{5^3}\times\sqrt[4]{5}=\sqrt[4]{5^3\times5}=\sqrt[4]{5^4}=5$

(7) $\sqrt[3]{\frac{\sqrt[4]{3}}{\sqrt{3}}}\times\sqrt{\frac{\sqrt[3]{3}}{\sqrt[6]{3}}}=\frac{\sqrt[3]{\sqrt[4]{3}}}{\sqrt[3]{\sqrt{3}}}\times\frac{\sqrt{\sqrt[3]{3}}}{\sqrt{\sqrt[6]{3}}}=\frac{\sqrt[12]{3}}{\sqrt[6]{3}}\times\frac{\sqrt[6]{3}}{\sqrt[12]{3}}=1$

(8) $\sqrt{\frac{\sqrt[3]{5}}{\sqrt[4]{5}}}\times\sqrt[3]{\frac{\sqrt[4]{5}}{\sqrt{5}}}\times\sqrt[4]{\frac{\sqrt{5}}{\sqrt[3]{5}}}=\frac{\sqrt{\sqrt[3]{5}}}{\sqrt{\sqrt[4]{5}}}\times\frac{\sqrt[3]{\sqrt[4]{5}}}{\sqrt[3]{\sqrt{5}}}\times\frac{\sqrt[4]{\sqrt{5}}}{\sqrt[4]{\sqrt[3]{5}}}$

$=\frac{\sqrt[6]{5}}{\sqrt[8]{5}}\times\frac{\sqrt[12]{5}}{\sqrt[6]{5}}\times\frac{\sqrt[8]{5}}{\sqrt[12]{5}}=1$

정답_(1) 81 (2) $\frac{27}{8}$ (3) 2 (4) 3 (5) 7 (6) 5 (7) 1 (8) 1

005

$\sqrt{\frac{\sqrt[3]{x}}{\sqrt[4]{x}}}\times\sqrt[4]{\frac{\sqrt{x}}{\sqrt[3]{x}}}\div\sqrt[3]{\frac{\sqrt{x}}{\sqrt[4]{x}}}$

$=\frac{\sqrt{\sqrt[3]{x}}}{\sqrt{\sqrt[4]{x}}}\times\frac{\sqrt[4]{\sqrt{x}}}{\sqrt[4]{\sqrt[3]{x}}}\div\frac{\sqrt[3]{\sqrt{x}}}{\sqrt[3]{\sqrt[4]{x}}}$

$=\frac{\sqrt[6]{x}}{\sqrt[8]{x}}\times\frac{\sqrt[8]{x}}{\sqrt[12]{x}}\div\frac{\sqrt[6]{x}}{\sqrt[12]{x}}$

$=\frac{\sqrt[6]{x}}{\sqrt[8]{x}}\times\frac{\sqrt[8]{x}}{\sqrt[12]{x}}\times\frac{\sqrt[12]{x}}{\sqrt[6]{x}}=1$

정답_③

006

근호 앞의 수 2, 6, 3을 이들의 최소공배수인 6으로 통일한다.

$$\sqrt{a^3b}\times\sqrt[6]{64a^3b}\div\sqrt[3]{8b^2}=\sqrt[6]{(a^3b)^3}\times\sqrt[6]{64a^3b}\div\sqrt[6]{(8b^2)^2}$$
$$=\frac{\sqrt[6]{a^9b^3}\times\sqrt[6]{64a^3b}}{\sqrt[6]{64b^4}}$$
$$=\sqrt[6]{\frac{a^9b^3\times64a^3b}{64b^4}}=\sqrt[6]{a^{12}}=a^2$$

정답_③

007

$$\sqrt{a\sqrt{a\sqrt{a}}}\times\sqrt{\sqrt{a}}\div\sqrt[4]{\sqrt{a}}=\sqrt{a}\sqrt[4]{a}\sqrt[8]{a}\times\sqrt[4]{a}\div\sqrt[8]{a}$$
$$=\frac{\sqrt{a}\sqrt[4]{a}\sqrt[8]{a}\times\sqrt[4]{a}}{\sqrt[8]{a}}$$
$$=\sqrt{a}\sqrt[4]{a}\sqrt[4]{a}=\sqrt{a}\sqrt[4]{a^2}$$
$$=\sqrt{a}\sqrt{a}=\sqrt{a^2}=a$$

정답_④

008

$$\sqrt[3]{16}+\sqrt[3]{54}+\sqrt[3]{2}=\sqrt[3]{2^3\cdot2}+\sqrt[3]{3^3\cdot2}+\sqrt[3]{2}$$
$$=2\sqrt[3]{2}+3\sqrt[3]{2}+\sqrt[3]{2}=6\sqrt[3]{2}$$

$\therefore a=6$

정답_⑤

009

$$a=\frac{\sqrt[6]{36}+\sqrt[3]{81}}{\sqrt{\sqrt[3]{4}}+\sqrt[3]{9}\sqrt[3]{3}}=\frac{\sqrt[6]{6^2}+\sqrt[3]{3^3\cdot3}}{\sqrt[6]{2^2}+\sqrt[3]{3^3}}$$
$$=\frac{\sqrt[3]{6}+3\sqrt[3]{3}}{\sqrt[3]{2}+3}=\frac{\sqrt[3]{3}(\sqrt[3]{2}+3)}{\sqrt[3]{2}+3}$$
$$=\sqrt[3]{3}$$

$\therefore a^6=(\sqrt[3]{3})^6=3^2=9$

정답_⑤

010

$$\sqrt[8]{\frac{8^{10}+4^{10}}{8^4+4^{11}}}=\sqrt[8]{\frac{(2^3)^{10}+(2^2)^{10}}{(2^3)^4+(2^2)^{11}}}=\sqrt[8]{\frac{2^{30}+2^{20}}{2^{12}+2^{22}}}$$
$$=\sqrt[8]{\frac{2^{20}(2^{10}+1)}{2^{12}(1+2^{10})}}=\sqrt[8]{2^8}$$
$$=2$$

정답_⑤

011

$$(\sqrt{3\sqrt[3]{2}})^3=\sqrt{(3\sqrt[3]{2})^3}=\sqrt{3^3\cdot(\sqrt[3]{2})^3}$$
$$=\sqrt{27\cdot2}=\sqrt{54}$$

이때, $\sqrt{49}<\sqrt{54}<\sqrt{64}$이므로 $7<\sqrt{54}<8$

따라서 $(\sqrt{3\sqrt[3]{2}})^3$보다 큰 자연수 중 가장 작은 수는 8이다.

정답_③

012

근호 앞의 수 3, 2, 6을 이들의 최소공배수인 6으로 통일한 후, 대소 관계를 판정한다.

$A=\sqrt[3]{4}=\sqrt[6]{4^2}=\sqrt[6]{16}$

$B=\sqrt{3}=\sqrt[6]{3^3}=\sqrt[6]{27}$

$C=\sqrt[6]{12}$

$\therefore C<A<B$

정답_④

013

$\sqrt{2}=\sqrt[6]{2^3}=\sqrt[6]{8}$, $\sqrt[3]{3}=\sqrt[6]{3^2}=\sqrt[6]{9}$이므로

$\sqrt{2}<\sqrt[3]{3}$ …… ㉠

$\sqrt[3]{3}=\sqrt[15]{3^5}=\sqrt[15]{243}$, $\sqrt[5]{5}=\sqrt[15]{5^3}=\sqrt[15]{125}$이므로

$\sqrt[3]{3}>\sqrt[5]{5}$ …… ㉡

$\sqrt[5]{5}=\sqrt[10]{5^2}=\sqrt[10]{25}$, $\sqrt{2}=\sqrt[10]{2^5}=\sqrt[10]{32}$이므로

$\sqrt[5]{5}<\sqrt{2}$ …… ㉢

㉠, ㉡, ㉢에 의해

$|\sqrt{2}-\sqrt[3]{3}|+|\sqrt[3]{3}-\sqrt[5]{5}|+|\sqrt[5]{5}-\sqrt{2}|$

$=-(\sqrt{2}-\sqrt[3]{3})+(\sqrt[3]{3}-\sqrt[5]{5})-(\sqrt[5]{5}-\sqrt{2})$

$=2(\sqrt[3]{3}-\sqrt[5]{5})$

정답_④

014

(1) $(-3)^0=1$

(2) $3^{-2}=\frac{1}{3^2}=\frac{1}{9}$

(3) $\left(\frac{1}{2}\right)^{-3}=2^3=8$

(4) $\left(\frac{3}{5}\right)^{-2}=\left(\frac{5}{3}\right)^2=\frac{25}{9}$

정답_(1) 1 (2) $\frac{1}{9}$ (3) 8 (4) $\frac{25}{9}$

015

ㄱ은 옳지 않다.

$\sqrt[3]{a^4}=a^{\frac{4}{3}}$

ㄴ은 옳다.

$\frac{1}{\sqrt[5]{a^6}}=\frac{1}{a^{\frac{6}{5}}}=a^{-\frac{6}{5}}$

ㄷ도 옳지 않다.

$\left(\frac{1}{a}\right)^{-\frac{1}{2}}=a^{\frac{1}{2}}=\sqrt{a}$

ㄹ도 옳다.

$a^{0.5}=a^{\frac{1}{2}}=\sqrt{a}$

따라서 옳은 것은 ㄴ, ㄹ이므로 2개이다.

정답_③

016

$$\sqrt[3]{2}\times\sqrt[6]{16}=\sqrt[3]{2}\times\sqrt[6]{2^4}=\sqrt[3]{2}\times\sqrt[3]{2^2}$$
$$=\sqrt[3]{2\cdot2^2}=\sqrt[3]{2^3}$$
$$=2$$

정답_②

017

$\sqrt[3]{4^n}=4^{\frac{n}{3}}$이 정수가 되려면 n은 0 또는 3의 배수이어야 한다.

이때, n은 100 이하의 자연수이므로 3, 6, 9, ⋯, 99로 33개이다.

정답_⑤

018

$$\frac{x+x^3+x^5+x^7+x^9}{1+x^{-2}+x^{-4}+x^{-6}+x^{-8}}$$
$$=\frac{x+x^3+x^5+x^7+x^9}{1+\frac{1}{x^2}+\frac{1}{x^4}+\frac{1}{x^6}+\frac{1}{x^8}}$$
$$=\frac{x(1+x^2+x^4+x^6+x^8)}{\frac{x^8+x^6+x^4+x^2+1}{x^8}}=x^9$$

정답_④

다른 풀이

주어진 식의 분모, 분자에 x^9을 곱하면

$$\frac{x+x^3+x^5+x^7+x^9}{1+x^{-2}+x^{-4}+x^{-6}+x^{-8}}$$
$$=\frac{x^9(x+x^3+x^5+x^7+x^9)}{x^9(1+x^{-2}+x^{-4}+x^{-6}+x^{-8})}$$
$$=\frac{x^9(x+x^3+x^5+x^7+x^9)}{x^9+x^7+x^5+x^3+x}=x^9$$

019

$$\frac{8^{20}}{8^{-20}-1}=\frac{(2^3)^{20}}{(2^3)^{-20}-1}=\frac{2^{60}}{2^{-60}-1}$$
$$=\frac{2^{60}\cdot 2^{60}}{2^{60}(2^{-60}-1)}=\frac{2^{120}}{1-2^{60}}$$
$$\frac{4^{-15}}{4^{15}-4^{-15}}=\frac{(2^2)^{-15}}{(2^2)^{15}-(2^2)^{-15}}=\frac{2^{-30}}{2^{30}-2^{-30}}$$
$$=\frac{2^{30}\cdot 2^{-30}}{2^{30}(2^{30}-2^{-30})}=\frac{1}{2^{60}-1}$$
$$\therefore \text{(주어진 식)}=\frac{2^{120}}{1-2^{60}}+\frac{1}{2^{60}-1}=\frac{-2^{120}}{2^{60}-1}+\frac{1}{2^{60}-1}$$
$$=\frac{-(2^{120}-1)}{2^{60}-1}=\frac{-(2^{60}-1)(2^{60}+1)}{2^{60}-1}$$
$$=-(2^{60}+1)=-2^{60}-1$$

정답_①

020

$$\sqrt[4]{a\sqrt[3]{a\sqrt{a}}}=\sqrt[4]{a}\times\sqrt[4]{\sqrt[3]{a}}\times\sqrt[4]{\sqrt[6]{a}}=\sqrt[4]{a}\times\sqrt[12]{a}\times\sqrt[24]{a}$$
$$=a^{\frac{1}{4}}\times a^{\frac{1}{12}}\times a^{\frac{1}{24}}$$
$$=a^{\frac{1}{4}+\frac{1}{12}+\frac{1}{24}}=a^{\frac{9}{24}}=a^{\frac{3}{8}}$$

따라서 $m=8$, $n=3$이므로 $m+n=11$

정답_④

021

$\sqrt{a\sqrt[3]{a^k}}=\sqrt{a}\times\sqrt[6]{a^k}=a^{\frac{1}{2}}\times a^{\frac{k}{6}}=a^{\frac{1}{2}+\frac{k}{6}}$이므로

$$a^{\frac{4}{3}}=a^{\frac{1}{2}+\frac{k}{6}}$$
$$\frac{4}{3}=\frac{1}{2}+\frac{k}{6},\ 8=3+k$$
$$\therefore k=5$$

정답_⑤

022

$$\sqrt{2\sqrt[3]{2\sqrt[5]{2}}}=\sqrt{2}\times\sqrt[3]{\sqrt{2}}\times\sqrt[15]{\sqrt{2}}=\sqrt{2}\times\sqrt[6]{2}\times\sqrt[30]{2}$$
$$=2^{\frac{1}{2}}\times 2^{\frac{1}{6}}\times 2^{\frac{1}{30}}$$
$$=2^{\frac{1}{2}+\frac{1}{6}+\frac{1}{30}}=2^{\frac{21}{30}}=2^{\frac{7}{10}}$$
$$\sqrt[3]{\sqrt[4]{8}}=\sqrt[12]{2^3}=2^{\frac{3}{12}}=2^{\frac{1}{4}}$$
$$\therefore \sqrt{2\sqrt[3]{2\sqrt[5]{2}}}\times\sqrt[3]{\sqrt[4]{8}}\times\sqrt[4]{2}=2^{\frac{7}{10}}\times 2^{\frac{1}{4}}\times 2^{\frac{1}{4}}$$
$$=2^{\frac{7}{10}+\frac{1}{4}+\frac{1}{4}}$$
$$=2^{\frac{24}{20}}=2^{\frac{6}{5}}$$
$$\therefore k=\frac{6}{5}$$

정답_④

023

$$\left(\frac{3^{\sqrt{5}}}{9}\right)^{\sqrt{5}+2}=\left(\frac{3^{\sqrt{5}}}{3^2}\right)^{\sqrt{5}+2}=(3^{\sqrt{5}-2})^{\sqrt{5}+2}$$
$$=3^{(\sqrt{5}-2)(\sqrt{5}+2)}=3^{5-4}=3$$

정답_③

024

ㄱ은 옳다.

$$81^{-0.25}=(3^4)^{-\frac{1}{4}}=3^{-1}=\frac{1}{3}$$

ㄴ도 옳다.

$$\sqrt[3]{3\sqrt[4]{3\sqrt{3}}}=\sqrt[3]{3}\times\sqrt[3]{\sqrt[4]{3}}\times\sqrt[3]{\sqrt[8]{3}}$$
$$=\sqrt[3]{3}\times\sqrt[12]{3}\times\sqrt[24]{3}$$
$$=3^{\frac{1}{3}}\times 3^{\frac{1}{12}}\times 3^{\frac{1}{24}}$$
$$=3^{\frac{1}{3}+\frac{1}{12}+\frac{1}{24}}=3^{\frac{11}{24}}$$

ㄷ도 옳다.

$$(\sqrt{3})^{3\sqrt{3}}=\{(\sqrt{3})^3\}^{\sqrt{3}}=(3\sqrt{3})^{\sqrt{3}}$$

따라서 옳은 것은 ㄱ, ㄴ, ㄷ이다.

정답_⑤

025

$$A=\sqrt{(\sqrt{2^{\sqrt{2}}})^{\sqrt{2}}}=(\sqrt{\sqrt{2}})^{\sqrt{2}\cdot\sqrt{2}}=(\sqrt[4]{2})^2=\sqrt{2}$$
$$B=\{\sqrt{(\sqrt{2})^{\sqrt{2}}}\}^{\sqrt{2}}=(\sqrt{\sqrt{2}})^{\sqrt{2}\cdot\sqrt{2}}=(\sqrt[4]{2})^2=\sqrt{2}$$
$$C=\{(\sqrt{2})^{\sqrt{2}}\}^{\sqrt{2}}=(\sqrt{2})^{\sqrt{2}\cdot\sqrt{2}}=(\sqrt{2})^2=2$$
$$\therefore A=B<C$$

정답_②

026

(1) $2^{\frac{1}{3}}\times 2^{-\frac{1}{3}}=2^{\frac{1}{3}-\frac{1}{3}}=2^0=1$

(2) $3\times27^{\frac{2}{3}}=3\times(3^3)^{\frac{2}{3}}=3\times3^2=3^{1+2}=3^3=27$

(3) $16^{\frac{3}{4}}\times2^{-3}=(2^4)^{\frac{3}{4}}\times2^{-3}=2^3\times2^{-3}=2^{3-3}=2^0=1$

(4) $4^{-\frac{3}{2}}\times8^{\frac{5}{3}}=(2^2)^{-\frac{3}{2}}\times(2^3)^{\frac{5}{3}}=2^{-3}\times2^5=2^{-3+5}=2^2=4$

정답_(1) 1 (2) 27 (3) 1 (4) 4

027

$3^{\frac{2}{3}}\times9^{\frac{3}{2}}\div27^{\frac{8}{9}}=3^{\frac{2}{3}}\times(3^2)^{\frac{3}{2}}\div(3^3)^{\frac{8}{9}}$

$=3^{\frac{2}{3}}\times3^3\div3^{\frac{8}{3}}$

$=3^{\frac{2}{3}+3-\frac{8}{3}}=3$

정답_③

028

$a=\sqrt{3}$에서 $a^2=3$

$b^3=\sqrt{5}$에서 $b^2=(\sqrt{5})^{\frac{2}{3}}=(5^{\frac{1}{2}})^{\frac{2}{3}}=5^{\frac{1}{3}}$

$\therefore (ab)^2=a^2b^2=3\times5^{\frac{1}{3}}$

정답_②

029

$\left(\frac{1}{81}\right)^{\frac{1}{n}}=(3^{-4})^{\frac{1}{n}}=3^{-\frac{4}{n}}$에서 $3^{-\frac{4}{n}}$이 자연수가 되려면 $-\frac{4}{n}$가 음이 아닌 정수이어야 한다.

$\therefore n=-1,\ -2,\ -4$

이때, $3^{-\frac{4}{n}}$의 값은 각각 81, 9, 3이므로 집합 A의 원소 중 자연수인 것은 3개이다.

정답_③

030

두 항씩 통분해 가며 곱셈 공식 $(a+b)(a-b)=a^2-b^2$을 연쇄적으로 적용하면

(주어진 식) $=\frac{2}{(1-3^{\frac{1}{8}})(1+3^{\frac{1}{8}})}+\frac{2}{1+3^{\frac{1}{4}}}+\frac{4}{1+3^{\frac{1}{2}}}$

$=\frac{2}{1-3^{\frac{1}{4}}}+\frac{2}{1+3^{\frac{1}{4}}}+\frac{4}{1+3^{\frac{1}{2}}}$ ⇦ $(3^{\frac{1}{8}})^2=3^{\frac{1}{4}}$

$=\frac{4}{(1-3^{\frac{1}{4}})(1+3^{\frac{1}{4}})}+\frac{4}{1+3^{\frac{1}{2}}}$

$=\frac{4}{1-3^{\frac{1}{2}}}+\frac{4}{1+3^{\frac{1}{2}}}$ ⇦ $(3^{\frac{1}{4}})^2=3^{\frac{1}{2}}$

$=\frac{8}{(1-3^{\frac{1}{2}})(1+3^{\frac{1}{2}})}$

$=\frac{8}{1-3}$ ⇦ $(3^{\frac{1}{2}})^2=3$

$=-4$

정답_②

031

$2^{\frac{3}{2}}=A,\ 2^{\frac{1}{2}}=B$로 놓으면

(주어진 식) $=(A+B)^2+(A-B)^2$

$=(A^2+2AB+B^2)+(A^2-2AB+B^2)$

$=2(A^2+B^2)=2\{(2^{\frac{3}{2}})^2+(2^{\frac{1}{2}})^2\}$

$=2(2^3+2)=2(8+2)=20$

정답_⑤

032

$a^{\frac{1}{3}}=A,\ a^{-\frac{1}{3}}=B$로 놓으면 $a=A^3,\ a^{-1}=B^3$

$\therefore$ (주어진 식) $=\frac{A^3-B^3}{A-B}$

$=\frac{(A-B)(A^2+AB+B^2)}{A-B}$

$=A^2+AB+B^2$

$=(a^{\frac{1}{3}})^2+a^{\frac{1}{3}}\cdot a^{-\frac{1}{3}}+(a^{-\frac{1}{3}})^2$

$=a^{\frac{2}{3}}+1+a^{-\frac{2}{3}}$

$=(2^{\frac{3}{2}})^{\frac{2}{3}}+1+(2^{\frac{3}{2}})^{-\frac{2}{3}}$

$=2+1+2^{-1}=\frac{7}{2}$

정답_④

033

$a^{\frac{1}{2}}+a^{-\frac{1}{2}}=3$의 양변을 제곱하면

$a+a^{-1}+2=9$ $\therefore a+a^{-1}=7$

$a+a^{-1}=7$의 양변을 제곱하면

$a^2+a^{-2}+2=49$ $\therefore a^2+a^{-2}=47$

정답_③

034

$x^{\frac{1}{2}}+x^{-\frac{1}{2}}=4$의 양변을 세제곱하면

$(x^{\frac{1}{2}})^3+(x^{-\frac{1}{2}})^3+3\cdot x^{\frac{1}{2}}\cdot x^{-\frac{1}{2}}(x^{\frac{1}{2}}+x^{-\frac{1}{2}})=64$

$x^{\frac{3}{2}}+x^{-\frac{3}{2}}+3\cdot1\cdot4=64$

$\therefore x^{\frac{3}{2}}+x^{-\frac{3}{2}}=52$

정답_②

다른 풀이

$x^{\frac{3}{2}}+x^{-\frac{3}{2}}=(x^{\frac{1}{2}}+x^{-\frac{1}{2}})^3-3\cdot x^{\frac{1}{2}}\cdot x^{-\frac{1}{2}}(x^{\frac{1}{2}}+x^{-\frac{1}{2}})$

$=4^3-3\cdot1\cdot4=52$

035

$(x+x^{-1})^2=x^2+x^{-2}+2=34+2=36$

$x+x^{-1}>0$이므로 $x+x^{-1}=6$ ······ ㉠

$(x^{\frac{1}{2}}+x^{-\frac{1}{2}})^2=x+x^{-1}+2=6+2=8$

$x^{\frac{1}{2}}+x^{-\frac{1}{2}}>0$이므로 $x^{\frac{1}{2}}+x^{-\frac{1}{2}}=2\sqrt{2}$ ······ ㉡

㉠, ㉡에 의해

$\frac{x^{\frac{1}{2}}+x^{-\frac{1}{2}}}{x+x^{-1}}=\frac{2\sqrt{2}}{6}=\frac{\sqrt{2}}{3}$

정답_②

036

$a^{\frac{1}{2}}-a^{-\frac{1}{2}}=3$의 양변을 세제곱하면

$(a^{\frac{1}{2}})^3-(a^{-\frac{1}{2}})^3-3\cdot a^{\frac{1}{2}}\cdot a^{-\frac{1}{2}}(a^{\frac{1}{2}}-a^{-\frac{1}{2}})=27$

$a^{\frac{3}{2}}-a^{-\frac{3}{2}}-3\cdot1\cdot3=27 \quad \therefore a^{\frac{3}{2}}-a^{-\frac{3}{2}}=36$ ...... ㉠

$a^{\frac{1}{2}}-a^{-\frac{1}{2}}=3$의 양변을 제곱하면

$(a^{\frac{1}{2}})^2+(a^{-\frac{1}{2}})^2-2=9$

$a+a^{-1}-2=9 \quad \therefore a+a^{-1}=11$ ...... ㉡

㉠, ㉡에 의해

$\dfrac{a^{\frac{3}{2}}-a^{-\frac{3}{2}}}{a+a^{-1}+1}=\dfrac{36}{11+1}=3$

정답_ ①

037

$x^3=(3^{\frac{1}{3}}+3^{-\frac{1}{3}})^3$

$=(3^{\frac{1}{3}})^3+(3^{-\frac{1}{3}})^3+3\cdot3^{\frac{1}{3}}\cdot3^{-\frac{1}{3}}(3^{\frac{1}{3}}+3^{-\frac{1}{3}})$

$=3+3^{-1}+3\cdot1\cdot x=3x+\dfrac{10}{3}$

$\therefore x^3-3x=\dfrac{10}{3}$

위의 식의 양변에 3을 곱하면

$3x^3-9x=10$

정답_ ⑤

038

$x^3=(2^{\frac{2}{3}}-2^{-\frac{2}{3}})^3$

$=(2^{\frac{2}{3}})^3-(2^{-\frac{2}{3}})^3-3\cdot2^{\frac{2}{3}}\cdot2^{-\frac{2}{3}}(2^{\frac{2}{3}}-2^{-\frac{2}{3}})$

$=2^2-2^{-2}-3\cdot1\cdot x=\dfrac{15}{4}-3x$

$\therefore x^3+3x=\dfrac{15}{4}$

$\therefore \sqrt{\dfrac{x^3+3x}{15}}=\sqrt{\dfrac{\frac{15}{4}}{15}}=\sqrt{\dfrac{1}{4}}=\dfrac{1}{2}$

정답_ ①

039

$\sqrt{x^2-4}+x=\sqrt{(2^{\frac{1}{4}}+2^{-\frac{1}{4}})^2-4}+(2^{\frac{1}{4}}+2^{-\frac{1}{4}})$

$=\sqrt{(2^{\frac{1}{2}}+2^{-\frac{1}{2}}+2)-4}+(2^{\frac{1}{4}}+2^{-\frac{1}{4}})$

$=\sqrt{(2^{\frac{1}{4}}-2^{-\frac{1}{4}})^2}+(2^{\frac{1}{4}}+2^{-\frac{1}{4}})$

$=(2^{\frac{1}{4}}-2^{-\frac{1}{4}})+(2^{\frac{1}{4}}+2^{-\frac{1}{4}})$

$=2\times2^{\frac{1}{4}}=2^{1+\frac{1}{4}}=2^{\frac{5}{4}}$

정답_ ③

040

$a=\sqrt{2},\ b=\sqrt[3]{3}$에서

$2=a^2,\ 3=b^3$

$\therefore \sqrt[6]{6}=(2\times3)^{\frac{1}{6}}=(a^2\times b^3)^{\frac{1}{6}}=a^{\frac{1}{3}}b^{\frac{1}{2}}$

정답_ ①

041

$p^x=q$의 양변에 $\dfrac{1}{x}$제곱을 하여 $p=q^{\frac{1}{x}}$임을 이용한다.

$12^a=16$에서 $\quad 12^a=2^4 \quad \therefore 12=2^{\frac{4}{a}}$

$3^b=2$에서 $\quad 3=2^{\frac{1}{b}}$

$\therefore 2^{\frac{4}{a}-\frac{1}{b}}=2^{\frac{4}{a}}\div2^{\frac{1}{b}}=12\div3=4$

정답_ ④

042

$\dfrac{a^{3x}-a^{-3x}}{a^x-a^{-x}}=\dfrac{a^x(a^{3x}-a^{-3x})}{a^x(a^x-a^{-x})}=\dfrac{a^{4x}-a^{-2x}}{a^{2x}-1}$

$=\dfrac{(a^{2x})^2-\frac{1}{a^{2x}}}{a^{2x}-1}=\dfrac{5^2-\frac{1}{5}}{5-1}$ ⇦ $a^{2x}=5$

$=\dfrac{\frac{124}{5}}{4}=\dfrac{31}{5}$

정답_ ④

043

$f(x)=\dfrac{2018^x-2018^{-x}}{2018^x+2018^{-x}}$

$=\dfrac{2018^x(2018^x-2018^{-x})}{2018^x(2018^x+2018^{-x})}$

$=\dfrac{2018^{2x}-1}{2018^{2x}+1}$

이므로 $f(a)=\dfrac{1}{3}$에서 $\quad \dfrac{2018^{2a}-1}{2018^{2a}+1}=\dfrac{1}{3}$

$3\times2018^{2a}-3=2018^{2a}+1$

$\therefore 2018^{2a}=2$

정답_ ①

044

두 비행기 A, B의 날개의 넓이를 각각 S, $3S$라 하고, 필요마력을 각각 P, $\sqrt{3}P$라고 하면 두 비행기 A, B의 항력계수는 같으므로

A : $P=\dfrac{1}{150}kC{V_A}^3\cdot S$ ...... ㉠

B : $\sqrt{3}P=\dfrac{1}{150}kC{V_B}^3\cdot 3S$ ...... ㉡

㉠÷㉡을 하면 $\quad \dfrac{{V_A}^3}{{V_B}^3}=\dfrac{3}{\sqrt{3}},\ \left(\dfrac{V_A}{V_B}\right)^3=\sqrt{3}$

$\therefore \dfrac{V_A}{V_B}=(\sqrt{3})^{\frac{1}{3}}=3^{\frac{1}{6}}$

정답_ ①

045

$$\sqrt{\sqrt[5]{a}\times\frac{4}{\sqrt[3]{a}}}\div\sqrt[3]{\sqrt[5]{a}\times\frac{8}{\sqrt{a}}}\times\sqrt[5]{\sqrt[3]{a}\times\frac{32}{\sqrt{a}}}$$

$$=\frac{\sqrt{\sqrt[5]{a}}\cdot\sqrt{4}}{\sqrt{\sqrt[3]{a}}}\div\frac{\sqrt[3]{\sqrt[5]{a}}\cdot\sqrt[3]{8}}{\sqrt[3]{\sqrt{a}}}\times\frac{\sqrt[5]{\sqrt[3]{a}}\cdot\sqrt[5]{32}}{\sqrt[5]{\sqrt{a}}}$$

$$=\frac{2\sqrt[10]{a}}{\sqrt[6]{a}}\div\frac{2\sqrt[15]{a}}{\sqrt[6]{a}}\times\frac{2\sqrt[15]{a}}{\sqrt[10]{a}}$$ ❶

$$=\frac{2\sqrt[10]{a}}{\sqrt[6]{a}}\times\frac{\sqrt[6]{a}}{2\sqrt[15]{a}}\times\frac{2\sqrt[15]{a}}{\sqrt[10]{a}}=2$$ ❷

정답_ 2

단계	채점 기준	비율
❶	거듭제곱근의 성질을 이용하여 주어진 식 간단히 하기	60%
❷	주어진 식의 값 구하기	40%

046

(i) $A-B=(3\sqrt{2}+\sqrt[3]{3})-(\sqrt{2}+3\sqrt[3]{3})$

$=2(\sqrt{2}-\sqrt[3]{3})=2(\sqrt[6]{8}-\sqrt[6]{9})<0$

$\therefore A<B$ ❶

(ii) $C-D=(2\sqrt[3]{3}-3\sqrt{2})-(2\sqrt{2}-3\sqrt[3]{3})$

$=5(\sqrt[3]{3}-\sqrt{2})=5(\sqrt[6]{9}-\sqrt[6]{8})>0$

$\therefore C>D$ ❷

(iii) $A-C=(3\sqrt{2}+\sqrt[3]{3})-(2\sqrt[3]{3}-3\sqrt{2})$

$=6\sqrt{2}-\sqrt[3]{3}$

$=4\sqrt{2}+(2\sqrt{2}-\sqrt[3]{3})$

$=4\sqrt{2}+(\sqrt[6]{512}-\sqrt[6]{9})>0$

$\therefore A>C$ ❸

(i), (ii), (iii)에서 $D<C<A<B$이므로 가장 큰 수 B와 가장 작은 수 D의 합은

$B+D=(\sqrt{2}+3\sqrt[3]{3})+(2\sqrt{2}-3\sqrt[3]{3})$

$=3\sqrt{2}$ ❹

정답_ $3\sqrt{2}$

단계	채점 기준	비율
❶	A와 B의 대소 비교하기	30%
❷	C와 D의 대소 비교하기	30%
❸	A와 C의 대소 비교하기	30%
❹	가장 큰 수와 가장 작은 수의 합 구하기	10%

047

$2\sqrt{2}=2^1\times2^{\frac{1}{2}}=2^{1+\frac{1}{2}}=2^{\frac{3}{2}}$

$\frac{\sqrt{2}}{2}=\frac{2^{\frac{1}{2}}}{2^1}=2^{\frac{1}{2}-1}=2^{-\frac{1}{2}}$ ❶

$\therefore (2\sqrt{2})^6+\left(\frac{\sqrt{2}}{2}\right)^{-18}=(2^{\frac{3}{2}})^6+(2^{-\frac{1}{2}})^{-18}$

$=2^9+2^9=2\cdot2^9=2^{10}$ ❷

$\therefore n=10$ ❸

정답_ 10

단계	채점 기준	비율
❶	$2\sqrt{2}$, $\frac{\sqrt{2}}{2}$를 유리수 지수를 이용하여 나타내기	40%
❷	주어진 식 간단히 하기	50%
❸	n의 값 구하기	10%

048

$\sqrt{a}+\sqrt[3]{b}$의 값이 자연수가 되려면 $\sqrt{a}$, $\sqrt[3]{b}$가 각각 자연수가 되어야 한다. ❶

(i) $\sqrt{a}$가 자연수가 되려면 a는 제곱수이어야 한다.

그런데 $10\le a\le20$이므로 $a=16$ ❷

(ii) $\sqrt[3]{b}=b^{\frac{1}{3}}$이 자연수가 되려면 $b=(\text{자연수})^{3n}$ (n은 0 또는 자연수)의 꼴이어야 한다.

그런데 $100\le b\le130$이므로 $b=125$ ❸

$\therefore a+b=16+125=141$ ❹

정답_ 141

단계	채점 기준	비율
❶	$\sqrt{a}+\sqrt[3]{b}$의 값이 자연수가 되기 위한 조건 구하기	10%
❷	a의 값 구하기	40%
❸	b의 값 구하기	40%
❹	$a+b$의 값 구하기	10%

049

$a^{\frac{1}{2}}-a^{-\frac{1}{2}}=2$의 양변을 제곱하면

$a+a^{-1}-2=4 \quad \therefore a+a^{-1}=6$ ······ ㉠

❶

$(a-a^{-1})^2=a^2+a^{-2}-2=(a+a^{-1})^2-4=6^2-4=32$

이때, $a^{\frac{1}{2}}-a^{-\frac{1}{2}}=2>0$에서 $a>1$이므로 $a-a^{-1}>0$

$\therefore a-a^{-1}=\sqrt{32}=4\sqrt{2}$ ······ ㉡

❷

㉠, ㉡에 의해

$\frac{a-a^{-1}}{a+a^{-1}}=\frac{4\sqrt{2}}{6}=\frac{2\sqrt{2}}{3}$ ❸

정답_ $\frac{2\sqrt{2}}{3}$

단계	채점 기준	비율
❶	$a+a^{-1}$의 값 구하기	40%
❷	$a-a^{-1}$의 값 구하기	40%
❸	$\frac{a-a^{-1}}{a+a^{-1}}$의 값 구하기	20%

050

$\frac{3^x+3^{-x}}{3^x-3^{-x}}=2$에서 $3^x+3^{-x}=2(3^x-3^{-x})$

$3^x+3^{-x}=2\cdot3^x-2\cdot3^{-x}$, $3^x=3\cdot3^{-x}$

$(3^x)^2=3$이므로 $9^x=3$ ❶

$\therefore 9^x+9^{-x}=9^x+\frac{1}{9^x}=3+\frac{1}{3}=\frac{10}{3}$ ❷

정답_ $\frac{10}{3}$

단계	채점 기준	비율
❶	9^x의 값 구하기	60%
❷	9^x+9^{-x}의 값 구하기	40%

051

박테리아가 1분마다 k배로 증식한다고 하면 오후 12시 n분의 박테리아의 수는

$N\times k^n$ ❶

같은 날 오후 12시 30분의 박테리아의 수가 $10N$이므로

$N\times k^{30}=10N$

$\therefore k^{30}=10$ ❷

같은 날 오후 12시 50분의 박테리아의 수는

$N\times k^{50}=N\times(k^{30})^{\frac{5}{3}}=10^{\frac{5}{3}}N$ ❸

정답_ $10^{\frac{5}{3}}N$

단계	채점 기준	비율
❶	1분마다 k배씩 증식할 때 12시 n분의 박테리아의 수 구하기	40%
❷	k^{30}의 값 구하기	40%
❸	12시 50분의 박테리아의 수 구하기	20%

052

p는 a의 m제곱근 중 실수인 것이므로 $p=\sqrt[m]{a}$

q는 a의 n제곱근 중 실수인 것이므로 $q=\sqrt[n]{a}$

ㄱ은 옳다.

p의 n제곱근 중 실수인 것은 $\sqrt[n]{p}=\sqrt[n]{\sqrt[m]{a}}=\sqrt[mn]{a}$

q의 m제곱근 중 실수인 것은 $\sqrt[m]{q}=\sqrt[m]{\sqrt[n]{a}}=\sqrt[mn]{a}$

$\therefore \sqrt[n]{p}=\sqrt[m]{q}$

ㄴ은 옳지 않다.

a^n의 m제곱근 중 실수인 것은 $\sqrt[m]{a^n}=a^{\frac{n}{m}}$

a^m의 n제곱근 중 실수인 것은 $\sqrt[n]{a^m}=a^{\frac{m}{n}}$

(반례) $m=3,\ n=9,\ a=\frac{1}{2}$이면

$a^{\frac{n}{m}}=\left(\frac{1}{2}\right)^{\frac{9}{3}}=\left(\frac{1}{2}\right)^3=\frac{1}{8}=\frac{1}{\sqrt[3]{512}}$

$a^{\frac{m}{n}}=\left(\frac{1}{2}\right)^{\frac{3}{9}}=\left(\frac{1}{2}\right)^{\frac{1}{3}}=\frac{1}{\sqrt[3]{2}}$

이므로 $a^{\frac{n}{m}}<a^{\frac{m}{n}}$, 즉 $\sqrt[m]{a^n}<\sqrt[n]{a^m}$이므로 옳지 않다.

ㄷ도 옳다.

pq의 $m+n$제곱근 중 양수인 것은

$\sqrt[m+n]{pq}=(pq)^{\frac{1}{m+n}}=(a^{\frac{1}{m}}a^{\frac{1}{n}})^{\frac{1}{m+n}}$

$=(a^{\frac{1}{m}+\frac{1}{n}})^{\frac{1}{m+n}}=(a^{\frac{m+n}{mn}})^{\frac{1}{m+n}}=a^{\frac{1}{mn}}$

a의 mn제곱근 중 실수인 것은

$\sqrt[mn]{a}=a^{\frac{1}{mn}}$

$\therefore \sqrt[m+n]{pq}=\sqrt[mn]{a}$

따라서 옳은 것은 ㄱ, ㄷ이다. 정답_ ④

053

$(\sqrt[3]{2^5})^{\frac{1}{3}}=(2^{\frac{5}{3}})^{\frac{1}{3}}=2^{\frac{5}{9}}$

$2^{\frac{5}{9}}$이 어떤 자연수의 n제곱근이 되려면 $(2^{\frac{5}{9}})^n$이 자연수이어야 한다.

$(2^{\frac{5}{9}})^n=(2^5)^{\frac{n}{9}}=32^{\frac{n}{9}}$에서 32는 어떤 자연수의 9제곱수가 아니므로 $\frac{n}{9}$이 음이 아닌 정수일 때, $(2^{\frac{5}{9}})^n$이 자연수가 된다.

따라서 n은 0 또는 9의 배수이어야 한다.

그런데 $2\le n\le 100$이므로 n은 9, 18, 27, $\cdots$, 99로 11개이다.

정답_ ③

054

$a=-2,\ b=\sqrt{2}$일 때

$a*b=2^ab^2=2^{-2}\times(\sqrt{2})^2=\frac{1}{4}\cdot 2=\frac{1}{2}$

따라서 (가)의 값은 $\frac{1}{2}$이다.

$a=\frac{1}{2},\ b=\sqrt[4]{8}$일 때

$a*b=2^ab^2=2^{\frac{1}{2}}\times(\sqrt[4]{8})^2$

$=2^{\frac{1}{2}}\times 8^{\frac{2}{4}}$

$=(2\cdot 8)^{\frac{1}{2}}$

$=(4^2)^{\frac{1}{2}}=4$

따라서 (나)의 값은 4이다. 정답_ ⑤

055

사고가 발생한 지 1시간 후에 $x=10$이 되었으므로 주어진 관계식에 $t=1$, $x=10$을 대입하면

$k=\pi(10^{\frac{5}{2}}-35\cdot 10^{\frac{3}{2}}+300\sqrt{10})$

$=\pi(\sqrt{10^5}-35\sqrt{10^3}+300\sqrt{10})$

$=\pi(100\sqrt{10}-350\sqrt{10}+300\sqrt{10})$

$=50\sqrt{10}\pi$

$\therefore \frac{\pi}{k}=\frac{1}{50\sqrt{10}}$

원유가 모두 유출되는 것은 $x=0$일 때이므로 주어진 관계식에 $x=0$을 대입하면

$t=\frac{\pi}{k}\times 300\sqrt{10}=\frac{300\sqrt{10}}{50\sqrt{10}}=6$(시간) 정답_ ①

02 로그

056

(1) $\log_9 x=\frac{3}{2}$에서 $x=9^{\frac{3}{2}}=(3^2)^{\frac{3}{2}}=3^3=27$

(2) $\log_8 x=\frac{2}{3}$에서 $x=8^{\frac{2}{3}}=(2^3)^{\frac{2}{3}}=2^2=4$

(3) $\log_4 x=-\frac{1}{2}$에서 $x=4^{-\frac{1}{2}}=(2^2)^{-\frac{1}{2}}=2^{-1}=\frac{1}{2}$

(4) $\log_x 16=4$에서 $16=x^4$

양변에 $\frac{1}{4}$제곱을 하면 $16^{\frac{1}{4}}=(x^4)^{\frac{1}{4}}$

$\therefore x=(2^4)^{\frac{1}{4}}=2$

(5) $\log_x 81=\frac{4}{3}$에서 $81=x^{\frac{4}{3}}$

양변에 $\frac{3}{4}$제곱을 하면 $81^{\frac{3}{4}}=(x^{\frac{4}{3}})^{\frac{3}{4}}$

$\therefore x=(3^4)^{\frac{3}{4}}=3^3=27$

(6) $\log_x 4=0.4=\frac{2}{5}$에서 $4=x^{\frac{2}{5}}$

양변에 $\frac{5}{2}$제곱을 하면 $4^{\frac{5}{2}}=(x^{\frac{2}{5}})^{\frac{5}{2}}$

$\therefore x=(2^2)^{\frac{5}{2}}=2^5=32$

정답_(1) 27 (2) 4 (3) $\frac{1}{2}$ (4) 2 (5) 27 (6) 32

057

$\log_2 x=\sqrt{2}$에서 $x=2^{\sqrt{2}}$

$\log_2 y=\frac{1}{2}$에서 $y=2^{\frac{1}{2}}=\sqrt{2}$

$\therefore x^y=(2^{\sqrt{2}})^{\sqrt{2}}=2^{\sqrt{2}\times\sqrt{2}}=2^2=4$ 정답_④

058

$\log_2 \frac{a}{4}=b$에서 $2^b=\frac{a}{4}$

$\therefore \frac{2^b}{a}=\frac{\frac{a}{4}}{a}=\frac{1}{4}$ 정답_③

059

$\log_3(1+\log_3 x)=2$에서 $1+\log_3 x=3^2$

$\therefore \log_3 x=8$

$\log_3 x=8$에서 $x=3^8$

따라서 $a=3$, $b=8$이므로 $a+b=11$ 정답_①

060

밑의 조건에 의해 $8-x>0$, $8-x\neq 1$

$x<8$, $x\neq 7$ $\therefore x<7$ 또는 $7<x<8$ ······ ㉠

진수의 조건에 의해 $x-3>0$

$\therefore x>3$ ······ ㉡

㉠, ㉡의 공통부분을 구하면

$3<x<7$ 또는 $7<x<8$

따라서 정수 x는 4, 5, 6으로 그 합은

$4+5+6=15$ 정답_②

061

밑의 조건에 의해 $x-3>0$, $x-3\neq 1$, 즉 $x>3$, $x\neq 4$

$\therefore 3<x<4$ 또는 $x>4$ ······ ㉠

진수의 조건에 의해 $-x^2+10x-16>0$

$x^2-10x+16<0$, $(x-2)(x-8)<0$

$\therefore 2<x<8$ ······ ㉡

㉠, ㉡의 공통부분을 구하면

$3<x<4$ 또는 $4<x<8$

따라서 정수 x는 5, 6, 7로 3개이다. 정답_③

062

실수 a의 값에 관계없이 항상 로그가 정의되려면 모든 실수 a에 대하여 밑은 1이 아닌 양수이고, 진수는 양수이어야 한다.

ㄱ은 항상 정의된다.

(i) 밑은 $a^2-a+2=\left(a-\frac{1}{2}\right)^2+\frac{7}{4}\geq\frac{7}{4}$이므로 항상 1이 아닌 양수이다.

(ii) 진수는 $a^2+1\geq 1$이므로 항상 양수이다.

ㄴ은 항상 정의되지는 않는다.

(반례) $a=0$일 때, 밑이 $2|a|+1=1$이므로 로그가 정의되지 않는다.

ㄷ도 항상 정의되지는 않는다.

(반례) $a=1$일 때, 진수가 $a^2-2a+1=(a-1)^2=0$이므로 로그가 정의되지 않는다.

따라서 항상 정의되는 것은 ㄱ이다. 정답_①

063

(1) $\log_a x^2y^3z^4=\log_a x^2+\log_a y^3+\log_a z^4$

$=2\log_a x+3\log_a y+4\log_a z$

$=2A+3B+4C$

(2) $\log_a \frac{x^3y^2}{z}=\log_a x^3+\log_a y^2-\log_a z$

$=3\log_a x+2\log_a y-\log_a z$

$=3A+2B-C$

(3) $\log_a \sqrt{xy^3z}=\log_a (xy^3z)^{\frac{1}{2}}=\frac{1}{2}\log_a xy^3z$

$=\frac{1}{2}(\log_a x+\log_a y^3+\log_a z)$

$=\frac{1}{2}(\log_a x+3\log_a y+\log_a z)$

$=\frac{1}{2}(A+3B+C)$

(4) $\log_a \frac{x^2}{\sqrt{yz}} = \log_a x^2 - \log_a \sqrt{yz}$

$= \log_a x^2 - \log_a (yz)^{\frac{1}{2}}$

$= 2\log_a x - \frac{1}{2}\log_a yz$

$= 2\log_a x - \frac{1}{2}(\log_a y + \log_a z)$

$= 2A - \frac{1}{2}(B+C)$

$= 2A - \frac{1}{2}B - \frac{1}{2}C$

정답_ (1) $2A+3B+4C$ (2) $3A+2B-C$

(3) $\frac{1}{2}(A+3B+C)$ (4) $2A-\frac{1}{2}B-\frac{1}{2}C$

064

ㄱ은 옳지 않다.

진수의 곱을 합으로 분해한다. 즉,

$\log_a xy = \log_a x + \log_a y$

ㄴ, ㄷ도 옳지 않다.

진수의 몫을 차로 분해한다. 즉,

$\log_a \frac{x}{y} = \log_a x - \log_a y$

ㄹ도 옳지 않다.

진수의 지수가 앞으로 나온다. 즉,

$\log_a x^n = n\log_a x$

따라서 옳은 것은 없으므로 0개이다. 정답_ ⑤

다른 풀이

ㄴ. 밑의 변환 공식에 의해

$\frac{\log_a x}{\log_a y} = \log_y x$

ㄹ. $(\log_a x)^n = \log_a x \cdot \log_a x \cdot \log_a x \cdot \cdots \cdot \log_a x$

$\log_a x^n = \log_a (x \cdot x \cdot x \cdot \cdots \cdot x)$

$\therefore (\log_a x)^n \neq \log_a x^n$

065

(라)에서 $\log_2(-2)^2 = 2\log_2(-2)$가 처음으로 잘못되었다.

$\log_2(-2)$는 정의되지 않는다. 정답_ ④

보충 설명

모든 로그의 성질은 밑이 1이 아닌 양수이고 진수가 양수일 때 성립한다. 로그의 성질 $\log_2 x^2 = 2\log_2 x$도 $x>0$일 때 성립한다.

066

$r = \log_a x$, $s = \log_a y$로 놓으면

$a^r = x$, $a^s =$ (가) y

지수법칙에 의해

$a^{r+s} = a^r a^s =$ (나) xy

로그의 정의에 의해

$r+s = \log_a$ (나) xy

$\therefore \log_a xy = \log_a x + \log_a y$ 정답_ ④

067

(1) $\log_2 48 + \log_2 \frac{1}{3} = \log_2\left(48 \times \frac{1}{3}\right) = \log_2 16$

$= \log_2 2^4 = 4\log_2 2 = 4$

(2) $\log_6 54 - \log_6 9 = \log_6 (54 \div 9) = \log_6 6 = 1$

(3) $3\log_3 \sqrt[3]{12} + \log_3 \frac{3}{4} = \log_3 (\sqrt[3]{12})^3 + \log_3 \frac{3}{4}$

$= \log_3 12 + \log_3 \frac{3}{4}$

$= \log_3\left(12 \cdot \frac{3}{4}\right) = \log_3 9$

$= \log_3 3^2 = 2\log_3 3 = 2$

(4) $\frac{1}{2}\log_3 27 - \log_3 \sqrt{3} = \frac{1}{2}\log_3 3^3 - \frac{1}{2}\log_3 3$

$= \frac{3}{2} - \frac{1}{2} = 1$

정답_ (1) 4 (2) 1 (3) 2 (4) 1

068

$\log_2 3 + \log_2 6 - \log_2 9 = \log_2\left(\frac{3 \cdot 6}{9}\right)$

$= \log_2 2 = 1$ 정답_ ①

069

$\log_4 \sqrt{16} + \log_{2^{-1}} \frac{1}{2} - \log_8 1$

$= \log_4 4 + \log_{\frac{1}{2}} \frac{1}{2} - \log_8 1$

$= 1 + 1 - 0 = 2$ 정답_ ⑤

070

$\log_3 (4-\sqrt{7}) + \log_3 (4+\sqrt{7})$

$= \log_3 (4-\sqrt{7})(4+\sqrt{7}) = \log_3 9$

$= \log_3 3^2 = 2\log_3 3 = 2$ 정답_ ②

071

$2\log_2 2\sqrt{3} - \log_2 \frac{9}{8} + \frac{1}{3}\log_2 216$

$= \log_2 (2\sqrt{3})^2 - \log_2 \frac{9}{8} + \log_2 (6^3)^{\frac{1}{3}}$

$= \log_2 12 - \log_2 \frac{9}{8} + \log_2 6$

$= \log_2\left(12 \cdot \frac{8}{9} \cdot 6\right) = \log_2 64 = \log_2 2^6$

$= 6\log_2 2 = 6$ 정답_ ④

072

$\log_2\left(1-\frac{1}{2}\right)+\log_2\left(1-\frac{1}{3}\right)+\cdots+\log_2\left(1-\frac{1}{32}\right)$

$=\log_2\frac{1}{2}+\log_2\frac{2}{3}+\cdots+\log_2\frac{31}{32}$

$=\log_2\left(\frac{1}{2}\cdot\frac{2}{3}\cdot\cdots\cdot\frac{31}{32}\right)$

$=\log_2\frac{1}{32}$

$=\log_2 2^{-5}$

$=-5\log_2 2=-5$

정답_⑤

073

(1) $\log_2 9\cdot\log_3 8=\frac{\log_{10}9}{\log_{10}2}\cdot\frac{\log_{10}8}{\log_{10}3}$

$=\frac{\log_{10}3^2}{\log_{10}2}\cdot\frac{\log_{10}2^3}{\log_{10}3}$

$=\frac{2\log_{10}3}{\log_{10}2}\cdot\frac{3\log_{10}2}{\log_{10}3}$

$=2\cdot3=6$

(2) $\log_2 5\cdot\log_5 7\cdot\log_7 8=\frac{\log_{10}5}{\log_{10}2}\cdot\frac{\log_{10}7}{\log_{10}5}\cdot\frac{\log_{10}8}{\log_{10}7}$

$=\frac{\log_{10}5}{\log_{10}2}\cdot\frac{\log_{10}7}{\log_{10}5}\cdot\frac{3\log_{10}2}{\log_{10}7}$

$=3$

(3) 밑과 진수를 바꾸면

$\frac{1}{\log_{\frac{9}{2}}3}+\frac{1}{\log_2 3}=\log_3\frac{9}{2}+\log_3 2$

$=\log_3\left(\frac{9}{2}\cdot2\right)$

$=\log_3 9=\log_3 3^2$

$=2\log_3 3=2$

(4) $\frac{1}{\log_{24}2}-\frac{1}{\log_6 2}=\log_2 24-\log_2 6$

$=\log_2\frac{24}{6}$

$=\log_2 4=\log_2 2^2$

$=2\log_2 2=2$

정답_(1) 6 (2) 3 (3) 2 (4) 2

074

$\log_2 48-\log_2 3+\frac{\log_3 64}{\log_3 2}=\log_2 48-\log_2 3+\log_2 64$

$=\log_2\left(\frac{48\cdot64}{3}\right)$

$=\log_2(16\cdot64)$

$=\log_2 2^{10}=10\log_2 2$

$=10$

정답_⑤

075

$\frac{1}{\log_6 3}+2\log_3 2-\frac{3}{\log_2 3}=\log_3 6+2\log_3 2-3\log_3 2$

$=\log_3 6-\log_3 2=\log_3\frac{6}{2}$

$=\log_3 3=1$

정답_②

076

주어진 식에서 밑과 진수를 바꾸면

$\log_x 2+\log_x 3+\log_x 4=\log_x a+\log_x 5$

$\log_x(2\cdot3\cdot4)=\log_x 5a$

$5a=24 \quad \therefore a=\frac{24}{5}=4.8$

정답_⑤

077

$3\log_{10}a=4\log_{10}b$에서

$\frac{\log_{10}b}{\log_{10}a}=\frac{3}{4} \quad \therefore \log_a b=\frac{3}{4}$

$\therefore \frac{8}{9}\log_a b=\frac{8}{9}\cdot\frac{3}{4}=\frac{2}{3}$

정답_②

078

$\log_a x=\frac{1}{2}$, $\log_b x=\frac{1}{3}$, $\log_c x=\frac{2}{3}$에서 밑과 진수를 바꾸면

$\log_x a=2,\ \log_x b=3,\ \log_x c=\frac{3}{2}$

$\therefore \log_{abc}x=\frac{1}{\log_x abc}$

$=\frac{1}{\log_x a+\log_x b+\log_x c}$

$=\frac{1}{2+3+\frac{3}{2}}=\frac{2}{13}$

정답_④

079

$\log_a b=x$, $\log_c a=y$라고 하면

$a^x=b$, $c^y=a$

이때, $b=a^x=(c^y)^x=c^{\boxed{(가)\ xy}}$이므로 $\boxed{(가)\ xy}=\log_c b$

즉, $\log_a b\cdot\log_c a=\log_c b$이다.

여기서 $\boxed{(나)\ a\neq1}$이므로 $\log_c a\neq0$이다.

($\because$ a는 $\log_a b$의 밑이므로 $a\neq1$)

$\therefore \log_a b=\frac{\log_c b}{\log_c a}$

정답_①

080

$\log_9 36-\log_3 2=\log_{3^2}6^2-\log_3 2=\log_3 6-\log_3 2$

$=\log_3\frac{6}{2}=\log_3 3=1$

정답_③

081

$2\log_{\frac{1}{3}}\frac{4}{3}-\log_{9}\frac{9}{16}+\log_{\sqrt{3}}2\sqrt{3}$

$=2\log_{3^{-1}}\frac{4}{3}-\log_{3^2}\frac{9}{16}+\log_{3^{\frac{1}{2}}}2\sqrt{3}$

$=-2\log_{3}\frac{4}{3}-\frac{1}{2}\log_{3}\frac{9}{16}+2\log_{3}2\sqrt{3}$

$=\log_{3}\left(\frac{4}{3}\right)^{-2}-\log_{3}\left(\frac{9}{16}\right)^{\frac{1}{2}}+\log_{3}(2\sqrt{3})^2$

$=\log_{3}\frac{9}{16}-\log_{3}\frac{3}{4}+\log_{3}12$

$=\log_{3}\left(\frac{9}{16}\cdot\frac{4}{3}\cdot 12\right)$

$=\log_{3}9=\log_{3}3^2=2$

정답_④

082

$(\log_{2}3+\log_{4}3)(\log_{3}2+\log_{9}2)$

$=(\log_{2}3+\log_{2^2}3)(\log_{3}2+\log_{3^2}2)$

$=\left(\log_{2}3+\frac{1}{2}\log_{2}3\right)\left(\log_{3}2+\frac{1}{2}\log_{3}2\right)$

$=\frac{3}{2}\log_{2}3\cdot\frac{3}{2}\log_{3}2$

$=\frac{9}{4}\cdot\frac{\log_{10}3}{\log_{10}2}\cdot\frac{\log_{10}2}{\log_{10}3}=\frac{9}{4}$

정답_⑤

083

$\log_{5}30-\log_{25}4=\log_{5}30-\log_{5^2}2^2$

$=\log_{5}30-\log_{5}2$

$=\log_{5}\frac{30}{2}=\log_{5}15$

$\therefore$ (주어진 식)$=\log_{5}15\cdot\log_{3}5-1$

$=\frac{\log_{3}15}{\log_{3}5}\cdot\log_{3}5-1$

$=\log_{3}15-1=\log_{3}15-\log_{3}3$

$=\log_{3}\frac{15}{3}=\log_{3}5$

정답_④

084

ㄱ은 옳다.

$2^{\log_{3}5}=5^{\log_{3}2}$

ㄴ도 옳다.

$2^{\log_{2}3}=3^{\log_{2}2}=3$

ㄷ도 옳다.

$2^{\log_{4}3}=2^{\log_{2^2}3}=2^{\frac{1}{2}\log_{2}3}=2^{\log_{2}3^{\frac{1}{2}}}=3^{\frac{1}{2}}=\sqrt{3}$

ㄹ도 옳다.

$4^{\log_{2}3}=(2^2)^{\log_{2}3}=2^{2\log_{2}3}=2^{\log_{2}3^2}=3^2=9$

따라서 옳은 것은 ㄱ, ㄴ, ㄷ, ㄹ이므로 4개이다.

정답_⑤

085

ㄱ은 옳다.

$2^{\log_{2}7-\log_{2}6}=2^{\log_{2}\frac{7}{6}}=\frac{7}{6}$

ㄴ도 옳다.

$2\log_{3}2+\log_{3}5-\log_{3}6$

$=\log_{3}2^2+\log_{3}5-\log_{3}6$

$=\log_{3}\left(\frac{4\cdot5}{6}\right)=\log_{3}\frac{10}{3}$

$\therefore 3^{2\log_{3}2+\log_{3}5-\log_{3}6}=3^{\log_{3}\frac{10}{3}}=\frac{10}{3}$

ㄷ은 옳지 않다.

$5^{\log_{5}1+\log_{5}2+\log_{5}3+\log_{5}4+\log_{5}5}$

$=5^{\log_{5}(1\times2\times3\times4\times5)}$

$=5^{\log_{5}120}=120$

따라서 옳은 것은 ㄱ, ㄴ이다.

정답_②

086

주어진 식의 좌변에 밑이 c인 로그를 취하여 정리하면

$\log_{c}$ $\boxed{(가)\ a^{\log_{b}c}}$ $=$ $\boxed{(나)\ \log_{b}c}$ $\cdot\log_{c}a$

$=$ $\boxed{(나)\ \log_{b}c}$ $\cdot\frac{\log_{b}a}{\log_{b}c}$

$=$ $\boxed{(다)\ \log_{b}a}$

$\therefore a^{\log_{b}c}=c^{\log_{b}a}$

정답_②

087

$a=\log_{4}9=\log_{2^2}3^2=\frac{2}{2}\log_{2}3=\log_{2}3$

$\frac{1}{a}=\frac{1}{\log_{2}3}=\log_{3}2$

$\therefore \left(\frac{1}{2}\right)^a+3^{\frac{1}{a}}=2^{-a}+3^{\frac{1}{a}}$

$=2^{-\log_{2}3}+3^{\log_{3}2}$

$=2^{\log_{2}\frac{1}{3}}+3^{\log_{3}2}$

$=\frac{1}{3}+2=\frac{7}{3}$

정답_④

088

로그의 밑의 변환에 의해

$P=\frac{\log_{b}(\log_{b^2}a)}{\log_{b}a}=\log_{a}(\log_{b^2}a)$

$\therefore a^P=\log_{b^2}a=\frac{1}{2}\log_{b}a$

정답_②

089

$3<8<9$에서 $\log_{3}3<\log_{3}8<\log_{3}9$

$1<\log_{3}8<2$ $\therefore \log_{3}8=1.\times\times\times$

따라서 $\log_3 8$의 정수 부분은

$a=1$

$\log_3 8$의 소수 부분은 정수 부분을 뺀 수이므로

$b=\log_3 8-1=\log_3 8-\log_3 3=\log_3 \frac{8}{3}$

$\therefore 2^a+3^b=2^1+3^{\log_3 \frac{8}{3}}=2+\frac{8}{3}=\frac{14}{3}$ 정답_ ④

090

$10<35<100$에서 $\log_{10} 10<\log_{10} 35<\log_{10} 100$

$1<\log_{10} 35<2$ $\therefore \log_{10} 35=1.\times\times\times$

따라서 $\log_{10} 35$의 정수 부분은 $n=1$

$\log_{10} 35$의 소수 부분은 정수 부분을 뺀 수이므로

$a=\log_{10} 35-1=\log_{10} 35-\log_{10} 10$

$=\log_{10} \frac{35}{10}=\log_{10} \frac{7}{2}$

$\therefore 10^n-2\times 10^a=10^1-2\times 10^{\log_{10} \frac{7}{2}}$

$=10-2\cdot\frac{7}{2}=3$ 정답_ ②

091

$\log_{0.6} 15=\frac{\log_{10} 15}{\log_{10} 0.6}=\frac{\log_{10} (3\cdot 5)}{\log_{10} \frac{6}{10}}$

$=\frac{\log_{10} \frac{3\cdot 10}{2}}{\log_{10} \frac{2\cdot 3}{10}}=\frac{\log_{10} 3+\log_{10} 10-\log_{10} 2}{\log_{10} 2+\log_{10} 3-\log_{10} 10}$

$=\frac{b+1-a}{a+b-1}=\frac{-a+b+1}{a+b-1}$ 정답_ ③

092

$\log_2 3=a$, $\log_3 7=b$에서 $\log_3 2=\frac{1}{a}$, $\log_3 7=b$

$\therefore \log_{42} 56=\frac{\log_3 56}{\log_3 42}=\frac{\log_3 (2^3\cdot 7)}{\log_3 (2\cdot 3\cdot 7)}$

$=\frac{3\log_3 2+\log_3 7}{\log_3 2+\log_3 3+\log_3 7}$

$=\frac{\frac{3}{a}+b}{\frac{1}{a}+1+b}=\frac{3+ab}{1+a+ab}$ 정답_ ④

093

$\log_2 5=a$, $\log_3 2=b$에서 $\log_2 5=a$, $\log_2 3=\frac{1}{b}$

$\therefore \log_6 15=\frac{\log_2 15}{\log_2 6}=\frac{\log_2 3+\log_2 5}{\log_2 2+\log_2 3}$

$=\frac{\frac{1}{b}+a}{1+\frac{1}{b}}=\frac{1+ab}{b+1}$

따라서 $f(a,\ b)=\frac{ab+1}{b+1}$이므로

$f(4,\ 2)=\frac{4\cdot 2+1}{2+1}=\frac{9}{3}=3$ 정답_ ②

094

$\log_2 12=\log_2 (2^2\cdot 3)=\log_2 2^2+\log_2 3$

$=2+\log_2 3=a$

이므로 $\log_2 3=a-2$

$\therefore \log_6 4=\frac{\log_2 4}{\log_2 6}=\frac{\log_2 2^2}{\log_2 (2\cdot 3)}$

$=\frac{2\log_2 2}{\log_2 2+\log_2 3}$

$=\frac{2}{1+(a-2)}=\frac{2}{a-1}$ 정답_ ②

095

$\log_6 9=\log_6 3^2=2\log_6 3=a$에서 $\log_6 3=\frac{a}{2}$

$\therefore \log_6 2=\log_6 \frac{6}{3}=\log_6 6-\log_6 3$

$=1-\log_6 3=1-\frac{a}{2}$

$\therefore \log_{18} 12=\frac{\log_6 12}{\log_6 18}=\frac{\log_6 (6\cdot 2)}{\log_6 (6\cdot 3)}$

$=\frac{\log_6 6+\log_6 2}{\log_6 6+\log_6 3}$

$=\frac{1+\left(1-\frac{a}{2}\right)}{1+\frac{a}{2}}=\frac{4-a}{2+a}$ 정답_ ③

다른 풀이

$\log_6 9=\log_6 3^2=2\log_6 3=a$에서 $\log_6 3=\frac{a}{2}$

$\therefore \log_{18} 12=\frac{\log_6 12}{\log_6 18}=\frac{\log_6 \frac{36}{3}}{\log_6 (6\cdot 3)}$

$=\frac{\log_6 6^2-\log_6 3}{\log_6 6+\log_6 3}$

$=\frac{2-\frac{a}{2}}{1+\frac{a}{2}}=\frac{4-a}{2+a}$

096

$\log_2 35=\log_2 (5\cdot 7)=\log_2 5+\log_2 7$이므로

$\log_2 5+\log_2 7=a$ ...... ㉠

$\log_2 245=\log_2 (5\cdot 7^2)=\log_2 5+\log_2 7^2$

$=\log_2 5+2\log_2 7$

이므로

$\log_2 5+2\log_2 7=b$ ...... ㉡

㉡−㉠을 하면

$\log_2 7=b-a$

㉠×2−㉡을 하면

$\log_2 5=2a-b$

$\therefore \log_2 175=\log_2(5^2\cdot 7)=\log_2 5^2+\log_2 7$

$=2\log_2 5+\log_2 7$

$=2(2a-b)+b-a$

$=3a-b$

정답_ ③

097

$\log_2 ab=8$에서 $\log_2 a+\log_2 b=8$ ······ ㉠

$\log_2 \frac{a}{b}=2$에서 $\log_2 a-\log_2 b=2$ ······ ㉡

㉠+㉡을 하면

$2\log_2 a=10,\ \log_2 a=5$

$\therefore a=2^5=32$

㉠−㉡을 하면

$2\log_2 b=6,\ \log_2 b=3$

$\therefore b=2^3=8$

$\therefore \log_2(a+4b)=\log_2(32+4\cdot 8)=\log_2 64$

$=\log_2 2^6=6\log_2 2=6$

정답_ ④

098

$10^x=a,\ 10^y=b$에서

$x=\log_{10}a,\ y=\log_{10}b$

$\therefore \log_{\sqrt{a}}b=\frac{\log_{10}b}{\log_{10}\sqrt{a}}=\frac{\log_{10}b}{\frac{1}{2}\log_{10}a}=\frac{y}{\frac{1}{2}x}=\frac{2y}{x}$

정답_ ①

099

$2^a=x,\ 2^b=y,\ 2^c=z$에서

$a=\log_2 x,\ b=\log_2 y,\ c=\log_2 z$

$\therefore \log_{x^2y}yz^2=\frac{\log_2 yz^2}{\log_2 x^2y}=\frac{\log_2 y+\log_2 z^2}{\log_2 x^2+\log_2 y}$

$=\frac{\log_2 y+2\log_2 z}{2\log_2 x+\log_2 y}=\frac{b+2c}{2a+b}$

정답_ ③

100

$2^a=5$에서 $a=\log_2 5$

$5^b=\sqrt{2}$에서 $b=\log_5\sqrt{2}$

$\therefore ab=\log_2 5\times\log_5\sqrt{2}$

$=\frac{\log_3 5}{\log_3 2}\times\frac{\log_3\sqrt{2}}{\log_3 5}$

$=\frac{\log_3 5}{\log_3 2}\times\frac{\frac{1}{2}\log_3 2}{\log_3 5}=\frac{1}{2}$

정답_ ④

101

$a^x=b^y=3$의 각 변에 밑이 3인 로그를 취하면

$\log_3 a^x=\log_3 b^y=\log_3 3,\ x\log_3 a=y\log_3 b=1$

이므로

$\log_3 a=\frac{1}{x},\ \log_3 b=\frac{1}{y}$

$\therefore \log_{ab}b^3=\frac{\log_3 b^3}{\log_3 ab}=\frac{3\log_3 b}{\log_3 a+\log_3 b}$

$=\frac{\frac{3}{y}}{\frac{1}{x}+\frac{1}{y}}=\frac{3x}{x+y}$

정답_ ③

102

구하려는 로그의 밑이 a이므로 $a^4b^5=1$의 양변에 밑이 a인 로그를 취하면

$\log_a a^4b^5=\log_a 1,\ \log_a a^4+\log_a b^5=0$

$4+5\log_a b=0$

$\therefore \log_a b=-\frac{4}{5}$

$\therefore \log_a a^5b^4=\log_a a^5+\log_a b^4=5+4\log_a b$

$=5+4\cdot\left(-\frac{4}{5}\right)=\frac{9}{5}$

정답_ ①

103

구하려는 로그의 밑이 x이므로 $x^3=y^2$의 양변에 밑이 x인 로그를 취하면

$\log_x x^3=\log_x y^2,\ 3=2\log_x y$

$\therefore \log_x y=\frac{3}{2}$

$\therefore \log_x\frac{x^2}{y^3}=\log_x x^2-\log_x y^3=2-3\log_x y$

$=2-3\cdot\frac{3}{2}=-\frac{5}{2}$

정답_ ①

104

16과 8이 둘 다 2의 거듭제곱임에 착안하여 주어진 식의 각 변에 밑이 2인 로그를 취한다.

$3^a=16$에서 $\log_2 3^a=\log_2 16,\ \log_2 3^a=\log_2 2^4$

$a\log_2 3=4 \quad \therefore \frac{4}{a}=\log_2 3$ ······ ㉠

$6^b=8$에서 $\log_2 6^b=\log_2 8,\ \log_2 6^b=\log_2 2^3$

$b\log_2 6=3 \quad \therefore \frac{3}{b}=\log_2 6$ ······ ㉡

㉠, ㉡에 의해

$\frac{4}{a}-\frac{3}{b}=\log_2 3-\log_2 6=\log_2\frac{3}{6}$

$=\log_2\frac{1}{2}=-1$

정답_ ①

다른 풀이

$p^x=q$의 양변에 $\frac{1}{x}$제곱을 하면 $p=q^{\frac{1}{x}}$임을 이용한다.

$3^a=16$에서 $3=16^{\frac{1}{a}}=(2^4)^{\frac{1}{a}}$ $\quad\therefore 3=2^{\frac{4}{a}}$ ······ ㉠

$6^b=8$에서 $6=8^{\frac{1}{b}}=(2^3)^{\frac{1}{b}}$ $\quad\therefore 6=2^{\frac{3}{b}}$ ······ ㉡

㉠÷㉡을 하면 $\frac{3}{6}=\frac{2^{\frac{4}{a}}}{2^{\frac{3}{b}}}$

$\frac{1}{2}=2^{\frac{4}{a}-\frac{3}{b}}$, $2^{-1}=2^{\frac{4}{a}-\frac{3}{b}}$

$\therefore \frac{4}{a}-\frac{3}{b}=-1$

105

4와 8이 둘 다 2의 거듭제곱임에 착안하여 주어진 식의 각 변에 밑이 2인 로그를 취한다.

$\left(\frac{1}{5}\right)^x=4$에서 $\log_2\left(\frac{1}{5}\right)^x=\log_2 4$, $\log_2\left(\frac{1}{5}\right)^x=\log_2 2^2$

$x\log_2\frac{1}{5}=2$ $\quad\therefore \frac{2}{x}=\log_2\frac{1}{5}$ ······ ㉠

$30^y=8$에서 $\log_2 30^y=\log_2 8$, $\log_2 30^y=\log_2 2^3$

$y\log_2 30=3$ $\quad\therefore \frac{3}{y}=\log_2 30$ ······ ㉡

㉠, ㉡에 의해

$\frac{2}{x}+\frac{3}{y}=\log_2\frac{1}{5}+\log_2 30$

$=\log_2\left(\frac{1}{5}\cdot 30\right)=\log_2 6$

$\therefore 2^{\frac{2}{x}+\frac{3}{y}}=2^{\log_2 6}=6$ 정답_⑤

다른 풀이

$p^x=q$의 양변에 $\frac{1}{x}$제곱을 하면 $p=q^{\frac{1}{x}}$임을 이용한다.

$\left(\frac{1}{5}\right)^x=4$에서 $\frac{1}{5}=4^{\frac{1}{x}}=(2^2)^{\frac{1}{x}}$

$\therefore \frac{1}{5}=2^{\frac{2}{x}}$ ······ ㉠

$30^y=8$에서 $30=8^{\frac{1}{y}}=(2^3)^{\frac{1}{y}}$

$\therefore 30=2^{\frac{3}{y}}$ ······ ㉡

㉠×㉡을 하면 $\frac{1}{5}\cdot 30=2^{\frac{2}{x}}\times 2^{\frac{3}{y}}$

$\therefore 2^{\frac{2}{x}+\frac{3}{y}}=6$

106

36이 6의 거듭제곱임에 착안하여 주어진 식의 각 변에 밑이 6인 로그를 취한다.

$8^a=\frac{1}{36}$에서 $\log_6 8^a=\log_6\frac{1}{36}$, $\log_6 8^a=\log_6 6^{-2}$

$a\log_6 8=-2$ $\quad\therefore \frac{1}{a}=-\frac{\log_6 8}{2}$ ······ ㉠

$27^b=\frac{1}{36}$에서 $\log_6 27^b=\log_6\frac{1}{36}$, $\log_6 27^b=\log_6 6^{-2}$

$b\log_6 27=-2$ $\quad\therefore \frac{1}{b}=-\frac{\log_6 27}{2}$ ······ ㉡

㉠, ㉡에 의해

$\frac{a+b}{ab}=\frac{1}{a}+\frac{1}{b}=\left(-\frac{\log_6 8}{2}\right)+\left(-\frac{\log_6 27}{2}\right)$

$=-\frac{\log_6 8+\log_6 27}{2}=-\frac{\log_6(8\cdot 27)}{2}$

$=-\frac{\log_6 6^3}{2}=-\frac{3}{2}$ 정답_①

다른 풀이

$p^x=q$의 양변에 $\frac{1}{x}$제곱을 하면 $p=q^{\frac{1}{x}}$임을 이용한다.

$8^a=\frac{1}{36}$에서 $8=\left(\frac{1}{36}\right)^{\frac{1}{a}}$ ······ ㉠

$27^b=\frac{1}{36}$에서 $27=\left(\frac{1}{36}\right)^{\frac{1}{b}}$ ······ ㉡

㉠×㉡을 하면 $8\times 27=\left(\frac{1}{36}\right)^{\frac{1}{a}}\times\left(\frac{1}{36}\right)^{\frac{1}{b}}$

$216=\left(\frac{1}{36}\right)^{\frac{1}{a}+\frac{1}{b}}$, $6^3=6^{-2\left(\frac{1}{a}+\frac{1}{b}\right)}$

$3=-2\left(\frac{1}{a}+\frac{1}{b}\right)$, $-\frac{3}{2}=\frac{1}{a}+\frac{1}{b}$

$\therefore \frac{a+b}{ab}=\frac{1}{a}+\frac{1}{b}=-\frac{3}{2}$

107

$2^x=24$에서 $x=\log_2 24=\log_2(2^3\cdot 3)=3+\log_2 3$

$3^y=24$에서 $y=\log_3 24=\log_3(2^3\cdot 3)=1+3\log_3 2$

$\therefore (x-3)(y-1)=(3+\log_2 3-3)(1+3\log_3 2-1)$

$=\log_2 3\times 3\log_3 2$

$=\frac{\log_{10}3}{\log_{10}2}\times\frac{3\log_{10}2}{\log_{10}3}$

$=3$ 정답_③

108

1000이 10의 거듭제곱임에 착안하여 주어진 식의 각 변에 밑이 10인 로그를 취한다.

$(20.4)^a=1000$에서 $\log_{10}(20.4)^a=\log_{10}10^3$

$a\log_{10}20.4=3$ $\quad\therefore \frac{1}{a}=\frac{\log_{10}20.4}{3}$ ······ ㉠

$(0.0204)^b=1000$에서 $\log_{10}(0.0204)^b=\log_{10}10^3$

$b\log_{10}0.0204=3$ $\quad\therefore \frac{1}{b}=\frac{\log_{10}0.0204}{3}$ ······ ㉡

㉠, ㉡에 의해

$\frac{1}{a}-\frac{1}{b}=\frac{\log_{10}20.4}{3}-\frac{\log_{10}0.0204}{3}$

$=\frac{\log_{10}20.4-\log_{10}0.0204}{3}$

$=\frac{\log_{10}\frac{20.4}{0.0204}}{3}=\frac{\log_{10}1000}{3}=\frac{3}{3}=1$

$\therefore \log_{10}\left(\frac{1}{a}-\frac{1}{b}\right)=\log_{10}1=0$ 정답_③

다른 풀이

$p^x=q$의 양변에 $\frac{1}{x}$제곱을 하면 $p=q^{\frac{1}{x}}$임을 이용한다.

$(20.4)^a=1000$에서 $20.4=1000^{\frac{1}{a}}$ ……㉠

$(0.0204)^b=1000$에서 $0.0204=1000^{\frac{1}{b}}$ ……㉡

㉠÷㉡을 하면 $\frac{20.4}{0.0204}=\frac{1000^{\frac{1}{a}}}{1000^{\frac{1}{b}}}$, $1000=1000^{\frac{1}{a}-\frac{1}{b}}$

$\frac{1}{a}-\frac{1}{b}=1$ $\therefore \log_{10}\left(\frac{1}{a}-\frac{1}{b}\right)=\log_{10}1=0$

109

$2^x=9^y=18^z=k$로 놓고, 각 변에 밑이 10인 로그를 취하면

$\log_{10}2^x=\log_{10}9^y=\log_{10}18^z=\log_{10}k$

$x\log_{10}2=y\log_{10}9=z\log_{10}18=\log_{10}k$

$\therefore \frac{1}{x}=\frac{\log_{10}2}{\log_{10}k}$, $\frac{1}{y}=\frac{\log_{10}9}{\log_{10}k}$, $\frac{1}{z}=\frac{\log_{10}18}{\log_{10}k}$

$$\begin{aligned}\therefore \frac{1}{x}+\frac{1}{y}-\frac{1}{z}&=\frac{\log_{10}2}{\log_{10}k}+\frac{\log_{10}9}{\log_{10}k}-\frac{\log_{10}18}{\log_{10}k}\\&=\frac{\log_{10}2+\log_{10}9-\log_{10}18}{\log_{10}k}\\&=\frac{\log_{10}\frac{2\cdot 9}{18}}{\log_{10}k}=\frac{\log_{10}1}{\log_{10}k}=0\end{aligned}$$

정답_③

다른 풀이

$2^x=9^y=18^z=k$로 놓으면

$2^x=k$에서 $2=k^{\frac{1}{x}}$ ……㉠

$9^y=k$에서 $9=k^{\frac{1}{y}}$ ……㉡

$18^z=k$에서 $18=k^{\frac{1}{z}}$ ……㉢

㉠×㉡÷㉢을 하면 $\frac{2\times 9}{18}=\frac{k^{\frac{1}{x}}\times k^{\frac{1}{y}}}{k^{\frac{1}{z}}}$

$k^{\frac{1}{x}+\frac{1}{y}-\frac{1}{z}}=1$ $\therefore \frac{1}{x}+\frac{1}{y}-\frac{1}{z}=0$

110

$a^x=b^y=c^z=k$로 놓고, 각 변에 밑이 10인 로그를 취하면

$\log_{10}a^x=\log_{10}b^y=\log_{10}c^z=\log_{10}k$

$x\log_{10}a=y\log_{10}b=z\log_{10}c=\log_{10}k$

$\therefore \frac{1}{x}=\frac{\log_{10}a}{\log_{10}k}$, $\frac{1}{y}=\frac{\log_{10}b}{\log_{10}k}$, $\frac{1}{z}=\frac{\log_{10}c}{\log_{10}k}$

$$\begin{aligned}\therefore \frac{1}{x}+\frac{2}{y}+\frac{3}{z}&=\frac{\log_{10}a}{\log_{10}k}+\frac{2\log_{10}b}{\log_{10}k}+\frac{3\log_{10}c}{\log_{10}k}\\&=\frac{\log_{10}a+\log_{10}b^2+\log_{10}c^3}{\log_{10}k}\\&=\frac{\log_{10}ab^2c^3}{\log_{10}k}=\frac{\log_{10}1}{\log_{10}k}=0 \quad \Leftarrow ab^2c^3=1\end{aligned}$$

정답_③

다른 풀이

$a^x=b^y=c^z=k$로 놓으면

$a^x=k$에서 $a=k^{\frac{1}{x}}$ ……㉠

$b^y=k$에서 $b=k^{\frac{1}{y}}$ ……㉡

$c^z=k$에서 $c=k^{\frac{1}{z}}$ ……㉢

㉠, ㉡, ㉢을 $ab^2c^3=1$에 대입하면

$k^{\frac{1}{x}}\times(k^{\frac{1}{y}})^2\times(k^{\frac{1}{z}})^3=1$, $k^{\frac{1}{x}}\times k^{\frac{2}{y}}\times k^{\frac{3}{z}}=1$

$k^{\frac{1}{x}+\frac{2}{y}+\frac{3}{z}}=1$ $\therefore \frac{1}{x}+\frac{2}{y}+\frac{3}{z}=0$

111

$x^2-6x+2=0$의 두 근이 α, β이므로 이차방정식의 근과 계수의 관계에 의해 $\alpha+\beta=6$, $\alpha\beta=2$

$$\begin{aligned}\therefore \log_3(\alpha+1)+\log_3(\beta+1)&=\log_3(\alpha+1)(\beta+1)\\&=\log_3(\alpha\beta+\alpha+\beta+1)\\&=\log_3(2+6+1)\\&=\log_3 9=\log_3 3^2=2\end{aligned}$$

정답_②

112

$x^2-3x+1=0$의 두 근이 $\log_2 a$, $\log_2 b$이므로 이차방정식의 근과 계수의 관계에 의해

$\log_2 a+\log_2 b=3$, $\log_2 a\cdot\log_2 b=1$

$$\begin{aligned}\therefore \log_a b+\log_b a&=\frac{\log_2 b}{\log_2 a}+\frac{\log_2 a}{\log_2 b}\\&=\frac{(\log_2 b)^2+(\log_2 a)^2}{\log_2 a\cdot\log_2 b}\\&=\frac{(\log_2 a+\log_2 b)^2-2\log_2 a\cdot\log_2 b}{\log_2 a\cdot\log_2 b}\\&=\frac{3^2-2\cdot 1}{1}=7\end{aligned}$$

정답_②

113

① 주어진 관계식은 무엇인가?

$v=150\log_{10}d+100$

② 주어진 값은 무엇인가?

$v=250$

③ 구하는 값은 무엇인가?

d km

$v=150\log_{10}d+100$에서 $v=250$이므로

$250=150\log_{10}d+100$, $150\log_{10}d=150$

$\log_{10}d=1$ $\therefore d=10(\text{km})$ 정답_③

114

① 주어진 관계식은 무엇인가?

$t=\frac{1}{k}\log_2\frac{T-T_s}{T_0-T_s}$

② 주어진 값은 무엇인가?

$T_s=20$, $T_0=100$, $t=10$, $T=60$

③ 구하는 값은 무엇인가?

k

$t=\frac{1}{k}\log_2\frac{T-T_s}{T_0-T_s}$에서 $T_s=20$, $T_0=100$, $t=10$, $T=60$이므로

$10=\frac{1}{k}\log_2\frac{60-20}{100-20}$, $10=\frac{1}{k}\log_2\frac{1}{2}$

$10k=\log_2 2^{-1}=-1 \quad \therefore k=-\frac{1}{10}$ 정답_ ③

115

① 주어진 관계식은 무엇인가?

$\log_{10}Q_t-\log_{10}Q_0=kt$

② 주어진 값은 무엇인가?

$Q_a=\frac{1}{4}Q_0$, $Q_b=\frac{1}{10}Q_0$, $Q_{2a+b}=\frac{Q_0}{p}$

③ 구하는 값은 무엇인가?

p

(i) $t=a$일 때, $\log_{10}Q_a-\log_{10}Q_0=ak$

$Q_a=\frac{1}{4}Q_0$이므로 $\log_{10}\frac{Q_0}{4}-\log_{10}Q_0=ak$

$\therefore \log_{10}\frac{1}{4}=ak$

(ii) $t=b$일 때, $\log_{10}Q_b-\log_{10}Q_0=bk$

$Q_b=\frac{1}{10}Q_0$이므로 $\log_{10}\frac{Q_0}{10}-\log_{10}Q_0=bk$

$\therefore \log_{10}\frac{1}{10}=bk$

(iii) $t=2a+b$일 때, $\log_{10}Q_{2a+b}-\log_{10}Q_0=(2a+b)k$

$Q_{2a+b}=\frac{Q_0}{p}$이므로 $\log_{10}\frac{Q_0}{p}-\log_{10}Q_0=(2a+b)k$

$\therefore \log_{10}\frac{1}{p}=(2a+b)k$ ……㉠

이때,

$(2a+b)k=2ak+bk=2\log_{10}\frac{1}{4}+\log_{10}\frac{1}{10}$

$=\log_{10}\frac{1}{16}+\log_{10}\frac{1}{10}=\log_{10}\left(\frac{1}{16}\cdot\frac{1}{10}\right)$

$=\log_{10}\frac{1}{160}$ ……㉡

이므로 ㉠, ㉡에 의해 $p=160$ 정답_ 160

116

밑이 없으면 밑에 10이 숨어 있는 것이다.

$\log 10^n=\log_{10}10^n=n\log_{10}10=n$

(1) $\log 1000=\log_{10}10^3=3\log_{10}10=3$

(2) $\log 0.0001=\log_{10}\frac{1}{10000}=\log_{10}10^{-4}=-4$

(3) $\log\sqrt{0.1}=\log_{10}(10^{-1})^{\frac{1}{2}}=\log_{10}10^{-\frac{1}{2}}=-\frac{1}{2}$

(4) $\log\frac{1}{\sqrt[3]{100}}=\log_{10}\frac{1}{\sqrt[3]{10^2}}=\log_{10}10^{-\frac{2}{3}}=-\frac{2}{3}$

정답_ (1) 3 (2) -4 (3) $-\frac{1}{2}$ (4) $-\frac{2}{3}$

117

$\log 2$, $\log 3$으로부터 $\log 7$을 제외한 1에서 9까지의 자연수에 대한 상용로그의 값을 구할 수 있다.

(1) $\log 1=0$

(2) $\log 4=\log 2^2=2\log 2=2\times 0.3010=0.6020$

(3) $\log 5=\log\frac{10}{2}=\log 10-\log 2$

$=1-0.3010=0.6990$

(4) $\log 6=\log(2\cdot 3)=\log 2+\log 3$

$=0.3010+0.4771=0.7781$

(5) $\log 8=\log 2^3=3\log 2=3\times 0.3010=0.9030$

(6) $\log 9=\log 3^2=2\log 3=2\times 0.4771=0.9542$

정답_ (1) 0 (2) 0.6020 (3) 0.6990 (4) 0.7781 (5) 0.9030 (6) 0.9542

118

(1) $\log 258=\log(2.58\times 100)=\log(2.58\times 10^2)$

$=\log 2.58+\log 10^2=0.4116+2$

$=2.4116$

(2) $\log 25800=\log(2.58\times 10000)=\log(2.58\times 10^4)$

$=\log 2.58+\log 10^4=0.4116+4$

$=4.4116$

(3) $\log 0.258=\log(2.58\times 10^{-1})=\log 2.58+\log 10^{-1}$

$=0.4116-1=-0.5884$

(4) $\log 0.0258=\log(2.58\times 10^{-2})=\log 2.58+\log 10^{-2}$

$=0.4116-2=-1.5884$

정답_ (1) 2.4116 (2) 4.4116 (3) -0.5884 (4) -1.5884

119

$a=\log(1+\sqrt{2})$에서 $10^a=1+\sqrt{2}$

$\therefore \frac{10^a+10^{-a}}{10^a-10^{-a}}=\frac{1+\sqrt{2}+\frac{1}{1+\sqrt{2}}}{1+\sqrt{2}-\frac{1}{1+\sqrt{2}}}$

$=\frac{1+\sqrt{2}+(\sqrt{2}-1)}{1+\sqrt{2}-(\sqrt{2}-1)}$

$=\frac{2\sqrt{2}}{2}=\sqrt{2}$ 정답_ ③

120

100달러에서 시작하여 매년 10 %씩 증가하므로 n년 후의 1인당 국민소득은

$100(1+0.1)^n$

n년 후의 1인당 국민소득이 10000달러이면

$100(1+0.1)^n=10000$

$\therefore 1.1^n=10^2$

양변에 상용로그를 취하면

$\log 1.1^n=\log 10^2$

$\therefore n\log 1.1=2$

이때

$\log 1.1=\log \frac{11}{10}=\log 11-\log 10$

$=1.04-1=0.04$

이므로

$0.04n=2 \qquad \therefore n=\frac{2}{0.04}=50$

따라서 50년 후에 1인당 국민소득이 10000달러가 된다.

정답_ ③

121

공전주기가 135년이므로

$135^2=d^3$

양변에 상용로그를 취하면

$2\log 135=3\log d$

$2(\log 1.35+\log 100)=3\log d$

$\log 1.35=0.130$이므로

$2(0.130+2)=3\log d,\ 4.260=3\log d$

$\therefore \log d=1.420$

$\log 26.3=1.420$이므로

$\log d=\log 26.3 \qquad \therefore d=26.3$

정답_ ③

122

처음 박테리아의 수를 A라 하고, 20시간이 지난 후 박테리아의 수를 처음의 k배라고 하면 매시간 16 %씩 증가하므로

$A(1+0.16)^{20}=kA$

$\therefore k=1.16^{20}$

주어진 표에서 $\log 1.16=0.0645$이므로

$\log k=20\log 1.16=20\times 0.0645$

$=1.2900$

주어진 표에서 $\log 1.95=0.2900$이므로

$1.29=1+0.29$

$=1+\log 1.95$

$=\log(10\times 1.95)=\log 19.5$

따라서 $\log k=\log 19.5$이므로 $k=19.5$

정답_ ⑤

123

밑의 조건에 의해 $x-1>0,\ x-1\neq 1$이므로

$x>1,\ x\neq 2$

$\therefore 1<x<2$ 또는 $x>2$ …… ㉠

…… ❶

진수의 조건에 의해 $-x^2-4x+12>0$

$x^2+4x-12<0,\ (x+6)(x-2)<0$

$\therefore -6<x<2$ …… ㉡

…… ❷

㉠, ㉡의 공통부분을 구하면

$1<x<2$ …… ❸

따라서 $a=1,\ b=2$이므로 $a+b=3$ …… ❹

정답_ 3

단계	채점 기준	비율
❶	밑의 조건 구하기	30%
❷	진수의 조건 구하기	30%
❸	x의 값의 범위 구하기	20%
❹	$a+b$의 값 구하기	20%

124

$(\log_a b+\log_b a)+(\log_b c+\log_c b)+(\log_c a+\log_a c)$

$=(\log_a b+\log_a c)+(\log_b a+\log_b c)+(\log_c a+\log_c b)$

$=\log_a bc+\log_b ac+\log_c ab$ …… ❶

$=\log_a \frac{1}{a}+\log_b \frac{1}{b}+\log_c \frac{1}{c}$ …… ❷

$=-1-1-1=-3$ …… ❸

정답_ −3

단계	채점 기준	비율
❶	로그의 성질을 이용하여 주어진 식을 간단히 하기	40%
❷	$abc=1$을 이용하여 주어진 식을 간단히 하기	40%
❸	주어진 식의 값 구하기	20%

125

$8<10<16$에서 $\log_2 8<\log_2 10<\log_2 16$

$3<\log_2 10<4 \qquad \therefore \log_2 10=3.\times\times\times$

$\log_2 10$의 정수 부분은 $x=3$

$\log_2 10$의 소수 부분은 정수 부분을 뺀 수이므로

$y=\log_2 10-3$

$=\log_2 10-\log_2 8$

$=\log_2 \frac{10}{8}=\log_2 \frac{5}{4}$ …… ❶

$\therefore 2^y-2^{-y}=2^{\log_2 \frac{5}{4}}-2^{-\log_2 \frac{5}{4}}$

$=2^{\log_2 \frac{5}{4}}-2^{\log_2 \left(\frac{5}{4}\right)^{-1}}$

$=\frac{5}{4}-\left(\frac{5}{4}\right)^{-1}=\frac{5}{4}-\frac{4}{5}=\frac{9}{20}$ …… ❷

$$\therefore \frac{2^y-2^{-y}}{2^x+2^{-x}}=\frac{\frac{9}{20}}{2^3+2^{-3}}=\frac{\frac{9}{20}}{8+\frac{1}{8}}$$

$$=\frac{\frac{9}{20}}{\frac{65}{8}}=\frac{18}{325}$$ ❸

정답_ $\frac{18}{325}$

단계	채점 기준	비율
❶	x, y의 값 구하기	40%
❷	2^y-2^{-y}의 값 구하기	30%
❸	$\frac{2^y-2^{-y}}{2^x+2^{-x}}$의 값 구하기	30%

126

$a^2=b^3=c^5$의 각 변에 밑이 a인 로그를 취하면

$\log_a a^2=\log_a b^3=\log_a c^5$, $2=3\log_a b=5\log_a c$

$\therefore \log_a b=\frac{2}{3}$, $\log_a c=\frac{2}{5}$ …… ㉠

❶

$a^2=b^3=c^5$의 각 변에 밑이 b인 로그를 취하면

$\log_b a^2=\log_b b^3=\log_b c^5$, $2\log_b a=3=5\log_b c$

$\therefore \log_b a=\frac{3}{2}$, $\log_b c=\frac{3}{5}$ …… ㉡

❷

$a^2=b^3=c^5$의 각 변에 밑이 c인 로그를 취하면

$\log_c a^2=\log_c b^3=\log_c c^5$, $2\log_c a=3\log_c b=5$

$\therefore \log_c a=\frac{5}{2}$, $\log_c b=\frac{5}{3}$ …… ㉢

❸

㉠, ㉡, ㉢에서 가장 큰 수의 값은 $\log_c a=\frac{5}{2}$ ❹

정답_ $\frac{5}{2}$

단계	채점 기준	비율
❶	$\log_a b$, $\log_a c$의 값 구하기	30%
❷	$\log_b a$, $\log_b c$의 값 구하기	30%
❸	$\log_c a$, $\log_c b$의 값 구하기	30%
❹	가장 큰 수의 값 구하기	10%

127

$2^a=4^b=5^c=10$의 각 변에 밑이 10인 로그를 취하면

$\log_{10} 2^a=\log_{10} 4^b=\log_{10} 5^c=1$ ❶

$a\log_{10} 2=b\log_{10} 4=c\log_{10} 5=1$

$\therefore \frac{1}{a}=\log_{10} 2$, $\frac{1}{b}=\log_{10} 4$, $\frac{1}{c}=\log_{10} 5$ ❷

$$\therefore \frac{1}{a}-\frac{1}{b}-\frac{1}{c}=\log_{10} 2-\log_{10} 4-\log_{10} 5$$

$$=\log_{10}\frac{2}{4\cdot 5}=\log_{10}\frac{1}{10}=-1$$ ❸

정답_ -1

단계	채점 기준	비율
❶	$2^a=4^b=5^c=10$의 각 변에 밑이 10인 로그 취하기	20%
❷	$\frac{1}{a}$, $\frac{1}{b}$, $\frac{1}{c}$의 값 구하기	40%
❸	$\frac{1}{a}-\frac{1}{b}-\frac{1}{c}$의 값 구하기	40%

128

$x^2-7x+7=0$의 두 근이 α, β이므로 이차방정식의 근과 계수의 관계에 의해

$\alpha+\beta=7$, $\alpha\beta=7$ ❶

$$\therefore p=\frac{5}{\alpha^2+\beta^2}=\frac{5}{(\alpha+\beta)^2-2\alpha\beta}$$

$$=\frac{5}{7^2-2\cdot 7}$$

$$=\frac{5}{35}=7^{-1}$$ ❷

$$\therefore \log_p \alpha+\log_p \beta=\log_p \alpha\beta=\log_{7^{-1}} 7$$

$$=-\log_7 7=-1$$ ❸

정답_ -1

단계	채점 기준	비율
❶	$\alpha+\beta$, $\alpha\beta$의 값 구하기	30%
❷	p의 값 구하기	30%
❸	$\log_p \alpha+\log_p \beta$의 값 구하기	40%

129

100만 원에 구입한 골동품의 가격이 매년 a %씩 증가하여 14년 후에는 173만 원이 되었으므로

$100\times\left(1+\frac{a}{100}\right)^{14}=173$

$\therefore \left(1+\frac{a}{100}\right)^{14}=1.73$ …… ㉠

❶

㉠의 양변에 상용로그를 취하면

$14\log\left(1+\frac{a}{100}\right)=\log 1.73$

상용로그표에서 $\log 1.73=0.238$이므로

$\log\left(1+\frac{a}{100}\right)=\frac{0.238}{14}=0.017$

이때, 상용로그표에서 $\log 1.04=0.017$이므로

$1+\frac{a}{100}=1.04$

$\therefore a=4$ ❷

정답_ 4

단계	채점 기준	비율
❶	주어진 조건을 식으로 나타내기	40%
❷	a의 값 구하기	60%

130

$\log_{x-3}(-x^2+2x+8)$이 정의되려면

밑의 조건에 의해 $x-3>0$, $x-3\neq1$

$x>3$, $x\neq4$

$\therefore 3<x<4$ 또는 $x>4$ ……㉠

진수의 조건에 의해 $-x^2+2x+8>0$

$x^2-2x-8<0$, $(x+2)(x-4)<0$

$\therefore -2<x<4$ ……㉡

㉠, ㉡의 공통부분을 구하면

$3<x<4$ ……㉢

이차항의 계수가 1이고 ㉢을 해로 갖는 이차부등식은

$(x-3)(x-4)<0$, $x^2-7x+12<0$

따라서 $a=-7$, $b=12$이므로

$b-a=12-(-7)=19$ 정답_ 19

131

ㄱ은 옳다.

$2^{2^2}=2^4=16$, $(2^2)^2=4^2=16$

$\therefore a^{a^a}=(a^a)^a$

ㄴ은 옳지 않다.

$a^8=8^{8^8}=8^{8^7\cdot8}=(8^{8^7})^8$

$\therefore a=8^{8^7}$

ㄷ도 옳다.

$\log_{\frac{1}{2}}(\log_2 8^{8^8})=\log_{\frac{1}{2}}(8^8\log_2 8)=\log_{\frac{1}{2}}(2^{24}\cdot3)$

$=\log_{2^{-1}}2^{24}+\log_{2^{-1}}3$

$=-24-\log_2 3$

따라서 옳은 것은 ㄱ, ㄷ이다. 정답_ ③

132

(가)에서 $\sqrt[3]{xy}=a^b$ $\therefore xy=(a^b)^3=a^{3b}$

(나)에서 $\sqrt{b^{x+y}}=(\sqrt{b})^a$

양변을 제곱하면 $b^{x+y}=(\sqrt{b})^{2a}=b^a$ $\therefore x+y=a$

$\therefore \log_a(x^2y+xy^2)=\log_a xy(x+y)$

$=\log_a(a^{3b}\cdot a)$

$=\log_a a^{3b+1}=3b+1$ 정답_ ②

133

a, b는 선분으로 연결된 이웃한 세 개의 수의 평균이므로

(i) $a=\dfrac{b+\log_3\frac{1}{2}+\log_{\frac{1}{2}}4}{3}$

이때, $\log_{\frac{1}{2}}4=\log_{2^{-1}}2^2=-2\log_2 2=-2$이므로

$3a=b+\log_3\dfrac{1}{2}-2$ ……㉠

(ii) $b=\dfrac{a+\log_3 54+4^{\log_2\sqrt{7}}}{3}$

이때, $4^{\log_2\sqrt{7}}=2^{2\log_2\sqrt{7}}=2^{\log_2 7}=7$이므로

$3b=a+\log_3 54+7$ ……㉡

㉠+㉡을 하면

$3(a+b)=a+b+\log_3\dfrac{1}{2}+\log_3 54+5$

이때, $\log_3\dfrac{1}{2}+\log_3 54=\log_3\left(\dfrac{1}{2}\cdot54\right)=\log_3 27=3$이므로

$3(a+b)=a+b+3+5$

$2(a+b)=8$ $\therefore a+b=4$ 정답_ ①

134

$ab=\log_2 3\cdot\log_3 5=\log_2 3\cdot\dfrac{\log_2 5}{\log_2 3}=\log_2 5$

$abc=ab\times\log_5 7=\log_2 5\times\dfrac{\log_2 7}{\log_2 5}=\log_2 7$

이므로

$\dfrac{2ab}{1+a+abc}=\dfrac{2\log_2 5}{\log_2 2+\log_2 3+\log_2 7}$

$=\dfrac{\log_2 5^2}{\log_2(2\cdot3\cdot7)}$

$=\dfrac{\log_2 25}{\log_2 42}$

$=\log_{42}25$

$\therefore N=25$ 정답_ 25

135

$b=a^{a^3}$에서 양변에 밑이 a인 로그를 취하면

$\log_a b=\log_a a^{a^3}=a^3$ $\therefore \log_b a=\dfrac{1}{a^3}=a^{-3}$

$p=\log_{10}(\log_b a)=\log_{10}a^{-3}=-3\log_{10}a$

$q=a^{\log_a(\log_{10}a)}=\log_{10}a$

$\therefore \dfrac{p}{q}=\dfrac{-3\log_{10}a}{\log_{10}a}=-3$ 정답_ ①

136

$2^a=5^b=k$로 놓으면 $a=\log_2 k$, $b=\log_5 k$

$\dfrac{1}{a}=\log_k 2$, $\dfrac{1}{b}=\log_k 5$

$a+b=2ab$의 양변을 ab로 나누면

$\dfrac{1}{a}+\dfrac{1}{b}=2$, $\log_k 2+\log_k 5=2$, $\log_k(2\cdot5)=2$

$\log_k 10=2$, $k=\sqrt{10}$ $\therefore k^2=10$

$\therefore 8^a\times5^b=2^{3a}\times5^b=2^{3a}\times2^a=2^{4a}=(2^a)^4=k^4$

$=(k^2)^2=10^2=100$ 정답_ 100

137

$64<65<128$에서 $\log_2 64<\log_2 65<\log_2 128$

$\log_2 2^6 < \log_2 65 < \log_2 2^7$, $6 < \log_2 65 < 7$

$\therefore \log_2 65 = 6.\times\times\times$

따라서 $\log_2 65$의 정수 부분은 6

$\log_2 65$의 소수 부분은 정수 부분을 뺀 수이므로

$a = \log_2 65 - 6$

$25 < 72 < 125$에서 $\log_5 25 < \log_5 72 < \log_5 125$

$2 < \log_5 72 < 3$

$\therefore \log_5 72 = 2.\times\times\times$

따라서 $\log_5 72$의 정수 부분은 2

$\log_5 72$의 소수 부분은 정수 부분을 뺀 수이므로

$b = \log_5 72 - 2$

$$\begin{aligned}\therefore 2^{p+a} \times 5^{q+b} &= 2^{p+\log_2 65 - 6} \times 5^{q+\log_5 72 - 2} \\ &= 2^{\log_2 65} \times 2^{p-6} \times 5^{\log_5 72} \times 5^{q-2} \\ &= 65 \times 2^{p-6} \times 72 \times 5^{q-2} \\ &= (5 \times 13) \times 2^{p-6} \times (2^3 \times 3^2) \times 5^{q-2} \\ &= (2 \times 5)^2 \times 13 \times 3^2 \times 2^{p-5} \times 5^{q-3} \\ &= 100 \times 13 \times 9 \times 2^{p-5} \times 5^{q-3}\end{aligned}$$

여기서 $2^{p+a} \times 5^{q+b}$의 값이 100의 배수가 되려면 p와 q는 $p \geq 5$, $q \geq 3$인 자연수이어야 한다.

따라서 $p+q$의 최솟값은 $5+3=8$ 정답_8

138

'도' 음의 초당 진동수가 440 Hz이므로 '도' 음보다 한 음 높은 '레' 음의 초당 진동수는

$440 \times \left(2^{\frac{1}{12}}\right)^2 = 440 \times 2^{\frac{1}{6}}$ (Hz)

$x = 2^{\frac{1}{6}}$이라 하고 양변에 상용로그를 취하면

$\log x = \frac{1}{6}\log 2 = \frac{1}{6} \times 0.30 = 0.05$

주어진 표에서 $\log 1.12 = 0.05$이므로

$x = 1.12$

따라서 구하는 '레' 음의 초당 진동수는

$440 \times 1.12 = 492.8$ (Hz) 정답_①

03 지수함수

139

ㄱ은 지수함수가 아니다.

$y = x^3$은 다항함수이다.

ㄷ은 지수함수가 아니다.

$y = \left(\frac{1}{x}\right)^2$ 은 유리함수이다.

따라서 지수함수인 것은 ㄴ, ㄹ이다. 정답_⑤

140

$f(k) = 3f(2)$에서 $2^k = 3 \cdot 2^2$

$\therefore k = \log_2(3 \cdot 2^2) = \log_2 3 + \log_2 2^2 = 2 + \log_2 3$ 정답_②

141

$$\begin{aligned}(g \circ f)(2^x) &= g(f(2^x)) = g(2^x+1) \\ &= (2^x+1)^2 - 2(2^x+1) + 1 \\ &= 2^{2x} + 2 \cdot 2^x + 1 - 2 \cdot 2^x - 2 + 1 \\ &= 2^{2x}\end{aligned}$$

$(g \circ f)(2^x) = 1$에서 $2^{2x} = 1$

$2x = 0 \quad \therefore x = 0$ 정답_③

142

$2f(x) = f(x+1) - 8f(x-1)$에서

$2a^x = a^{x+1} - 8a^{x-1}$

양변을 a^x으로 나누면 $2 = a - \frac{8}{a}$

$a^2 - 2a - 8 = 0$, $(a-4)(a+2) = 0 \quad \therefore a = 4\ (\because a > 0)$

따라서 $f(x) = a^x = 4^x$이므로

$$\begin{aligned}\log_2\{f(2)f(3)\} &= \log_2(4^2 \cdot 4^3) = \log_2 4^5 \\ &= \log_2 2^{10} = 10\end{aligned}$$

정답_⑤

143

$g(\sqrt{2}) = k$, $g\left(\frac{1}{4}\right) = l$로 놓으면

$f(k) = \sqrt{2} = 2^{\frac{1}{2}}$, $f(l) = \frac{1}{4} = 2^{-2}$이므로

$2^k = 2^{\frac{1}{2}}$, $2^l = 2^{-2} \quad \therefore k = \frac{1}{2}$, $l = -2$

$\therefore g(\sqrt{2})g\left(\frac{1}{4}\right) = \frac{1}{2} \cdot (-2) = -1$ 정답_②

144

$g(-2) = k$로 놓으면 $f(k) = -2$이므로

$\frac{3^k + 3^{-k}}{3^k - 3^{-k}} = -2$, $\frac{3^{2k}+1}{3^{2k}-1} = -2$

$3^{2k} + 1 = -2(3^{2k} - 1)$, $3 \cdot 3^{2k} = 1$, $3^{2k+1} = 1$

$2k + 1 = 0 \quad \therefore k = -\frac{1}{2}$ 정답_①

145

③ $f(3) = a^3$, $\sqrt[3]{f(6)} = \sqrt[3]{a^6} = a^{\frac{6}{3}} = a^2$

$\therefore f(3) \neq \sqrt[3]{f(6)}$ 정답_③

146

ㄱ은 옳다.

$a^x \times a^y = a^{x+y}$이므로

$f(x) \times f(y) = f(x+y)$

ㄴ도 옳다.

$a^x \div a^y = a^{x-y}$이므로

$f(x) \div f(y) = f(x-y)$

ㄷ은 옳지 않다.

$\{f(x)\}^y = (a^x)^y = a^{xy}$, $f(x^y) = a^{x^y}$이므로

$\{f(x)\}^y \neq f(x^y)$

ㄹ도 옳다.

$f(-x) = a^{-x} = (a^x)^{-1} = \frac{1}{a^x} = \frac{1}{f(x)}$이므로

$f(x) = \frac{1}{f(-x)}$

따라서 옳은 것은 ㄱ, ㄴ, ㄹ이다. 정답_③

147

ㄱ은 옳지 않다.

$f(-x) = \frac{2^{-x}+2^x}{2}$, $f\left(\frac{1}{x}\right) = \frac{2^{\frac{1}{x}}+2^{-\frac{1}{x}}}{2}$

$\therefore f(-x) \neq f\left(\frac{1}{x}\right)$

ㄴ은 옳다.

$$f(x)g(x) = \frac{2^x+2^{-x}}{2} \times \frac{2^x-2^{-x}}{2} = \frac{(2^x)^2-(2^{-x})^2}{4}$$
$$= \frac{1}{2} \times \frac{2^{2x}-2^{-2x}}{2} = \frac{1}{2}g(2x)$$

ㄷ도 옳다.

$$\{f(x)\}^2+\{g(x)\}^2 = \left(\frac{2^x+2^{-x}}{2}\right)^2 + \left(\frac{2^x-2^{-x}}{2}\right)^2$$
$$= \frac{2^{2x}+2^{-2x}+2}{4} + \frac{2^{2x}+2^{-2x}-2}{4}$$
$$= \frac{2(2^{2x}+2^{-2x})}{4}$$
$$= \frac{2^{2x}+2^{-2x}}{2} = f(2x)$$

따라서 옳은 것은 ㄴ, ㄷ이다. 정답_④

148

④ $f(x)=3^x$은 밑이 1보다 큰 지수함수이므로 x의 값이 증가하면 y의 값도 증가한다.

따라서 오른쪽 그림에서 $x_1 < x_2$이면

$f(x_1) < f(x_2)$

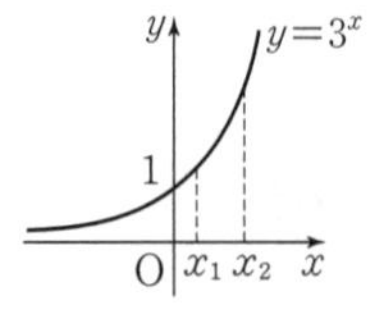

정답_④

149

함수 $y=a^{x-1}$의 그래프는 함수 $y=a^x$의 그래프를 x축의 방향으로 1만큼 평행이동한 것이므로 다음 그림과 같다.

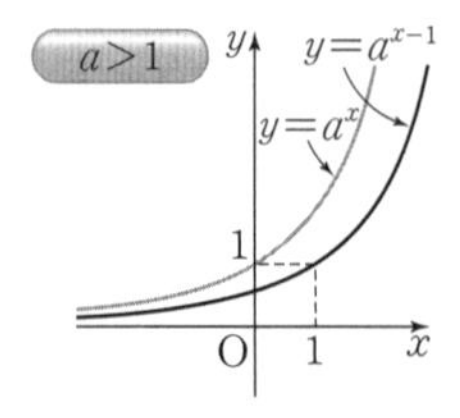

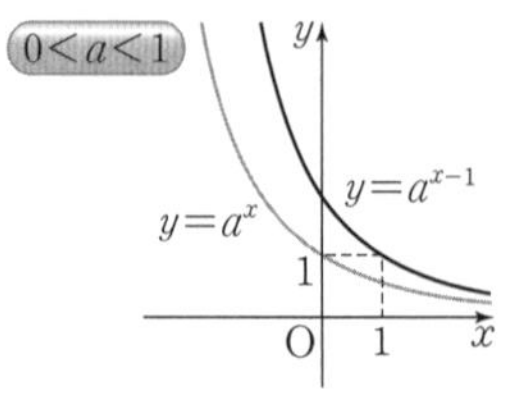

ㄷ은 옳지 않다.

함수 $y=a^{x-1}$의 그래프는 점 (1, 1)을 지난다.

따라서 옳은 것은 ㄱ, ㄴ, ㄹ이다. 정답_⑤

150

$y=f(g(x))=f\left(\frac{|x|}{2}\right)=3^{\frac{|x|}{2}}$

(i) $x \geq 0$일 때

$y=f(g(x))=3^{\frac{x}{2}}=(\sqrt{3})^x$

(ii) $x<0$일 때

$y=f(g(x))=3^{-\frac{x}{2}}=\left(\frac{1}{\sqrt{3}}\right)^x$

따라서 함수 $y=f(g(x))$의 그래프의 개형은 ②이다. 정답_②

151

ㄱ. $y=\frac{1}{2^x}=2^{-x}$이므로 $y=2^x$의 그래프를 y축에 대하여 대칭이동하면 얻을 수 있다.

ㄴ. $y=\sqrt{2^x}=(2^x)^{\frac{1}{2}}=(2^{\frac{1}{2}})^x=(\sqrt{2})^x$이므로 $y=2^x$의 그래프와 평행이동 또는 대칭이동에 의해 겹쳐질 수 없다.

ㄷ. $y=4 \cdot 2^x=2^2 \cdot 2^x=2^{x+2}$이므로 $y=2^x$의 그래프를 x축의 방향으로 -2만큼 평행이동한 것이다.

따라서 $y=2^x$의 그래프와 겹쳐질 수 있는 것은 ㄱ, ㄷ이다.

정답_③

152

함수 $y=2^x$의 그래프를 x축의 방향으로 m만큼, y축의 방향으로 n만큼 평행이동하면 $y=2^{x-m}+n$

이때, $y=2^{x-m}+n$의 그래프가 두 점 $(-2, -1)$, $(0, 5)$를 지나므로

$-1=2^{-2-m}+n$ ······㉠

$5=2^{-m}+n$ ······㉡

㉡−㉠을 하면

$2^{-m}-2^{-2-m}=6$, $2^{-m}\left(1-\frac{1}{4}\right)=6$

$2^{-m}=8=2^3$ $\therefore m=-3$

$5=2^3+n$에서 $n=-3$

$\therefore m+n=-6$ 정답_③

153

함수 $f(x)=2^x$의 그래프를 x축의 방향으로 m만큼, y축의 방향으로 n만큼 평행이동하면 함수 $y=g(x)$의 그래프가 되므로

$g(x)=2^{x-m}+n$

점 $A(1,\ f(1))$을 x축의 방향으로 m만큼, y축의 방향으로 n만큼 평행이동하면 점 $A'(3,\ g(3))$이 되므로

$1+m=3$ $\therefore m=2$

이때, $g(x)=2^{x-2}+n$이고 $y=g(x)$의 그래프가 점 $(0, 1)$을 지나므로 $2^{-2}+n=1$ $\therefore n=\frac{3}{4}$

$\therefore m+n=2+\frac{3}{4}=\frac{11}{4}$ 정답_①

154

$f(x)=x+1$이므로

$y=2^{f(x)-1}=2^{(x+1)-1}=2^x$

따라서 $y=2^{f(x)-1}$의 그래프의 개형으로 알맞은 것은 ②이다.

정답_②

155

주어진 그래프에서 $f(b)=a^b=3,\ f(c)=a^c=6$이므로

$f(b)\times f(c)=a^b\times a^c=a^{b+c}=18$

$\therefore f\left(\frac{b+c}{2}\right)=a^{\frac{b+c}{2}}=18^{\frac{1}{2}}=\sqrt{18}=3\sqrt{2}$ 정답_③

156

직선 $y=x$ 위의 점은 x좌표와 y좌표가 서로 같다.

따라서 $a=1, b=2, c=4$이므로

$a-b+c=3$

$\therefore \left(\frac{1}{2}\right)^{a-b+c}=\left(\frac{1}{2}\right)^3=\frac{1}{8}$

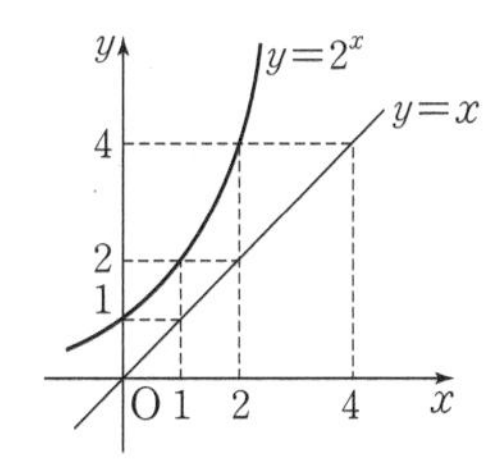

정답_①

157

두 점 P, Q의 x좌표를 각각 $\alpha, \beta(\alpha<\beta)$라고 하면

P, Q의 y좌표가 모두 7이므로 $4^\alpha=7, 2^\beta=7$

$\therefore \alpha=\log_4 7, \beta=\log_2 7$

$\therefore \overline{PQ}=\beta-\alpha=\log_2 7-\log_4 7=\frac{1}{2}\log_2 7$ 정답_①

158

점 C는 함수 $y=2^x$의 그래프 위의 점이므로 C의 x좌표를 a라고 하면 $C(a, 16)$이므로

$2^a=16$ $\therefore a=4$

따라서 □ABCD는 한 변의 길이가 4인 정사각형이다.

이때, $\overline{AD}=4$이므로 $A(0,\ 12)$

점 E는 함수 $y=2^x$의 그래프 위의 점이므로 점 E의 x좌표를 b라고 하면 $E(b, 12)$이므로

$2^b=12$ $\therefore b=\log_2 12$

$\therefore \overline{EB}=4-\log_2 12=\log_2 16-\log_2 12$

$=\log_2\frac{4}{3}$ 정답_③

159

함수 $y=3^{x+1}$의 그래프를 x축의 방향으로 3만큼 평행이동하면 함수 $y=3^{x-2}$의 그래프이다.

$\therefore \overline{AB}=3$

$\overline{AB}=\overline{AC}$이므로 $\overline{AC}=3$

점 A의 좌표를 $(a,\ 3^{a+1})$이라고 하면 점 C의 좌표는 $(a,\ 3^{a-2})$이므로

$\overline{AC}=3^{a+1}-3^{a-2}=3\cdot3^a-\frac{1}{9}\cdot3^a=\frac{26}{9}\cdot3^a=3$

$\therefore 3^a=\frac{27}{26}$

따라서 점 A의 y좌표는

$3^{a+1}=3\cdot3^a=3\times\frac{27}{26}=\frac{81}{26}$ 정답_①

160

곡선 $y=f(x)$와 곡선 $y=h(x)$는 y축에 대하여 대칭이므로

$2=f(-2)=h(2)$에서 두 점 P, R의 x좌표는 각각 $-2, 2$

점 Q의 x좌표를 α라고 하면 $\overline{PQ}=2\overline{QR}$이므로

$\alpha-(-2)=2(2-\alpha), 3\alpha=2$

$\therefore \alpha=\frac{2}{3}$

$g(\alpha)=2$에서 $b^{\frac{2}{3}}=2$

$\therefore b=2^{\frac{3}{2}}$

$\therefore g(4)=b^4=(2^{\frac{3}{2}})^4=2^6=64$ 정답_⑤

161

$A=2^{\sqrt{3}}$

$B=\sqrt[3]{16}=\sqrt[3]{2^4}=2^{\frac{4}{3}}$

$C=\sqrt[4]{256}=\sqrt[4]{2^8}=2^{\frac{8}{4}}=2^2$

이때, 밑이 1보다 크고 $\frac{4}{3}<\sqrt{3}<2$이므로

$2^{\frac{4}{3}}<2^{\sqrt{3}}<2^2$

$\therefore B<A<C$ 정답_③

162

ㄱ은 옳다.

$\sqrt{8}=\sqrt{2^3}=2^{\frac{3}{2}}, \sqrt[4]{32}=\sqrt[4]{2^5}=2^{\frac{5}{4}}$

$\frac{3}{2}>\frac{5}{4}$이므로 $2^{\frac{3}{2}}>2^{\frac{5}{4}}$ $\therefore \sqrt{8}>\sqrt[4]{32}$

ㄴ도 옳다.

$\left\{\left(\frac{1}{2}\right)^{\frac{1}{2}}\right\}^{\frac{1}{2}}=\left(\frac{1}{2}\right)^{\frac{1}{4}}, \left(\frac{1}{2}\right)^{\left(\frac{1}{2}\right)^{\frac{1}{2}}}=\left(\frac{1}{2}\right)^{\sqrt{\frac{1}{2}}}=\left(\frac{1}{2}\right)^{\frac{\sqrt{2}}{2}}$

이때, $\frac{1}{4}<\frac{\sqrt{2}}{2}$이므로 $\left\{\left(\frac{1}{2}\right)^{\frac{1}{2}}\right\}^{\frac{1}{2}}>\left(\frac{1}{2}\right)^{\left(\frac{1}{2}\right)^{\frac{1}{2}}}$

ㄷ도 옳다.

$\{(\sqrt{2})^{\sqrt{2}}\}^{\sqrt{2}}=(\sqrt{2})^2, (\sqrt{2})^{(\sqrt{2})^{\sqrt{2}}}=(\sqrt{2})^{\left(2^{\frac{1}{2}}\right)^{\sqrt{2}}}=(\sqrt{2})^{2^{\frac{\sqrt{2}}{2}}}$

이때, $1>\frac{\sqrt{2}}{2}, \sqrt{2}>1$이므로 $(\sqrt{2})^2>(\sqrt{2})^{2^{\frac{\sqrt{2}}{2}}}$

$\therefore \{(\sqrt{2})^{\sqrt{2}}\}^{\sqrt{2}}>(\sqrt{2})^{(\sqrt{2})^{\sqrt{2}}}$

따라서 옳은 것은 ㄱ, ㄴ, ㄷ이다. 정답_⑤

163

$0<a<1$에서 $a^0>a^a>a^1$

$\therefore 1>a^a>a$

$0<a<1$이고, $1>a^a>a$이므로 $a^1<a^{a^a}<a^a$

$\therefore a<a^{a^a}<a^a$ 정답_②

164

$a_{n+1}=f(a_n)$ $(n=1, 2, 3)$에서

$a_2=f(a_1), a_3=f(a_2)$,

$a_4=f(a_3)$이므로 오른쪽 그림에서 a_2, a_3, a_4 사이의 대소 관계는

$a_3<a_4<a_2$

정답_④

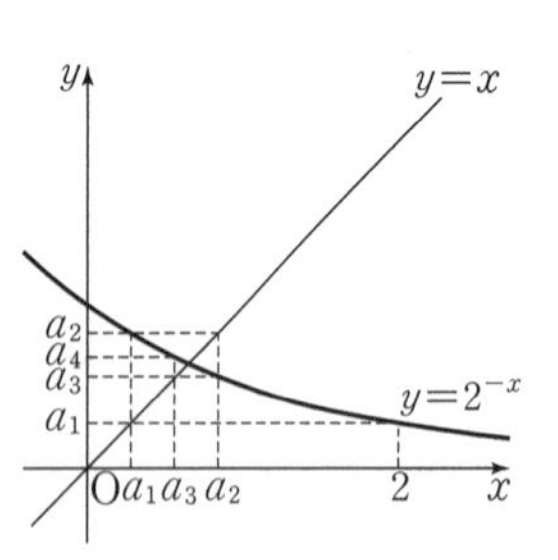

165

(1) $x=-1$일 때, $y=2^{-3}=\frac{1}{8}$

$x=1$일 때 $y=2^1=2$

따라서 최댓값은 2, 최솟값은 $\frac{1}{8}$이다.

(2) $x=0$일 때, $y=\left(\frac{1}{3}\right)^{0+1}=\left(\frac{1}{3}\right)^1=\frac{1}{3}$

$x=2$일 때, $y=\left(\frac{1}{3}\right)^{2+1}=\left(\frac{1}{3}\right)^3=\frac{1}{27}$

따라서 최댓값은 $\frac{1}{3}$, 최솟값은 $\frac{1}{27}$이다.

(3) $x=1$일 때, $y=2\cdot3^0-1=1$

$x=2$일 때, $y=2\cdot3^1-1=5$

따라서 최댓값은 5, 최솟값은 1이다.

(4) $x=-1$일 때, $y=-3\cdot2^2+1=-11$

$x=0$일 때, $y=-3\cdot2^1+1=-5$

따라서 최댓값은 -5, 최솟값은 -11이다.

정답_(1) 최댓값 : 2, 최솟값 : $\frac{1}{8}$ (2) 최댓값 : $\frac{1}{3}$, 최솟값 : $\frac{1}{27}$

(3) 최댓값 : 5, 최솟값 : 1 (4) 최댓값 : -5, 최솟값 : -11

166

함수 $f(x)$는 밑이 1보다 크므로 $x=1$일 때 최댓값을 갖는다.

즉, $M=f(1)=2$

함수 $g(x)$는 밑이 1보다 작으므로 $x=1$일 때 최솟값을 갖는다.

즉, $m=g(1)=\left(\frac{1}{2}\right)^2=\frac{1}{4}$

$\therefore Mm=2\cdot\frac{1}{4}=\frac{1}{2}$ 정답_②

167

$y=2^{x+1}\cdot3^{-(x+1)}=\left(\frac{2}{3}\right)^{x+1}$

밑이 1보다 작으므로 $x=-2$일 때 최댓값, $x=1$일 때 최솟값을 갖는다.

$\therefore M=\left(\frac{2}{3}\right)^{-1}=\frac{3}{2}, m=\left(\frac{2}{3}\right)^2=\frac{4}{9}$

$\therefore 3Mm=3\cdot\frac{3}{2}\cdot\frac{4}{9}=2$ 정답_②

168

$f(x)=a^{x-1}$에서 $f(2)=a, f(5)=a^4$

(i) $0<a<1$일 때, 최댓값은 $f(2)$, 최솟값은 $f(5)$이므로

$f(2)=27f(5)$에서 $a=27a^4, a^3=\frac{1}{27}$ $\therefore a=\frac{1}{3}$

(ii) $a>1$일 때, 최댓값은 $f(5)$, 최솟값은 $f(2)$이므로

$f(5)=27f(2)$에서 $a^4=27a, a^3=27$ $\therefore a=3$

(i), (ii)에서 구하는 모든 실수 a의 값의 곱은 $\frac{1}{3}\cdot3=1$ 정답_①

169

(1) $x^2-2x+3=(x-1)^2+2$의 최솟값은 2이고, 밑이 1보다 크므로 주어진 함수는 최솟값 $2^2=4$를 갖는다.

(2) $-x^2+2x=-(x-1)^2+1$의 최댓값은 1이고, 밑이 1보다 크므로 주어진 함수는 최댓값 $\frac{3}{2}$을 갖는다.

(3) $x^2-8x+15=(x-4)^2-1$의 최솟값은 -1이고, 밑이 1보다 작으므로 주어진 함수는 최댓값 $\left(\frac{1}{3}\right)^{-1}=3$을 갖는다.

(4) $-x^2+4x-3=-(x-2)^2+1$의 최댓값은 1이고, 밑이 1보다 작으므로 주어진 함수는 최솟값 $\frac{2}{3}$를 갖는다.

정답_ (1) 최솟값 : 4 (2) 최댓값 : $\frac{3}{2}$
(3) 최댓값 : 3 (4) 최솟값 : $\frac{2}{3}$

170

$f(x)=2^{x^2}\times\left(\frac{1}{2}\right)^{2x-3}=2^{x^2}\times2^{-2x+3}=2^{x^2-2x+3}$

밑이 1보다 크므로 지수가 최소일 때, $f(x)$도 최소가 된다.

이때, $x^2-2x+3=(x-1)^2+2$의 최솟값은 2이므로

$f(x)$의 최솟값은 $2^2=4$

정답_ ⑤

171

$a>1$이므로 지수가 최대일 때, y의 값이 최대가 된다. 이때, $-x^2+2x+3=-(x-1)^2+4$의 최댓값은 4이므로 y의 최댓값은 a^4이다.

즉, $a^4=16$이고, $a>1$이므로 $a=2$

정답_ ⑤

172

$f(x)=x^2-2x-2$로 놓고

$f(x)=(x-1)^2-3$의 그래프를 그린 후, $-2\le x\le2$의 부분만 잘라내면 오른쪽 그림과 같으므로

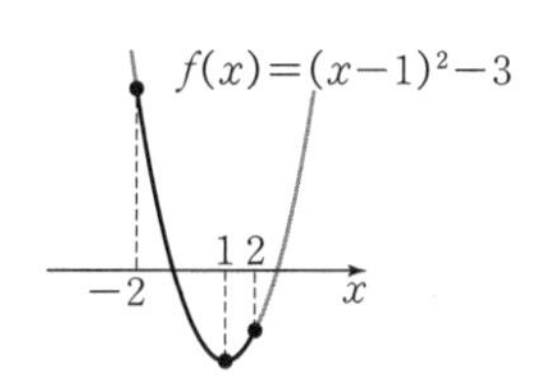

$f(x)$의 최댓값은

$f(-2)=6$

따라서 함수 $y=2^{x^2-2x-2}$은 $x=-2$일 때, 최댓값 $2^6=64$를 가지므로 $a=-2,\ b=64$

$\therefore a+b=62$

정답_ ②

173

$y=9^x-2\cdot3^{x+1}+1=(3^x)^2-6\cdot3^x+1$

$3^x=t\ (t>0)$로 놓으면

$y=t^2-6t+1=(t-3)^2-8$

따라서 $t=3$, 즉 $x=1$일 때, y는 최솟값 -8을 가지므로

$a=1,\ b=-8$

$\therefore a+b=-7$

정답_ ④

174

$y=9^x-2k\cdot3^{x+1}+3=(3^x)^2-6k\cdot3^x+3$

$3^x=t\ (t>0)$로 놓으면

$y=t^2-6kt+3=(t-3k)^2-9k^2+3$

y의 최솟값이 -6이므로 $-9k^2+3=-6,\ k^2=1$

$\therefore k=1\ (\because k>0)$

정답_ ①

175

$y=\left(\frac{1}{4}\right)^x-\left(\frac{1}{2}\right)^{x-1}+3=\left\{\left(\frac{1}{2}\right)^x\right\}^2-2\cdot\left(\frac{1}{2}\right)^x+3$

$\left(\frac{1}{2}\right)^x=t\ (t>0)$로 놓으면

$y=t^2-2t+3=(t-1)^2+2$

이때, $-2\le x\le1$이므로 $\frac{1}{2}\le t\le4$

$y=(t-1)^2+2$의 그래프를 그린 후, $\frac{1}{2}\le t\le4$의 부분만 잘라내면 오른쪽 그림과 같다.

$t=1$, 즉 $x=0$일 때 최솟값 2, $t=4$, 즉 $x=-2$일 때 최댓값 11을 가지므로

$a=0,\ b=2,\ c=-2,\ d=11$

$\therefore a+b+c+d=0+2+(-2)+11=11$

정답_ ①

176

$2^x>0,\ 2^{-x}>0$이므로 산술평균과 기하평균의 관계에 의해

$2^x+2^{-x}\ge2\sqrt{2^x\cdot2^{-x}}$

$=2$ (단, 등호는 $2^x=2^{-x}$, 즉 $x=0$일 때 성립)

따라서 주어진 함수의 최솟값은 2이다.

정답_ ②

177

$2^x>0,\ 2^y>0,\ x+y=1$이므로 산술평균과 기하평균의 관계에 의해

$2^x+2^y\ge2\sqrt{2^x\cdot2^y}=2\sqrt{2^{x+y}}$

$=2\sqrt{2}$ $\left(\text{단, 등호는 } 2^x=2^y\text{, 즉 } x=y=\frac{1}{2}\text{일 때 성립}\right)$

따라서 2^x+2^y의 최솟값은 $2\sqrt{2}$이다.

정답_ ②

178

$3^{a+x}>0,\ 3^{a-x}>0$이므로 산술평균과 기하평균의 관계에 의해

$3^{a+x}+3^{a-x}\ge2\sqrt{3^{a+x}\cdot3^{a-x}}=2\sqrt{3^{2a}}$

$=2\cdot3^a$ (단, 등호는 $3^{a+x}=3^{a-x}$, 즉 $x=0$일 때 성립)

따라서 주어진 함수의 최솟값은 $2\cdot3^a$이므로

$2\cdot3^a=18,\ 3^a=9\qquad\therefore a=2$

정답_ ②

179

$2^x+2^{-x}=t$로 놓으면

$4^x+4^{-x}=(2^x+2^{-x})^2-2=t^2-2$이므로

$y=t^2-2+6t+4=t^2+6t+2=(t+3)^2-7$

$2^x>0,\ 2^{-x}>0$이므로 산술평균과 기하평균의 관계에 의해

$t=2^x+2^{-x}$

$\ge2\sqrt{2^x\cdot2^{-x}}=2$

(단, 등호는 $2^x=2^{-x}$, 즉 $x=0$일 때 성립)

$y=(t+3)^2-7$의 그래프를 그린 후, $t\geq 2$의 부분만 잘라내면 오른쪽 그림과 같으므로 $t=2$일 때, 최솟값 18을 갖는다.

정답_ ④

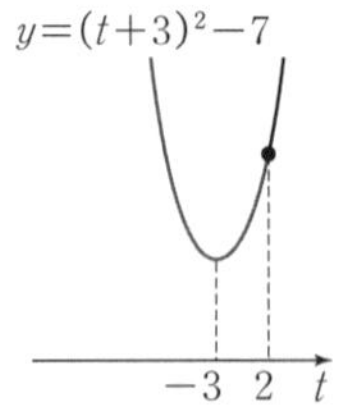

180

두 함수 $y=2^x$, $y=-\left(\frac{1}{2}\right)^x$의 그래프와 직선 $x=k$의 교점은

각각 $\mathrm{P}(k,\ 2^k)$, $\mathrm{Q}\left(k,\ -\left(\frac{1}{2}\right)^k\right)$

$\therefore \overline{\mathrm{PQ}}=2^k+\left(\frac{1}{2}\right)^k$

$2^k>0$, $\left(\frac{1}{2}\right)^k>0$이므로 산술평균과 기하평균의 관계에 의해

$$\overline{\mathrm{PQ}}=2^k+\left(\frac{1}{2}\right)^k \geq 2\sqrt{2^k\cdot\left(\frac{1}{2}\right)^k} =2\left(\text{단, 등호는 } 2^k=\left(\frac{1}{2}\right)^k\text{, 즉 } k=0\text{일 때 성립}\right)$$

따라서 $\overline{\mathrm{PQ}}$의 최솟값은 2이다.

정답_ ④

181

(1) $2^{2x+1}=32$에서 $2^{2x+1}=2^5$이므로

$2x+1=5,\ 2x=4 \qquad \therefore x=2$

(2) $\left(\frac{1}{3}\right)^{2x-1}=81$에서 $3^{-2x+1}=3^4$이므로

$-2x+1=4,\ -2x=3 \qquad \therefore x=-\frac{3}{2}$

(3) $100^{x+1}=\frac{1}{\sqrt{10}}$에서 $10^{2x+2}=10^{-\frac{1}{2}}$이므로

$2x+2=-\frac{1}{2},\ 2x=-\frac{5}{2} \qquad \therefore x=-\frac{5}{4}$

(4) $\left(\frac{1}{2}\right)^{-x+2}=4^{x+2}$에서 $2^{x-2}=2^{2x+4}$이므로

$x-2=2x+4 \qquad \therefore x=-6$

정답_ (1) $x=2$ (2) $x=-\frac{3}{2}$ (3) $x=-\frac{5}{4}$ (4) $x=-6$

182

$\left(\frac{1}{4}\right)^{1-x}=8\sqrt[4]{2}$에서 $2^{-2+2x}=2^{3+\frac{1}{4}}$

$-2+2x=3+\frac{1}{4},\ 2x=\frac{21}{4} \qquad \therefore x=\frac{21}{8}$

따라서 $p=8$, $q=21$이므로 $p+q=29$

정답_ ⑤

183

$(2^x-8)(3^{2x}-9)=0$에서 $2^x=8$ 또는 $3^{2x}=9$

$2^x=8$에서 $2^x=2^3$이므로 $x=3$

$3^{2x}=9$에서 $3^{2x}=3^2$이므로 $x=1$

$\therefore \alpha^2+\beta^2=3^2+1^2=10$

정답_ ⑤

184

$\left(\frac{2}{3}\right)^{x^3+6}=\left(\frac{3}{2}\right)^{-2x^2-5x}$에서 $\left(\frac{2}{3}\right)^{x^3+6}=\left(\frac{2}{3}\right)^{2x^2+5x}$

$x^3+6=2x^2+5x \qquad \therefore x^3-2x^2-5x+6=0$

따라서 삼차방정식의 근과 계수의 관계에 의해 구하는 모든 x의 값의 곱은 -6이다.

정답_ ①

185

(1) $4^x-5\cdot 2^x+4=0$에서 $(2^x)^2-5\cdot 2^x+4=0$

$2^x=t\ (t>0)$로 놓으면 $t^2-5t+4=0$

$(t-1)(t-4)=0 \qquad \therefore t=1$ 또는 $t=4$

$2^x=1$ 또는 $2^x=4$이므로 $x=0$ 또는 $x=2$

(2) $9^x-8\cdot 3^x-9=0$에서 $(3^x)^2-8\cdot 3^x-9=0$

$3^x=t\ (t>0)$로 놓으면 $t^2-8t-9=0$

$(t+1)(t-9)=0 \qquad \therefore t=-1$ 또는 $t=9$

이때, $t>0$이므로 $t=9$

$3^x=9 \qquad \therefore x=2$

정답_ (1) $x=0$ 또는 $x=2$ (2) $x=2$

186

$(2+\sqrt{3})(2-\sqrt{3})=1$이므로 $2-\sqrt{3}=\frac{1}{2+\sqrt{3}}$

즉, 주어진 방정식은 $(2+\sqrt{3})^x+\frac{1}{(2+\sqrt{3})^x}=4$

$(2+\sqrt{3})^x=t\ (t>0)$로 놓으면 $t+\frac{1}{t}=4$

$t^2+1=4t,\ t^2-4t+1=0 \qquad \therefore t=2\pm\sqrt{3}$

(i) $t=2+\sqrt{3}$일 때

$(2+\sqrt{3})^x=2+\sqrt{3} \qquad \therefore x=1$

(ii) $t=2-\sqrt{3}$일 때

$(2+\sqrt{3})^x=2-\sqrt{3}=(2+\sqrt{3})^{-1} \qquad \therefore x=-1$

(i), (ii)에서 구하는 모든 근의 곱은 $1\cdot(-1)=-1$

정답_ ②

187

주어진 연립방정식을 정리하면 $\begin{cases} 3^x+3^y=12 \\ 3^x\cdot 3^y=27 \end{cases}$

$3^x=A,\ 3^y=B\,(A>0,\ B>0)$로 놓으면 $\begin{cases} A+B=12 \\ AB=27 \end{cases}$

합이 12, 곱이 27인 두 수는 3과 9이므로

$A=3,\ B=9$ 또는 $A=9,\ B=3$

$\therefore 3^x=3,\ 3^y=9$ 또는 $3^x=9,\ 3^y=3$

따라서 $x=1,\ y=2$ 또는 $x=2,\ y=1$이므로

$\alpha^2+\beta^2=1^2+2^2=5$

정답_ ③

188

$a^x+\frac{1}{a^x}=\frac{5}{2}$에 $x=1$을 대입하면

$a+\frac{1}{a}=\frac{5}{2}$, $2a^2-5a+2=0$

$(2a-1)(a-2)=0$ $\quad\therefore a=2$ ($\because a>1$)

$2^x+\frac{1}{2^x}=\frac{5}{2}$에서 $2^x=t$ $(t>0)$로 놓으면

$t+\frac{1}{t}=\frac{5}{2}$, $2t^2-5t+2=0$

$(2t-1)(t-2)=0$ $\quad\therefore t=2$ 또는 $t=\frac{1}{2}$

$2^x=2$ 또는 $2^x=\frac{1}{2}$이므로 $\quad x=1$ 또는 $x=-1$

따라서 구하는 다른 한 근은 -1이다. 정답_ ①

189

$3^{x+2}+3^{x-2}=1+9^x$에서 $\quad 9\cdot3^x+\frac{3^x}{9}=1+(3^x)^2$

위의 식의 양변에 9를 곱하여 정리하면

$9(3^x)^2-82\cdot3^x+9=0$ ······ ㉠

$3^x=t$ $(t>0)$로 놓으면 $\quad 9t^2-82t+9=0$ ······ ㉡

㉠의 두 근이 α, β이므로 ㉡의 두 근은 3^α, 3^β이다.

㉡에서 이차방정식의 근과 계수의 관계에 의해

$3^\alpha\cdot3^\beta=1$, $3^{\alpha+\beta}=1$ $\quad\therefore \alpha+\beta=0$ 정답_ ③

190

$4^x-2^{x+1}-a=0$에서 $\quad(2^x)^2-2\cdot2^x-a=0$ ······ ㉠

$2^x=t$ $(t>0)$로 놓으면 $\quad t^2-2t-a=0$ ······ ㉡

㉠의 두 근을 α, β라고 하면 ㉡의 두 근은 2^α, 2^β이다.

㉡에서 이차방정식의 근과 계수의 관계에 의해

$2^\alpha\cdot2^\beta=-a$ $\quad\therefore 2^{\alpha+\beta}=-a$ ······ ㉢

㉠의 두 근의 합이 -1이므로 $\quad\alpha+\beta=-1$

이것을 ㉢에 대입하면 $\quad 2^{-1}=-a$, $a=-\frac{1}{2}$

$\therefore 40a^2=40\cdot\frac{1}{4}=10$ 정답_ ⑤

191

$2^{2x}-a\cdot2^x+4=0$에서 $2^x=t$ $(t>0)$로 놓으면

$t^2-at+4=0$ ······ ㉠

주어진 방정식이 서로 다른 두 실근을 가지려면 방정식 ㉠이 서로 다른 두 양의 근을 가져야 한다.

이때, 서로 다른 두 양의 근을 α, β라고 하면 판별식 D에 대하여

(i) $\frac{D}{4}=a^2-16>0$에서 $\quad(a+4)(a-4)>0$

$\quad\therefore a>4$ 또는 $a<-4$

(ii) $\alpha+\beta=a>0$

(iii) $\alpha\beta=4>0$

(i), (ii), (iii)에서 공통부분을 구하면 $\quad a>4$ 정답_ ①

192

(1) (i) $x=1$을 대입하면 $\quad 1^4=1^8=1$

(ii) $x\neq1$일 때, $x+3=9-x$에서 $\quad 2x=6$ $\quad\therefore x=3$

(i), (ii)에서 $\quad x=1$ 또는 $x=3$

(2) (i) $x=0$을 대입하면 $\quad 1^0=3^0=1$

(ii) $x\neq0$일 때, $x+1=3$에서 $\quad x=2$

(i), (ii)에서 $\quad x=0$ 또는 $x=2$

정답_ (1) $x=1$ 또는 $x=3$ (2) $x=0$ 또는 $x=2$

193

(i) 밑이 같으므로 $\quad x^2-3x-2=x+3$

$x^2-4x-5=0$, $(x+1)(x-5)=0$

$\therefore x=5$ ($\because x>1$)

(ii) $x-1=1$에서 $\quad x=2$

(i), (ii)에서 $\quad x=2$ 또는 $x=5$

따라서 모든 근의 합은 $\quad 2+5=7$ 정답_ ③

194

(i) 지수가 같으면 밑도 같아야 하므로

$x-1=2$ $\quad\therefore x=3$

(ii) $x-2=0$, 즉 $x=2$를 대입하면 $\quad 1^0=2^0=1$

(i), (ii)에서 주어진 방정식을 만족시키는 정수 x는 2, 3이므로 그 합은 $\quad 2+3=5$ 정답_ ③

195

(i) $x=-2$를 대입하면 $\quad 5^0=1$

(ii) $x^2-x-1=1$일 때, $\quad x^2-x-2=0$

$(x+1)(x-2)=0$ $\quad\therefore x=-1$ 또는 $x=2$

$x=-1$을 대입하면 $\quad 1^1=1$

$x=2$를 대입하면 $\quad 1^4=1$

(iii) $x^2-x-1=-1$일 때, $\quad x^2-x=0$ $\quad\therefore x=0$ 또는 $x=1$

$x=0$을 대입하면 $\quad(-1)^2=1$

$x=1$을 대입하면 $\quad(-1)^3=-1\neq1$

(i), (ii), (iii)에서 주어진 방정식을 만족시키는 정수 x는 -2, -1, 0, 2로 4개이다. 정답_ ④

196

(1) $\left(\frac{2}{5}\right)^{2x-3}\geq\left(\frac{2}{5}\right)^{x-1}$에서 $\quad 2x-3\leq x-1$ $\quad\therefore x\leq2$

(2) $8^{x-1}<\frac{1}{\sqrt{2}}$에서 $\quad 2^{3x-3}<2^{-\frac{1}{2}}$

$3x-3<-\frac{1}{2}$, $3x<\frac{5}{2}$ $\quad\therefore x<\frac{5}{6}$

(3) $4^x\leq(\sqrt{2})^{3x-1}$에서 $\quad 2^{2x}\leq2^{\frac{3x-1}{2}}$

$2x \le \frac{3x-1}{2}$, $4x \le 3x-1$ $\therefore x \le -1$

(4) $\left(\frac{1}{3}\right)^x < \sqrt[3]{3} < \left(\frac{1}{9}\right)^{x-1}$에서 $\left(\frac{1}{3}\right)^x < \left(\frac{1}{3}\right)^{-\frac{1}{3}} < \left(\frac{1}{3}\right)^{2x-2}$

$2x-2 < -\frac{1}{3} < x$ $\therefore -\frac{1}{3} < x < \frac{5}{6}$

정답_(1) $x \le 2$ (2) $x < \frac{5}{6}$ (3) $x \le -1$ (4) $-\frac{1}{3} < x < \frac{5}{6}$

197

$\left(\frac{1}{5}\right)^{3-x} \ge 5^{2x-5}$에서 $5^{x-3} \ge 5^{2x-5}$

$x-3 \ge 2x-5$ $\therefore x \le 2$

따라서 구하는 자연수 x의 최댓값은 2이다. 정답_②

198

$(3^x-5)(3^x-100) < 0$에서 $5 < 3^x < 100$

$3 < 3^x < 3^5$ $\therefore 1 < x < 5$

따라서 구하는 자연수 x는 2, 3, 4이므로 그 합은

$2+3+4=9$ 정답_③

199

$\left(\frac{1}{3}\right)^{2x} > \frac{1}{81}$에서 $\left(\frac{1}{3}\right)^{2x} > \left(\frac{1}{3}\right)^4$

$2x < 4$ $\therefore x < 2$ ······㉠

$8^{x^2+2x-4} \le 4^{x^2+x}$에서 $2^{3x^2+6x-12} \le 2^{2x^2+2x}$

$3x^2+6x-12 \le 2x^2+2x$, $x^2+4x-12 \le 0$

$(x+6)(x-2) \le 0$ $\therefore -6 \le x \le 2$ ······㉡

㉠, ㉡의 공통부분을 구하면 $-6 \le x < 2$

따라서 구하는 정수 x는 $-6, -5, \cdots, 1$로 8개이다.

정답_⑤

200

(1) $4^x - 6\cdot 2^x + 8 < 0$에서 $(2^x)^2 - 6\cdot 2^x + 8 < 0$

$2^x = t\ (t>0)$로 놓으면

$t^2-6t+8<0$, $(t-2)(t-4)<0$, 즉 $2<t<4$

$2<2^x<4$, $2^1<2^x<2^2$ $\therefore 1<x<2$

(2) $9^x - 4\cdot 3^x - 45 \le 0$에서 $(3^x)^2 - 4\cdot 3^x - 45 \le 0$

$3^x = t\ (t>0)$로 놓으면

$t^2-4t-45 \le 0$, $(t-9)(t+5) \le 0$, 즉 $-5 \le t \le 9$

이때, $t>0$에서 $t+5>0$이므로

$t-9 \le 0$, $t \le 9$ $\therefore 0 < t \le 9$

그런데 $t=3^x$은 x의 값에 관계없이 항상 0보다 크므로

$t \le 9$, $3^x \le 9$ $\therefore x \le 2$

정답_(1) $1<x<2$ (2) $x \le 2$

201

$2^{2x-1} - 2^{x+2} - 2^{x-2} + 2 < 0$에서

$\frac{1}{2}\cdot(2^x)^2 - 4\cdot 2^x - \frac{1}{4}\cdot 2^x + 2 < 0$

위의 식의 양변에 4를 곱하면

$2\cdot(2^x)^2 - 16\cdot 2^x - 2^x + 8 < 0$

$\therefore 2\cdot(2^x)^2 - 17\cdot 2^x + 8 < 0$

$2^x = t\ (t>0)$로 놓으면 $2t^2 - 17t + 8 < 0$

$(2t-1)(t-8) < 0$ $\therefore \frac{1}{2} < t < 8$

$2^{-1} < 2^x < 2^3$ $\therefore -1 < x < 3$ 정답_④

202

$x^{2x-1} < x^{x+3}$에서

(i) $x=1$일 때에는 부등식이 성립하지 않는다.

(ii) $0<x<1$일 때, $2x-1 > x+3$ $\therefore x>4$

그런데 $0<x<1$이므로 이 범위에서 해는 없다.

(iii) $x>1$일 때, $2x-1 < x+3$ $\therefore x<4$

그런데 $x>1$이므로 $1<x<4$

(i), (ii), (iii)에서 주어진 부등식의 해는 $1<x<4$

따라서 $\alpha=1$, $\beta=4$이므로 $\alpha+\beta=5$ 정답_③

203

$x^{x^2-6} > x^x$에서

(i) $x=1$일 때에는 부등식이 성립하지 않는다.

(ii) $0<x<1$일 때

$x^2-6<x$에서 $x^2-x-6<0$

$(x-3)(x+2)<0$ $\therefore -2<x<3$

그런데 $0<x<1$이므로 $0<x<1$

(iii) $x>1$일 때

$x^2-6>x$에서 $x^2-x-6>0$

$(x-3)(x+2)>0$ $\therefore x<-2$ 또는 $x>3$

그런데 $x>1$이므로 $x>3$

(i), (ii), (iii)에서 주어진 부등식의 해는

$0<x<1$ 또는 $x>3$

따라서 주어진 수 중에서 집합 S의 원소인 것은 4이다.

정답_⑤

204

$\frac{1}{2} < 2^{ax(x+1)}$에서 $2^{-1} < 2^{ax^2+ax}$

$-1 < ax^2+ax$ $\therefore ax^2+ax+1>0$ ······㉠

㉠이 모든 실수 x에 대하여 성립하려면

(i) $a=0$일 때, ㉠은 $0\cdot x^2 + 0\cdot x + 1 = 1 > 0$이므로 모든 실수 x에 대하여 성립한다.

(ⅱ) $a \neq 0$일 때, 이차방정식 $ax^2+ax+1=0$의 판별식 D에 대하여 $a>0$이고 $D=a^2-4a<0$이어야 하므로 $0<a<4$

(ⅰ), (ⅱ)에 의해 $0 \le a < 4$

따라서 구하는 정수 a는 0, 1, 2, 3으로 4개이다. 정답_ ④

205

$(3^{x+2}-1)(3^{x-p}-1) \le 0$의 양변에 $3^{-2} \times 3^p$을 곱하면

$3^{-2} \cdot 3^p(3^{x+2}-1)(3^{x-p}-1) \le 0$, $(3^x-3^{-2})(3^x-3^p) \le 0$

p가 자연수이므로 $3^{-2} \le 3^x \le 3^p$ $\therefore -2 \le x \le p$

$-2 \le x \le p$를 만족시키는 정수 x는 $-2, -1, 0, 1, \cdots, p$이고, 정수 x의 개수가 20이므로

$p+3=20$ $\therefore p=17$ 정답_ ②

206

$a^{2x}-28 \cdot a^x+b<0$에서 $a^x=t\ (t>0)$로 놓으면

$t^2-28t+b<0$ ······ ㉠

$0<x<3$에서 $a^0<a^x<a^3$ ($\because a>1$)

$\therefore 1<t<a^3$ ······ ㉡

이때, ㉠의 해가 ㉡이므로 이차방정식 $t^2-28t+b=0$의 두 근은 1, a^3이다.

따라서 이차방정식의 근과 계수의 관계에 의해

$1+a^3=28$, $1 \times a^3=b$

$a^3=27$, $a^3=b$

$a=3$, $b=27$이므로 $a+b=30$ 정답_ ④

207

$\left(\frac{1}{10}\right)^{x-3}>\left(\frac{1}{10}\right)^{2-x}$에서

$x-3<2-x$ $\therefore x<\frac{5}{2}$ ······ ㉠

$4^x-3 \cdot 2^{x+2}+32<0$에서 $(2^x)^2-12 \cdot 2^x+32<0$

$2^x=t\ (t>0)$로 놓으면 $t^2-12t+32<0$

$(t-4)(t-8)<0$, $4<t<8$

$2^2<2^x<2^3$ $\therefore 2<x<3$ ······ ㉡

㉠, ㉡의 공통부분을 구하면 $2<x<\frac{5}{2}$

따라서 $\alpha=2$, $\beta=\frac{5}{2}$이므로 $\alpha\beta=5$ 정답_ ⑤

208

3000마리의 대장균이 60분 후에 24000마리가 되므로

$3000a^{60}=24000$, $a^{60}=8$ $\therefore a=8^{\frac{1}{60}}$

따라서 한 마리의 대장균이 x분 후 $8^{\frac{x}{60}}$ 마리가 되므로

$3000 \cdot 8^{\frac{x}{60}}=192000$, $8^{\frac{x}{60}}=64=8^2$ $\therefore x=120$

즉, 120분 후에 192000마리가 된다. 정답_ 120분 후

209

이 금융상품에 초기자산 w_0을 투자하고 15년이 지난 시점에서의 기대자산은 초기자산의 3배이므로

$3w_0=\frac{w_0}{2}10^{15a}(1+10^{15a})$

$10^{15a}(1+10^{15a})=6$

$10^{15a}=t\ (t>0)$로 놓으면

$t(1+t)=6$, $t^2+t-6=0$, $(t+3)(t-2)=0$

$t>0$이므로 $t=2$

이 금융상품에 초기자산 w_0을 투자하고 30년이 지난 시점에서의 기대자산은 초기자산의 k배이므로

$kw_0=\frac{w_0}{2}10^{30a}(1+10^{30a})$

이때 $10^{30a}=(10^{15a})^2=t^2=4$이므로

$k=\frac{1}{2} \cdot 10^{30a}(1+10^{30a})=\frac{1}{2} \cdot 4 \cdot 5=10$ 정답_ ②

210

$k=3$을 대입하면 $A_3=\{n \mid 27^2 \le f(n) \le 27^3, n은\ 자연수\}$ ······ ❶

즉, $27^2 \le 3^{n+1} \le 27^3$에서 $3^6 \le 3^{n+1} \le 3^9$, $6 \le n+1 \le 9$

$\therefore 5 \le n \le 8$ ······ ❷

따라서 집합 A_3의 모든 원소의 합은 $5+6+7+8=26$ ······ ❸

정답_ 26

단계	채점 기준	비율
❶	집합 A_3을 조건제시법으로 나타내기	20%
❷	부등식 $27^{k-1} \le f(n) \le 27^k$의 해 구하기	50%
❸	A_3의 모든 원소의 합 구하기	30%

211

$\frac{\sqrt{a}}{\sqrt{a-1}}=-\sqrt{\frac{a}{a-1}}$이므로 $a>0$, $a-1<0$

$\therefore 0<a<1$ ······ ❶

밑 a가 1보다 작은 양수이므로 $a^{x(x+2)}>a^{4x+3}$에서

$x(x+2)<4x+3$ ······ ❷

$x^2-2x-3<0$, $(x+1)(x-3)<0$

$\therefore -1<x<3$ ······ ❸

따라서 구하는 정수 x는 0, 1, 2로 3개이다. ······ ❹

정답_ 3

단계	채점 기준	비율
❶	a의 값의 범위 구하기	30%
❷	지수의 크기 비교하기	30%
❸	x의 값의 범위 구하기	20%
❹	정수 x의 개수 구하기	20%

212

등식으로 주어진 함수를 역수로 나타내면

$$\frac{1}{y}=\frac{3^{2x}+3^x+1}{3^{x+3}}=\frac{3^{2x}+3^x+1}{3^x\cdot3^3}$$

$$=\frac{1}{27}\left(3^x+\frac{1}{3^x}\right)+\frac{1}{27}$$ ❶

$3^x>0$, $\frac{1}{3^x}>0$이므로 산술평균과 기하평균의 관계에 의해

$$3^x+\frac{1}{3^x}\geq2\sqrt{3^x\cdot\frac{1}{3^x}}$$

$$=2\left(\text{단, 등호는 }3^x=\frac{1}{3^x}\text{, 즉 }x=0\text{일 때 성립}\right)$$

$$\therefore \frac{1}{y}\geq\frac{1}{27}\times2+\frac{1}{27}=\frac{1}{9}$$ ❷

$\frac{1}{y}\geq\frac{1}{9}$이고, $y>0$이므로 $0<y\leq9$

따라서 y의 최댓값은 9이다. ❸

정답_ 9

단계	채점 기준	비율
❶	$\frac{1}{y}$을 x에 대한 식으로 나타내기	40%
❷	$\frac{1}{y}$의 최솟값 구하기	40%
❸	y의 최댓값 구하기	20%

213

$4^x=t$ $(t>0)$로 놓으면 주어진 방정식은 $t^2-32t+a=0$

$\frac{1}{2}\leq x<\frac{3}{2}$에서 $4^{\frac{1}{2}}\leq4^x<4^{\frac{3}{2}}$이므로 t에 대한 방정식의 한 근의 범위가 $2\leq t<8$이 되어야 한다. ❶

$f(t)=t^2-32t+a$로 놓으면 대칭축이 직선 $t=16$이므로 $y=f(t)$의 그래프는 오른쪽 그림과 같다.

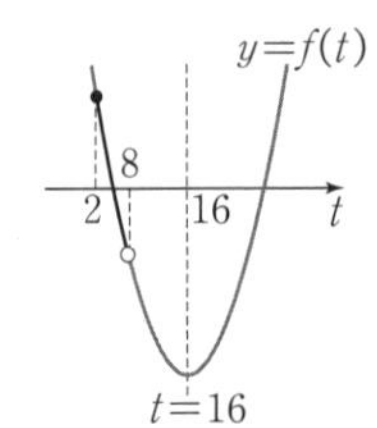

즉, $f(2)=-60+a\geq0$이고,

$f(8)=-192+a<0$이어야 하므로

$60\leq a<192$ ❷

따라서 $p=60$, $q=192$이므로 $p+q=252$ ❸

정답_ 252

단계	채점 기준	비율
❶	$4^x=t$로 치환한 방정식의 한 근의 범위 구하기	30%
❷	a의 값의 범위 구하기	50%
❸	$p+q$의 값 구하기	20%

214

$2^x=A$, $3^y=B$ $(A>0,\ B>0)$로 놓으면

$$\begin{cases}3A-2B=6\\ \frac{A}{4}-\frac{B}{3}=-1\end{cases},\quad \begin{cases}3A-2B=6 & \cdots\cdots ㉠\\ 3A-4B=-12 & \cdots\cdots ㉡\end{cases}$$

❶

㉠, ㉡을 연립하여 풀면

$A=8$, $B=9$ ❷

$2^x=8$, $3^y=9$에서 $2^x=2^3$, $3^y=3^2$

$\therefore x=3,\ y=2$

따라서 $\alpha=3$, $\beta=2$이므로 ❸

$\alpha^2+\beta^2=3^2+2^2=13$ ❹

정답_ 13

단계	채점 기준	비율
❶	$2^x=A$, $3^y=B$로 놓고 A, B에 대한 연립방정식 만들기	30%
❷	A, B의 값 구하기	20%
❸	α, β의 값 구하기	30%
❹	$\alpha^2+\beta^2$의 값 구하기	20%

215

$2^{x+3}<4^{x+1}\leq\left(\frac{1}{8}\right)^{x-14}$에서 $2^{x+3}<2^{2x+2}\leq2^{-3x+42}$

$x+3<2x+2\leq-3x+42$ $\therefore 1<x\leq8$ ······ ㉠

❶

$4^x+8<9\cdot2^x$에서 $(2^x)^2-9\cdot2^x+8<0$

$2^x=t$ $(t>0)$로 놓으면

$t^2-9t+8<0$, $(t-1)(t-8)<0$, $1<t<8$

$1<2^x<8$, $2^0<2^x<2^3$ $\therefore 0<x<3$ ······ ㉡

❷

㉠, ㉡의 공통부분을 구하면 $1<x<3$

이것을 해로 갖고 이차항의 계수가 1인 이차부등식은

$(x-1)(x-3)<0$ $\therefore x^2-4x+3<0$

따라서 $a=4$, $b=3$이므로 $ab=12$ ❸

정답_ 12

단계	채점 기준	비율
❶	집합 A의 원소 구하기	40%
❷	집합 B의 원소 구하기	40%
❸	ab의 값 구하기	20%

216

ㄱ은 옳지 않다.

$y=2^x$의 그래프를 x축에 대하여 대칭이동하면 $-y=2^x$, 즉 $y=-2^x$의 그래프가 된다.

ㄴ은 옳다.

$y=2^x$의 그래프를 x축의 방향으로 1만큼 평행이동하면 $y=2^{x-1}$의 그래프가 되고, 오른쪽 그림과 같이 $y=2^x$의 그래프보다 아래쪽에 놓이게 된다.

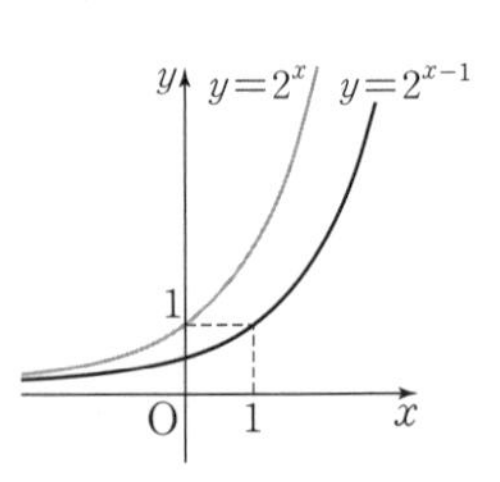

ㄷ도 옳다.

$y=\sqrt{2}\cdot2^x=2^{x+\frac{1}{2}}$이므로 $y=2^{x+\frac{1}{2}}$의 그래프를 x축의 방향으로 $\frac{1}{2}$만큼 평행이동하면 $y=2^x$의 그래프를 얻을 수 있다.

따라서 옳은 것은 ㄴ, ㄷ이다. 정답_ ③

217

ㄱ은 옳다.

$(a,\ b) \in G$이면 $b=5^a$이므로

$\sqrt{b}=\sqrt{5^a}=5^{\frac{a}{2}}\qquad \therefore \left(\frac{a}{2},\ \sqrt{b}\right) \in G$

ㄴ도 옳다.

$(-a, b) \in G$이면 $b=5^{-a}$이므로

$\frac{1}{b}=5^a\qquad \therefore \left(a, \frac{1}{b}\right) \in G$

ㄷ은 옳지 않다.

(반례) $a=\frac{1}{2}$, $b=5$일 때, $(2a,\ b)=(1,\ 5)$에서 $5=5^1$이므로 $(2a, b) \in G$이지만 $(a, b^2)=\left(\frac{1}{2}, 5^2\right)$에서 $5^2 \neq 5^{\frac{1}{2}}$이므로 $(a,\ b^2) \notin G$이다.

따라서 옳은 것은 ㄱ, ㄴ이다. 정답_ ②

218

$f(1)=5$, $f(2)=25$, $f(3)=125$이므로 주어진 관계식에서

(좌변)$=f(5)\cdot f(25)\cdot f(125)=5^5\cdot 5^{25}\cdot 5^{125}=5^{155}$

(우변)$=f(5^k)=5^{5^k}$

$5^{155}=5^{5^k}$, $155=5^k$

따라서 $k=\log_5 155$이므로 $\quad m=155$ 정답_ ③

219

ㄱ은 옳지 않다.

$f(a)=3^a=p$, $f(b)=3^b=q$이므로

$a=\log_3 p$, $b=\log_3 q$

$\therefore a+b=\log_3 p+\log_3 q$

$\qquad =\log_3 pq \neq \log_3 p\cdot\log_3 q$

ㄴ은 옳다.

$f\left(\frac{a+b}{2}\right)=3^{\frac{a+b}{2}}=\sqrt{3^{a+b}}=\sqrt{3^a\cdot 3^b}=\sqrt{pq}$

ㄷ도 옳지 않다.

점 C의 좌표를 C$(0,\ 1)$이라고 하면

$\frac{q-p}{b-a}=(\overline{\mathrm{AB}}$의 기울기)

$\frac{q-1}{b}=\frac{q-1}{b-0}=(\overline{\mathrm{BC}}$의 기울기)

($\overline{\mathrm{AB}}$의 기울기)$<$($\overline{\mathrm{BC}}$의 기울기)이므로

$\frac{q-p}{b-a}<\frac{q-1}{b-0}\qquad \therefore \frac{q-p}{b-a}<\frac{q-1}{b}$

따라서 옳은 것은 ㄴ이다. 정답_ ②

220

네 점 A, B, C, D의 x좌표를 좌표평면에 나타내면 오른쪽 그림과 같다.

이때, △AEB와 △CDF는 높이가 같으므로 넓이의 비는 밑변의 길이의 비와 같다. 즉,

△AEB : △CDF$=\overline{\mathrm{EA}}:\overline{\mathrm{DF}}$ ······ ㉠

$\overline{\mathrm{EA}}=\log_8 a-\log_8 b=\log_8 \frac{a}{b}$

$\qquad =\log_{2^3}\frac{a}{b}=\frac{1}{3}\log_2 \frac{a}{b}$

$\overline{\mathrm{DF}}=\log_4 a-\log_4 b=\log_4 \frac{a}{b}$

$\qquad =\log_{2^2}\frac{a}{b}=\frac{1}{2}\log_2 \frac{a}{b}$

$\therefore \overline{\mathrm{EA}}:\overline{\mathrm{DF}}=\frac{1}{3}\log_2\frac{a}{b}:\frac{1}{2}\log_2\frac{a}{b}=2:3$

㉠에서 △AEB : △CDF$=2:3$이므로

△CDF$=\frac{3}{2}\times$△AEB$=\frac{3}{2}\cdot 20=30$ 정답_ ③

221

점 A의 x좌표를 a라고 하면

A$(a,\ 4^a)$, D$(a+1,\ 2^{a+1})$

이때, 점 A와 점 D의 y좌표가 같으므로

$4^a=2^{a+1}$, $2^{2a}=2^{a+1}$

$2a=a+1\qquad \therefore a=1$

따라서 점 B의 좌표는 $(a,\ 4^a-1)$, 즉 $(1,\ 3)$이고 점 B와 점 E의 y좌표가 같으므로 점 E의 좌표를 $(b, 3)$이라고 하면 $\quad 3=2^b\qquad \therefore b=\log_2 3$

즉, E$(\log_2 3,\ 3)$이므로 $\quad p=\log_2 3$, $q=3$

$\therefore 2^p\cdot q=2^{\log_2 3}\cdot 3=3\cdot 3=9$ 정답_ ③

222

$$f(x)=\begin{cases} x+2 & (-2\le x\le -1) \\ 1 & (-1\le x\le 1) \\ -x+2 & (1\le x\le 2)\end{cases}$$

이므로 $g(x)=\begin{cases} a^{x+2} & (-2\le x\le -1) \\ a & (-1\le x\le 1) \\ a^{-x+2} & (1\le x\le 2)\end{cases}$

(i) $0<a<1$일 때

$$g(x)=\begin{cases} a^{x+2} & : \text{감소함수} \\ a & : \text{상수함수} \\ a^{-x+2} & : \text{증가함수}\end{cases}$$

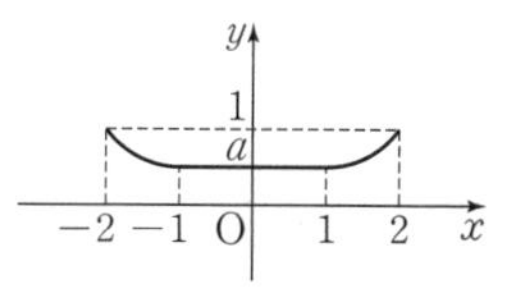

이므로 함수 $y=g(x)$의 그래프는 위의 그림과 같다.

(ii) $a>1$일 때

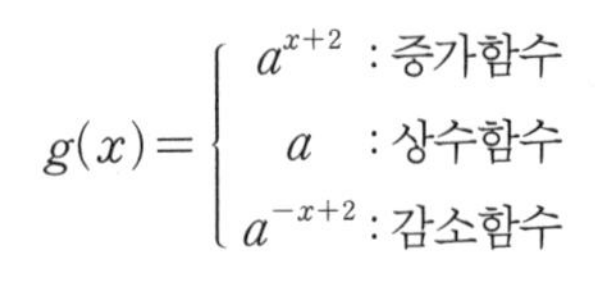

$$g(x)=\begin{cases} a^{x+2} & :\text{증가함수} \\ a & :\text{상수함수} \\ a^{-x+2} & :\text{감소함수} \end{cases}$$

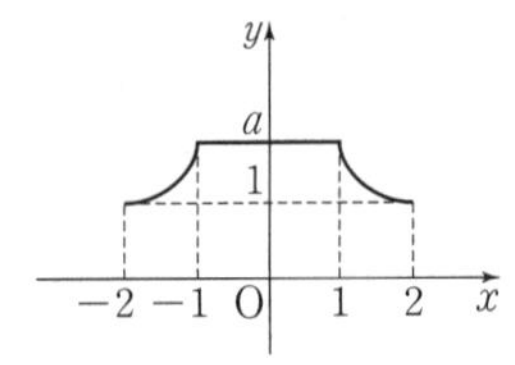

이므로 함수 $y=g(x)$의 그래프는 위의 그림과 같다.

따라서 옳은 것은 ㄱ, ㄴ, ㄷ이다. 정답_⑤

223

$2^x-2^{-x+3}=2\sqrt{17}$에서 $2^x-\frac{8}{2^x}=2\sqrt{17}$

$2^x=t\ (t>0)$로 놓으면 $t-\frac{8}{t}=2\sqrt{17}$

$t^2-2\sqrt{17}t-8=0$

근의 공식에 의해

$t=\sqrt{17}\pm\sqrt{17+8}=\sqrt{17}\pm5$

$t>0$이므로 $t=\sqrt{17}+5$

따라서 $2^x=\sqrt{17}+5$이므로 $a=5, b=17$

$\therefore a+b=22$ 정답_⑤

04 로그함수

224

(1) $-x>0$에서 $x<0$이므로 정의역은 $\{x|x<0\}$

(2) $x-2>0$에서 $x>2$이므로 정의역은 $\{x|x>2\}$

(3) $1-2x>0$에서 $x<\frac{1}{2}$이므로 정의역은 $\left\{x\middle|x<\frac{1}{2}\right\}$

(4) $2-x>0$에서 $x<2$이므로 정의역은 $\{x|x<2\}$

정답_(1) $\{x|x<0\}$ (2) $\{x|x>2\}$ (3) $\left\{x\middle|x<\frac{1}{2}\right\}$ (4) $\{x|x<2\}$

225

함수 $y=\log_2(x^2+ax+4)$가 실수 전체의 집합에서 정의되려면 모든 실수 x에 대하여 부등식 $x^2+ax+4>0$이 성립해야 한다.

이때, 이차방정식 $x^2+ax+4=0$의 판별식을 D라고 하면

$D=a^2-16<0, (a+4)(a-4)<0$

$\therefore -4<a<4$

따라서 구하는 정수 a는 $-3, -2, -1, 0, 1, 2, 3$으로 7개이다.

정답_④

226

ㄱ. 두 함수의 정의역은 모두 $\{x|x>0$인 실수$\}$이고,

$\log_3 x^3=3\log_3 x$이므로 두 함수는 서로 같다.

ㄴ. 함수 $y=\log_5 x^2$의 정의역은 $\{x|x\neq0$인 실수$\}$이고,

함수 $y=2\log_5 x$의 정의역은 $\{x|x>0$인 실수$\}$이다.

즉, 정의역이 다르므로 두 함수는 서로 다르다.

ㄷ. 함수 $y=\log(x-1)(x-2)$가 정의되려면

$(x-1)(x-2)>0$ $\therefore x<1$ 또는 $x>2$

함수 $y=\log(x-1)+\log(x-2)$가 정의되려면

$x-1>0$이고 $x-2>0$ $\therefore x>2$

즉, 정의역이 다르므로 두 함수는 서로 다르다.

따라서 서로 같은 함수끼리 짝 지어진 것은 ㄱ이다.

정답_①

참고

로그의 성질 $\log_a MN=\log_a M+\log_a N$에 의해 ㄷ이 성립한다고 생각하지 않는다.

로그의 성질은 $a>0, a\neq1, M>0, N>0$인 조건 하에 성립하는 것이다.

227

함수 $f(x)=2\log_2(x-1)$이 정의되려면

$x-1>0$ $\therefore A=\{x|x>1\}$

함수 $g(x)=2\log_2|x-1|$이 정의되려면

$|x-1|>0, x-1\neq0$ $\therefore B=\{x|x\neq1$인 실수$\}$

함수 $h(x)=\log_2(x-1)^2$이 정의되려면

$(x-1)^2>0, x-1\neq0$ $\therefore C=\{x|x\neq1$인 실수$\}$

$\therefore A\subset B=C$ 정답_③

참고

위의 풀이에서 두 함수

$f(x)=2\log_2(x-1), h(x)=\log_2(x-1)^2$

은 정의역이 다르므로 서로 다른 함수이다. 그러나 두 함수

$g(x)=2\log_2|x-1|, h(x)=\log_2(x-1)^2$

은 서로 같은 함수이다.

228

$f(x)=\log_2\sqrt{1+\frac{1}{x+1}}=\log_2\left(\frac{x+2}{x+1}\right)^{\frac{1}{2}}=\frac{1}{2}\log_2\left(\frac{x+2}{x+1}\right)$

이므로

$f(1)+f(2)+f(3)+\cdots+f(k)$

$=\frac{1}{2}\log_2\frac{3}{2}+\frac{1}{2}\log_2\frac{4}{3}+\frac{1}{2}\log_2\frac{5}{4}+\cdots+\frac{1}{2}\log_2\frac{k+2}{k+1}$

$=\frac{1}{2}\log_2\left(\frac{3}{2}\cdot\frac{4}{3}\cdot\frac{5}{4}\cdot\cdots\cdot\frac{k+2}{k+1}\right)$

$=\frac{1}{2}\log_2\frac{k+2}{2}=4$

$\log_2\frac{k+2}{2}=8,\ \frac{k+2}{2}=2^8$ $\therefore k=2^9-2=510$ 정답_④

229

$(g \circ f)(4)=g(f(4))=g(9^4)=g(3^8)$

$=\log_{3^8}3=\frac{1}{8}\log_3 3=\frac{1}{8}$ 정답_①

230

(1) $y=7^x$에서 $x=\log_7 y$

x와 y를 서로 바꾸면 구하는 역함수는 $y=\log_7 x$

(2) $y=2\cdot 3^{x-1}$에서 $\frac{y}{2}=3^{x-1}$이므로

$x-1=\log_3 \frac{y}{2}$ $\therefore x=\log_3 \frac{y}{2}+1$

x와 y를 서로 바꾸면 구하는 역함수는 $y=\log_3 \frac{x}{2}+1$

(3) $y=\log_2(x+3)-2$에서 $y+2=\log_2(x+3)$이므로

$x+3=2^{y+2}$ $\therefore x=2^{y+2}-3$

x와 y를 서로 바꾸면 구하는 역함수는 $y=2^{x+2}-3$

(4) $y=2\log_{\frac{1}{3}}(1-x)$에서 $\frac{y}{2}=\log_{\frac{1}{3}}(1-x)$이므로

$1-x=\left(\frac{1}{3}\right)^{\frac{y}{2}}$ $\therefore x=-\left(\frac{1}{3}\right)^{\frac{y}{2}}+1$

x와 y를 서로 바꾸면 구하는 역함수는 $y=-\left(\frac{1}{3}\right)^{\frac{x}{2}}+1$

정답_(1) $y=\log_7 x$ (2) $y=\log_3 \frac{x}{2}+1$

(3) $y=2^{x+2}-3$ (4) $y=-\left(\frac{1}{3}\right)^{\frac{x}{2}}+1$

231

$y=\log_4(x-2)+3$에서 $y-3=\log_4(x-2)$이므로

$x-2=4^{y-3}$ $\therefore x=4^{y-3}+2$

x와 y를 서로 바꾸면 $f(x)$의 역함수는 $f^{-1}(x)=4^{x-3}+2$

$\therefore f^{-1}(4)=4+2=6$ 정답_③

232

$f(m)=2, f(n)=3$에서 $\log_a m=2, \log_a n=3$

$\therefore a^2=m, a^3=n$

$f^{-1}(7)=k$ (k는 상수)로 놓으면 $f(k)=7, \log_a k=7$

$\therefore k=a^7=(a^2)^2\cdot a^3=m^2 n$ 정답_②

233

$y=\log_2 x+3$에서 $\log_2 x=y-3, x=2^{y-3}$

x와 y를 서로 바꾸면 역함수는 $g(x)=2^{x-3}$

$y=f(x+2)=\log_2(x+2)+3$에서 $\log_2(x+2)=y-3$

$x+2=2^{y-3}, x=2^{y-3}-2$

x와 y를 서로 바꾸면 역함수는 $y=2^{x-3}-2=g(x)-2$

따라서 함수 $f(x+2)$의 역함수는 $g(x)-2$이다.

정답_④

234

$(g \circ f)(x)=x$이므로 $g(x)$는 $f(x)$의 역함수이다.

$y=1+3\log_2 x$에서 $y-1=3\log_2 x$

$\frac{y-1}{3}=\log_2 x$, $2^{\frac{y-1}{3}}=x$

x와 y를 서로 바꾸면 $f(x)$의 역함수는 $g(x)=2^{\frac{x-1}{3}}$

$\therefore g(13)=2^{\frac{13-1}{3}}=2^4=16$

정답_16

235

$g(x)$가 $f(x)$의 역함수이므로

$(g \circ g \circ g)(k)=(f^{-1} \circ f^{-1} \circ f^{-1})(k)$

$=(f \circ f \circ f)^{-1}(k)=18$

$\therefore k=(f \circ f \circ f)(18)=(f \circ f)(7)=f\left(\frac{3}{2}\right)$

$=\log_2 \frac{3}{2}-2=\log_2 3-\log_2 2-2$

$=\log_2 3-3$

정답_②

236

② 그래프는 점 $(1, 0)$을 지난다.

③ 점근선은 $x=0$이다.

④ 밑이 1보다 큰 로그함수이므로 $x_1<x_2$이면 $f(x_1)<f(x_2)$이다.

⑤ 그래프는 $y=2^x$의 그래프와 직선 $y=x$에 대하여 대칭이다.

정답_①

237

보기의 각 경우를 그래프로 그리면 다음과 같다.

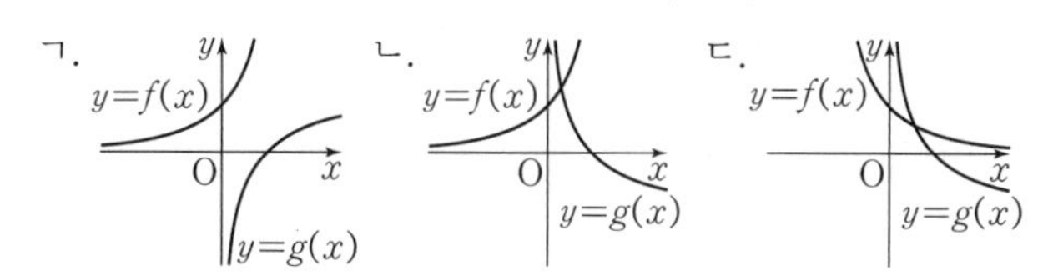

따라서 두 그래프가 항상 만나는 경우는 ㄴ, ㄷ이다.

정답_⑤

238

$y=a+\log_2(x-b)$의 그래프의 점근선의 방정식이

$x=b$이므로 $b=3$

$y=a+\log_2(x-3)$의 그래프가 점 $(7, 5)$를 지나므로

$5=a+\log_2 4$에서 $a=3$

$\therefore a+b=6$ 정답_6

239

$f(x)+3f\left(\frac{1}{x}\right)=\log_2 x$ …… ㉠

㉠의 양변에 x 대신 $\frac{1}{x}$을 대입하면

$f\left(\frac{1}{x}\right)+3f(x)=\log_2 \frac{1}{x}=-\log_2 x$ …… ㉡

㉡×3−㉠을 하면 $8f(x)=-4\log_2 x$

$\therefore f(x)=-\frac{1}{2}\log_2 x$

따라서 $f(1)=0, f(2)=-\frac{1}{2}$ 이므로 함수 $y=f(x)$의 그래프의 개형으로 알맞은 것은 ④이다.

정답_ ④

240

(1) $y=\log_2(-x)$의 그래프는 $y=\log_2 x$의 그래프를 y축에 대하여 대칭이동한 것이므로 오른쪽 그림과 같다.

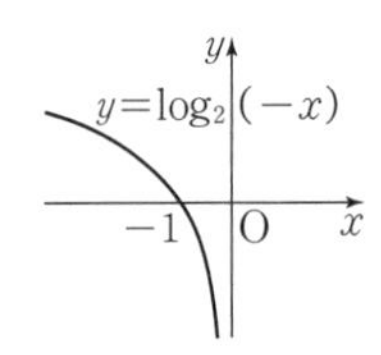

(2) $y=-\log_2 x$, 즉 $-y=\log_2 x$의 그래프는 $y=\log_2 x$의 그래프를 x축에 대하여 대칭이동한 것이므로 오른쪽 그림과 같다.

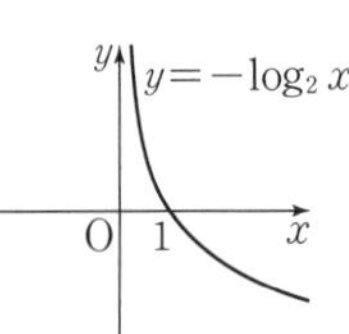

(3) $y=\log_3(x+1)$의 그래프는 $y=\log_3 x$의 그래프를 x축의 방향으로 -1만큼 평행이동한 것이므로 오른쪽 그림과 같다.

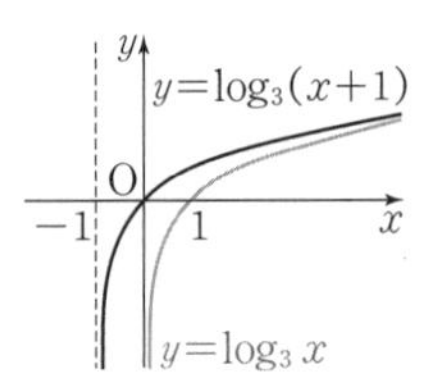

(4) $y=\log_3 3x=1+\log_3 x$
즉, $y-1=\log_3 x$의 그래프는 $y=\log_3 x$의 그래프를 y축의 방향으로 1만큼 평행이동한 것이므로 오른쪽 그림과 같다.

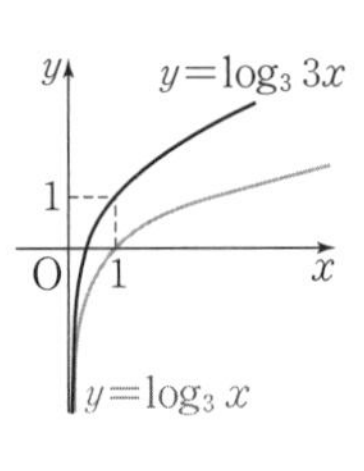

정답_ 풀이 참조

241

함수 $y=\log_3 x$의 그래프를 x축의 방향으로 1만큼, y축의 방향으로 -2만큼 평행이동한 함수는

$y+2=\log_3(x-1)$

이 그래프가 점 $(4,\ a)$를 지나므로

$a+2=\log_3 3, a+2=1 \quad \therefore a=-1$

정답_ ①

242

$y=\log_3(6x-72)=\log_3\{3\cdot 2(x-12)\}$

$=\log_3 3+\log_3 2(x-12)=1+\log_3 2(x-12)$

$\therefore y-1=\log_3 2(x-12)$

이 함수의 그래프는 함수 $y=\log_3 2x$의 그래프를 x축의 방향으로 12만큼, y축의 방향으로 1만큼 평행이동한 것이므로

$m=12, n=1 \quad \therefore m+n=13$

정답_ ③

243

함수 $y=\log_2 x$의 그래프를 x축의 방향으로 a만큼 평행이동하면

$y=\log_2(x-a)$

점 $(9,\ 2)$는 $y=\log_2(x-a)$의 그래프 위의 점이므로

$2=\log_2(9-a),\ 9-a=2^2 \quad \therefore a=5$

한편, $y=\log_b x$에서 $b>0, b\neq 1$이고

점 $(9,\ 2)$는 $y=\log_b x$의 그래프 위의 점이므로

$2=\log_b 9, b^2=9 \quad \therefore b=3\ (\because b>0)$

$\therefore 10a+b=10\cdot 5+3=53$

정답_ 53

244

ㄱ. $y=\log(2x+1)=\log 2\left(x+\frac{1}{2}\right)$

$=\log 2+\log\left(x+\frac{1}{2}\right)$

위의 함수의 그래프는 함수 $y=\log x$의 그래프를 x축의 방향으로 $-\frac{1}{2}$만큼, y축의 방향으로 $\log 2$만큼 평행이동한 것이다.

ㄴ. $y=\log\frac{1}{2}x=\log x-\log 2 \quad \therefore y+\log 2=\log x$

위의 함수의 그래프는 함수 $y=\log x$의 그래프를 y축의 방향으로 $-\log 2$만큼 평행이동한 것이다.

ㄷ. $y=2\log x-1$의 그래프는 함수 $y=\log x$의 그래프를 평행이동 또는 대칭이동하여 겹쳐질 수 없다.

ㄹ. $y=\log(-x+1)=\log\{-(x-1)\}$

위의 함수의 그래프는 함수 $y=\log(-x)$의 그래프를 x축의 방향으로 1만큼 평행이동한 것이다.

한편, 함수 $y=\log(-x)$의 그래프는 함수 $y=\log x$의 그래프를 y축에 대하여 대칭이동한 것이다.

따라서 함수 $y=\log x$의 그래프를 평행이동 또는 대칭이동하여 겹쳐질 수 있는 식은 ㄱ, ㄴ, ㄹ이다.

정답_ ⑤

245

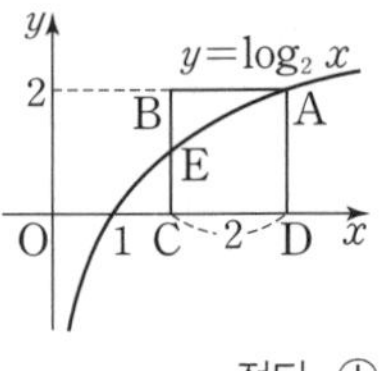

점 A의 좌표를 $(a, 2)$라고 하면

$\log_2 a=2 \quad \therefore a=4$

따라서 점 C의 좌표는 $(2, 0)$, 점 E의 좌표는 $(2, 1)$이므로

$\overline{CE}=1$

정답_ ①

246

직선 $y=x$ 위의 점은 x좌표와 y좌표가 같으므로 그림에서

$f(b)=\beta$, $f(c)=\gamma$

$\therefore f(b)f(c)=\beta\gamma$

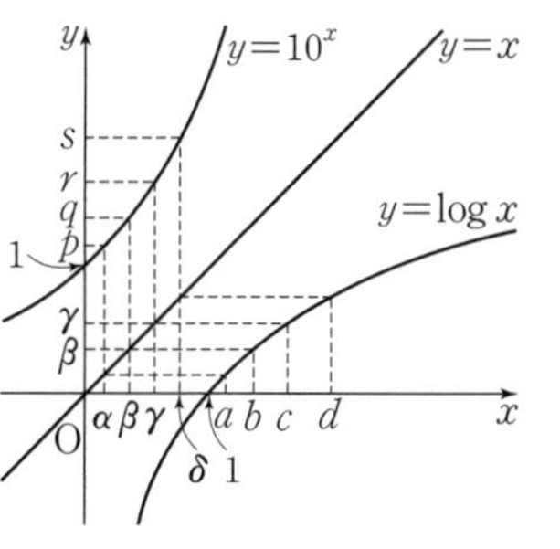

한편, $y=10^x$의 그래프의 y절편은 1이고, $y=\log x$의 그래프의 x절편은 1이므로 α, β, γ는 1보다 작고, a, p, q는 1보다 크다.

이때, $0<\gamma<1$에서 $0<\beta\gamma<\beta$이므로 주어진 다섯 개의 값 중 $f(b)f(c)=\beta\gamma$에 가장 가까운 것은 α이다. 정답_ ①

247

$\overline{QR}=2$이므로 $b-a=2$

두 점 Q, R의 y좌표가 같으므로

$\log_{\frac{1}{2}}a=\log_2 b$, $\log_{2^{-1}}a=\log_2 b$, $-\log_2 a=\log_2 b$

$\log_2 a+\log_2 b=0$, $\log_2 ab=0$ $\therefore ab=1$

$\therefore a^2+b^2=(b-a)^2+2ab=2^2+2\cdot 1=6$ 정답_ ②

248

함수 $y=2^{x-2}$에서 $x-2=\log_2 y$, $x=\log_2 y+2$

x와 y를 서로 바꾸면 역함수는 $y=\log_2 x+2$

함수 $y=\log_2 x+2$의 그래프를 x축의 방향으로 -2만큼, y축의 방향으로 a만큼 평행이동하면 함수 $y=\log_2(x+2)+a+2$의 그래프이므로

$g(x)=\log_2(x+2)+a+2$

두 함수 $f(x)=2^{x-2}$, $g(x)=\log_2(x+2)+a+2$의 그래프가 직선 $y=1$과 만나는 점은 각각 $A(2,\ 1)$, $B(2^{-a-1}-2,\ 1)$이다.

선분 AB의 중점의 좌표가 $(8,\ 1)$이므로

$\frac{2+2^{-a-1}-2}{2}=8$, $2^{-a-1}=16=2^4$, $-a-1=4$

$\therefore a=-5$ 정답_ -5

249

점 A의 x좌표를 a라고 하면 $\log_{\frac{1}{4}}a=k$에서

$a=\left(\frac{1}{4}\right)^k=2^{-2k}$

점 B의 x좌표를 b라고 하면 $\log_2 b=k$에서 $b=2^k$

$\therefore \overline{AB}=b-a=2^k-2^{-2k}$

점 C의 x좌표가 2^{-2k}이므로 점 C의 y좌표는

$\log_2 2^{-2k}=-2k$

점 D의 x좌표를 d라고 하면 $\log_{\frac{1}{4}}d=-2k$에서

$d=\left(\frac{1}{4}\right)^{-2k}=2^{4k}$

$\therefore \overline{CD}=2^{4k}-2^{-2k}$

$\frac{\overline{AB}}{\overline{CD}}=\frac{1}{5}$이므로 $\frac{2^k-2^{-2k}}{2^{4k}-2^{-2k}}=\frac{1}{5}$

분모, 분자에 각각 2^{2k}을 곱하면

$\frac{2^{3k}-1}{2^{6k}-1}=\frac{1}{5}$, $\frac{2^{3k}-1}{(2^{3k})^2-1}=\frac{1}{5}$

$\frac{2^{3k}-1}{(2^{3k}-1)(2^{3k}+1)}=\frac{1}{5}$, $\frac{1}{2^{3k}+1}=\frac{1}{5}$

$2^{3k}+1=5$, $2^{3k}=2^2$

$3k=2$ $\therefore k=\frac{2}{3}$ 정답_ ③

250

$b<a<1$의 각 변에 밑이 a인 로그를 취하면

$\log_a b>\log_a a>\log_a 1$ $\therefore \log_a b>1>0$ …… ㉠

$b<a<1$의 각 변에 밑이 b인 로그를 취하면

$\log_b b>\log_b a>\log_b 1$ $\therefore 1>\log_b a>0$ …… ㉡

$\log_a \frac{a}{b}=\log_a a-\log_a b=1-\log_a b$

이때, ㉠에서 $1-\log_a b<0$이므로 $\log_a \frac{a}{b}<0$ …… ㉢

㉠, ㉡, ㉢에 의해 $\log_a \frac{a}{b}<\log_b a<\log_a b$ 정답_ ⑤

251

$1<x<3$의 각 변에 밑이 3인 로그를 취하면

$0<\log_3 x<1$

(i) $A-B=\log_3 x^2-(\log_3 x)^2$

$=(2-\log_3 x)\log_3 x>0$

$\therefore B<A$

(ii) $0<\log_3 x<1$에서 $0<B=(\log_3 x)^2<1$

$\log_3 x<1$의 양변에 밑이 3인 로그를 취하면

$C=\log_3(\log_3 x)<0$

$\therefore C<B$

(i), (ii)에서 $C<B<A$ 정답_ ①

252

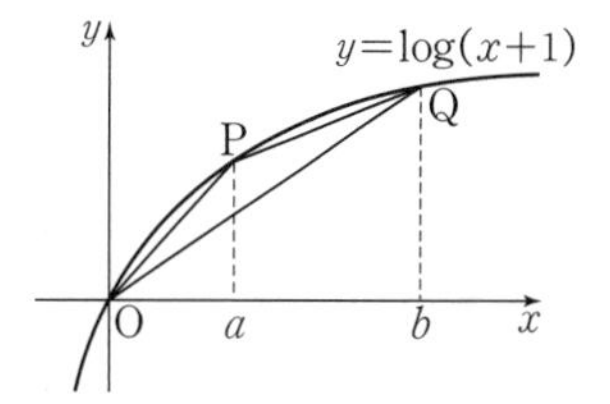

위의 그림에서 $P(a,\ \log(a+1))$, $Q(b,\ \log(b+1))$이므로 세 직선 OP, PQ, OQ의 기울기를 각각 m_1, m_2, m_3이라고 하면

$m_1=\frac{\log(a+1)-0}{a-0}=\frac{1}{a}\log(a+1)=A$

$m_2=\dfrac{\log(b+1)-\log(a+1)}{b-a}=\dfrac{1}{b-a}\log\dfrac{b+1}{a+1}=C$

$m_3=\dfrac{\log(b+1)-0}{b-0}=\dfrac{1}{b}\log(b+1)=B$

이때, 그림에서 $m_2<m_3<m_1$이므로 $C<B<A$ 정답_⑤

253

(1) $x=\dfrac{1}{100}$일 때 $y=\log\dfrac{1}{100}=-2$, $x=1000$일 때 $y=\log 1000=3$이므로 최댓값은 3, 최솟값은 -2이다.

(2) $x=2$일 때 $y=\log_{\frac{1}{2}}8=-3$, $x=8$일 때 $y=\log_{\frac{1}{2}}32=-5$이므로 최댓값은 -3, 최솟값은 -5이다.

(3) $x=3$일 때 $y=\log_3 9=2$, $x=12$일 때 $y=\log_3 27=3$이므로 최댓값은 3, 최솟값은 2이다.

(4) $x=1$일 때 $y=\log_{\frac{1}{3}}3+3=2$, $x=4$일 때 $y=\log_{\frac{1}{3}}9+3=1$이므로 최댓값은 2, 최솟값은 1이다.

정답_(1) 최댓값 : 3, 최솟값 : -2 (2) 최댓값 : -3, 최솟값 : -5
(3) 최댓값 : 3, 최솟값 : 2 (4) 최댓값 : 2, 최솟값 : 1

254

$-\dfrac{2}{3}\le x\le 26$에서 $\dfrac{1}{3}\le x+1\le 27$

각 변에 밑이 $\dfrac{1}{3}$인 로그를 취하면

$\log_{\frac{1}{3}}27\le\log_{\frac{1}{3}}(x+1)\le\log_{\frac{1}{3}}\dfrac{1}{3}$

$\log_{3^{-1}}3^3\le\log_{\frac{1}{3}}(x+1)\le 1$

$\therefore -3\le y\le 1$

따라서 $a=-3$, $b=1$이므로 $a+b=-2$ 정답_③

255

$y=\log_{\frac{1}{2}}(x-a)$에서 밑이 1보다 작으므로 감소함수이다.

(i) $x=8$일 때, 최솟값 -2를 가지므로

$-2=\log_{\frac{1}{2}}(8-a)$, $8-a=\left(\dfrac{1}{2}\right)^{-2}=2^2=4$ $\therefore a=4$

(ii) $x=6$일 때, 최댓값 M을 가지므로

$M=\log_{\frac{1}{2}}(6-4)=\log_{2^{-1}}2=-1$

$\therefore aM=4\cdot(-1)=-4$ 정답_④

256

$y=\log_2(3x-1)+k$에서 밑이 1보다 크므로 증가함수이다.

$x=1$일 때, 최솟값은 $y=\log_2 2+k=1+k$

$x=3$일 때, 최댓값은 $y=\log_2 8+k=3+k$

최댓값이 최솟값의 2배이므로

$3+k=2(1+k)$ $\therefore k=1$ 정답_⑤

257

(1) $x^2-2x+3=(x-1)^2+2$의 최솟값은 2이고, 밑이 1보다 크므로 주어진 함수는 최솟값 $\log_2 2=1$을 갖는다.

(2) $-x^2+4x+5=-(x-2)^2+9$의 최댓값은 9이고, 밑이 1보다 크므로 주어진 함수는 최댓값 $\log_3 9=2$를 갖는다.

(3) $x^2+2x+4=(x+1)^2+3$의 최솟값은 3이고, 밑이 1보다 작으므로 주어진 함수는 최댓값 $\log_{\frac{1}{3}}3=-1$을 갖는다.

(4) $-x^2+8x+16=-(x-4)^2+32$의 최댓값은 32이고, 밑이 1보다 작으므로 주어진 함수는 최솟값 $\log_{\frac{1}{2}}32=-5$를 갖는다.

정답_(1) 최솟값 : 1 (2) 최댓값 : 2
(3) 최댓값 : -1 (4) 최솟값 : -5

258

$f(x)=x^2-2x+3$으로 놓고

$f(x)=(x-1)^2+2$의 그래프를 그린 후, $-1\le x\le 2$의 부분만 잘라내면 오른쪽 그림과 같다.

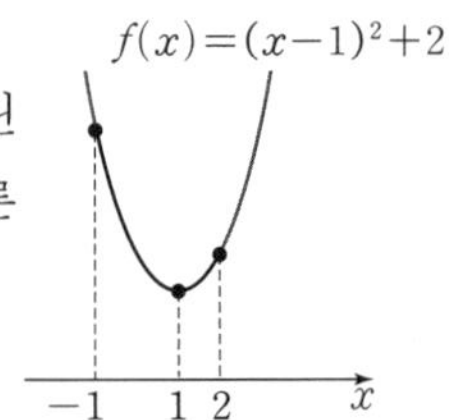

이때, $f(x)$는 $x=1$일 때 최솟값 2, $x=-1$일 때 최댓값 6을 가지므로

$2\le f(x)\le 6$에서

$\log_{\frac{1}{2}}6\le\log_{\frac{1}{2}}f(x)\le\log_{\frac{1}{2}}2$ $\therefore -\log_2 6\le y\le -1$

따라서 주어진 함수의 최댓값은 -1이다. 정답_⑤

259

$y=x^2-2x+5=(x-1)^2+4$는 최솟값 4를 갖는다.

$y=\log_a(x^2-2x+5)$가 최솟값을 가지려면 밑이 1보다 커야 하므로 $a>1$

이때, $y=\log_a(x^2-2x+5)$의 최솟값이 2이므로

$\log_a 4=2$에서 $a^2=4$

$\therefore a=2$ ($\because a>1$) 정답_⑤

260

$y=(\log_2 x)^2-2\log_2 x-8$에서 $\log_2 x=t$로 놓으면

$y=t^2-2t-8=(t-1)^2-9$

이때, $\dfrac{1}{4}\le x\le 4$이므로 $\log_2\dfrac{1}{4}\le\log_2 x\le\log_2 4$

$\log_2 2^{-2}\le\log_2 x\le\log_2 2^2$

$\therefore -2\le t\le 2$

$y=(t-1)^2-9$의 그래프를 그린 후, $-2\le t\le 2$의 부분만 잘라내면 오른쪽 그림과 같다.

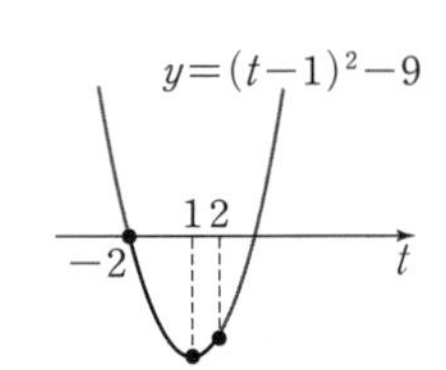

$t=-2$일 때 최댓값 0, $t=1$일 때 최솟값 -9를 가지므로

$M=0$, $m=-9$

$\therefore M+m=-9$ 정답_⑤

261

$y=(\log_3 x)(\log_{\frac{1}{3}} x)+2\log_3 x+10$

$=(\log_3 x)(-\log_3 x)+2\log_3 x+10$

$=-(\log_3 x)^2+2\log_3 x+10$

$\log_3 x=t$로 놓으면 $y=-t^2+2t+10=-(t-1)^2+11$

이때, $1\le x\le 81$이므로

$\log_3 1\le \log_3 x\le \log_3 81$, $\log_3 1\le \log_3 x\le \log_3 3^4$

$\therefore 0\le t\le 4$

$y=-(t-1)^2+11$의 그래프를 그린 후, $0\le t\le 4$의 부분만 잘라내면 오른쪽 그림과 같다.

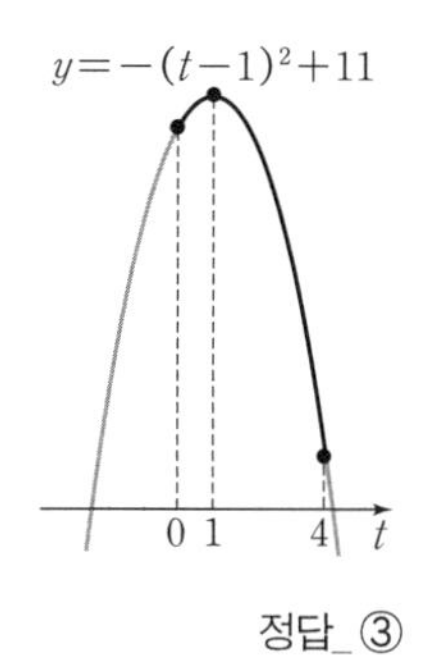

$t=4$일 때 최솟값 2, $t=1$일 때 최댓값 11을 가지므로

$M=11$, $m=2$ $\quad \therefore M+m=13$

정답_③

262

$y=\left(\log_2 \frac{x}{4}\right)\left(\log_4 \frac{x}{2}\right)=\left(\log_2 \frac{x}{2^2}\right)\left(\log_{2^2} \frac{x}{2}\right)$

$=\frac{1}{2}(\log_2 x-\log_2 2^2)(\log_2 x-\log_2 2)$

$=\frac{1}{2}(\log_2 x-2)(\log_2 x-1)$

$\log_2 x=t$로 놓으면

$y=\frac{1}{2}(t-2)(t-1)=\frac{1}{2}(t^2-3t+2)$

$=\frac{1}{2}\left(t-\frac{3}{2}\right)^2-\frac{1}{8}$

따라서 $t=\frac{3}{2}$일 때, 최솟값 $-\frac{1}{8}$을 갖는다.

$\log_2 x=\frac{3}{2}$에서 $x=2^{\frac{3}{2}}=2\sqrt{2}$이므로

$a=2\sqrt{2}$, $b=-\frac{1}{8}$ $\quad \therefore a^2b=8\cdot\left(-\frac{1}{8}\right)=-1$ 정답_①

263

$2^{\log x}=x^{\log 2}$이므로 $2^{\log x}=t\ (t>1)$로 놓으면 주어진 함수는

$y=t^2-4t-3=(t-2)^2-7$

그러므로 $t=2$일 때, 최솟값 -7을 갖는다.

$t=2$에서 $2^{\log x}=2$, $\log x=1$ $\quad \therefore x=10$

따라서 $a=10$, $b=-7$이므로 $a+b=3$ 정답_③

264

$y=\frac{x^4}{100}\div x^{\log x}$의 양변에 상용로그를 취하면

$\log y=\log\left(\frac{x^4}{100}\div x^{\log x}\right)=\log\left(\frac{x^4}{100x^{\log x}}\right)$

$=\log x^4-\log 100-\log x^{\log x}$

$=-(\log x)^2+4\log x-2$

$\log x=t$로 놓으면 $\log y=-t^2+4t-2=-(t-2)^2+2$

이므로 $t=2$일 때 $\log y$는 최댓값 2를 갖는다.

$t=\log x=2$, $\log y=2$에서 $x=100$, $y=100$

따라서 $a=100$, $b=100$이므로

$\frac{a+b}{100}=\frac{100+100}{100}=2$ 정답_②

265

$y=4x^{2-\log_2 x}$의 양변에 밑이 2인 로그를 취하면

$\log_2 y=\log_2 4x^{2-\log_2 x}=\log_2 4+\log_2 x^{2-\log_2 x}$

$=2+(2-\log_2 x)\log_2 x$

$=-(\log_2 x)^2+2\log_2 x+2$

$\log_2 x=t$로 놓으면

$\log_2 y=-t^2+2t+2=-(t-1)^2+3$

이므로 $t=1$일 때, $\log_2 y$는 최댓값 3을 갖는다.

$\log_2 y=3$에서 $y=8$

따라서 주어진 함수의 최댓값은 8이다. 정답_①

266

$y=(100x)^{6-\log x}$의 양변에 상용로그를 취하면

$\log y=\log(100x)^{6-\log x}=(6-\log x)\log 100x$

$=(6-\log x)(2+\log x)$

$=-(\log x)^2+4\log x+12$

$\log x=t$로 놓으면

$\log y=-t^2+4t+12=-(t-2)^2+16$

이때, $1\le x\le 1000$이므로 $0\le t\le 3$

$\log y=-(t-2)^2+16$의 그래프를 그린 후, $0\le t\le 3$의 부분만 잘라내면 오른쪽 그림과 같다.

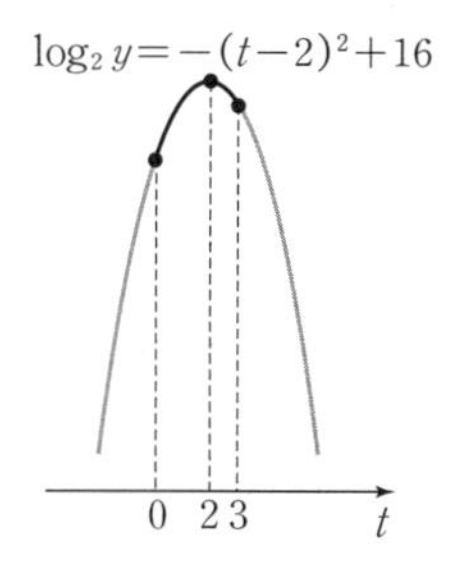

$t=2$일 때 최댓값 16, $t=0$일 때 최솟값 12를 가지므로

$12\le \log y\le 16$ $\quad \therefore 10^{12}\le y\le 10^{16}$

따라서 $M=10^{16}$, $m=10^{12}$이므로

$\frac{M}{m}=\frac{10^{16}}{10^{12}}=10^4$ 정답_②

267

$x>1$에서 $\log_2 x>0$, $\log_x 16>0$이므로 산술평균과 기하평균의 관계에 의해

$\log_2 x+\log_x 16\ge 2\sqrt{\log_2 x\cdot\log_x 16}$

$=2\sqrt{\log_2 x\cdot\frac{4}{\log_2 x}}$

$=2\sqrt{4}=4$

(단, 등호는 $\log_2 x=\log_x 16$, 즉 $x=4$일 때 성립)

따라서 $\log_2 x+\log_x 16$의 최솟값은 4이다. 정답_②

268

$x>0, y>0$이므로 산술평균과 기하평균의 관계에 의해

$\frac{3x+y}{2} \geq \sqrt{3xy}$ (단, 등호는 $3x=y$일 때 성립)

$\frac{6}{2} \geq \sqrt{3xy}$, $9 \geq 3xy$

$\therefore xy \leq 3$

양변에 밑이 $\frac{1}{3}$인 로그를 취하면

$\log_{\frac{1}{3}} xy \geq \log_{\frac{1}{3}} 3 = -1$

따라서 $\log_{\frac{1}{3}} x + \log_{\frac{1}{3}} y = \log_{\frac{1}{3}} xy$의 최솟값은 -1이다.

정답_②

269

$\log_2\left(x+\frac{4}{y}\right)+\log_2\left(y+\frac{4}{x}\right)=\log_2\left(x+\frac{4}{y}\right)\left(y+\frac{4}{x}\right)$

$=\log_2\left(xy+\frac{16}{xy}+8\right)$

$x>0, y>0$이므로 산술평균과 기하평균의 관계에 의해

$xy+\frac{16}{xy} \geq 2\sqrt{xy \cdot \frac{16}{xy}}=8$ (단, 등호는 $xy=4$일 때 성립)

$\therefore \log_2\left(x+\frac{4}{y}\right)+\log_2\left(y+\frac{4}{x}\right) \geq \log_2 16 = \log_2 2^4 = 4$

따라서 $\log_2\left(x+\frac{4}{y}\right)+\log_2\left(y+\frac{4}{x}\right)$의 최솟값은 4이다.

정답_④

270

(1) $\log_2(x+6)=5$에서 $x+6=2^5$ $\therefore x=26$

(2) $\log_2\{\log_3(x-1)\}=2$에서 $\log_3(x-1)=2^2=4$

$x-1=3^4=81$ $\therefore x=82$

(3) $\log_3(x-1)=2\log_3 2$에서 $\log_3(x-1)=\log_3 4$

$x-1=4$ $\therefore x=5$

(4) $\log_2 x=1+\log_2(x-6)$에서 $\log_2 x=\log_2 2(x-6)$

$x=2(x-6)$ $\therefore x=12$

정답_(1) $x=26$ (2) $x=82$ (3) $x=5$ (4) $x=12$

271

$\log(x^2+3)-\log(x-1)=\log 2x$에서

$\log(x^2+3)=\log 2x+\log(x-1)$

$\log(x^2+3)=\log 2x(x-1)$

$x^2+3=2x(x-1)$, $x^2-2x-3=0$

$(x+1)(x-3)=0$

$\therefore x=-1$ 또는 $x=3$

이때, $x=-1$은 원래 식의 진수가 음수가 되므로 버린다.

따라서 주어진 방정식의 해는 $x=3$이므로 구하는 모든 근의 합은 3이다.

정답_④

272

$\log_3(x-4)=\log_9(5x+4)$에서

$\log_3(x-4)=\frac{1}{2}\log_3(5x+4)$

$2\log_3(x-4)=\log_3(5x+4)$

$\log_3(x-4)^2=\log_3(5x+4)$

$(x-4)^2=5x+4$, $x^2-13x+12=0$

$(x-1)(x-12)=0$ $\therefore x=1$ 또는 $x=12$

이때, $x=1$은 원래 식의 진수가 음수가 되므로 버린다.

따라서 구하는 해는 $x=12$이다.

정답_$x=12$

273

$\log_2 x+\log_2(4-x)-k=0$에서

$\log_2 x(4-x)=k$ $\therefore x(4-x)=2^k$ ······ ㉠

이때, 진수는 양수이어야 하므로

$x>0, 4-x>0$ $\therefore 0<x<4$ ······ ㉡

주어진 방정식이 서로 다른 두 개의 실근을 가지려면 ㉡의 범위에서 ㉠이 서로 다른 두 개의 실근을 가져야 한다.

$0<x<4$에서 곡선 $y=x(4-x)$와 직선 $y=2^k$의 교점이 2개이어야 하므로 오른쪽 그림에서

$0<2^k<4$ $\therefore k<2$

따라서 자연수 k는 1뿐이므로 1개이다.

정답_①

274

(1) $(\log x)^2-\log x^3=0$에서 $(\log x)^2-3\log x=0$

$\log x=t$로 놓으면 $t^2-3t=0$

$t(t-3)=0$ $\therefore t=0$ 또는 $t=3$

$\log x=0$ 또는 $\log x=3$ $\therefore x=1$ 또는 $x=1000$

(2) $(\log_3 x)^2-\log_3 x^2-3=0$에서 $(\log_3 x)^2-2\log_3 x-3=0$

$\log_3 x=t$로 놓으면 $t^2-2t-3=0$

$(t+1)(t-3)=0$ $\therefore t=-1$ 또는 $t=3$

$\log_3 x=-1$ 또는 $\log_3 x=3$ $\therefore x=\frac{1}{3}$ 또는 $x=27$

정답_(1) $x=1$ 또는 $x=1000$ (2) $x=\frac{1}{3}$ 또는 $x=27$

275

$(\log_2 x)^2-3\log_2 x+2=0$에서 $\log_2 x=t$로 놓으면

$t^2-3t+2=0$, $(t-1)(t-2)=0$

$\therefore t=1$ 또는 $t=2$

$\log_2 x=1$ 또는 $\log_2 x=2$ $\therefore x=2$ 또는 $x=4$

$\therefore \alpha+\beta=6$

정답_③

276

$\log_2 x+3\log_x 2=4$에서

$\log_2 x+\frac{3}{\log_2 x}=4$

$\log_2 x=t$로 놓으면 $t+\frac{3}{t}=4$

$t^2-4t+3=0, (t-1)(t-3)=0 \quad \therefore t=1$ 또는 $t=3$

$\log_2 x=1$ 또는 $\log_2 x=3 \quad \therefore x=2$ 또는 $x=8$

따라서 구하는 모든 근의 합은 $2+8=10$ 정답_①

277

$\log_2 x-\log_x 8=2$에서 $\log_2 x-3\log_x 2=2$

$\therefore \log_2 x-\frac{3}{\log_2 x}=2$

$\log_2 x=t$로 놓으면 $t-\frac{3}{t}=2,\ t^2-2t-3=0$

$(t+1)(t-3)=0 \quad \therefore t=-1$ 또는 $t=3$

$\log_2 x=-1$ 또는 $\log_2 x=3 \quad \therefore x=\frac{1}{2}$ 또는 $x=8$

따라서 구하는 모든 근의 곱은 $\frac{1}{2}\cdot 8=4$ 정답_②

278

$2^{\log x}=x^{\log 2}$이므로 $2^{\log x}=t$로 놓으면 주어진 방정식은

$t^2=6t-8, t^2-6t+8=0$

$(t-2)(t-4)=0 \quad \therefore t=2$ 또는 $t=4$

(i) $t=2$일 때, $2^{\log x}=2, \log x=1 \quad \therefore x=10$

(ii) $t=4$일 때, $2^{\log x}=4, \log x=2 \quad \therefore x=100$

(i), (ii)에 의해 $\alpha+\beta=10+100=110$ 정답_⑤

279

$\log_{\frac{1}{2}} x\cdot\log_2 x+2\log_2 x+k=0$에 $x=16$을 대입하면

$\log_{\frac{1}{2}} 16\cdot\log_2 16+2\log_2 16+k=0$

$-16+8+k=0 \quad \therefore k=8$

즉, 주어진 방정식은 $\log_{\frac{1}{2}} x\cdot\log_2 x+2\log_2 x+8=0$

$\therefore (\log_2 x)^2-2\log_2 x-8=0$

$\log_2 x=t$로 놓으면 $t^2-2t-8=0$

$(t+2)(t-4)=0 \quad \therefore t=-2$ 또는 $t=4$

$\log_2 x=-2$ 또는 $\log_2 x=4 \quad \therefore x=\frac{1}{4}$ 또는 $x=16$

따라서 구하는 다른 한 근은 $\frac{1}{4}$이다. 정답_①

280

$\log_2 x+a\log_x 8=2$에 $x=8$을 대입하면

$\log_2 8+a\log_8 8=2, \log_2 2^3+a=2$

$3+a=2 \quad \therefore a=-1$

따라서 주어진 방정식은 $\log_2 x-\log_x 8=2$

$\log_2 x-3\log_x 2=2, \log_2 x-\frac{3}{\log_2 x}=2$

$\log_2 x=t$로 놓으면 $t-\frac{3}{t}=2, t^2-2t-3=0$

$(t+1)(t-3)=0 \quad \therefore t=-1$ 또는 $t=3$

$\log_2 x=-1$ 또는 $\log_2 x=3 \quad \therefore x=\frac{1}{2}$ 또는 $x=8$

이때, 다른 한 근은 $\frac{1}{2}$이므로 $b=\frac{1}{2}$

$\therefore a+b=-\frac{1}{2}$ 정답_②

281

$(\log_2 x-3)\log_2 x=1$에서

$(\log_2 x)^2-3\log_2 x-1=0$ ······ ㉠

$\log_2 x=t$로 놓으면 $t^2-3t-1=0$ ······ ㉡

이때, ㉠의 두 근을 α, β라고 하면 ㉡의 두 근은 $\log_2\alpha, \log_2\beta$이므로 이차방정식 ㉡에서 근과 계수의 관계에 의해

$\log_2\alpha+\log_2\beta=3, \log_2\alpha\beta=3 \quad \therefore \alpha\beta=2^3=8$

따라서 구하는 두 근의 곱은 8이다. 정답_③

282

$(\log x)^2-k\log x-2=0$ ······ ㉠

$\log x=t$로 놓으면 $t^2-kt-2=0$ ······ ㉡

이때, ㉠의 두 근을 α, β라고 하면 ㉡의 두 근은 $\log\alpha, \log\beta$이므로 이차방정식 ㉡에서 근과 계수의 관계에 의해

$\log\alpha+\log\beta=k \quad \therefore \log\alpha\beta=k$

한편, 주어진 조건에서 $\alpha\beta=100$이므로

$k=\log 100=2$ 정답_②

283

$x^{\log x}=x^2$의 양변에 상용로그를 취하면

$\log x^{\log x}=\log x^2 \quad \therefore (\log x)^2=2\log x$

$\log x=t$로 놓으면 $t^2=2t, t(t-2)=0$

$t=0$ 또는 $t=2 \quad \therefore \log x=0$ 또는 $\log x=2$

$\therefore x=1$ 또는 $x=100$

따라서 $\alpha=1, \beta=100$이므로 $\alpha\beta=100$ 정답_④

284

$x^{\log_2 x}=8x^2$의 양변에 밑이 2인 로그를 취하면

$\log_2 x^{\log_2 x}=\log_2 8x^2, \log_2 x\cdot\log_2 x=\log_2 8+\log_2 x^2$

$(\log_2 x)^2=3+2\log_2 x$

$\therefore (\log_2 x)^2-2\log_2 x-3=0$

$\log_2 x=t$로 놓으면 $t^2-2t-3=0$

$(t+1)(t-3)=0 \quad \therefore t=-1$ 또는 $t=3$

$\log_2 x=-1$ 또는 $\log_2 x=3$이므로　$x=\frac{1}{2}$ 또는 $x=8$

$\therefore \alpha\beta=\frac{1}{2}\cdot 8=4$　　정답_ 4

285

$x^{\log x}=\frac{1000}{x^2}$의 양변에 상용로그를 취하면

$\log x^{\log x}=\log\frac{1000}{x^2}$, $\log x\cdot\log x=\log 1000-\log x^2$

$\therefore (\log x)^2+2\log x-3=0$

$\log x=t$로 놓으면　$t^2+2t-3=0$

$(t+3)(t-1)=0$　　$\therefore t=-3$ 또는 $t=1$

$\log x=-3$ 또는 $\log x=1$　　$\therefore x=\frac{1}{1000}$ 또는 $x=10$

따라서 $\alpha=\frac{1}{1000}$, $\beta=10$이므로　$\alpha\beta^4=10$　　정답_ ②

286

$\log x+\log(y-1)=2$에서　$\log x(y-1)=2$

$x(y-1)=100$　　$\therefore x=\frac{100}{y-1}$　　…… ㉠

$\log(x-y)=\log x-\log y$에서

$\log(x-y)=\log\frac{x}{y}$

$x-y=\frac{x}{y}$, $xy-y^2=x$, $x(y-1)=y^2$

$\therefore x=\frac{y^2}{y-1}$　　…… ㉡

㉠, ㉡에 의해　$\frac{100}{y-1}=\frac{y^2}{y-1}$　　$\therefore y^2=100$

이때, 로그의 진수는 양수이어야 하므로　$y>1$　　$\therefore y=10$

이 값을 ㉠에 대입하면　$x=\frac{100}{9}$

따라서 $\alpha=\frac{100}{9}$, $\beta=10$이므로　$\frac{\beta^2}{\alpha}=9$　　정답_ ①

287

$\log_3 x\cdot\log_2 y=\frac{\log x}{\log 3}\cdot\frac{\log y}{\log 2}=\frac{\log x}{\log 2}\cdot\frac{\log y}{\log 3}$

$=\log_2 x\cdot\log_3 y$

이므로 주어진 방정식의 해는

연립방정식　$\begin{cases}\log_2 x+\log_3 y=6\\ \log_2 x\cdot\log_3 y=8\end{cases}$의 해와 같다.

$\log_2 x=X$, $\log_3 y=Y$로 놓으면　$\begin{cases}X+Y=6\\ XY=8\end{cases}$

이때, 두 근의 합이 6, 곱이 8인 이차방정식 $t^2-6t+8=0$을 생각하면 $(t-2)(t-4)$에서　$t=2$ 또는 $t=4$

$\therefore X=2, Y=4$ 또는 $X=4, Y=2$

(i) $X=2, Y=4$, 즉 $\log_2 x=2$, $\log_3 y=4$일 때

　$x=4, y=81$

　그런데 $\alpha>\beta$이어야 하므로 이 값은 버린다.

(ii) $X=4, Y=2$, 즉 $\log_2 x=4$, $\log_3 y=2$일 때

　$x=16, y=9$

(i), (ii)에 의해 $\alpha=16$, $\beta=9$이므로

$\sqrt{\alpha\beta}=\sqrt{16\cdot 9}=4\cdot 3=12$　　정답_ ②

288

$\log_2(x-2)-\log_2 y=1$에서　$\log_2\frac{x-2}{y}=1$

$\frac{x-2}{y}=2$, $2y=x-2$　　…… ㉠

$2^x-2\cdot 4^{-y}=7$에서　$2^x-2\cdot 2^{-2y}=7$　　…… ㉡

㉠을 ㉡에 대입하면　$2^x-2\cdot 2^{2-x}-7=0$

등식의 양변에 2^x을 곱하면　$(2^x)^2-7\cdot 2^x-8=0$

$2^x=t\ (t>0)$로 놓으면　$t^2-7t-8=0$

$(t-8)(t+1)=0$　　$\therefore t=8\ (\because t>0)$

$t=2^x=8$에서 $x=3$이므로 ㉠에 대입하면　$y=\frac{1}{2}$

따라서 $\alpha=3$, $\beta=\frac{1}{2}$이므로　$10\alpha\beta=15$　　정답_ ③

289

진수는 양수이어야 하므로　$x>0, y>0$

$\log_2 x+\log_2 y=(\log_2 xy)^2$에서

$\log_2 xy=(\log_2 xy)^2$, $\log_2 xy(\log_2 xy-1)=0$

$\log_2 xy=t$로 놓으면　$t(t-1)=0$

$\therefore t=0$ 또는 $t=1$

$\log_2 xy=0$ 또는 $\log_2 xy=1$　　$\therefore xy=1$ 또는 $xy=2$

$\therefore y=\frac{1}{x}$ 또는 $y=\frac{2}{x}$

주어진 연립방정식의 해는 $x>0, y>0$에서

원 $x^2+y^2=25$와 곡선

$y=\frac{1}{x}$ 또는 $y=\frac{2}{x}$의 교점의

좌표와 같다.

따라서 오른쪽 그림에 의해 구하는 해의 순서쌍 $(x,\ y)$의 개수는 4이다.　　정답_ ④

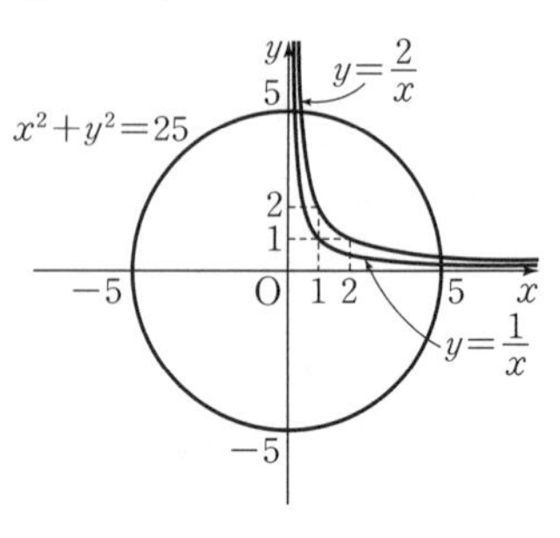

290

(1) 진수는 양수이어야 하므로

　$x-1>0$　　$\therefore x>1$　　…… ㉠

　$\log_3(x-1)\le 2$에서　$\log_3(x-1)\le\log_3 9$

　$x-1\le 9$　　$\therefore x\le 10$　　…… ㉡

㉠, ㉡의 공통부분을 구하면 $1<x\le10$

(2) 진수는 양수이어야 하므로

$x+2>0$ $\quad \therefore x>-2$ ...... ㉠

$\log_{\frac{1}{2}}(x+2)>1$에서 $\log_{\frac{1}{2}}(x+2)>\log_{\frac{1}{2}}\frac{1}{2}$

$x+2<\frac{1}{2}$ $\quad \therefore x<-\frac{3}{2}$ ...... ㉡

㉠, ㉡의 공통부분을 구하면 $-2<x<-\frac{3}{2}$

(3) 진수는 양수이어야 하므로

$2x-1>0, x+3>0$ $\quad \therefore x>\frac{1}{2}$ ...... ㉠

$\log_2(2x-1)>\log_2(x+3)$에서

$2x-1>x+3$ $\quad \therefore x>4$ ...... ㉡

㉠, ㉡의 공통부분을 구하면 $x>4$

(4) 진수는 양수이어야 하므로

$2-x>0, x+1>0$ $\quad \therefore -1<x<2$ ...... ㉠

$\log_{\frac{1}{3}}(2-x)\le\log_{\frac{1}{3}}(x+1)$에서

$2-x\ge x+1$ $\quad \therefore x\le\frac{1}{2}$ ...... ㉡

㉠, ㉡의 공통부분을 구하면 $-1<x\le\frac{1}{2}$

정답_ (1) $1<x\le10$ (2) $-2<x<-\frac{3}{2}$ (3) $x>4$ (4) $-1<x\le\frac{1}{2}$

291

진수는 양수이어야 하므로

$x-4>0, x-2>0$ $\quad \therefore x>4$ ...... ㉠

$2\log_{\frac{1}{3}}(x-4)>\log_{\frac{1}{3}}(x-2)$에서

$\log_{\frac{1}{3}}(x-4)^2>\log_{\frac{1}{3}}(x-2)$

$(x-4)^2<x-2, x^2-9x+18<0$

$(x-3)(x-6)<0$ $\quad \therefore 3<x<6$ ...... ㉡

㉠, ㉡의 공통부분을 구하면 $4<x<6$

따라서 $a=4, b=6$이므로 $ab=24$ 정답_ ④

292

진수는 양수이어야 하므로

$2x+1>0, x-2>0$ $\quad \therefore x>2$ ...... ㉠

$\log_3(2x+1)\ge1+\log_3(x-2)$에서

$\log_3(2x+1)\ge\log_3 3(x-2)$

$2x+1\ge3(x-2), 2x+1\ge3x-6$ $\quad \therefore x\le7$ ...... ㉡

㉠, ㉡의 공통부분을 구하면 $2<x\le7$

따라서 자연수 x는 $3, 4, 5, 6, 7$이므로 그 합은

$3+4+5+6+7=25$ 정답_ ④

293

진수는 양수이어야 하므로

$x-3>0, x+1>0$ $\quad \therefore x>3$ ...... ㉠

$\log_2(x-3)+\log_2(x+1)<5$에서

$\log_2(x-3)+\log_2(x+1)<\log_2 2^5$

$\therefore \log_2(x-3)(x+1)<\log_2 32$

$(x-3)(x+1)<32, x^2-2x-35<0$

$(x+5)(x-7)<0$ $\quad \therefore -5<x<7$ ...... ㉡

㉠, ㉡의 공통부분을 구하면 $3<x<7$

$3<x<7$을 해로 갖고, 이차항의 계수가 1인 이차부등식은

$(x-3)(x-7)<0, x^2-10x+21<0$

따라서 $a=1, b=-10$이므로 $a+b=-9$ 정답_ ③

294

(1) 진수는 양수이어야 하므로

$x>0,\ x^2>0$ $\quad \therefore x>0$ ...... ㉠

$(\log_3 x)^2+\log_3 x^2>0$에서 $(\log_3 x)^2+2\log_3 x>0$

$\log_3 x=t$로 놓으면 $t^2+2t>0$

$t(t+2)>0$ $\quad \therefore t<-2$ 또는 $t>0$

$\log_3 x<-2$ 또는 $\log_3 x>0$

$\therefore x<\frac{1}{9}$ 또는 $x>1$ ...... ㉡

㉠, ㉡의 공통부분을 구하면 $0<x<\frac{1}{9}$ 또는 $x>1$

(2) 진수는 양수이어야 하므로

$x>0,\ x^2>0$ $\quad \therefore x>0$ ...... ㉠

$(\log_2 x)^2+\log_2 x^2-8\le0$에서

$(\log_2 x)^2+2\log_2 x-8\le0$

$\log_2 x=t$로 놓으면 $t^2+2t-8\le0$

$(t+4)(t-2)\le0$ $\quad \therefore -4\le t\le2$

$-4\le\log_2 x\le2$ $\quad \therefore \frac{1}{16}\le x\le4$ ...... ㉡

㉠, ㉡의 공통부분을 구하면 $\frac{1}{16}\le x\le4$

정답_ (1) $0<x<\frac{1}{9}$ 또는 $x>1$ (2) $\frac{1}{16}\le x\le4$

295

진수는 양수이어야 하므로

$x>0, x^5>0$ $\quad \therefore x>0$ ...... ㉠

$(\log_2 x)^2<\log_2 x^5-6$에서

$(\log_2 x)^2-5\log_2 x+6<0$

$\log_2 x=t$로 놓으면 $t^2-5t+6<0$

$(t-2)(t-3)<0$ $\quad \therefore 2<t<3$

$2<\log_2 x<3$ $\quad \therefore 4<x<8$ ...... ㉡

㉠, ㉡의 공통부분을 구하면 $4<x<8$

따라서 $\alpha=4, \beta=8$이므로 $\alpha\beta=32$ 정답_ ⑤

296

진수는 양수이어야 하므로

$9x>0, x>0 \quad \therefore x>0$ ...... ㉠

$\log_3 9x \cdot \log_3 x \le 15$에서

$(\log_3 3^2+\log_3 x)(\log_3 x) \le 15$

$\therefore (2+\log_3 x)(\log_3 x) \le 15$

$\log_3 x=t$로 놓으면 $(2+t)t \le 15$

$t^2+2t-15 \le 0, (t+5)(t-3) \le 0 \quad \therefore -5 \le t \le 3$

$-5 \le \log_3 x \le 3 \quad \therefore 3^{-5} \le x \le 3^3$ ...... ㉡

㉠, ㉡의 공통부분을 구하면 $3^{-5} \le x \le 3^3$

따라서 구하는 자연수 x의 최댓값은 3^3이다. 정답_①

297

진수는 양수이어야 하므로 $x>0$ ...... ㉠

$x^{\log x} \le 10$의 양변에 상용로그를 취하면

$\log x^{\log x} \le \log 10 \quad \therefore (\log x)^2 \le 1$

$\log x=t$로 놓으면 $t^2 \le 1$

$(t+1)(t-1) \le 0 \quad \therefore -1 \le t \le 1$

$-1 \le \log x \le 1 \quad \therefore \frac{1}{10} \le x \le 10$ ...... ㉡

㉠, ㉡의 공통부분을 구하면 $\frac{1}{10} \le x \le 10$ 정답_①

298

진수는 양수이어야 하므로 $x>0$ ...... ㉠

$x^{\log x}>1000x^2$의 양변에 상용로그를 취하면

$\log x^{\log x}>\log 1000x^2, \ \log x \cdot \log x>\log 1000+\log x^2$

$\therefore (\log x)^2-2\log x-3>0$

$\log x=t$로 놓으면 $t^2-2t-3>0$

$(t+1)(t-3)>0 \quad \therefore t<-1$ 또는 $t>3$

$\log x<-1$ 또는 $\log x>3$

$\therefore x<\frac{1}{10}$ 또는 $x>1000$ ...... ㉡

㉠, ㉡의 공통부분을 구하면 $0<x<\frac{1}{10}$ 또는 $x>1000$

따라서 $S=\left\{x \middle| 0<x<\frac{1}{10} \text{ 또는 } x>1000\right\}$이므로 주어진 수 중에서 집합 S의 원소가 아닌 것은 10^2이다. 정답_②

299

진수는 양수이어야 하므로 $x>0$ ...... ㉠

$\left(\frac{1}{2}x\right)^{\log_{\frac{1}{2}} x-2} \ge 2^{-4}$의 양변에 밑이 2인 로그를 취하면

$\log_2 \left(\frac{1}{2}x\right)^{\log_{\frac{1}{2}} x-2} \ge \log_2 2^{-4}, \ (\log_{\frac{1}{2}} x-2)\log_2 \frac{1}{2}x \ge \log_2 2^{-4}$

$(-\log_2 x-2)\left(\log_2 \frac{1}{2}+\log_2 x\right) \ge -4$

$(\log_2 x+2)(-1+\log_2 x) \le 4$

$\therefore (\log_2 x)^2+\log_2 x-6 \le 0$

$\log_2 x=t$로 놓으면 $t^2+t-6 \le 0$

$(t+3)(t-2) \le 0, \ -3 \le t \le 2$

$-3 \le \log_2 x \le 2 \quad \therefore \frac{1}{8} \le x \le 4$ ...... ㉡

㉠, ㉡의 공통부분을 구하면 $\frac{1}{8} \le x \le 4$

따라서 구하는 자연수 x는 1, 2, 3, 4로 4개이다. 정답_④

300

이차함수 $y=x^2-2(\log a)x+\log a+2$의 그래프가 x축과 만나지 않으려면 이차방정식 $x^2-2(\log a)x+\log a+2=0$이 허근을 가져야 하므로 판별식 D에 대하여

$\frac{D}{4}=(\log a)^2-\log a-2<0$

$\log a=t$로 놓으면 $t^2-t-2<0$

$(t+1)(t-2)<0 \quad \therefore -1<t<2$

$-1<\log a<2 \quad \therefore \frac{1}{10}<a<100$

따라서 $\alpha=\frac{1}{10}, \beta=100$이므로 $\alpha\beta=10$ 정답_③

301

부등식 $x^2-2(\log_2 a)x+3\log_2 a+4>0$이 모든 실수 x에 대하여 항상 성립하려면 이차방정식

$x^2-2(\log_2 a)x+3\log_2 a+4=0$이 허근을 가져야 하므로 판별식 D에 대하여

$\frac{D}{4}=(\log_2 a)^2-3\log_2 a-4<0$

$\log_2 a=t$로 놓으면 $t^2-3t-4<0$

$(t+1)(t-4)<0 \quad \therefore -1<t<4$

$-1<\log_2 a<4 \quad \therefore \frac{1}{2}<a<16$

따라서 $\alpha=\frac{1}{2}, \beta=16$이므로 $\alpha\beta=8$ 정답_③

302

진수는 양수이어야 하므로

$x \ne 5, x>0, x+2>0$

$\therefore 0<x<5$ 또는 $x>5$ ...... ㉠

$\log_{\frac{1}{2}} |x-5|>-3$에서

$|x-5|<\left(\frac{1}{2}\right)^{-3}, \ |x-5|<8$

$-8<x-5<8 \quad \therefore -3<x<13$ ...... ㉡

$\log_3 x+\log_3 (x+2) \ge 1$에서

$\log_3 x(x+2) \ge \log_3 3$

$x(x+2) \geq 3,\ x^2+2x-3 \geq 0$

$(x+3)(x-1) \geq 0 \qquad \therefore x \leq -3$ 또는 $x \geq 1$ ······ ㉢

㉠, ㉡, ㉢의 공통부분을 구하면

$1 \leq x < 5$ 또는 $5 < x < 13$

따라서 구하는 정수 x는 $1, 2, 3, 4, 6, \cdots, 12$로 11개이다.

정답_ ④

303

태풍의 중심 기압이 900(hPa)일 때

$V_A = 4.86(1010-900)^{0.5} = 4.86 \cdot 110^{0.5}$

태풍의 중심 기압이 960(hPa)일 때

$V_B = 4.86(1010-960)^{0.5} = 4.86 \cdot 50^{0.5}$

$\therefore \dfrac{V_A}{V_B} = \dfrac{4.86 \cdot 110^{0.5}}{4.86 \cdot 50^{0.5}} = 2.2^{0.5}$

양변에 상용로그를 취하면

$$\log \frac{V_A}{V_B} = \log 2.2^{0.5} = \frac{1}{2}\log(2 \cdot 1.1)$$

$$= \frac{1}{2}(\log 2 + \log 1.1)$$

$$= \frac{1}{2}(0.3010 + 0.0414) = 0.1712$$

여기서 $\log 1.483 = 0.1712$이므로

$\dfrac{V_A}{V_B} = 1.483$

정답_ ④

304

처음 과자 1봉지에 들어가는 실제 과자의 질량을 a, 과자 1봉지당 가격을 b라고 하면 n년 후 과자 1봉지에 들어가는 실제 과자의 질량은 $0.9^n \times a$, 과자 1봉지의 가격은 $1.2^n \times b$이므로 n년 후 실제 과자의 단위 질량당 가격이 처음의 2배 이상이 되려면

$\dfrac{1.2^n \times b}{0.9^n \times a} \geq 2 \times \dfrac{b}{a},\ \left(\dfrac{1.2}{0.9}\right)^n \geq 2 \qquad \therefore \left(\dfrac{4}{3}\right)^n \geq 2$

양변에 상용로그를 취하면 $n(\log 4 - \log 3) \geq \log 2$

$$n \geq \frac{\log 2}{\log 4 - \log 3} = \frac{\log 2}{2\log 2 - \log 3}$$

$$= \frac{0.3}{2 \times 0.3 - 0.48} = \frac{0.3}{0.12} = 2.5$$

따라서 n의 최솟값은 3이므로 최소 3년 후에 과자의 단위 질량당 가격이 처음의 2배 이상이 된다.

정답_ 3년 후

305

오른쪽 그림에서

$A(\beta,\ \log_9 \beta)$,

$B(\log_9 \beta,\ \log_9 \beta)$

점 B와 C는 x좌표가 같으므로 $C(\log_9 \beta,\ 3^{\log_9 \beta})$

점 C와 점 D는 y좌표가 같으므로 $D(\alpha,\ 3^{\log_9 \beta})$

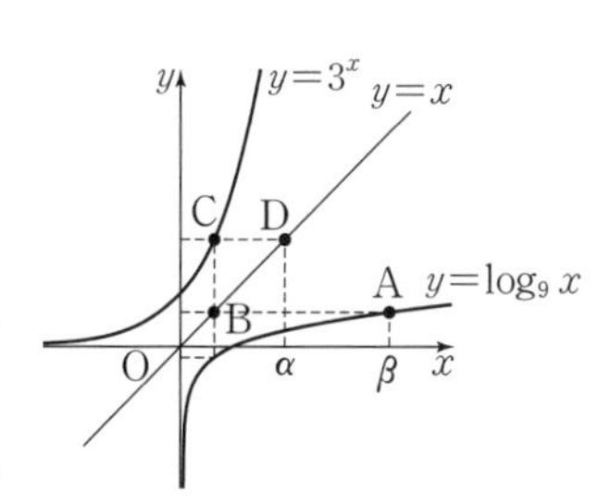

점 D는 직선 $y=x$ 위의 점이므로 $\alpha = 3^{\log_9 \beta} = \beta^{\log_9 3} = \beta^{\frac{1}{2}}$ ····· ❶

즉, $\beta = \alpha^2$이므로 $\alpha\beta = 8$에 대입하면 $\alpha^3 = 8$

$\therefore \alpha = 2,\ \beta = \alpha^2 = 4$ ······ ❷

$\therefore \alpha + \beta = 2 + 4 = 6$ ······ ❸

정답_ 6

단계	채점 기준	비율
❶	α, β 사이의 관계식 구하기	40%
❷	α, β의 값 구하기	40%
❸	$\alpha+\beta$의 값 구하기	20%

306

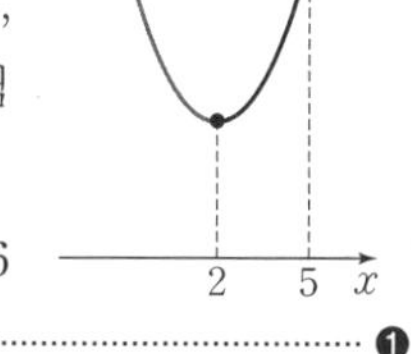

$f(x) = x^2 - 4x + 11$로 놓고

$f(x) = (x-2)^2 + 7$의 그래프를 그린 후, $2 \leq x \leq 5$의 부분만 잘라내면 오른쪽 그림과 같다.

$x=2$일 때 최솟값 7, $x=5$일 때 최댓값 16을 가지므로 $7 \leq f(x) \leq 16$ ······ ❶

$7 \leq f(x) \leq 16$에서 $y = \log_a f(x)$의 최솟값이 -2이어야 하므로

(i) $a > 1$일 때, 최솟값은 $\log_a 7 = -2$

$a^{-2} = 7,\ a^2 = \dfrac{1}{7} \qquad \therefore a = \dfrac{1}{\sqrt{7}}\ (\because a > 0)$

그런데 이 값은 $a > 1$에 속하지 않으므로 버린다.

(ii) $0 < a < 1$일 때, 최솟값은 $\log_a 16 = -2$

$a^{-2} = 16,\ a^2 = \dfrac{1}{16} \qquad \therefore a = \dfrac{1}{4}\ (\because a > 0)$

(i), (ii)에서 $a = \dfrac{1}{4}$ ······ ❷

$7 \leq f(x) \leq 16$에서 $y = \log_{\frac{1}{4}} f(x)$의 최댓값은

$\log_{\frac{1}{4}} 7 = -\log_4 7 = \log_4 \dfrac{1}{7} \qquad \therefore k = 7$ ······ ❸

정답_ 7

단계	채점 기준	비율
❶	$f(x)=x^2-4x+11$의 최댓값, 최솟값 구하기	30%
❷	a의 값 구하기	40%
❸	k의 값 구하기	30%

307

$\log_2 x \cdot \log_2 \dfrac{16}{x} = \dfrac{m}{16}$에서 $(\log_2 x)(\log_2 16 - \log_2 x) = \dfrac{m}{16}$

$\therefore (\log_2 x)(4 - \log_2 x) = \dfrac{m}{16}$

$\log_2 x = t$로 놓으면 $t(4-t) = \dfrac{m}{16}$

$4t - t^2 = \dfrac{m}{16} \qquad \therefore 16t^2 - 64t + m = 0$ ······ ㉠

······ ❶

주어진 방정식의 해가 존재하려면 이차방정식 ㉠이 실근을 가져

야 하므로 ㉠의 판별식 D에 대하여

$\frac{D}{4}=32^2-16m\ge0$ $\therefore m\le64$ ❷

따라서 구하는 m의 최댓값은 64이다. ❸

정답_ 64

단계	채점 기준	비율
❶	$\log_2 x=t$로 치환하여 주어진 식을 t에 대한 방정식으로 나타내기	40%
❷	m의 값의 범위 구하기	40%
❸	m의 최댓값 구하기	20%

308

$f(x)=x^2+2x+4$라고 하면 x^2+2x+4를 $x-\log_3 a$로 나눈 나머지는

$f(\log_3 a)=(\log_3 a)^2+2\log_3 a+4$ ⋯⋯ ㉠

❶

x^2+2x+4를 $x-\log_3 9a$로 나눈 나머지는

$f(\log_3 9a)=(\log_3 9a)^2+2\log_3 9a+4$

$=(2+\log_3 a)^2+2(2+\log_3 a)+4$ ⋯⋯ ㉡

❷

㉠과 ㉡이 서로 같아야 하므로

$(\log_3 a)^2+2\log_3 a+4=(2+\log_3 a)^2+2(2+\log_3 a)+4$

$\log_3 a=t$로 놓으면

$t^2+2t+4=(2+t)^2+2(2+t)+4$, $4t=-8$

$\therefore t=-2$

즉, $\log_3 a=-2$이므로 ❸

$a=3^{-2}=\frac{1}{9}$ ❹

정답_ $\frac{1}{9}$

단계	채점 기준	비율
❶	x^2+2x+4를 $x-\log_3 a$로 나눈 나머지 구하기	20%
❷	x^2+2x+4를 $x-\log_3 9a$로 나눈 나머지 구하기	20%
❸	$\log_3 a$의 값 구하기	40%
❹	a의 값 구하기	20%

309

$3^{5(1-x)}\le\left(\frac{1}{3}\right)^{x^2-1}$에서 $3^{5(1-x)}\le3^{1-x^2}$

$5(1-x)\le1-x^2$, $x^2-5x+4\le0$, $(x-1)(x-4)\le0$

$\therefore 1\le x\le4$ ⋯⋯ ㉠

❶

$(\log_2 x)^2-4\log_2 x+3<0$에서 진수는 양수이어야 하므로

$x>0$ ⋯⋯ ㉡

$\log_2 x=t$로 놓으면

$t^2-4t+3<0$, $(t-1)(t-3)<0$

$\therefore 1<t<3$

즉, $1<\log_2 x<3$이므로 $2<x<8$ ⋯⋯ ㉢

❷

㉠, ㉡, ㉢의 공통부분을 구하면

$2<x\le4$ ❸

따라서 자연수 x는 3, 4이므로 그 곱은 $3\cdot4=12$ ❹

정답_ 12

단계	채점 기준	비율
❶	$3^{5(1-x)}\le\left(\frac{1}{3}\right)^{x^2-1}$의 해 구하기	30%
❷	$(\log_2 x)^2-4\log_2 x+3<0$의 해 구하기	40%
❸	연립부등식의 해 구하기	20%
❹	자연수 x의 곱 구하기	10%

310

$x^{\log_3 x}\ge ax^4$의 양변에 밑이 3인 로그를 취하면

$\log_3 x^{\log_3 x}\ge\log_3 ax^4$, $\log_3 x\cdot\log_3 x\ge\log_3 a+\log_3 x^4$

$\therefore (\log_3 x)^2-4\log_3 x-\log_3 a\ge0$ ⋯⋯ ㉠

❶

$\log_3 x=t$로 놓으면 $t^2-4t-\log_3 a\ge0$ ⋯⋯ ㉡

❷

$x>0$에서 부등식 ㉠이 항상 성립하려면 모든 실수 t에 대하여 이차부등식 ㉡이 항상 성립해야 하므로 $t^2-4t-\log_3 a=0$의 판별식 D에 대하여

$\frac{D}{4}=(-2)^2-(-\log_3 a)\le0$, $\log_3 a\le-4$

$0<a\le3^{-4}$ $\therefore 0<a\le\frac{1}{81}$ ❸

정답_ $0<a\le\frac{1}{81}$

단계	채점 기준	비율
❶	양변에 로그를 취하여 주어진 부등식 변형하기	40%
❷	$\log_3 x=t$로 치환하여 t에 대한 부등식으로 나타내기	10%
❸	a의 값의 범위 구하기	50%

311

ㄱ은 옳다.

$y=a^{x-1}$에서 x와 y를 서로 바꾸면 $x=a^{y-1}$

양변에 밑이 a인 로그를 취하면 $y-1=\log_a x$

$\therefore y=1+\log_a x$

따라서 $y=a^{x-1}$과 $y=1+\log_a x$는 서로 역함수 관계이므로 두 함수의 그래프는 직선 $y=x$에 대하여 대칭이다.

ㄴ은 옳지 않다.

a의 값에 따라 만나는 경우도 있고, 만나지 않는 경우도 있다.

$a=10$일 때, 함수 $y=-10^x$의 그래프와 함수 $y=\log_{\frac{1}{10}}x$의 그래프는 만나지 않는다.

ㄷ도 옳다.

함수 $y=ka^x$의 그래프는 $k=a^{-a}$일 때, $y=ka^x=a^{x-a}$이므로 점 $(a,\ 1)$을 지나고, $y=\log_a x$의 그래프도 점 $(a,\ 1)$을 지난다.

따라서 옳은 것은 ㄱ, ㄷ이다. 정답_③

312

주어진 직선과 두 로그함수의 그래프를 그리면 다음 그림과 같다.

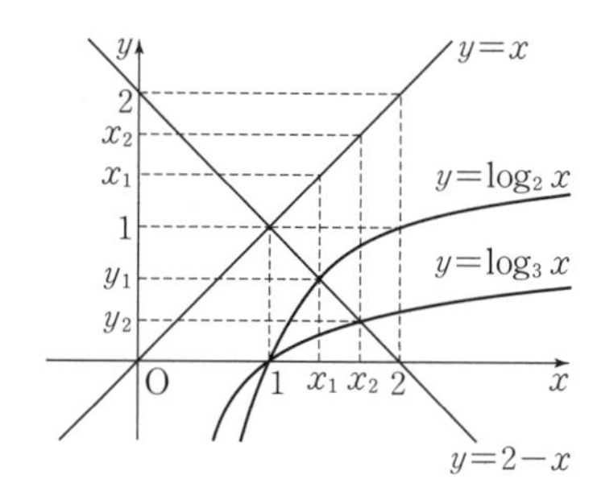

ㄱ은 옳다.

위의 그림에서 $x_1>1, y_2<1$이므로 $x_1>y_2$

ㄴ도 옳다.

두 점 $(x_1,\ y_1), (x_2,\ y_2)$를 지나는 직선의 기울기는 -1이므로 $\dfrac{y_2-y_1}{x_2-x_1}=-1$ $\therefore x_2-x_1=y_1-y_2$

ㄷ도 옳다.

직선 $y=2-x$ 위의 점 $(x,\ y)$에 대하여

$xy=x(2-x)=-x^2+2x=-(x-1)^2+1$

이때 $x>1$에서 $-(x-1)^2+1$의 값은 x가 커질수록 작아지고 $1<x_1<x_2<2$이므로 $x_1y_1>x_2y_2$

따라서 옳은 것은 ㄱ, ㄴ, ㄷ이다. 정답_⑤

313

$\mathrm{P}(a,\ \log_{\frac{1}{9}}a), \mathrm{Q}(a,\ \log_3 a)$이므로

$\overline{\mathrm{PQ}}=\log_{\frac{1}{9}}a-\log_3 a=-\dfrac{1}{2}\log_3 a-\log_3 a$

$=-\dfrac{3}{2}\log_3 a$

$\mathrm{R}(b,\ \log_{\frac{1}{9}}b), \mathrm{S}(b,\ \log_3 b)$이므로

$\overline{\mathrm{SR}}=\log_3 b-\log_{\frac{1}{9}}b=\log_3 b+\dfrac{1}{2}\log_3 b$

$=\dfrac{3}{2}\log_3 b$

$\overline{\mathrm{PQ}}:\overline{\mathrm{SR}}=2:1$이므로

$\left(-\dfrac{3}{2}\log_3 a\right):\left(\dfrac{3}{2}\log_3 b\right)=2:1, \log_3 a=-2\log_3 b$

$\therefore a=\dfrac{1}{b^2}$ ······ ㉠

선분 PR의 중점의 x좌표가 $\dfrac{9}{8}$이므로

$\dfrac{a+b}{2}=\dfrac{9}{8}$ $\therefore a+b=\dfrac{9}{4}$ ······ ㉡

㉠을 ㉡에 대입하면 $\dfrac{1}{b^2}+b=\dfrac{9}{4}, 4b^3-9b^2+4=0$

$(b-2)(4b^2-b-2)=0$ $\therefore b=2$

$b=2$를 ㉠에 대입하면 $a=\dfrac{1}{4}$

$\therefore 40(b-a)=40\left(2-\dfrac{1}{4}\right)=70$ 정답_70

314

곡선 $y=\log_6(x-1)-4$는 곡선 $y=\log_6(x+1)$을 x축의 방향으로 2만큼, y축의 방향으로 -4만큼 평행이동한 것이다.

따라서 오른쪽 그림과 같이 빗금 친 부분의 넓이가 같으므로 구하는 넓이는 평행사변형 OABC의 넓이와 같다.

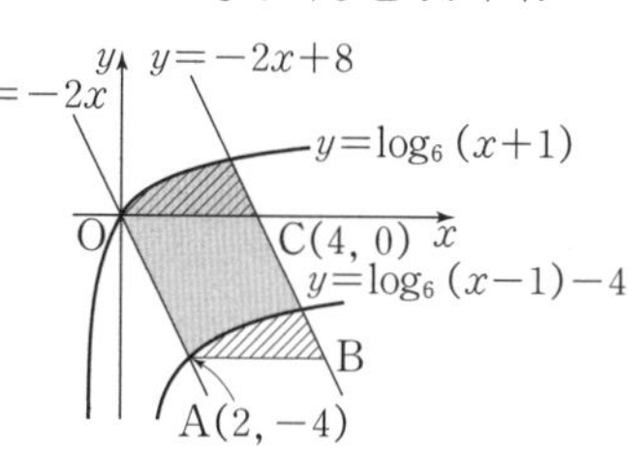

이때, 두 점 A, C의 좌표는 각각 A$(2,\ -4)$, C$(4,\ 0)$이므로 $\overline{\mathrm{OC}}=4$

따라서 평행사변형 OABC의 넓이는 $4\cdot4=16$ 정답_16

315

$x>1, y>1$이므로 $\log_2 x>0,\ \log_2 y>0$

산술평균과 기하평균의 관계에 의해

$3=\log_2 x+\log_2 y$

$\geq 2\sqrt{\log_2 x\cdot\log_2 y}$ (단, 등호는 $\log_2 x=\log_2 y$일 때 성립)

$\therefore \sqrt{\log_2 x\cdot\log_2 y}\leq\dfrac{3}{2}$

양변을 제곱하면 $\log_2 x\cdot\log_2 y\leq\dfrac{9}{4}$

$\therefore \log_x 2+\log_y 2=\dfrac{1}{\log_2 x}+\dfrac{1}{\log_2 y}$

$=\dfrac{\log_2 x+\log_2 y}{\log_2 x\cdot\log_2 y}$

$=\dfrac{3}{\log_2 x\cdot\log_2 y}$

$\geq 3\cdot\dfrac{4}{9}=\dfrac{4}{3}$

따라서 $\log_x 2+\log_y 2$의 최솟값은 $\dfrac{4}{3}$ 정답_⑤

316

$(\log_2 x)^2+(\log_2 y)^2=10$에서 $\log_2 x=X, \log_2 y=Y$로 놓으면 $X^2+Y^2=10$ ······ ㉠

이때, $\log_2 xy^3=\log_2 x+3\log_2 y=k$ (k는 상수)로 놓으면

$X+3Y=k$ $\therefore Y=-\dfrac{1}{3}X+\dfrac{k}{3}$ ······ ㉡

오른쪽 그림에서 직선 ㉡이 원 ㉠과 접할 때 k의 최댓값과 최솟값이 발생한다.

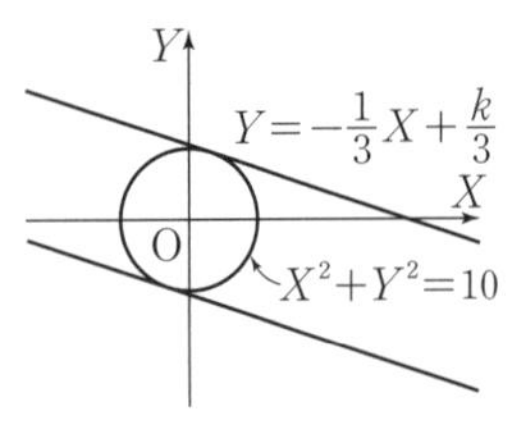

이때, 원의 중심 O$(0,\ 0)$과 직선 $X+3Y-k=0$ 사이의 거리가 원의 반지름의 길이인 $\sqrt{10}$과 같으므로

$\frac{|0+0-k|}{\sqrt{1^2+3^2}}=\sqrt{10}$에서 $|k|=10$ $\quad\therefore k=\pm10$

$\log_2 xy^3=k=\pm10$에서 xy^3의 최댓값과 최솟값은 각각

$M=2^{10},\ m=2^{-10}$ $\quad\therefore Mm=2^{10}\cdot2^{-10}=1$ 정답_①

317

$(\log_2 x)^2-4\log_2 x+k=0$ …… ㉠

$4x^2-5x+1=0$에서 $(4x-1)(x-1)=0$

$\therefore x=\frac{1}{4}$ 또는 $x=1$

따라서 ㉠의 한 근이 $\frac{1}{4}<x<1$을 만족시켜야 한다.

$(\log_2 x)^2-4\log_2 x+k=0$에서 $\log_2 x=t$로 놓으면

$t^2-4t+k=0$ …… ㉡

이때, $\frac{1}{4}<x<1$에서 $\log_2\frac{1}{4}<\log_2 x<\log_2 1$

$\therefore -2<t<0$ …… ㉢

㉡의 한 근이 ㉢을 만족시켜야 하므로

$f(t)=t^2-4t+k$로 놓으면

$f(t)=(t-2)^2-4+k$

의 그래프가 오른쪽 그림과 같아야 한다.

즉, 이차함수 $y=f(t)$의 그래프가 -2와 0 사이에서 t축과 만나야 하므로

$f(-2)=12+k>0,\ f(0)=k<0$ $\quad\therefore -12<k<0$

ㄱ은 옳다.

상수 k의 값의 범위는 $-12<k<0$

ㄴ은 옳지 않다.

㉠의 두 근을 α,β라고 하면 ㉡의 두 근은 $\log\alpha,\ \log\beta$이므로

이차방정식 ㉡에서 근과 계수의 관계에 의해

$\log_2\alpha+\log_2\beta=4,\ \log_2\alpha\beta=4$ $\quad\therefore \alpha\beta=16$

따라서 방정식 ㉠의 두 근의 곱은 16이다.

ㄷ도 옳다.

이차함수 $y=f(t)$의 그래프는 직선 $t=2$에 대하여 대칭이므로 -2와 0 사이에서 t축과 만나면 오른쪽 그림과 같이 4와 6 사이에서도 t축과 만난다.

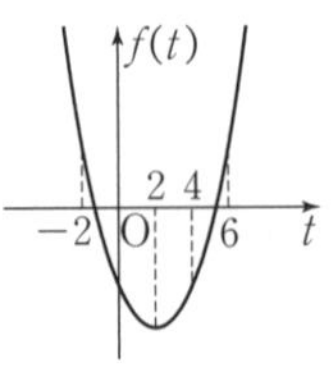

따라서 ㉡이 $4<t<6$인 근을 가지므로 ㉠은 $4<\log_2 x<6$, 즉 $16<x<64$인 근을 갖는다.

그러므로 방정식 ㉠의 다른 한 근은 방정식 $(x-16)(x-64)=0$의 두 근 사이에 있다.

따라서 옳은 것은 ㄱ, ㄷ이다. 정답_③

318

$[\log_2 x]^2-8[\log_2 x]+15<0$에서

$([\log_2 x]-3)([\log_2 x]-5)<0$

$3<[\log_2 x]<5$ $\quad\therefore [\log_2 x]=4$ ($\because [\log_2 x]$는 정수)

따라서 $4\le\log_2 x<5$ $\quad\therefore 16\le x<32$ …… ㉠

$\log_{0.5}\left(\frac{x}{4}-1\right)\ge-2$에서 $\log_{\frac{1}{2}}\left(\frac{x}{4}-1\right)\ge\log_{\frac{1}{2}}4$

밑이 1보다 작으므로 $\frac{x}{4}-1\le4$ $\quad\therefore x\le20$

이때, 진수는 양수이어야 하므로 $\frac{x}{4}-1>0$ $\quad\therefore x>4$

$\therefore 4<x\le20$ …… ㉡

㉠, ㉡에서 $A=\{x\,|\,16\le x<32\},\ B=\{x\,|\,4<x\le20\}$이므로

$A\cap B=\{x\,|\,16\le x\le20\}=\{x\,|\,(x-16)(x-20)\le0\}$

$=\{x\,|\,x^2-36x+320\le0\}$

따라서 $a=-36,\ b=320$이므로 $a+b=284$ 정답_④

319

주어진 조건에 의해

$A(n)=\{x\,|\,\log_2 x\le n\}=\{x\,|\,0<x\le2^n\}$

$B(n)=\{x\,|\,\log_4 x\le n\}=\{x\,|\,0<x\le4^n\}$

ㄱ은 옳지 않다.

$A(1)=\{x\,|\,0<x\le2\}$

ㄴ은 옳다.

$A(4)=\{x\,|\,0<x\le2^4\}=\{x\,|\,0<x\le4^2\}=B(2)$

ㄷ도 옳다.

$\{x\,|\,0<x\le2^n\}\subset\{x\,|\,0<x\le4^n\}$이므로 $2^n\le4^n$

이때, $4^{-n}\le2^{-n}$이므로 $\{x\,|\,0<x\le4^{-n}\}\subset\{x\,|\,0<x\le2^{-n}\}$

$\therefore B(-n)\subset A(-n)$

따라서 옳은 것은 ㄴ, ㄷ이다. 정답_⑤

II 삼각함수

05 삼각함수

320

(1) $30^\circ=30\times\frac{\pi}{180}=\frac{\pi}{6}$

(2) $165^\circ=165\times\frac{\pi}{180}=\frac{11}{12}\pi$

(3) $-150^\circ=-150\times\frac{\pi}{180}=-\frac{5}{6}\pi$

(4) $\frac{3}{4}\pi=\frac{3}{4}\times180^\circ=135^\circ$

(5) $-\frac{2}{3}\pi=-\frac{2}{3}\times180^\circ=-120^\circ$

(6) $3=3\times\frac{180^\circ}{\pi}=\frac{540^\circ}{\pi}$

정답_ (1) $\frac{\pi}{6}$ (2) $\frac{11}{12}\pi$ (3) $-\frac{5}{6}\pi$
(4) 135° (5) -120° (6) $\frac{540^\circ}{\pi}$

321

① $\frac{\pi}{3}=\frac{1}{3}\times180^\circ=60^\circ$

② $36^\circ=36\times\frac{\pi}{180}=\frac{\pi}{5}$

③ $110^\circ=110\times\frac{\pi}{180}=\frac{11}{18}\pi$

④ $195^\circ=195\times\frac{\pi}{180}=\frac{13}{12}\pi$

⑤ $\frac{3}{2}\pi=\frac{3}{2}\times180^\circ=270^\circ$

따라서 옳지 않은 것은 ③이다. 정답_ ③

322

세 각의 크기를 모두 호도법으로 나타내면

$1^\circ=\frac{\pi}{180}$, $1=\frac{180}{180}$, $\frac{\pi}{3}=\frac{60\pi}{180}$

이때, $\pi=3.14\cdots>3$이므로 분자끼리 비교하면

$\pi<180<60\pi$ $\quad\therefore 1^\circ<1<\frac{\pi}{3}$ 정답_ ①

323

(1) 시계 반대 방향으로 60°만큼 회전한다.

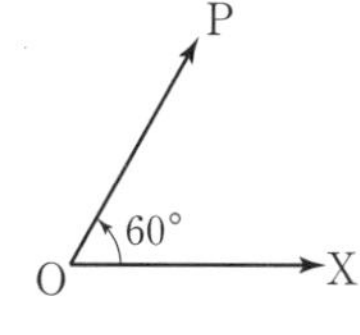

(2) $495^\circ=360^\circ\times1+135^\circ$이므로 시계 반대 방향으로 한 바퀴 회전한 후 135°만큼 더 회전한다.

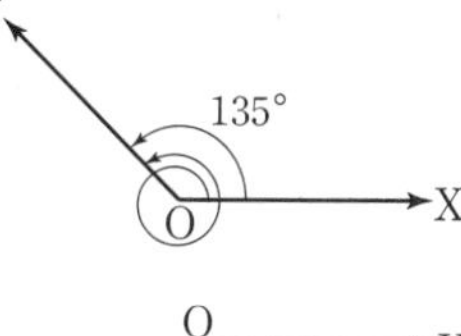

(3) 시계 방향으로 150°만큼 회전한다.

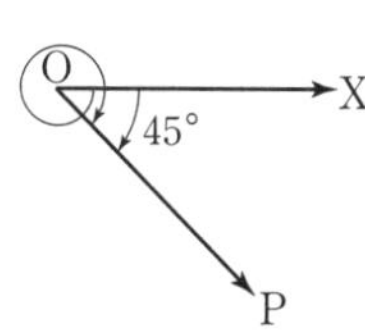

(4) $405^\circ=360^\circ\times1+45^\circ$이므로 시계 방향으로 한 바퀴 회전한 후 45°만큼 더 회전한다.

O X 45° P

답_ 풀이 참조

324

① 동경 OP가 90°를 나타내므로 일반각은 $360^\circ n+90^\circ$이다.

② 동경 OP가 -90° 또는 270°를 나타내므로 일반각은 $360^\circ n+270^\circ$이다.

③ 동경 OP가 -45° 또는 315°를 나타내므로 일반각은 $360^\circ n+315^\circ$이다.

④ 동경 OP가 0°를 나타내므로 일반각은 $360^\circ n$이다.

⑤ 동경 OP가 180°를 나타내므로 일반각은 $360^\circ n+180^\circ$이다.

따라서 옳지 않은 것은 ②이다. 정답_ ②

325

(1) $400^\circ=360^\circ\times1+40^\circ$에서 40°와 동경이 일치하므로 일반각은 $360^\circ n+40^\circ$ (단, n은 정수이다.)

(2) $-380^\circ=360^\circ\times(-2)+340^\circ$에서 340°와 동경이 일치하므로 일반각은 $360^\circ n+340^\circ$ (단, n은 정수이다.)

(3) 일반각은 $2n\pi+\frac{5}{3}\pi$ (단, n은 정수이다.)

(4) $\frac{11}{4}\pi=2\pi\times1+\frac{3}{4}\pi$에서 $\frac{3}{4}\pi$와 동경이 일치하므로 일반각은 $2n\pi+\frac{3}{4}\pi$ (단, n은 정수이다.)

정답_ 풀이 참조

326

$390^\circ=360^\circ\times1+30^\circ$이므로 30°의 동경과 일치한다.

ㄱ. $750^\circ=360^\circ\times2+30^\circ$이므로 30°의 동경과 일치한다.

ㄴ. $690^\circ=360^\circ\times1+330^\circ$이므로 330°의 동경과 일치한다.

ㄷ. $1410^\circ=360^\circ\times3+330^\circ$이므로 330°의 동경과 일치한다.

ㄹ. $-330^\circ=360^\circ\times(-1)+30^\circ$이므로 30°의 동경과 일치한다.

ㅁ. $-390^\circ=360^\circ\times(-2)+330^\circ$이므로 330°의 동경과 일치한다.

따라서 390°와 동경이 일치하지 않는 것은 ㄴ, ㄷ, ㅁ으로 3개이다. 정답_ ③

327

(1) $570^\circ = 360^\circ \times 1 + 210^\circ$에서 동경이 210°와 일치하므로 제3사분면의 각이다.

(2) $750^\circ = 360^\circ \times 2 + 30^\circ$에서 동경이 30°와 일치하므로 제1사분면의 각이다.

(3) $-210^\circ = 360^\circ \times (-1) + 150^\circ$에서 동경이 150°와 일치하므로 제2사분면의 각이다.

(4) $1050^\circ = 360^\circ \times 2 + 330^\circ$에서 동경이 330°와 일치하므로 제4사분면의 각이다.

정답_ (1) 제3사분면의 각 (2) 제1사분면의 각
(3) 제2사분면의 각 (4) 제4사분면의 각

328

① $670^\circ = 360^\circ \times 1 + 310^\circ$이므로 제4사분면의 각이다.

② $\frac{7}{4}\pi$는 제4사분면의 각이다.

③ 280°는 제4사분면의 각이다.

④ $\frac{7}{3}\pi = 2\pi \times 1 + \frac{\pi}{3}$이므로 제1사분면의 각이다.

⑤ $-60^\circ = 360^\circ \times (-1) + 300^\circ$이므로 제4사분면의 각이다.

따라서 제4사분면의 각이 아닌 것은 ④이다. 정답_ ④

329

θ가 제3사분면의 각이므로

$360^\circ n + 180^\circ < \theta < 360^\circ n + 270^\circ$ (단, n은 정수이다.)

$\therefore 120^\circ n + 60^\circ < \frac{\theta}{3} < 120^\circ n + 90^\circ$

(i) $n=3k$ (k는 정수)일 때

$120^\circ \cdot 3k + 60^\circ < \frac{\theta}{3} < 120^\circ \cdot 3k + 90^\circ$

$\therefore 360^\circ k + 60^\circ < \frac{\theta}{3} < 360^\circ k + 90^\circ$

따라서 $\frac{\theta}{3}$는 제1사분면의 각이다.

(ii) $n=3k+1$ (k는 정수)일 때

$120^\circ(3k+1) + 60^\circ < \frac{\theta}{3} < 120^\circ(3k+1) + 90^\circ$

$\therefore 360^\circ k + 180^\circ < \frac{\theta}{3} < 360^\circ k + 210^\circ$

따라서 $\frac{\theta}{3}$는 제3사분면의 각이다.

(iii) $n=3k+2$ (k는 정수)일 때

$120^\circ(3k+2) + 60^\circ < \frac{\theta}{3} < 120^\circ(3k+2) + 90^\circ$

$\therefore 360^\circ k + 300^\circ < \frac{\theta}{3} < 360^\circ k + 330^\circ$

따라서 $\frac{\theta}{3}$는 제4사분면의 각이다.

(i), (ii), (iii)에서 $\frac{\theta}{3}$의 동경이 존재할 수 없는 사분면은 제2사분면이다. 정답_ ②

330

2θ가 제1사분면의 각이므로

$360^\circ n < 2\theta < 360^\circ n + 90^\circ$ (단, n은 정수이다.)

$\therefore 180^\circ n < \theta < 180^\circ n + 45^\circ$

(i) $n=2k$ (k는 정수)일 때

$180^\circ \cdot 2k < \theta < 180^\circ \cdot 2k + 45^\circ$

$\therefore 360^\circ k < \theta < 360^\circ k + 45^\circ$

따라서 θ는 제1사분면의 각이다.

(ii) $n=2k+1$ (k는 정수)일 때

$180^\circ(2k+1) < \theta < 180^\circ(2k+1) + 45^\circ$

$\therefore 360^\circ k + 180^\circ < \theta < 360^\circ k + 225^\circ$

따라서 θ는 제3사분면의 각이다.

(i), (ii)에서 θ의 동경이 존재할 수 있는 사분면은 제1, 3사분면이다. 정답_ ②

331

θ가 제2사분면의 각이므로

$360^\circ n + 90^\circ < \theta < 360^\circ n + 180^\circ$ (단, n은 정수이다.)

$\therefore 180^\circ n + 45^\circ < \frac{\theta}{2} < 180^\circ n + 90^\circ$

(i) $n=2k$ (k는 정수)일 때

$180^\circ \cdot 2k + 45^\circ < \frac{\theta}{2} < 180^\circ \cdot 2k + 90^\circ$

$\therefore 360^\circ k + 45^\circ < \frac{\theta}{2} < 360^\circ k + 90^\circ$

(ii) $n=2k+1$ (k는 정수)일 때

$180^\circ(2k+1) + 45^\circ < \frac{\theta}{2} < 180^\circ(2k+1) + 90^\circ$

$\therefore 360^\circ k + 225^\circ < \frac{\theta}{2} < 360^\circ k + 270^\circ$

(i), (ii)에서 $\frac{\theta}{2}$의 동경이 존재할 수 있는 영역은 ④이다.

정답_ ④

332

ㄱ은 옳지 않다.

$180^\circ = \pi$의 양변을 180으로 나누면 $1^\circ = \frac{\pi}{180}$

양변에 π를 곱하면 $\pi^\circ = \frac{\pi^2}{180}$

ㄴ도 옳지 않다.

$-120^\circ = 360^\circ \times (-1) + 240^\circ$이므로 제3사분면의 각이다.

ㄷ은 옳다.

$\frac{7}{3}\pi=2\pi\times1+\frac{\pi}{3}$, $-\frac{5}{3}\pi=2\pi\times(-1)+\frac{\pi}{3}$이므로

$\frac{\pi}{3}$, $\frac{7}{3}\pi$, $-\frac{5}{3}\pi$의 동경은 모두 일치한다.

따라서 옳은 것은 ㄷ이다. 정답_③

333

오른쪽 그림과 같이 각 θ를 나타내는 동경과 각 6θ를 나타내는 동경이 일치하므로

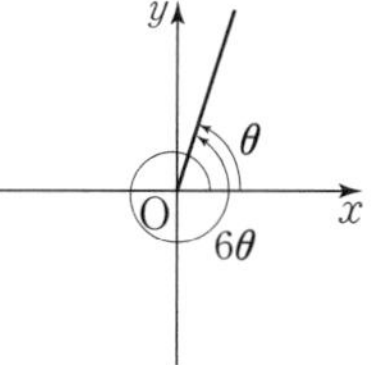

$6\theta-\theta=2n\pi$ (단, n은 정수이다.)

$5\theta=2n\pi$ $\quad\therefore \theta=\frac{2n}{5}\pi$ ⋯⋯ ㉠

$0<\theta<\pi$에서 $0<\frac{2n}{5}\pi<\pi$이므로 $0<n<\frac{5}{2}$ $\quad\therefore n=1,\ 2$

이 값을 ㉠에 대입하면 $\theta=\frac{2}{5}\pi$ 또는 $\theta=\frac{4}{5}\pi$

따라서 구하는 모든 θ의 크기의 합은

$\frac{2}{5}\pi+\frac{4}{5}\pi=\frac{6}{5}\pi$ 정답_⑤

334

오른쪽 그림과 같이 각 θ를 나타내는 동경과 각 7θ를 나타내는 동경이 일직선 위에 있고 방향이 반대이므로

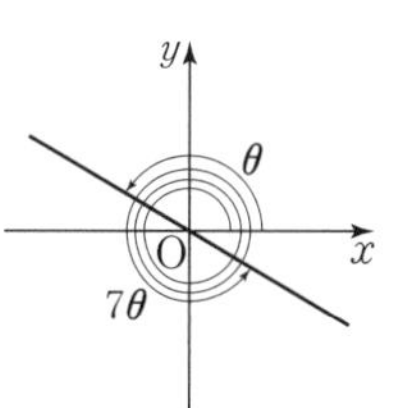

$7\theta-\theta=2n\pi+\pi$ (단, n은 정수이다.)

$6\theta=2n\pi+\pi$

$\therefore \theta=\frac{2n+1}{6}\pi$ ⋯⋯ ㉠

$\frac{\pi}{2}<\theta<\pi$에서 $\frac{\pi}{2}<\frac{2n+1}{6}\pi<\pi$, $3<2n+1<6$

$1<n<\frac{5}{2}$ $\quad\therefore n=2$

이 값을 ㉠에 대입하면 $\theta=\frac{5}{6}\pi$

$\therefore \sin\left(\theta-\frac{\pi}{3}\right)=\sin\left(\frac{5}{6}\pi-\frac{\pi}{3}\right)=\sin\frac{\pi}{2}=1$ 정답_⑤

335

오른쪽 그림과 같이 각 θ를 나타내는 동경과 각 5θ를 나타내는 동경이 원점에 대하여 대칭이므로

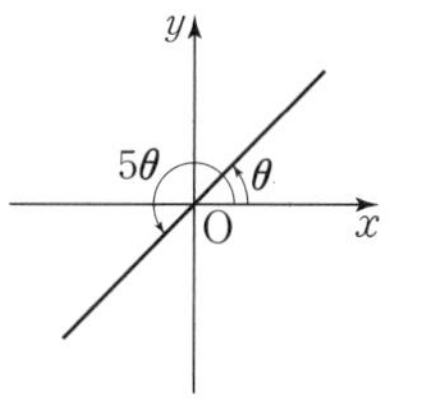

$5\theta-\theta=2n\pi+\pi$ (단, n은 정수이다.)

$4\theta=2n\pi+\pi$

$\therefore \theta=\frac{2n+1}{4}\pi$ ⋯⋯ ㉠

θ는 예각이므로 $0<\theta<\frac{\pi}{2}$, 즉 $0<\frac{2n+1}{4}\pi<\frac{\pi}{2}$

$0<2n+1<2$, $-\frac{1}{2}<n<\frac{1}{2}$ $\quad\therefore n=0$

이 값을 ㉠에 대입하면 $\theta=\frac{\pi}{4}$

$\therefore \tan\theta=\tan\frac{\pi}{4}=1$ 정답_②

336

오른쪽 그림과 같이 각 θ를 나타내는 동경과 각 2θ를 나타내는 동경이 x축에 대하여 대칭이므로

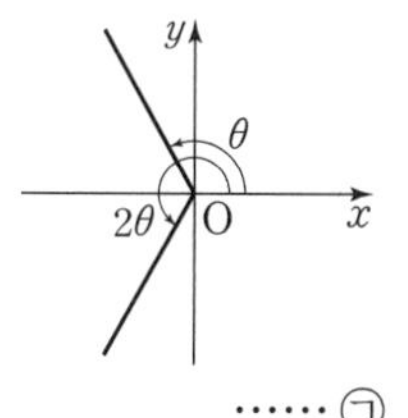

$\theta+2\theta=2n\pi$ (단, n은 정수이다.)

$3\theta=2n\pi$ $\quad\therefore \theta=\frac{2n}{3}\pi$ ⋯⋯ ㉠

$\frac{\pi}{2}<\theta<\pi$에서 $\frac{\pi}{2}<\frac{2n}{3}\pi<\pi$

$\frac{3}{4}<n<\frac{3}{2}$ $\quad\therefore n=1$

이 값을 ㉠에 대입하면 $\theta=\frac{2}{3}\pi$ 정답_③

337

오른쪽 그림과 같이 각 θ를 나타내는 동경과 각 3θ를 나타내는 동경이 y축에 대하여 대칭이므로

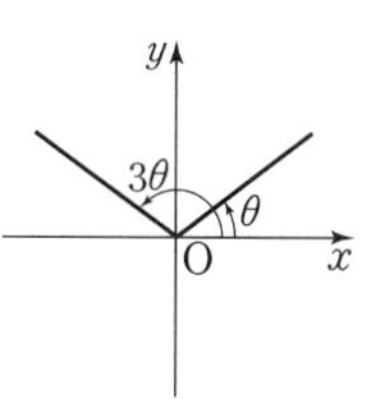

$\theta+3\theta=2n\pi+\pi$ (단, n은 정수이다.)

$4\theta=(2n+1)\pi$

$\therefore \theta=\frac{2n+1}{4}\pi$ ⋯⋯ ㉠

$0<\theta<\frac{\pi}{2}$에서 $0<\frac{2n+1}{4}\pi<\frac{\pi}{2}$, $0<2n+1<2$

$-\frac{1}{2}<n<\frac{1}{2}$ $\quad\therefore n=0$

이 값을 ㉠에 대입하면 $\theta=\frac{\pi}{4}$

$\therefore \cos\theta=\cos\frac{\pi}{4}=\frac{\sqrt{2}}{2}$ 정답_④

338

오른쪽 그림과 같이 각 θ를 나타내는 동경과 각 2θ를 나타내는 동경이 직선 $y=x$에 대하여 대칭이므로

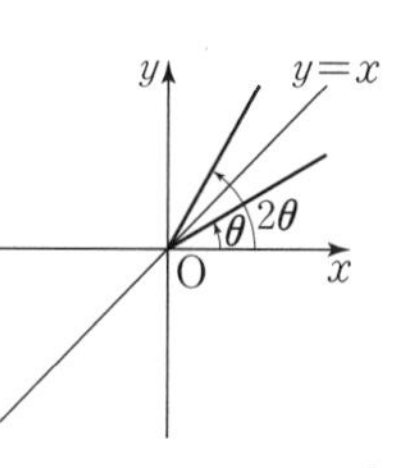

$\theta+2\theta=2n\pi+\frac{\pi}{2}$ (단, n은 정수이다.)

$3\theta=\frac{4n+1}{2}\pi$ $\quad\therefore \theta=\frac{4n+1}{6}\pi$ ⋯⋯ ㉠

$0<\theta<\frac{\pi}{2}$에서 $0<\frac{4n+1}{6}\pi<\frac{\pi}{2}$, $0<4n+1<3$

$-\frac{1}{4}<n<\frac{1}{2}$ $\quad\therefore n=0$

이 값을 ㉠에 대입하면 $\theta=\frac{\pi}{6}$

$\therefore \sin\theta=\sin\frac{\pi}{6}=\frac{1}{2}$ 정답_③

339

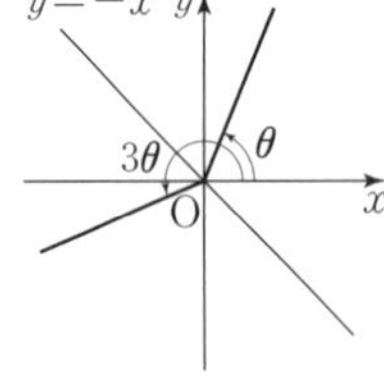

오른쪽 그림과 같이 각 θ를 나타내는 동경과 각 3θ를 나타내는 동경이 직선 $y=-x$에 대하여 대칭이므로

$\theta+3\theta=2n\pi+\frac{3}{2}\pi$ (단, n은 정수이다.)

$4\theta=\frac{4n+3}{2}\pi$ $\quad\therefore \theta=\frac{4n+3}{8}\pi$ $\quad\cdots\cdots$ ㉠

$0<\theta<\pi$에서 $0<\frac{4n+3}{8}\pi<\pi$, $0<4n+3<8$

$-\frac{3}{4}<n<\frac{5}{4}$ $\quad\therefore n=0, 1$

이 값을 ㉠에 대입하면 $\theta=\frac{3}{8}\pi$ 또는 $\theta=\frac{7}{8}\pi$

따라서 모든 θ의 크기의 합은 $\frac{3}{8}\pi+\frac{7}{8}\pi=\frac{5}{4}\pi$

정답_ ④

340

부채꼴의 반지름의 길이를 r, 중심각의 크기를 θ라고 하면

$r=4$, $\theta=\frac{\pi}{8}$이므로

$l=r\theta=4\cdot\frac{\pi}{8}=\frac{\pi}{2}$

$S=\frac{1}{2}r^2\theta=\frac{1}{2}\cdot4^2\cdot\frac{\pi}{8}=\pi$

정답_ $l=\frac{\pi}{2}$, $S=\pi$

341

부채꼴의 호의 길이를 l, 넓이를 S라고 하면

$l=4\pi$, $S=12\pi$이므로

$S=\frac{1}{2}rl$에서 $12\pi=\frac{1}{2}\cdot r\cdot4\pi$ $\quad\therefore r=6$

$l=r\theta$에서 $4\pi=6\theta$ $\quad\therefore \theta=\frac{2}{3}\pi$

정답_ $r=6$, $\theta=\frac{2}{3}\pi$

342

부채꼴의 반지름의 길이를 r, 중심각의 크기를 θ, 호의 길이를 l, 넓이를 S라고 하면

$l=2\pi$, $S=2\pi$이므로

$S=\frac{1}{2}rl$에서 $2\pi=\frac{1}{2}\cdot r\cdot2\pi$ $\quad\therefore r=2$

$l=r\theta$에서 $2\pi=2\theta$ $\quad\therefore \theta=\pi$

정답_ ①

343

부채꼴의 반지름의 길이를 r, 넓이를 S라고 하면

$r=1$, $S=\frac{2}{3}\pi$이므로

$S=\frac{1}{2}r^2\theta$에서 $\frac{2}{3}\pi=\frac{1}{2}\cdot1^2\cdot\theta$ $\quad\therefore \theta=\frac{4}{3}\pi$

$\therefore l=r\theta=1\cdot\frac{4}{3}\pi=\frac{4}{3}\pi$

정답_ ④

344

부채꼴의 반지름의 길이를 r, 중심각의 크기를 θ, 호의 길이를 l, 넓이를 S라고 하면

$\theta=45^\circ=\frac{\pi}{4}$, $l=\pi$이므로

$l=r\theta$에서 $\pi=r\cdot\frac{\pi}{4}$ $\quad\therefore r=4$

$\therefore S=\frac{1}{2}rl=\frac{1}{2}\cdot4\cdot\pi=2\pi$

정답_ ③

345

부채꼴의 반지름의 길이를 r, 중심각의 크기를 θ, 넓이를 S라고 하면

$\theta=2$, $S=36$이므로

$S=\frac{1}{2}r^2\theta$에서 $36=\frac{1}{2}\cdot r^2\cdot2$

$r^2=36$ $\quad\therefore r=6$ ($\because r>0$)

따라서 부채꼴의 호의 길이는

$r\theta=6\cdot2=12$

정답_ ④

346

부채꼴의 반지름의 길이를 r, 중심각의 크기를 θ라고 하면 부채꼴의 둘레의 길이는

$2r+r\theta=2r+r\cdot\frac{2}{3}\pi=6+2\pi$

$(3+\pi)r=9+3\pi$ $\quad\therefore r=3$

따라서 부채꼴의 넓이는

$\frac{1}{2}r^2\theta=\frac{1}{2}\cdot3^2\cdot\frac{2}{3}\pi=3\pi$

정답_ ③

347

부채꼴의 호의 길이를 l cm라고 하면 둘레의 길이가 80 cm이므로

$2a+l=80$ $\quad\therefore l=80-2a$

$S=\frac{1}{2}al=\frac{1}{2}a(80-2a)=-(a-20)^2+400$ $(0<a<40)$

따라서 $a=20$(cm)일 때 부채꼴의 넓이의 최댓값은 400 cm^2이다.

$a=20$이면 $l=80-2a=40$이므로 $40=20b$ $\quad\therefore b=2$

$\therefore a+b=22$

정답_ ⑤

348

부채꼴의 반지름의 길이를 r, 호의 길이를 l, 둘레의 길이를 a라고 하면

$2r+l=a$ $\quad\therefore l=a-2r$

$S=\frac{1}{2}rl=\frac{1}{2}r(a-2r)=-\left(r-\frac{a}{4}\right)^2+\frac{a^2}{16}$ $\left(0<r<\frac{a}{2}\right)$

따라서 $r=\frac{a}{4}$일 때 부채꼴의 넓이의 최댓값은 $\frac{a^2}{16}$이다.

$r=\frac{a}{4}$이면 $l=a-2r=\frac{a}{2}$이므로

$l=r\theta$에서 $\frac{a}{2}=\frac{a}{4}\cdot\theta$ $\quad\therefore \theta=2$

정답_ ②

349

주어진 조건을 이용하여 전개도를 그리면 오른쪽 그림과 같다.

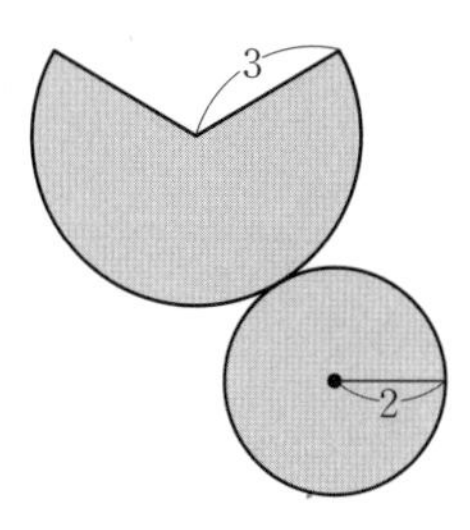

옆면인 부채꼴의 호의 길이는

$2\pi\cdot2=4\pi$

이므로 넓이는 $\frac{1}{2}\cdot3\cdot4\pi=6\pi$

따라서 원뿔의 겉넓이는

(부채꼴의 넓이)+(밑면인 원의 넓이)

$=6\pi+\pi\cdot2^2=6\pi+4\pi=10\pi$

정답_③

350

부채꼴의 반지름의 길이를 r cm, 호의 길이를 l cm, 넓이를 S cm²라고 하면 $l=6\pi$, $S=15\pi$

$S=\frac{1}{2}rl$에서 $15\pi=\frac{1}{2}\cdot r\cdot6\pi$ $\therefore r=5(\text{cm})$

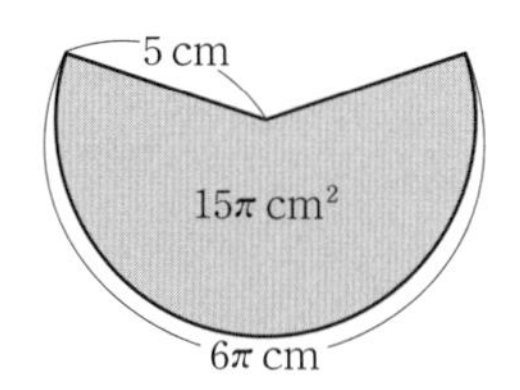

⇨

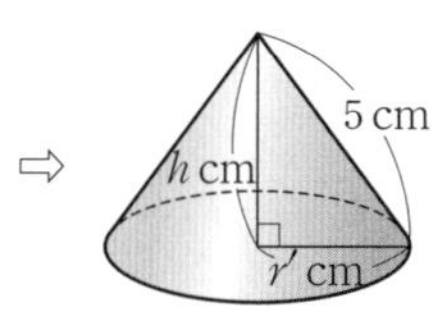

위의 그림과 같이 부채꼴로 만든 원뿔의 높이를 h cm, 밑면인 원의 반지름의 길이를 r' cm라고 하면

$2\pi r'=6\pi$ $\therefore r'=3(\text{cm})$

$\therefore h=\sqrt{5^2-3^2}=4(\text{cm})$

따라서 원뿔의 부피는

$\frac{1}{3}\pi\cdot r'^2\cdot h=\frac{1}{3}\pi\cdot3^2\cdot4=12\pi(\text{cm}^3)$

정답_②

351

점 P(3, 4)에 대하여 $x=3$, $y=4$

$\overline{\text{OP}}=r$로 놓으면 $r=\sqrt{3^2+4^2}=5$

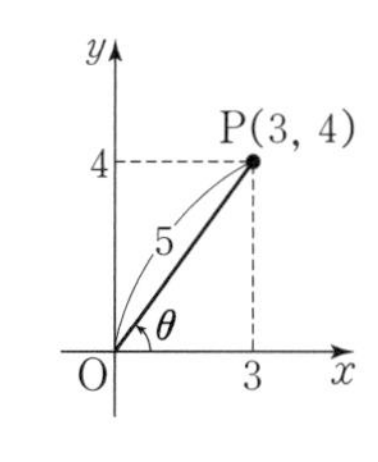

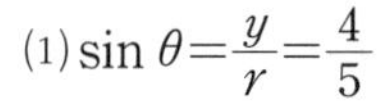

(1) $\sin\theta=\frac{y}{r}=\frac{4}{5}$

(2) $\cos\theta=\frac{x}{r}=\frac{3}{5}$

(3) $\tan\theta=\frac{y}{x}=\frac{4}{3}$

정답_(1) $\frac{4}{5}$ (2) $\frac{3}{5}$ (3) $\frac{4}{3}$

352

$\overline{\text{OP}}=\sqrt{(-12)^2+5^2}=13$이므로

$\sin\theta=\frac{5}{13}$, $\cos\theta=-\frac{12}{13}$,

$\tan\theta=-\frac{5}{12}$

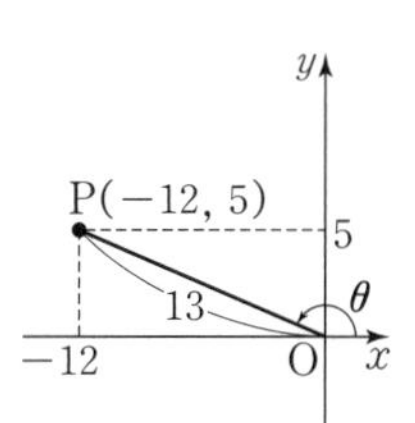

$\therefore 13\sin\theta-13\cos\theta+12\tan\theta$

$=5-(-12)+(-5)=12$

정답_③

353

$\overline{\text{OP}}=\sqrt{(-8)^2+15^2}=17$이므로

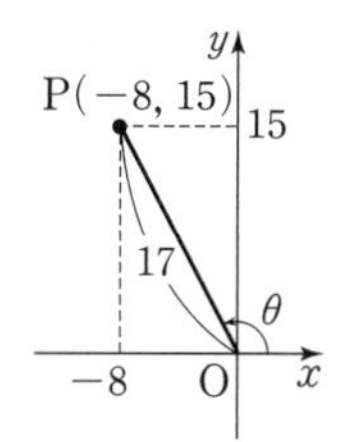

$\sin\theta=\frac{15}{17}$, $\cos\theta=-\frac{8}{17}$,

$\tan\theta=-\frac{15}{8}$

$$\therefore \frac{17\sin\theta+16\tan\theta}{17\cos\theta+3}=\frac{17\cdot\frac{15}{17}+16\cdot\left(-\frac{15}{8}\right)}{17\cdot\left(-\frac{8}{17}\right)+3}=\frac{-15}{-5}=3$$

정답_⑤

354

$\overline{\text{OP}}=\sqrt{(-1)^2+(-a)^2}=\sqrt{1+a^2}$이므로

$\cos\theta=\frac{-1}{\sqrt{1+a^2}}=-\frac{2}{3}$, $2\sqrt{1+a^2}=3$

$4(1+a^2)=9$, $a^2=\frac{5}{4}$ $\therefore a=\frac{\sqrt{5}}{2}$ ($\because a>0$)

정답_⑤

355

오른쪽 그림과 같이 점 P의 좌표를 P$(-4,\ 3)$으로 놓으면

$\overline{\text{OP}}=\sqrt{(-4)^2+3^2}=5$이므로

$\sin\theta=\frac{3}{5}$, $\tan\theta=-\frac{3}{4}$

$\therefore 5\sin\theta-4\tan\theta=5\cdot\frac{3}{5}-4\cdot\left(-\frac{3}{4}\right)$

$=3+3=6$

정답_②

356

(1) 사인이 음수이고, 코사인이 양수인 사분면은 '올사탄코'에서 코사인 동네인 제4사분면의 각이다.

(2) 코사인이 음수이고, 탄젠트가 양수인 사분면은 '올사탄코'에서 탄젠트 동네인 제3사분면의 각이다.

(3) 사인이 양수이고, 탄젠트가 음수인 사분면은 '올사탄코'에서 사인 동네인 제2사분면의 각이다.

(4) 사인이 음수이고, 코사인이 음수인 사분면은 '올사탄코'에서 탄젠트 동네인 제3사분면의 각이다.

정답_(1) 제4사분면의 각 (2) 제3사분면의 각 (3) 제2사분면의 각 (4) 제3사분면의 각

357

$\sin\theta\cos\theta>0$이므로

$\sin\theta>0$, $\cos\theta>0$ 또는 $\sin\theta<0$, $\cos\theta<0$

즉, θ는 제1사분면 또는 제3사분면의 각이므로 보기 중 항상 옳은 것은 ④이다.

정답_④

358

$\sin\theta\tan\theta>0$이므로 $\sin\theta$와 $\tan\theta$의 부호는 같다.

이때, $\sin\theta+\tan\theta<0$이므로 $\sin\theta<0$, $\tan\theta<0$

따라서 θ는 제4사분면의 각이다. 정답_④

359

(i) $\sin\theta\cos\theta<0$에서 $\sin\theta$와 $\cos\theta$의 부호가 서로 다르므로 θ는 제2사분면 또는 제4사분면의 각이다.

(ii) $\cos\theta\tan\theta>0$에서 $\cos\theta$와 $\tan\theta$의 부호가 서로 같으므로 θ는 제1사분면 또는 제2사분면의 각이다.

(i), (ii)에서 θ는 제2사분면의 각이다.

따라서 주어진 조건을 만족시키는 θ의 크기가 될 수 있는 것은 ②이다. 정답_②

360

$\cos\theta>0$, $\tan\theta<0$을 모두 만족시키는 θ는 제4사분면의 각이므로 $360°n+270°<\theta<360°n+360°$ (단, n은 정수이다.)

$\therefore 180°n+135°<\dfrac{\theta}{2}<180°n+180°$

(i) $n=2k$ (k는 정수)일 때

$180°\cdot2k+135°<\dfrac{\theta}{2}<180°\cdot2k+180°$

$\therefore 360°k+135°<\dfrac{\theta}{2}<360°k+180°$

따라서 $\dfrac{\theta}{2}$는 제2사분면의 각이다.

(ii) $n=2k+1$ (k는 정수)일 때

$180°(2k+1)+135°<\dfrac{\theta}{2}<180°(2k+1)+180°$

$360°k+315°<\dfrac{\theta}{2}<360°k+360°$

따라서 $\dfrac{\theta}{2}$는 제4사분면의 각이다.

(i), (ii)에서 $\dfrac{\theta}{2}$의 동경이 존재하는 사분면은 제2, 4사분면이다.

$\therefore m=2$ 또는 $m=4$ 정답_④

361

x가 제3사분면의 각이므로 $\cos x<0$, $\sin x<0$

$\therefore \cos x-\sin x+|\cos x|+\sqrt{\sin^2 x}$

$=\cos x-\sin x+|\cos x|+|\sin x|$

$=\cos x-\sin x-\cos x-\sin x$

$=-2\sin x$ 정답_④

362

θ가 제4사분면의 각이므로 $\sin\theta<0$, $\cos\theta>0$

$-1\le\cos\theta\le1$이므로 $1+\cos\theta\ge0$이고, $\sin\theta-\cos\theta<0$

$\therefore |1+\cos\theta|+\sqrt{\sin^2\theta}-\sqrt{(\sin\theta-\cos\theta)^2}$

$=|1+\cos\theta|+|\sin\theta|-|\sin\theta-\cos\theta|$

$=1+\cos\theta-\sin\theta+\sin\theta-\cos\theta=1$ 정답_③

363

$\dfrac{\cos^2\theta-\sin^2\theta}{1+2\sin\theta\cos\theta}-\dfrac{1-\tan\theta}{1+\tan\theta}$

$=\dfrac{\cos^2\theta-\sin^2\theta}{\sin^2\theta+\cos^2\theta+2\sin\theta\cos\theta}-\dfrac{1-\dfrac{\sin\theta}{\cos\theta}}{1+\dfrac{\sin\theta}{\cos\theta}}$

$=\dfrac{(\cos\theta+\sin\theta)(\cos\theta-\sin\theta)}{(\sin\theta+\cos\theta)^2}-\dfrac{\cos\theta-\sin\theta}{\cos\theta+\sin\theta}$

$=\dfrac{\cos\theta-\sin\theta}{\sin\theta+\cos\theta}-\dfrac{\cos\theta-\sin\theta}{\cos\theta+\sin\theta}=0$ 정답_②

364

$\left(\sin\theta+\dfrac{1}{\sin\theta}\right)^2+\left(\cos\theta+\dfrac{1}{\cos\theta}\right)^2-\left(\tan\theta+\dfrac{1}{\tan\theta}\right)^2$

$=(\sin^2\theta+\cos^2\theta)+\left(\dfrac{1}{\sin^2\theta}-\dfrac{1}{\tan^2\theta}\right)$

$+\left(\dfrac{1}{\cos^2\theta}-\tan^2\theta\right)+2$

$=(\sin^2\theta+\cos^2\theta)+\left(\dfrac{1}{\sin^2\theta}-\dfrac{\cos^2\theta}{\sin^2\theta}\right)$

$+\left(\dfrac{1}{\cos^2\theta}-\dfrac{\sin^2\theta}{\cos^2\theta}\right)+2$

$=(\sin^2\theta+\cos^2\theta)+\dfrac{1-\cos^2\theta}{\sin^2\theta}+\dfrac{1-\sin^2\theta}{\cos^2\theta}+2$

$=1+\dfrac{\sin^2\theta}{\sin^2\theta}+\dfrac{\cos^2\theta}{\cos^2\theta}+2=1+1+1+2=5$ 정답_⑤

365

ㄱ은 옳지 않다.

$\dfrac{1+\sin\theta}{\cos\theta}+\dfrac{\cos\theta}{1+\sin\theta}=\dfrac{(1+\sin\theta)^2+\cos^2\theta}{\cos\theta(1+\sin\theta)}$

$=\dfrac{1+2\sin\theta+\sin^2\theta+\cos^2\theta}{\cos\theta(1+\sin\theta)}$

$=\dfrac{2(1+\sin\theta)}{\cos\theta(1+\sin\theta)}=\dfrac{2}{\cos\theta}$

ㄴ은 옳다.

$(1+\tan^2\theta)\left(1+\dfrac{\cos^2\theta}{\sin^2\theta}\right)(1-\sin^2\theta)(1-\cos^2\theta)$

$=\left(1+\dfrac{\sin^2\theta}{\cos^2\theta}\right)\left(1+\dfrac{\cos^2\theta}{\sin^2\theta}\right)(1-\sin^2\theta)(1-\cos^2\theta)$

$=\dfrac{\cos^2\theta+\sin^2\theta}{\cos^2\theta}\cdot\dfrac{\sin^2\theta+\cos^2\theta}{\sin^2\theta}(1-\sin^2\theta)(1-\cos^2\theta)$

$=\dfrac{1}{\cos^2\theta}\cdot\dfrac{1}{\sin^2\theta}\cdot\cos^2\theta\cdot\sin^2\theta=1$

ㄷ도 옳다.

$$\tan^2\theta-\sin^2\theta=\frac{\sin^2\theta}{\cos^2\theta}-\sin^2\theta$$
$$=\frac{\sin^2\theta(1-\cos^2\theta)}{\cos^2\theta}$$
$$=\frac{\sin^2\theta}{\cos^2\theta}\cdot\sin^2\theta$$
$$=\tan^2\theta\sin^2\theta$$

따라서 옳은 것은 ㄴ, ㄷ이다. 정답_④

366

$\sin^2\theta+\cos^2\theta=1$이므로

$\sin^2\theta=1-\cos^2\theta=1-\left(-\frac{1}{3}\right)^2=\frac{8}{9}$

$\therefore \sin\theta\tan\theta=\sin\theta\cdot\frac{\sin\theta}{\cos\theta}=\frac{\sin^2\theta}{\cos\theta}$

$=\frac{\frac{8}{9}}{-\frac{1}{3}}=-\frac{8}{3}$ 정답_②

367

$\sin^2\theta+\cos^2\theta=1$이므로

$\therefore \cos^2\theta=1-\sin^2\theta=1-\left(\frac{3}{5}\right)^2=\frac{16}{25}$

θ가 제2사분면의 각이므로 $\cos\theta<0$

$\therefore \cos\theta=-\frac{4}{5}$, $\tan\theta=\frac{\sin\theta}{\cos\theta}=\frac{\frac{3}{5}}{-\frac{4}{5}}=-\frac{3}{4}$ 정답_①

368

θ가 제3사분면의 각이고 $\cos\theta=-\frac{4}{5}$이므로 θ의 동경은 오른쪽 그림의 반직선 OP와 같다.

이때, P$(-4,\ -3)$이므로

$\overline{\mathrm{OP}}=\sqrt{5^2-(-4)^2}=3$

따라서 $\sin\theta=-\frac{3}{5}$, $\tan\theta=\frac{3}{4}$이므로

$\sin\theta+\tan\theta=-\frac{3}{5}+\frac{3}{4}=\frac{3}{20}$ 정답_②

369

θ가 제4사분면의 각이고 $\tan\theta=-\frac{5}{12}$이므로 θ의 동경은 오른쪽 그림의 반직선 OP와 같다.

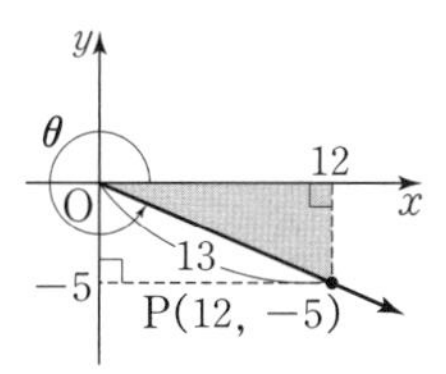

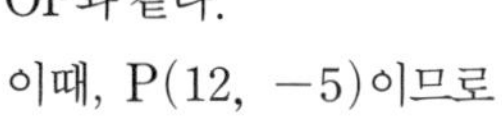
이때, P$(12,\ -5)$이므로

$\overline{\mathrm{OP}}=\sqrt{12^2+(-5)^2}=13$

따라서 $\sin\theta=-\frac{5}{13}$, $\cos\theta=\frac{12}{13}$이므로

$13(\sin\theta-\cos\theta)=13\left(-\frac{5}{13}-\frac{12}{13}\right)=-17$ 정답_①

370

(1) $\sin\theta+\cos\theta=\frac{1}{2}$의 양변을 제곱하면

$\sin^2\theta+\cos^2\theta+2\sin\theta\cos\theta=\frac{1}{4}$

$1+2\sin\theta\cos\theta=\frac{1}{4}$, $2\sin\theta\cos\theta=-\frac{3}{4}$

$\therefore \sin\theta\cos\theta=-\frac{3}{8}$

(2) $\sin^3\theta+\cos^3\theta$

$=(\sin\theta+\cos\theta)^3-3\sin\theta\cos\theta(\sin\theta+\cos\theta)$

$=\left(\frac{1}{2}\right)^3-3\cdot\left(-\frac{3}{8}\right)\cdot\frac{1}{2}=\frac{1}{8}+\frac{9}{16}=\frac{11}{16}$

정답_(1) $-\frac{3}{8}$ (2) $\frac{11}{16}$

371

$\sin\theta-\cos\theta=\frac{1}{3}$의 양변을 제곱하면

$\sin^2\theta+\cos^2\theta-2\sin\theta\cos\theta=\frac{1}{9}$

$1-2\sin\theta\cos\theta=\frac{1}{9}$ $\quad\therefore \sin\theta\cos\theta=\frac{4}{9}$

$\therefore \frac{1}{\sin\theta}-\frac{1}{\cos\theta}=\frac{\cos\theta-\sin\theta}{\sin\theta\cos\theta}$

$=\frac{-\frac{1}{3}}{\frac{4}{9}}=-\frac{3}{4}$ 정답_②

372

$(\sin\theta+\cos\theta)^2=\sin^2\theta+\cos^2\theta+2\sin\theta\cos\theta$

$=1+2\cdot\frac{1}{2}=2$

θ가 제1사분면의 각이므로

$\sin\theta>0$, $\cos\theta>0$

따라서 $\sin\theta+\cos\theta>0$이므로

$\sin\theta+\cos\theta=\sqrt{2}$ 정답_④

373

$\sin\theta+\cos\theta=\frac{\sqrt{2}}{2}$의 양변을 제곱하면

$\sin^2\theta+\cos^2\theta+2\sin\theta\cos\theta=\frac{1}{2}$

$1+2\sin\theta\cos\theta=\frac{1}{2}$ $\quad\therefore \sin\theta\cos\theta=-\frac{1}{4}$

$(\sin\theta-\cos\theta)^2=\sin^2\theta+\cos^2\theta-2\sin\theta\cos\theta$

$=1-2\cdot\left(-\frac{1}{4}\right)=\frac{3}{2}$

θ가 제2사분면의 각이므로 $\sin\theta>0$, $\cos\theta<0$

따라서 $\sin\theta-\cos\theta>0$이므로

$\sin\theta-\cos\theta=\frac{\sqrt{6}}{2}$ 정답_ ④

374

$\sin\theta+\cos\theta=\frac{1}{3}$의 양변을 제곱하면

$\sin^2\theta+\cos^2\theta+2\sin\theta\cos\theta=\frac{1}{9}$

$1+2\sin\theta\cos\theta=\frac{1}{9}$ $\therefore \sin\theta\cos\theta=-\frac{4}{9}$

$\frac{1}{\cos\theta}\left(\tan\theta+\frac{1}{\tan^2\theta}\right)=\frac{1}{\cos\theta}\left(\frac{\sin\theta}{\cos\theta}+\frac{\cos^2\theta}{\sin^2\theta}\right)$

$=\frac{\sin\theta}{\cos^2\theta}+\frac{\cos\theta}{\sin^2\theta}$

$=\frac{\sin^3\theta+\cos^3\theta}{\sin^2\theta\cos^2\theta}$

이때,

$\sin^3\theta+\cos^3\theta$

$=(\sin\theta+\cos\theta)^3-3\sin\theta\cos\theta(\sin\theta+\cos\theta)$

$=\left(\frac{1}{3}\right)^3-3\cdot\left(-\frac{4}{9}\right)\cdot\frac{1}{3}=\frac{13}{27}$

이므로

$\frac{1}{\cos\theta}\left(\tan\theta+\frac{1}{\tan^2\theta}\right)=\frac{\frac{13}{27}}{\left(-\frac{4}{9}\right)^2}=\frac{39}{16}$ 정답_ ④

375

이차방정식 $2x^2-x+a=0$의 두 근이 $\sin\theta$, $\cos\theta$이므로

근과 계수의 관계에 의해

$\sin\theta+\cos\theta=\frac{1}{2}$ …… ㉠

$\sin\theta\cos\theta=\frac{a}{2}$ …… ㉡

㉠의 양변을 제곱하면 $\sin^2\theta+\cos^2\theta+2\sin\theta\cos\theta=\frac{1}{4}$

$1+2\sin\theta\cos\theta=\frac{1}{4}$ $\therefore \sin\theta\cos\theta=-\frac{3}{8}$

㉡에서 $\frac{a}{2}=-\frac{3}{8}$ $\therefore a=-\frac{3}{4}$ 정답_ ⑤

376

이차방정식 $2x^2-\sqrt{2}x+a=0$의 두 근이 $\sin\theta$, $\cos\theta$이므로

근과 계수의 관계에 의해

$\sin\theta+\cos\theta=\frac{\sqrt{2}}{2}$ …… ㉠

$\sin\theta\cos\theta=\frac{a}{2}$ …… ㉡

㉠의 양변을 제곱하면 $\sin^2\theta+\cos^2\theta+2\sin\theta\cos\theta=\frac{1}{2}$

$1+2\sin\theta\cos\theta=\frac{1}{2}$ $\therefore \sin\theta\cos\theta=-\frac{1}{4}$

이때, ㉡에서 $\frac{a}{2}=-\frac{1}{4}$ $\therefore a=-\frac{1}{2}$

$\sin^3\theta+\cos^3\theta$

$=(\sin\theta+\cos\theta)^3-3\sin\theta\cos\theta(\sin\theta+\cos\theta)$

$=\left(\frac{\sqrt{2}}{2}\right)^3-3\cdot\left(-\frac{1}{4}\right)\cdot\frac{\sqrt{2}}{2}=\frac{5\sqrt{2}}{8}$

$\therefore \frac{\sin^3\theta+\cos^3\theta}{a}=\frac{\frac{5\sqrt{2}}{8}}{-\frac{1}{2}}=-\frac{5\sqrt{2}}{4}$ 정답_ ②

377

계수가 유리수인 이차방정식 $4x^2-8(\sin\theta+\cos\theta)x-1=0$의

한 근이 $\frac{\sqrt{2}-1}{2}$이므로 다른 한 근은 $\frac{-\sqrt{2}-1}{2}$이다.

근과 계수와의 관계에 의하여

$\left(\frac{\sqrt{2}-1}{2}\right)+\left(\frac{-\sqrt{2}-1}{2}\right)=2(\sin\theta+\cos\theta)$

$\therefore \sin\theta+\cos\theta=-\frac{1}{2}$

양변을 제곱하면

$\sin^2\theta+\cos^2\theta+2\sin\theta\cos\theta=\frac{1}{4}$, $2\sin\theta\cos\theta=-\frac{3}{4}$

$\therefore \sin\theta\cos\theta=-\frac{3}{8}$ 정답_ ⑤

378

각 θ를 나타내는 동경과 각 7θ를 나타내는 동경이 일치하므로

$7\theta-\theta=2n\pi$ (단, n은 정수이다.)

$6\theta=2n\pi$ $\therefore \theta=\frac{n\pi}{3}$ …… ㉠

…… ❶

이때, θ는 예각이므로 $0<\theta<\frac{\pi}{2}$, 즉 $0<\frac{n\pi}{3}<\frac{\pi}{2}$

$0<n<\frac{3}{2}$ $\therefore n=1$

이 값을 ㉠에 대입하면 $\theta=\frac{\pi}{3}$ …… ❷

$\therefore \cos\left(\frac{\pi}{2}-\theta\right)=\cos\left(\frac{\pi}{2}-\frac{\pi}{3}\right)$

$=\cos\frac{\pi}{6}=\frac{\sqrt{3}}{2}$ …… ❸

정답_ $\frac{\sqrt{3}}{2}$

단계	채점 기준	비율
❶	θ를 일반각으로 나타내기	40%
❷	θ의 크기 구하기	40%
❸	$\cos\left(\frac{\pi}{2}-\theta\right)$의 값 구하기	20%

379

반지름의 길이가 r인 부채꼴의 호의 길이를 l이라고 하면 $l=r\theta$이므로 둘레의 길이는 $2r+r\theta=r(2+\theta)$ ⋯⋯ ㉠

한편, 반지름의 길이가 $2r$인 원의 둘레의 길이는

$2\pi\cdot 2r=4\pi r$ ⋯⋯ ㉡

⋯⋯ ❶

㉠=㉡에서 $r(2+\theta)=4\pi r$ $\therefore \theta=4\pi-2$ ⋯⋯ ❷

$\therefore \sin\frac{\theta+2}{8}=\sin\frac{(4\pi-2)+2}{8}$

$=\sin\frac{\pi}{2}=1$ ⋯⋯ ❸

정답_ 1

단계	채점 기준	비율
❶	부채꼴의 둘레의 길이와 원의 둘레의 길이 구하기	40%
❷	θ의 크기 구하기	30%
❸	$\sin\frac{\theta+2}{8}$의 값 구하기	30%

380

부채꼴의 반지름의 길이를 r, 호의 길이를 l, 넓이를 S라고 하면 둘레의 길이가 20이므로

$2r+l=20$ $\therefore l=20-2r$ ⋯⋯ ❶

$S=\frac{1}{2}rl=\frac{1}{2}r(20-2r)=-(r-5)^2+25$ (단, $0<r<10$)

따라서 $r=5$일 때, 부채꼴의 넓이의 최댓값은 25이다.

즉, $r=5$, $M=25$이므로 ⋯⋯ ❷

$r+M=30$ ⋯⋯ ❸

정답_ 30

단계	채점 기준	비율
❶	부채꼴의 호의 길이를 r에 대한 식으로 나타내기	30%
❷	r, M의 값 구하기	60%
❸	$r+M$의 값 구하기	10%

381

$\angle AOP=\theta$로 놓으면 $\overparen{AP}=r\theta$

이때, $\overparen{AP}=\overline{AB}$이므로 $r\theta=2r$ $\therefore \theta=2$ ⋯⋯ ❶

$\angle AOP=2$이므로 $\angle BOP=\pi-\theta=\pi-2$ ⋯⋯ ❷

$\therefore \frac{(\text{부채꼴 OAP의 넓이})}{(\text{부채꼴 OBP의 넓이})}=\frac{\frac{1}{2}r^2\cdot 2}{\frac{1}{2}\cdot r^2\cdot(\pi-2)}=\frac{2}{\pi-2}$ ⋯⋯ ❸

정답_ $\frac{2}{\pi-2}$

단계	채점 기준	비율
❶	$\angle AOP$의 크기 구하기	30%
❷	$\angle BOP$의 크기 구하기	20%
❸	$\frac{(\text{부채꼴 OAP의 넓이})}{(\text{부채꼴 OBP의 넓이})}$의 값 구하기	50%

382

$\sqrt{\sin\theta\cos\theta}=-\sqrt{\sin\theta}\sqrt{\cos\theta}$이므로

$\sin\theta<0$, $\cos\theta<0$ ⋯⋯ ❶

$\therefore |\sin\theta|+\sqrt{\cos^2\theta}-\sqrt{1-\cos^2\theta}-\cos\theta$

$=|\sin\theta|+\sqrt{\cos^2\theta}-\sqrt{\sin^2\theta}-\cos\theta$

$=|\sin\theta|+|\cos\theta|-|\sin\theta|-\cos\theta$ ⋯⋯ ❷

$=-\sin\theta-\cos\theta+\sin\theta-\cos\theta$

$=-2\cos\theta$ ⋯⋯ ❸

정답_ $-2\cos\theta$

단계	채점 기준	비율
❶	$\sin\theta$, $\cos\theta$의 부호 구하기	30%
❷	주어진 식의 근호 없애기	40%
❸	주어진 식 간단히 하기	30%

383

이차방정식 $2x^2+kx+1=0$의 두 근이 $\sin\theta$, $\cos\theta$이므로 근과 계수의 관계에 의해

$\sin\theta+\cos\theta=-\frac{k}{2}$ ⋯⋯ ㉠

$\sin\theta\cos\theta=\frac{1}{2}$ ⋯⋯ ㉡

⋯⋯ ❶

㉠의 양변을 제곱하여 정리하면 $1+2\sin\theta\cos\theta=\frac{k^2}{4}$

이 식에 ㉡을 대입하면 $1+2\cdot\frac{1}{2}=\frac{k^2}{4}$, $k^2=8$

$\therefore k=2\sqrt{2}$ ($\because k>0$) ⋯⋯ ❷

즉, $2x^2+2\sqrt{2}x+1=0$에서 $(\sqrt{2}x+1)^2=0$ $\therefore x=-\frac{1}{\sqrt{2}}$

따라서 $\sin\theta=\cos\theta=-\frac{1}{\sqrt{2}}$이므로

$\frac{k}{\tan\theta}=\frac{2\sqrt{2}}{\frac{\sin\theta}{\cos\theta}}=\frac{2\sqrt{2}}{1}=2\sqrt{2}$ ⋯⋯ ❸

정답_ $2\sqrt{2}$

단계	채점 기준	비율
❶	$\sin\theta+\cos\theta$, $\sin\theta\cos\theta$의 값 구하기	30%
❷	k의 값 구하기	35%
❸	$\frac{k}{\tan\theta}$의 값 구하기	35%

384

동경 OP가 나타내는 한 각의 크기는 $\pi+\frac{\pi}{6}=\frac{7}{6}\pi$이므로 일반각은 $\theta=2n\pi+\frac{7}{6}\pi$ (단, n은 정수이다.)

$-4\pi\le\theta\le 4\pi$에서 $-4\pi\le 2n\pi+\frac{7}{6}\pi\le 4\pi$

$-4\le 2n+\frac{7}{6}\le 4$, $-\frac{31}{12}\le n\le\frac{17}{12}$ $\therefore n=-2,\ -1,\ 0,\ 1$

따라서 θ의 크기는 $-\frac{17}{6}\pi,\ -\frac{5}{6}\pi,\ \frac{7}{6}\pi,\ \frac{19}{6}\pi$이므로 모든 θ의 크기의 합은 $-\frac{17}{6}\pi-\frac{5}{6}\pi+\frac{7}{6}\pi+\frac{19}{6}\pi=\frac{2}{3}\pi$ 정답_ ④

385

두 각 $\theta, 5\theta$를 나타내는 동경이 y축에 대하여 대칭이므로

$\theta+5\theta=2n\pi+\pi$ (단, n은 정수이다.)

$6\theta=(2n+1)\pi \qquad \therefore \theta=\frac{2n+1}{6}\pi$

이때, $0<\theta<\pi$이므로 $0<\frac{2n+1}{6}\pi<\pi,\ -\frac{1}{2}<n<\frac{5}{2}$

$\therefore n=0,\ 1,\ 2$

$\therefore \theta=\frac{\pi}{6}$ 또는 $\theta=\frac{\pi}{2}$ 또는 $\theta=\frac{5}{6}\pi$ …… ㉠

두 각 $\theta, 2\theta$를 나타내는 동경이 직선 $y=x$에 대하여 대칭이므로

$\theta+2\theta=2m\pi+\frac{\pi}{2}$ (단, m은 정수이다.)

$3\theta=\left(2m+\frac{1}{2}\right)\pi \qquad \therefore \theta=\left(\frac{2}{3}m+\frac{1}{6}\right)\pi$

이때, $0<\theta<\pi$이므로 $0<\left(\frac{2}{3}m+\frac{1}{6}\right)\pi<\pi,\ -\frac{1}{4}<m<\frac{5}{4}$

$\therefore m=0,\ 1 \qquad \therefore \theta=\frac{\pi}{6}$ 또는 $\theta=\frac{5}{6}\pi$ …… ㉡

㉠, ㉡에서 구하는 각 θ의 크기는

$\theta=\frac{\pi}{6}$ 또는 $\theta=\frac{5}{6}\pi$ 정답_ ①, ⑤

386

부채꼴의 중심각의 크기를 θ, 반지름의 길이를 r, 호의 길이를 l, 넓이를 S라고 하면 부채꼴의 둘레의 길이가 16이므로

$2r+l=16 \qquad \therefore l=16-2r$ …… ㉠

넓이가 12 이상이 되어야 하므로 $S=\frac{1}{2}rl\geq 12$ …… ㉡

㉠을 ㉡에 대입하면 $\frac{1}{2}r(16-2r)\geq 12$

$r^2-8r+12\leq 0,\ (r-2)(r-6)\leq 0 \qquad \therefore 2\leq r\leq 6$

한편, $l=r\theta$에서 $\theta=\frac{l}{r}=\frac{16-2r}{r}=\frac{16}{r}-2$이므로 r가 최솟값을 가질 때, θ는 최댓값을 갖는다.

따라서 $r=2$일 때, 구하는 중심각의 크기의 최댓값은

$\frac{16}{2}-2=6$ 정답_ ⑤

387

오른쪽 그림은 주어진 입체의 단면도의 한 부분이다.

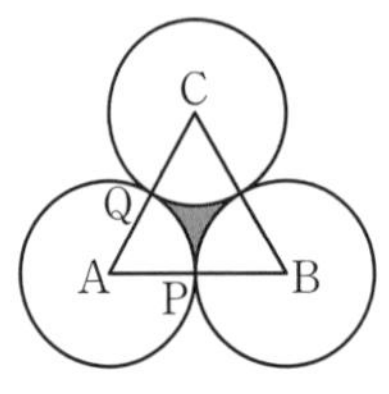

삼각형 ABC는 한 변의 길이가 2인 정삼각형이므로 그 넓이는 $\frac{\sqrt{3}}{4}\cdot 2^2=\sqrt{3}$

부채꼴 APQ는 중심각의 크기가 $\frac{\pi}{3}$이므로 넓이는

$\frac{1}{2}\cdot 1^2\cdot\frac{\pi}{3}=\frac{\pi}{6}$

세 개의 원기둥으로 둘러싸인 어두운 부분의 넓이를 S라고 하면

$S=$(삼각형 ABC의 넓이)-3(부채꼴 APQ의 넓이)

$=\sqrt{3}-3\cdot\frac{\pi}{6}=\sqrt{3}-\frac{\pi}{2}$

위 그림에서 어두운 부분을 밑면으로 하고 높이가 5인 입체의 부피는 $\left(\sqrt{3}-\frac{\pi}{2}\right)\cdot 5$

구하는 원기둥 사이의 어두운 부분의 부피를 V라고 하면

$V=4\cdot\left\{\left(\sqrt{3}-\frac{\pi}{2}\right)\cdot 5\right\}=20\sqrt{3}-10\pi$

따라서 $a=20,\ b=-10$이므로 $a+b=10$ 정답_ 10

388

오른쪽 그림과 같이 구의 중심을 O라 하고, 구 위의 한 점 N에서 실의 한 끝이 놓인 지점을 M이라고 하면

$\overline{\mathrm{OM}}=\overline{\mathrm{ON}}=30$

이때, $\angle\mathrm{MON}=\theta$로 놓으면 부채꼴 OMN의 호의 길이는

$30\theta=5\pi \qquad \therefore \theta=\frac{\pi}{6}$

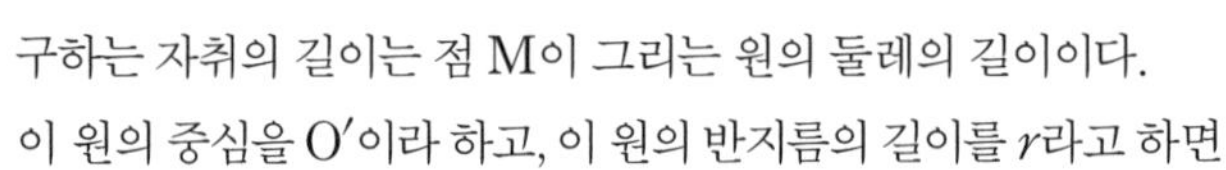

구하는 자취의 길이는 점 M이 그리는 원의 둘레의 길이이다.

이 원의 중심을 O′이라 하고, 이 원의 반지름의 길이를 r라고 하면

$\sin\theta=\frac{r}{30}$에서 $r=30\sin\frac{\pi}{6}=15$

따라서 구하는 자취의 길이, 즉 원 O′의 둘레의 길이 l은

$l=2\pi\cdot 15=30\pi \qquad \therefore \frac{l}{\pi}=\frac{30\pi}{\pi}=30$ 정답_ ③

389

부채꼴 OAB의 중심각의 크기를 θ, 반지름의 길이를 r, 넓이를 S라고 하면 $S=\frac{1}{2}r^2\theta$

이때, 부채꼴 OAB에서

중심각의 크기를 10 % 줄이면 $\theta-0.1\theta=0.9\theta$

반지름의 길이를 10 % 늘이면 $r+0.1r=1.1r$

따라서 새로 만들어진 부채꼴의 넓이를 S'이라고 하면

$S'=\frac{1}{2}\times(1.1r)^2\times 0.9\theta=\frac{1}{2}r^2\theta\times(1.1)^2\times 0.9$

$=\frac{1}{2}r^2\theta\times 1.089=1.089S$

따라서 새로 만들어진 부채꼴의 넓이는 처음보다 8.9 % 증가한다. 정답_ ③

390

점 D, E에서 $\overline{BC}$에 내린 수선의 발을 각각 F, G라 하고, $\overline{AB}=3a$, $\overline{BC}=3b$라고 하면

삼각형 DBF에서

$\cos^2 x=(2a)^2+b^2$ ······ ㉠

삼각형 EBG에서

$\sin^2 x=a^2+(2b)^2$ ······ ㉡

㉠+㉡을 하면 $1=5(a^2+b^2)$ $\quad\therefore a^2+b^2=\frac{1}{5}$

$\therefore \overline{AC}=\sqrt{(3a)^2+(3b)^2}=3\sqrt{a^2+b^2}$

$=\frac{3}{\sqrt{5}}=\frac{3\sqrt{5}}{5}$

정답_ $\frac{3\sqrt{5}}{5}$

391

$\frac{1-\tan\theta}{1+\tan\theta}=2+\sqrt{3}$에서 $1-\tan\theta=(1+\tan\theta)(2+\sqrt{3})$

$(3+\sqrt{3})\tan\theta=-1-\sqrt{3}$

$\therefore \tan\theta=-\frac{1+\sqrt{3}}{3+\sqrt{3}}=-\frac{1}{\sqrt{3}}$

θ가 제2사분면의 각이고

$\tan\theta=-\frac{1}{\sqrt{3}}$이므로 θ의 동경은 오른쪽 그림의 반직선 OP와 같다.

이때, $\mathrm{P}(-\sqrt{3},\ 1)$이므로

$\overline{OP}=\sqrt{(-\sqrt{3})^2+1^2}=2$

따라서 $\sin\theta=\frac{1}{2}$, $\cos\theta=-\frac{\sqrt{3}}{2}$이므로

$\therefore \sin\theta-\cos^2\theta=\frac{1}{2}-\frac{3}{4}=-\frac{1}{4}$

정답_ ②

392

오른쪽 그림과 같이 부채꼴에 내접하는 원의 중심을 O′, 점 O′에서 부채꼴의 반지름에 내린 수선의 발을 H, 원 O′의 반지름의 길이를 r라고 하면 △O′OH는 직각삼각형이고, ∠O′OH$=2\theta$이므로

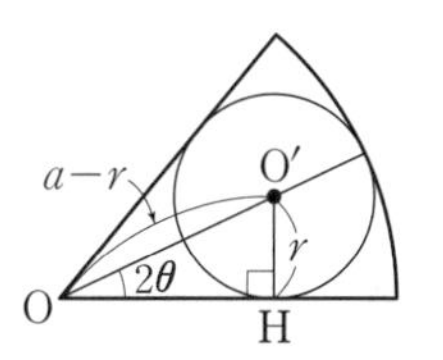

$\sin 2\theta=\frac{r}{a-r}$, $(a-r)\sin 2\theta=r$

$a\sin 2\theta-r\sin 2\theta=r$, $(1+\sin 2\theta)r=a\sin 2\theta$

$\therefore r=\frac{a\sin 2\theta}{1+\sin 2\theta}$

정답_ ④

393

이차방정식 $2x^2+x\cos\theta+3\cos\theta\tan\theta=0$의 두 실근을 α, β라고 할 때, 서로 다른 부호의 실근을 가지고 음의 근의 절댓값이 양의 근보다 크려면 근과 계수의 관계에 의해

$\alpha+\beta=-\frac{\cos\theta}{2}<0$ $\quad\therefore \cos\theta>0$ ······ ㉠

$\alpha\beta=\frac{3\cos\theta\tan\theta}{2}<0$ $\quad\therefore \cos\theta\tan\theta<0$ ······ ㉡

㉠에서 $\cos\theta>0$이려면 θ는 제1사분면 또는 제4사분면의 각이어야 한다.

㉡에서 $\cos\theta\tan\theta=\sin\theta<0$이려면 θ는 제3사분면 또는 제4사분면의 각이어야 한다.

따라서 ㉠과 ㉡을 동시에 만족시키는 θ는 제4사분면의 각이므로 θ의 크기가 될 수 있는 것은 ②이다.

정답_ ②

394

이차방정식의 계수가 유리수이므로 한 근이 $3+2\sqrt{2}$이면 다른 한 근은 $3-2\sqrt{2}$이다.

따라서 근과 계수의 관계에 의해

$\tan\theta+\frac{1}{\tan\theta}=(3+2\sqrt{2})+(3-2\sqrt{2})=6$

$\tan\theta+\frac{1}{\tan\theta}=\frac{\sin\theta}{\cos\theta}+\frac{\cos\theta}{\sin\theta}=\frac{1}{\sin\theta\cos\theta}=6$

$\therefore \sin\theta\cos\theta=\frac{1}{6}$

$(\sin\theta+\cos\theta)^2=\sin^2\theta+\cos^2\theta+2\sin\theta\cos\theta$

$=1+2\sin\theta\cos\theta=1+2\cdot\frac{1}{6}=\frac{4}{3}$

이때, $0<\theta<\frac{\pi}{2}$이므로 $\sin\theta>0$, $\cos\theta>0$

$\therefore \sin\theta+\cos\theta=\sqrt{\frac{4}{3}}=\frac{2\sqrt{3}}{3}$

정답_ $\frac{2\sqrt{3}}{3}$

395

계수가 실수인 이차방정식 $x^2-\sqrt{3}x+2a=0$의 한 근이 $\cos\theta+i\sin\theta$이므로 다른 한 근은 $\cos\theta-i\sin\theta$이다.

근과 계수의 관계에 의해

$(\cos\theta+i\sin\theta)+(\cos\theta-i\sin\theta)=\sqrt{3}$이므로

$2\cos\theta=\sqrt{3}$ $\quad\therefore \cos\theta=\frac{\sqrt{3}}{2}$

θ가 제1사분면의 각이므로 $\theta=\frac{\pi}{6}$

또 $(\cos\theta+i\sin\theta)(\cos\theta-i\sin\theta)=2a$이므로

$\sin^2\theta+\cos^2\theta=2a$, $2a=1$ $\quad\therefore a=\frac{1}{2}$

$\therefore a\theta=\frac{1}{2}\cdot\frac{\pi}{6}=\frac{\pi}{12}$

정답_ $\frac{\pi}{12}$

06 삼각함수의 그래프

396

(1) $y=\sin x$의 주기는 2π이므로 $\frac{2\pi}{2}=\pi$

(2) $y=\cos x$의 주기는 2π이므로 $\frac{2\pi}{1}=2\pi$

(3) $y=\tan x$의 주기는 π이므로 $\frac{\pi}{2}$ 정답_(1) π (2) 2π (3) $\frac{\pi}{2}$

397

주어진 함수의 주기는

① $\frac{2\pi}{\pi}=2$ ② $\frac{2\pi}{\sqrt{2}\pi}=\sqrt{2}$ ③ $\frac{2\pi}{\sqrt{2}\pi}=\sqrt{2}$

④ $\frac{2\pi}{\frac{\sqrt{2}}{\pi}}=\sqrt{2}\pi^2$ ⑤ $\frac{\pi}{\pi}=1$

따라서 주어진 함수 중 주기가 2인 것은 ①이다. 정답_①

398

$y=\sin\frac{\pi}{2}x$의 주기는 $\frac{2\pi}{\frac{\pi}{2}}=4$

$y=\cos\frac{\pi}{3}x$의 주기는 $\frac{2\pi}{\frac{\pi}{3}}=6$

따라서 주어진 함수는 4와 6의 최소공배수인 12의 배수마다 같은 값을 가지므로 구하는 주기는 12이다. 정답_12

399

함수 $y=\cos\frac{x}{a}$의 주기는 $\frac{2\pi}{\frac{1}{a}}=2a\pi$

함수 $y=\tan ax$의 주기는 $\frac{\pi}{a}$

두 함수의 주기가 같으므로 $2a\pi=\frac{\pi}{a}$에서 $2a^2=1$, $a^2=\frac{1}{2}$

$\therefore a=\frac{\sqrt{2}}{2}$ ($\because a>0$) 정답_①

400

모든 실수 x에 대하여 $f(x)=f(x+2)$이므로 함수 $f(x)$의 주기는 2이다.

주어진 함수의 주기는

① 2π ② $\frac{2\pi}{2}=\pi$ ③ $\frac{2\pi}{\pi}=2$

④ $\frac{2\pi}{\sqrt{2}\pi}=\sqrt{2}$ ⑤ $\frac{2\pi}{\frac{\sqrt{2}}{2}\pi}=2\sqrt{2}$

따라서 주어진 조건을 만족시키는 함수는 ③이다. 정답_③

401

$f(x-1)=f(x+1)$에 x 대신 $x+1$을 대입하면

$f(x)=f(x+2)$

즉, 함수 $f(x)$의 주기는 2이다.

주어진 함수의 주기는

① $\frac{2\pi}{1}=2\pi$ ② $\frac{2\pi}{2}=\pi$ ③ $\frac{2\pi}{\pi}=2$

④ $\frac{2\pi}{\frac{2}{\pi}}=\pi^2$ ⑤ $\frac{\pi}{2}$

따라서 주어진 조건을 만족시키는 함수는 ③이다. 정답_③

402

조건 (가)에 의해 함수 $f(x)$의 주기는 3이다.

$\therefore f\left(\frac{2017}{3}\right)=f\left(\frac{1}{3}+672\right)=f\left(\frac{1}{3}+3\times224\right)=f\left(\frac{1}{3}\right)$

조건 (나)에 의해 $0\le x<3$일 때, $f(x)=\sin\pi x$이므로

$f\left(\frac{1}{3}\right)=\sin\frac{\pi}{3}=\frac{\sqrt{3}}{2}$

$\therefore f\left(\frac{2017}{3}\right)=f\left(\frac{1}{3}\right)=\frac{\sqrt{3}}{2}$ 정답_⑤

403

함수 $f(x)$의 주기가 a이므로 모든 실수 x에 대하여

$f(x+a)=f(x)$

이때, $x=0$을 대입하면

$f(a)=f(0)=\cos 0+\sin\frac{\pi}{6}+1$

$=1+\frac{1}{2}+1=\frac{5}{2}$ 정답_④

404

① $\cos\left(-\frac{8}{3}\pi\right)=\cos\frac{8}{3}\pi=\cos\left(2\pi+\frac{2}{3}\pi\right)=\cos\frac{2}{3}\pi=-\frac{1}{2}$

② $\sin\frac{13}{4}\pi=\sin\left(3\pi+\frac{\pi}{4}\right)=\sin\left(\pi+\frac{\pi}{4}\right)$

$=-\sin\frac{\pi}{4}=-\frac{\sqrt{2}}{2}$

③ $\tan 495^\circ=\tan(360^\circ+135^\circ)=\tan 135^\circ$

$=\tan(180^\circ-45^\circ)=-\tan 45^\circ=-1$

④ $\sin 870^\circ=\sin(360^\circ\times2+150^\circ)=\sin 150^\circ$

$=\sin(180^\circ-30^\circ)=\sin 30^\circ=\frac{1}{2}$

⑤ $\cos\left(-\frac{5}{6}\pi\right)=\cos\frac{5}{6}\pi=\cos\left(\pi-\frac{\pi}{6}\right)=-\cos\frac{\pi}{6}=-\frac{\sqrt{3}}{2}$

따라서 옳지 않은 것은 ④이다. 정답_④

405

$\sin 840^\circ=\sin(360^\circ\times2+120^\circ)=\sin 120^\circ$

$=\sin(180^\circ-60^\circ)=\sin 60^\circ=\frac{\sqrt{3}}{2}$

$\cos 840^\circ = \cos(360^\circ \times 2 + 120^\circ) = \cos 120^\circ$
$= \cos(180^\circ - 60^\circ) = -\cos 60^\circ = -\frac{1}{2}$

$\sin 150^\circ = \sin(180^\circ - 30^\circ) = \sin 30^\circ = \frac{1}{2}$

$\cos 150^\circ = \cos(180^\circ - 30^\circ) = -\cos 30^\circ = -\frac{\sqrt{3}}{2}$

$\therefore \frac{\sin 840^\circ - \cos 150^\circ}{\sin 150^\circ - \cos 840^\circ} = \frac{\frac{\sqrt{3}}{2} - \left(-\frac{\sqrt{3}}{2}\right)}{\frac{1}{2} - \left(-\frac{1}{2}\right)} = \sqrt{3}$ 정답_⑤

406

ㄱ은 옳지 않다.

$\sin\left(\frac{\pi}{2} + \theta\right) = \cos\theta, \ \cos(\pi + \theta) = -\cos\theta$

ㄴ은 옳다.

$\cos\left(\frac{\pi}{2} + \theta\right) = -\sin\theta, \ \sin(\pi + \theta) = -\sin\theta$

ㄷ도 옳다.

$\tan(\pi + \theta) = \tan\theta,$
$-\tan(\pi - \theta) = -(-\tan\theta) = \tan\theta$

따라서 옳은 것은 ㄴ, ㄷ이다. 정답_④

407

$\sin\left(\frac{\pi}{2} + \frac{\pi}{3}\right) + \cos\left(\frac{\pi}{2} - \frac{\pi}{6}\right) + \tan\left(\pi + \frac{\pi}{4}\right)$
$= \cos\frac{\pi}{3} + \sin\frac{\pi}{6} + \tan\frac{\pi}{4}$
$= \frac{1}{2} + \frac{1}{2} + 1 = 2$ 정답_④

408

$(주어진 식) = \frac{\sin\theta}{1 + \cos\theta} + \frac{\sin\theta}{1 - \cos\theta}$
$= \frac{\sin\theta(1 - \cos\theta) + \sin\theta(1 + \cos\theta)}{(1 + \cos\theta)(1 - \cos\theta)}$
$= \frac{2\sin\theta}{1 - \cos^2\theta} = \frac{2\sin\theta}{\sin^2\theta} = \frac{2}{\sin\theta}$ 정답_④

409

$(주어진 식) = \frac{\cos\theta}{-\cos\theta \cdot (-\cos\theta)^2} - \frac{-\sin\theta \cdot (-\tan\theta)^2}{\sin\theta}$
$= -\frac{1}{\cos^2\theta} + \tan^2\theta = -\frac{1 - \sin^2\theta}{\cos^2\theta}$
$= -\frac{\cos^2\theta}{\cos^2\theta} = -1$ 정답_①

410

삼각형의 세 내각의 크기의 합은 180°이므로

$A + B + C = \pi \quad \therefore B + C = \pi - A$

$\therefore \cos\frac{B + C - 2\pi}{2} = \cos\frac{\pi - A - 2\pi}{2} = \cos\left(-\frac{\pi + A}{2}\right)$
$= \cos\frac{\pi + A}{2} = \cos\left(\frac{\pi}{2} + \frac{A}{2}\right)$
$= -\sin\frac{A}{2} = -\frac{1}{3}$ 정답_②

411

(1) $\theta - 45^\circ = x$로 놓으면 $45^\circ + \theta = x + 90^\circ$이므로
$\sin^2(45^\circ + \theta) + \sin^2(45^\circ - \theta)$
$= \sin^2(45^\circ + \theta) + \sin^2(-x)$
$= \sin^2(x + 90^\circ) + (-\sin x)^2 = \cos^2 x + \sin^2 x$
$= 1$

(2) $\theta - 40^\circ = x$로 놓으면 $\theta + 50^\circ = x + 90^\circ$이므로
$\cos^2(\theta - 40^\circ) + \cos^2(\theta + 50^\circ)$
$= \cos^2 x + \cos^2(x + 90^\circ) = \cos^2 x + (-\sin x)^2$
$= \cos^2 x + \sin^2 x = 1$ 정답_(1) 1 (2) 1

412

$\cos(-110^\circ) = \cos 110^\circ = \cos(180^\circ - 70^\circ) = -\cos 70^\circ = a$
이므로
$\cos 70^\circ = -a$
이때, $\sin^2 70^\circ = 1 - \cos^2 70^\circ = 1 - a^2$이므로
$\cos 160^\circ = \cos(90^\circ + 70^\circ)$
$= -\sin 70^\circ = -\sqrt{1 - a^2} \ (\because \sin 70^\circ > 0)$

정답_①

413

$\theta = \frac{\pi}{20}$에서 $10\theta = \frac{\pi}{2}$

$\sin 9\theta = \sin(10\theta - \theta) = \sin\left(\frac{\pi}{2} - \theta\right) = \cos\theta,$

$\sin 7\theta = \sin(10\theta - 3\theta) = \sin\left(\frac{\pi}{2} - 3\theta\right) = \cos 3\theta$

$\therefore$ (주어진 식)
$= (\sin^2\theta + \sin^2 9\theta) + (\sin^2 3\theta + \sin^2 7\theta) + \sin^2 5\theta$
$= (\sin^2\theta + \cos^2\theta) + (\sin^2 3\theta + \cos^2 3\theta) + \sin^2\frac{\pi}{4}$
$= 1 + 1 + \frac{1}{2} = \frac{5}{2}$ 정답_③

414

$\cos 89^\circ = \cos(90^\circ - 1^\circ) = \sin 1^\circ,$
$\cos 88^\circ = \cos(90^\circ - 2^\circ) = \sin 2^\circ,$
$\vdots$
$\cos 46^\circ = \cos(90^\circ - 44^\circ) = \sin 44^\circ$이므로

(주어진 식)

$=(\cos^2 1^\circ+\cos^2 89^\circ)+(\cos^2 2^\circ+\cos^2 88^\circ)+\cdots$

$\quad+(\cos^2 44^\circ+\cos^2 46^\circ)+\cos^2 45^\circ$

$=(\cos^2 1^\circ+\sin^2 1^\circ)+(\cos^2 2^\circ+\sin^2 2^\circ)+\cdots$

$\quad+(\cos^2 44^\circ+\sin^2 44^\circ)+\sin^2 45^\circ$

$=1+1+\cdots+1+1+\frac{1}{2}=44+\frac{1}{2}=\frac{89}{2}$ 정답_ $\frac{89}{2}$

415

ㄱ, ㄴ은 옳다.

오른쪽 그림에서 두 점 P, Q가 원점에 대하여 대칭이면

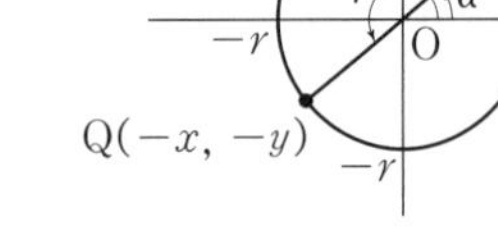

$\sin\alpha=\frac{y}{r}$, $\cos\alpha=\frac{x}{r}$

$\sin\beta=-\frac{y}{r}$,

$\cos\beta=-\frac{x}{r}$

$\therefore \sin\alpha+\sin\beta=0$, $\cos\alpha+\cos\beta=0$

즉, 주어진 그림에서 점 P_2와 P_7, 점 P_3과 P_8, 점 P_4와 P_9, 점 P_5와 P_{10}, 점 P_6과 P_1이 원점에 대하여 대칭이므로

$\sin\theta+\sin 6\theta=0$, $\sin 2\theta+\sin 7\theta=0$, $\cdots$,

$\sin 5\theta+\sin 10\theta=0$

$\therefore \sin\theta+\sin 2\theta+\sin 3\theta+\cdots+\sin 10\theta=0$

같은 방법으로 $\cos\theta+\cos 2\theta+\cos 3\theta+\cdots+\cos 10\theta=0$

ㄷ도 옳다.

오른쪽 그림에서 두 점 P, Q가 y축에 대하여 대칭이면

$\tan\alpha=\frac{y}{x}$, $\tan\beta=-\frac{y}{x}$

$\therefore \tan\alpha+\tan\beta=0$

즉, 주어진 그림에서 점 P_2와

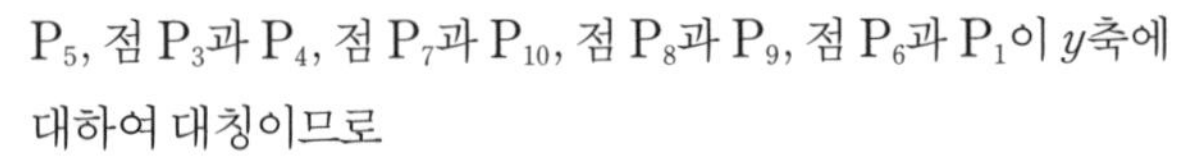

P_5, 점 P_3과 P_4, 점 P_7과 P_{10}, 점 P_8과 P_9, 점 P_6과 P_1이 y축에 대하여 대칭이므로

$\tan\theta+\tan 4\theta=0$, $\tan 2\theta+\tan 3\theta=0$,

$\tan 6\theta+\tan 9\theta=0$, $\tan 7\theta+\tan 8\theta=0$,

$\tan 5\theta+\tan 10\theta=0$

$\therefore \tan\theta+\tan 2\theta+\tan 3\theta+\cdots+\tan 10\theta=0$

따라서 옳은 것은 ㄱ, ㄴ, ㄷ이다. 정답_ ⑤

416

① 정의역은 실수 전체의 집합이다.

② 치역은 $\{y\mid -1\le y\le 1\}$이다.

④ 그래프는 원점에 대하여 대칭이다.

⑤ 일대일함수이려면 계속 증가하거나 계속 감소해야 한다.

정답_ ③

417

④ $\cos(-x)=\cos x$이므로 $y=\cos x$의 그래프는 y축에 대하여 대칭이다. 정답_ ④

418

① 정의역은 $x\ne n\pi+\frac{\pi}{2}$ (n은 정수)인 실수 전체의 집합이다.

② 치역은 실수 전체의 집합이다.

③ 주기는 π이다.

④ $\tan(-x)=-\tan x$이므로 $y=\tan x$의 그래프는 원점에 대하여 대칭이다. 정답_ ⑤

419

함수 $f(x)=\sin x$의 그래프는 오른쪽 그림과 같이 직선 $x=\frac{\pi}{2}=1.57\cdots$에 대하여 대칭이므로

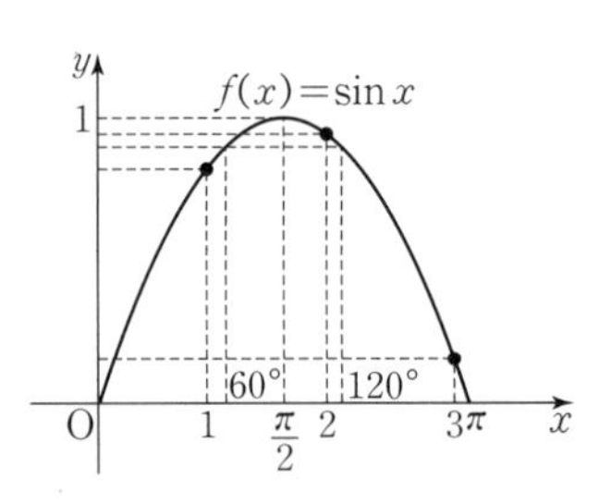

$\sin 3<\sin 1<\sin 2$

$\therefore f(3)<f(1)<f(2)$

정답_ ④

420

$\sin 45^\circ=\cos 45^\circ=\frac{\sqrt{2}}{2}$,

$45^\circ=\frac{\pi}{4}=0.785\cdots$

이때, $0^\circ<x<90^\circ$에서 $\sin x$는 증가하고, $\cos x$는 감소하므로 오른쪽 그림과 같이

$\cos 1<\sin 1$

한편, $\tan 45^\circ=1<\tan 1$이므로

$\cos 1<\sin 1<\tan 1$ $\quad\therefore g(1)<f(1)<h(1)$ 정답_ ③

421

$C=-\sin 300^\circ=-\sin(270^\circ+30^\circ)=\cos 30^\circ$이고,

$0^\circ<x<90^\circ$일 때 $y=\cos x$는 감소하는 함수이므로

$\cos 40^\circ<\cos 30^\circ$ $\quad\therefore A<C$

$\cos 30^\circ<1$, $\tan 45^\circ=1$이고, $0^\circ<x<90^\circ$일 때 $y=\tan x$는 증가하는 함수이므로

$\cos 30^\circ<1=\tan 45^\circ<\tan 50^\circ$ $\quad\therefore C<B$

$\therefore A<C<B$ 정답_ ②

422

(1) $y=3\sin 2x+3$의 그래프는 $y=3\sin 2x$의 그래프를 y축의 방향으로 3만큼 평행이동한 것이다. 이때, $y=3\sin 2x$의 그

래프는 $y=\sin x$의 그래프를 x축의 방향으로 $\frac{1}{2}$배, y축의 방향으로 3배한 것이다.
따라서 주어진 함수의 그래프는 오른쪽 그림과 같고, 치역은 $\{y \mid 0 \le y \le 6\}$, 주기는 π이다.

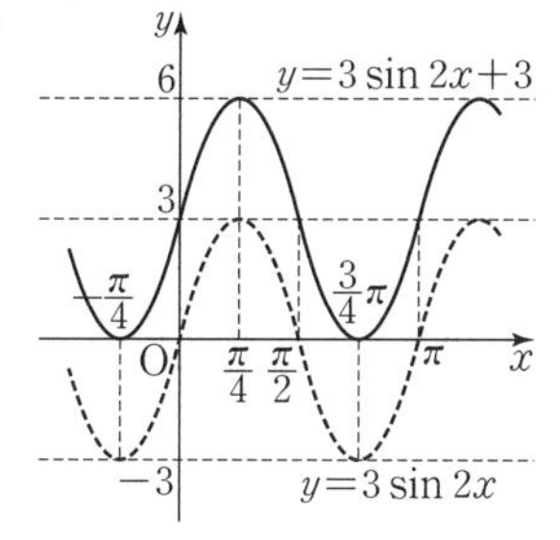

(2) $y=3\cos(2x-\pi)=3\cos 2\left(x-\frac{\pi}{2}\right)$의 그래프는

$y=3\cos 2x$의 그래프를 x축의 방향으로 $\frac{\pi}{2}$만큼 평행이동한 것이다. 이때, $y=3\cos 2x$의 그래프는 $y=\cos x$의 그래프를 x축의 방향으로 $\frac{1}{2}$배, y축의 방향으로 3배한 것이다.
따라서 주어진 함수의 그래프는 오른쪽 그림과 같고, 치역은 $\{y \mid -3 \le y \le 3\}$, 주기는 π이다.

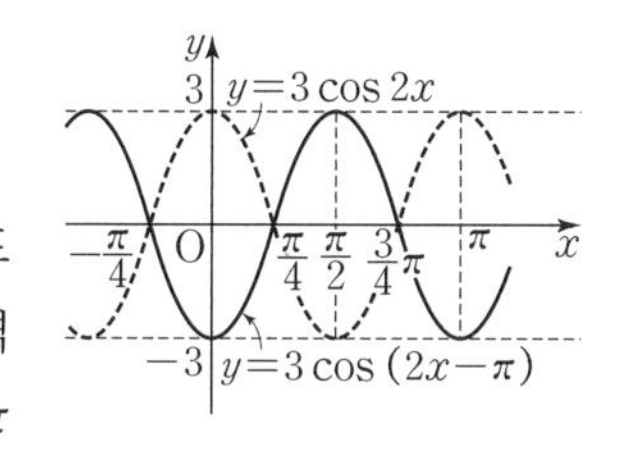

(3) $y=2\tan\left(x-\frac{\pi}{2}\right)$의 그래프는 $y=2\tan x$의 그래프를 x축의 방향으로 $\frac{\pi}{2}$만큼 평행이동한 것이다.

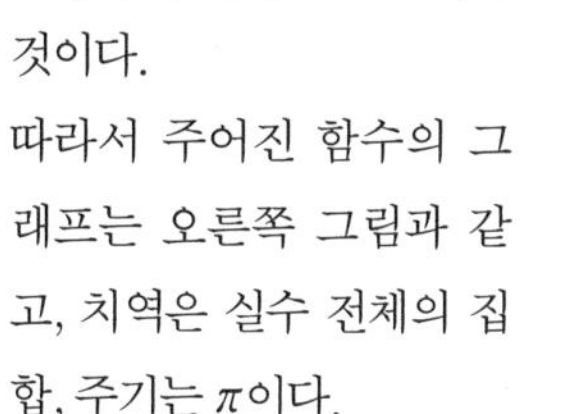

이때, $y=2\tan x$의 그래프는 $y=\tan x$의 그래프를 y축의 방향으로 2배한 것이다.
따라서 주어진 함수의 그래프는 오른쪽 그림과 같고, 치역은 실수 전체의 집합, 주기는 π이다.

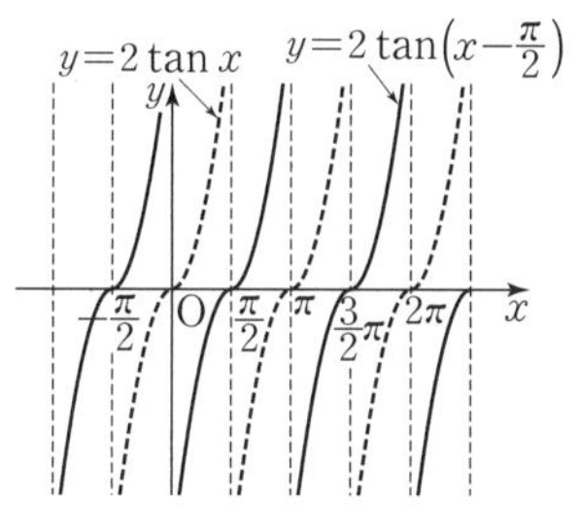

정답_ 풀이 참조

423

$y=\sin 2x$의 그래프를 x축의 방향으로 $\frac{\pi}{4}$만큼 평행이동하면

$y=\sin 2\left(x-\frac{\pi}{4}\right)=\sin\left(2x-\frac{\pi}{2}\right)=-\sin\left(\frac{\pi}{2}-2x\right)$

$=-\cos 2x$

정답_ ④

424

함수 $y=\cos 2x$의 그래프를 x축의 방향으로 $\frac{\pi}{2}$만큼 평행이동하면

$y=\cos 2\left(x-\frac{\pi}{2}\right)=\cos(2x-\pi)=\cos(\pi-2x)=-\cos 2x$

이 함수의 그래프를 x축에 대하여 대칭이동하면

$-y=-\cos 2x \quad \therefore y=\cos 2x$

정답_ ③

425

$y=2\sin(3x-3)+1=2\sin 3(x-1)+1$이므로

함수 $y=2\sin(3x-3)+1$의 그래프는 함수 $y=2\sin 3x$의 그래프를 x축의 방향으로 1만큼, y축의 방향으로 1만큼 평행이동한 것이다.

따라서 $a=1$, $b=1$이므로 $a+b=2$

정답_ ②

426

함수 $y=\tan x$의 그래프를 x축에 대하여 대칭이동하면

$-y=\tan x \quad \therefore y=-\tan x$ ······ ㉠

평행이동 $(x,\ y) \longrightarrow (x+\pi,\ y)$는 x축의 방향으로 π만큼의 평행이동을 의미한다.

따라서 ㉠의 그래프를 x축의 방향으로 π만큼 평행이동하면

$y=-\tan(x-\pi)=\tan(\pi-x)=-\tan x$

정답_ ④

427

함수 $y=\sin 2x$의 주기는 $\frac{2\pi}{2}=\pi$

함수 $y=|\sin 2x|$의 주기는 $y=\sin 2x$의 주기의 $\frac{1}{2}$이므로 $\frac{\pi}{2}$

함수 $y=\tan 3x$의 주기는 $\frac{\pi}{3}$

함수 $y=|\tan 3x|$의 주기는 $y=\tan 3x$의 주기와 같으므로 $\frac{\pi}{3}$

정답_ ②

428

① $y=|\sin(x+\pi)|=|-\sin x|=|\sin x|$는 주기가 π인 주기함수이다.

② $y=\cos\left(|x|-\frac{\pi}{2}\right)=\cos\left(\frac{\pi}{2}-|x|\right)=\sin|x|$

이 함수의 그래프는 오른쪽 그림과 같으므로 주기함수가 아니다.

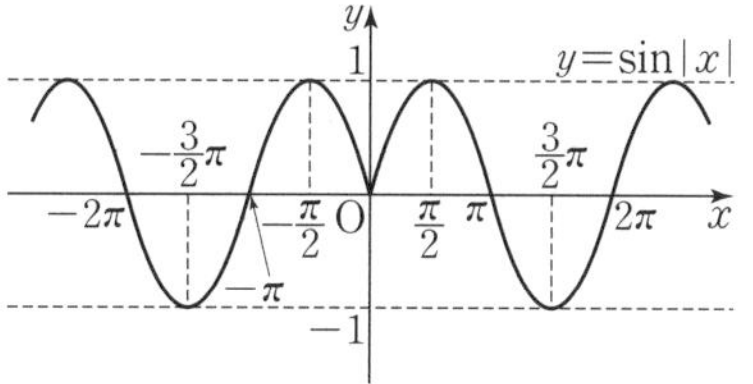

③ $y=|\cos(x-\pi)|$
$=|\cos(\pi-x)|$
$=|-\cos x|=|\cos x|$는 주기가 π인 주기함수이다.

④ $y=\sin\left(|x|+\frac{\pi}{2}\right)=\cos|x|$는 주기가 2π인 주기함수이다.

⑤ $y=|\tan(x-\pi)|=|-\tan(\pi-x)|=|\tan x|$는 주기가 π인 주기함수이다.

따라서 주어진 함수 중 주기함수가 아닌 것은 ②이다.

정답_ ②

429

함수 $y=\sin \pi x+1$의 주기는 $\frac{2\pi}{\pi}=2$

ㄱ. $y=\sin 2\pi x$의 주기가 1이므로 $y=|\sin 2\pi x|$의 주기는 $\frac{1}{2}$이다.

ㄴ. $y=\cos\frac{\pi}{2}x$의 주기가 4이므로 $y=\left|\cos\frac{\pi}{2}x\right|$의 주기는 2이다.

ㄷ. $y=\tan\frac{\pi}{2}x$의 주기가 2이므로 $y=\left|\tan\frac{\pi}{2}x\right|$의 주기는 2이다.

따라서 함수 $y=\sin\pi x+1$과 주기가 같은 함수는 ㄴ, ㄷ이다.

정답_④

430

(1) $y=2\sin\left(x+\frac{\pi}{4}\right)$의 최댓값은 2, 최솟값은 -2

(2) $y=-3\cos\left(2x+\frac{\pi}{6}\right)-1$의 최댓값은 $|-3|-1=2$, 최솟값은 $-|-3|-1=-4$

(3) $y=\tan\frac{\pi}{4}x+1$의 최댓값과 최솟값은 없다.

정답_(1) 최댓값 : 2, 최솟값 : -2
(2) 최댓값 : 2, 최솟값 : -4
(3) 최댓값, 최솟값 : 없다

431

함수 $y=2\sin\left(3\pi x+\frac{\pi}{2}\right)-1$에서

최댓값은 $2-1=1$, 최솟값은 $-2-1=-3$이므로

$M=1,\ m=-3$

$\therefore Mm=1\cdot(-3)=-3$

정답_①

432

(1) $y=|\sin x|$의 그래프는 $y=\sin x$의 그래프의 x축 아래쪽을 위쪽으로 접어 올린 것이므로 오른쪽 그림과 같다.

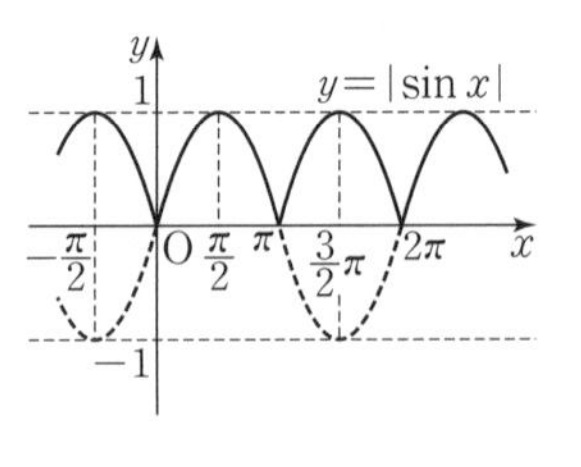

따라서 최댓값은 1, 최솟값은 0이다.

(2) $y=\cos|x|$의 그래프는 $x\geq0$일 때 $y=\cos x$의 그래프를 그린 후, $x<0$인 부분은 $y=\cos x\ (x\geq0)$의 그래프를 y축에 대하여 대칭이동하면 되므로 오른쪽 그림과 같다. 즉, $y=\cos x$의 그래프와 같다.

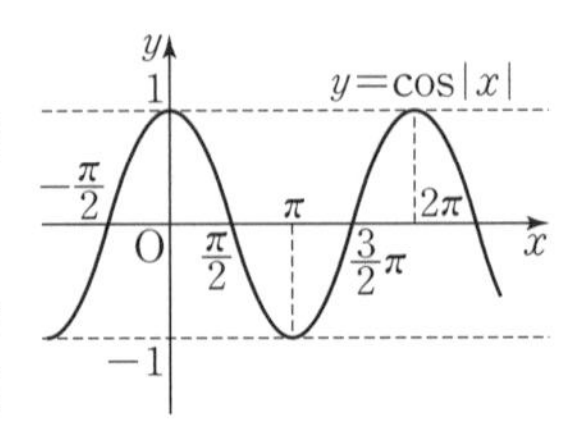

따라서 최댓값은 1, 최솟값은 -1이다.

(3) $y=|\tan x|$의 그래프는 $y=\tan x$의 그래프의 x축 아래쪽을 위쪽으로 접어 올린 것이므로 오른쪽 그림과 같다.

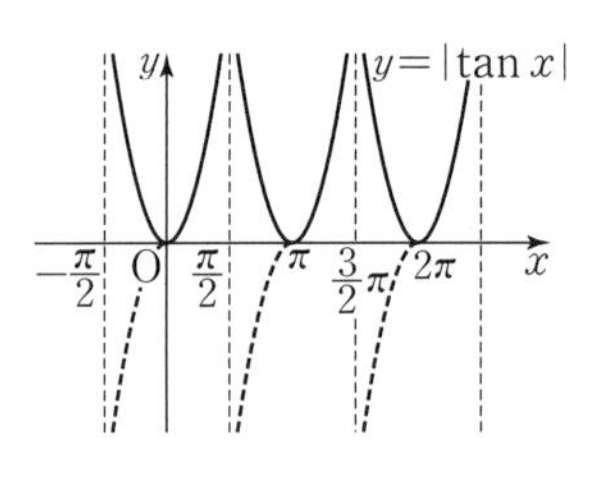

따라서 최댓값은 없고, 최솟값은 0이다.

정답_(1) 최댓값 : 1, 최솟값 : 0
(2) 최댓값 : 1, 최솟값 : -1
(3) 최댓값 : 없다, 최솟값 : 0

433

함수 $f(x)=a\sin bx+c$의 최댓값이 1, 최솟값이 -3이고

$a>0,\ b>0$이므로 $a+c=1,\ -a+c=-3$

두 식을 연립하여 풀면 $a=2,\ c=-1$

또한 주기가 π이므로 $\frac{2\pi}{b}=\pi$ $\quad\therefore b=2$

정답_$a=2,\ b=2,\ c=-1$

434

함수 $y=2\cos\left(x+\frac{\pi}{3}\right)+1$에서

최댓값은 $2+1=3$, 최솟값은 $-2+1=-1$이고

주기는 $\frac{2\pi}{1}=2\pi$이므로 $a=3,\ b=-1,\ c=2\pi$

$\therefore \cos\frac{c}{a+b}=\cos\frac{2\pi}{3-1}=\cos\pi=-1$

정답_①

435

조건 (가)에서 함수 $f(x)=a\sin bx+c$의 주기가 $\frac{\pi}{2}$이므로

$\frac{2\pi}{b}=\frac{\pi}{2}$ $\quad\therefore b=4$

조건 (나)에서 최솟값이 0이므로 $-a+c=0$ ······ ㉠

조건 (다)에서 $f\left(\frac{\pi}{8}\right)=4$이므로 $a\sin\frac{\pi}{2}+c=4$

$\therefore a+c=4$ ······ ㉡

㉠, ㉡을 연립하여 풀면 $a=2,\ c=2$

$\therefore a+b+c=2+4+2=8$

정답_④

436

함수 $f(x)=a\cos\frac{x}{2}+b$의 최댓값이 7이므로

$a+b=7$ ······ ㉠

$f\left(\frac{2}{3}\pi\right)=5$이므로 $a\cos\frac{\pi}{3}+b=5$

$\therefore \frac{a}{2}+b=5$ ······ ㉡

㉠, ㉡을 연립하여 풀면 $a=4,\ b=3$

따라서 $f(x)$의 최솟값은 $-a+b=-4+3=-1$

정답_②

437

함수 $f(x)=a\cos\left(bx-\frac{\pi}{3}\right)+c$의 주기가 2π이므로

$\frac{2\pi}{b}=2\pi \quad \therefore b=1$

이때, $f(x)=a\cos\left(x-\frac{\pi}{3}\right)+c$이고

최댓값이 5이므로 $a+c=5$ ...... ㉠

$f\left(\frac{2}{3}\pi\right)=3$이므로 $a\cos\left(\frac{2}{3}\pi-\frac{\pi}{3}\right)+c=3$

$a\cos\frac{\pi}{3}+c=3 \quad \therefore \frac{a}{2}+c=3$ ...... ㉡

㉠, ㉡을 연립하여 풀면 $a=4,\ c=1$

$\therefore a+2b+3c=4+2\cdot1+3\cdot1=9$

정답_ ④

438

함수 $f(x)=a|\sin bx|+c$의 주기가 $\frac{\pi}{2}$이므로

$\frac{1}{2}\times\frac{2\pi}{b}=\frac{\pi}{2} \quad \therefore b=2$

이때, $f(x)=a|\sin 2x|+c$이고 최댓값이 6이므로

$a+c=6$ ...... ㉠

$f\left(-\frac{\pi}{12}\right)=4$이므로 $a\left|\sin\left(-\frac{\pi}{6}\right)\right|+c=4$

$\therefore \frac{a}{2}+c=4$ ...... ㉡

㉠, ㉡을 연립하여 풀면 $a=4, c=2$

$\therefore a+b-c=4+2-2=4$

정답_ ④

439

함수 $y=a\cos bx$의 그래프에서 최댓값이 2, 최솟값이 -2이고 $a>0$이므로 $a=2$

주기가 4π이고 $b>0$이므로 $\frac{2\pi}{b}=4\pi \quad \therefore b=\frac{1}{2}$

$\therefore a+b=2+\frac{1}{2}=\frac{5}{2}$

정답_ ④

440

함수 $y=a\sin(bx+c)+d$의 그래프에서 최댓값이 3, 최솟값이 -1이고 $a>0$이므로 $a+d=3,\ -a+d=-1$

두 식을 연립하여 풀면 $a=2,\ d=1$

주기는 $\frac{\pi}{2}-\left(-\frac{\pi}{2}\right)=\pi$이고 $b>0$이므로 $\frac{2\pi}{b}=\pi \quad \therefore b=2$

따라서 주어진 함수의 식은 $y=2\sin(2x+c)+1$

주어진 그래프가 점 $(0,\ 3)$을 지나므로

$3=2\sin(0+c)+1,\ \sin c=1 \quad \therefore c=\frac{\pi}{2}\ (\because 0<c<\pi)$

$\therefore abcd=2\cdot2\cdot\frac{\pi}{2}\cdot1=2\pi$

정답_ ④

441

함수 $y=\tan(ax-b)$의 그래프에서 주기는 $\frac{\pi}{4}-\left(-\frac{\pi}{4}\right)=\frac{\pi}{2}$

이고 $a>0$이므로 $\frac{\pi}{a}=\frac{\pi}{2} \quad \therefore a=2$

따라서 주어진 함수의 식은 $y=\tan(2x-b)$ ...... ㉠

한편, 주어진 그래프는 $y=\tan 2x$의 그래프를 x축의 방향으로 $\frac{\pi}{4}$만큼 평행이동한 것이므로

$y=\tan 2\left(x-\frac{\pi}{4}\right)=\tan\left(2x-\frac{\pi}{2}\right)$ ...... ㉡

㉠, ㉡이 일치해야 하므로 $b=\frac{\pi}{2}$

$\therefore ab=2\cdot\frac{\pi}{2}=\pi$

정답_ ②

442

함수 $y=a\sin(bx-c)$의 그래프에서 최댓값이 3, 최솟값이 -3이고 $a>0$이므로 $a=3$

주기는 $\frac{4}{3}\pi-\frac{\pi}{3}=\pi$이고 $b>0$이므로 $\frac{2\pi}{b}=\pi \quad \therefore b=2$

따라서 주어진 함수의 식은 $y=3\sin(2x-c)$ ...... ㉠

한편, 주어진 그래프는 $y=3\sin 2x$의 그래프를 x축의 방향으로 $\frac{\pi}{3}$만큼 평행이동한 것이므로

$y=3\sin 2\left(x-\frac{\pi}{3}\right)=3\sin\left(2x-\frac{2}{3}\pi\right)$ ...... ㉡

㉠, ㉡이 일치해야 하므로 $c=\frac{2}{3}\pi$

$\therefore abc=3\cdot2\cdot\frac{2}{3}\pi=4\pi$

정답_ ⑤

443

$y=|2\sin x+1|-3$에서 $\sin x=t\ (-1\le t\le1)$로 놓으면

$y=|2t+1|-3$ ...... ㉠

이때, ㉠의 그래프는 점 $\left(-\frac{1}{2},\ -3\right)$에서 꺾이는 ∨자 모양의 그래프이므로 $-1\le t\le1$의 부분만 잘라 내면 오른쪽 그림과 같다.

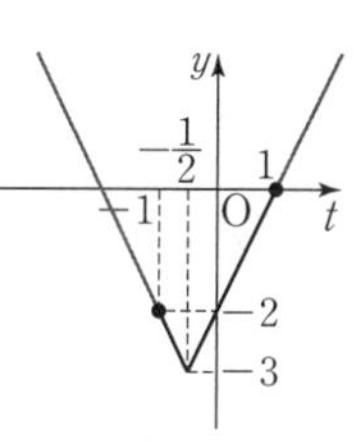

따라서 $t=1$일 때 최댓값은 0이고,

$t=-\frac{1}{2}$일 때 최솟값은 -3이므로

$M=0,\ m=-3 \quad \therefore M+m=-3$

정답_ ①

444

$\sin\left(x-\frac{\pi}{2}\right)=-\sin\left(\frac{\pi}{2}-x\right)=-\cos x$이므로

$y=2-\left|\sin\left(x-\frac{\pi}{2}\right)-3\right|=2-|-\cos x-3|$

$=2-|\cos x+3|$

이때, $\cos x=t\ (-1\le t\le 1)$로 놓으면

$y=2-|t+3|$ ······ ㉠

이때, ㉠의 그래프는 점 $(-3,\ 2)$에서 꺾이는 ∧자 모양의 그래프이므로 $-1\le t\le 1$의 부분만 잘라 내면 오른쪽 그림과 같다.

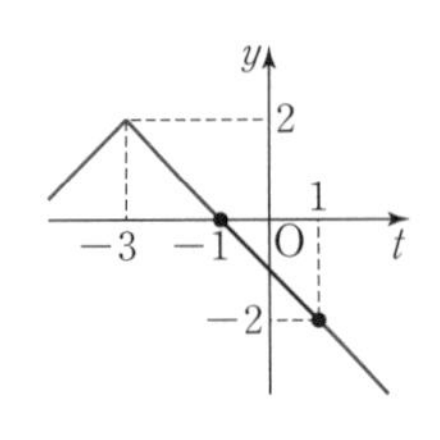

따라서 $t=-1$일 때 최댓값은 0이고, $t=1$일 때 최솟값은 -2이므로 최댓값과 최솟값의 곱은 0이다.

정답_ ③

445

$y=a|\cos x+2|+b$에서 $\cos x=t\ (-1\le t\le 1)$로 놓으면

$y=a|t+2|+b$ ······ ㉠

이때, $a>0$이므로 ㉠의 그래프는 점 $(-2,\ b)$에서 꺾이는 ∨자 모양의 그래프이므로 $-1\le t\le 1$의 부분만 잘라 내면 오른쪽 그림과 같다.

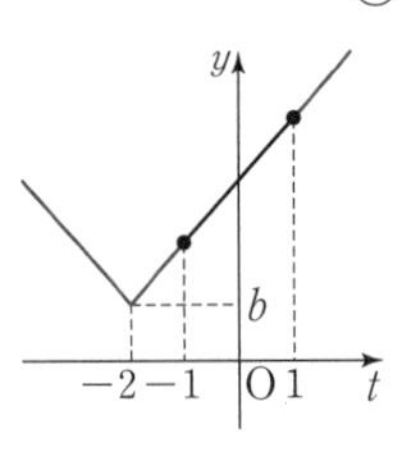

따라서 $t=1$일 때 최댓값은 $3a+b$이고, $t=-1$일 때 최솟값은 $a+b$이므로 $3a+b=4,\ a+b=2$

두 식을 연립하여 풀면 $a=1,\ b=1$

$\therefore ab=1$

정답_ ①

446

$y=3-4\cos^2 x+4\sin x=3-4(1-\sin^2 x)+4\sin x$

$=4\sin^2 x+4\sin x-1$

이때, $\sin x=t\ (-1\le t\le 1)$로 놓으면

$y=4t^2+4t-1=4\left(t+\frac{1}{2}\right)^2-2$ ······ ㉠

이때, ㉠의 그래프는 점 $\left(-\frac{1}{2},\ -2\right)$가 꼭짓점이고 ∪자 모양의 그래프이므로 $-1\le t\le 1$의 부분만 잘라 내면 오른쪽 그림과 같다.

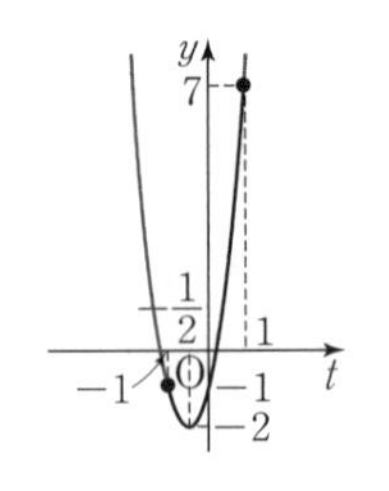

따라서 $t=1$일 때 최댓값은 7이고, $t=-\frac{1}{2}$일 때 최솟값은 -2이므로

$M=7,\ m=-2\quad \therefore M+m=5$

정답_ ⑤

447

$y=2\cos^2 x+4\sin x-1$

$=2(1-\sin^2 x)+4\sin x-1$

$=-2\sin^2 x+4\sin x+1$

$0\le x\le\frac{\pi}{2}$일 때 $0\le\sin x\le 1$이므로 $\sin x=t\ (0\le t\le 1)$로 놓으면

$y=-2t^2+4t+1=-2(t-1)^2+3$ ······ ㉠

이때, ㉠의 그래프는 점 $(1,\ 3)$이 꼭짓점이고 ∩자 모양의 그래프이므로 $0\le t\le 1$의 부분만 잘라 내면 오른쪽 그림과 같다.

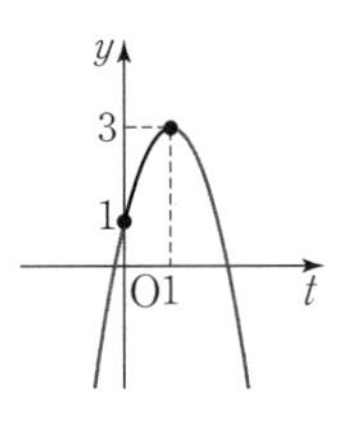

따라서 $t=1$일 때 최댓값은 3이고, $t=0$일 때 최솟값은 1이다.

정답_ ③

448

$y=a\cos^2 x-a\sin x+b$

$=a(1-\sin^2 x)-a\sin x+b$

$=-a\sin^2 x-a\sin x+a+b$

이때, $\sin x=t\ (-1\le t\le 1)$로 놓으면

$y=-at^2-at+a+b=-a\left(t+\frac{1}{2}\right)^2+\frac{5}{4}a+b$ ······ ㉠

이때, $a>0$이므로 ㉠의 그래프는 점 $\left(-\frac{1}{2},\ \frac{5}{4}a+b\right)$가 꼭짓점이고 ∩자 모양의 그래프이므로 $-1\le t\le 1$의 부분만 잘라 내면 오른쪽 그림과 같다.

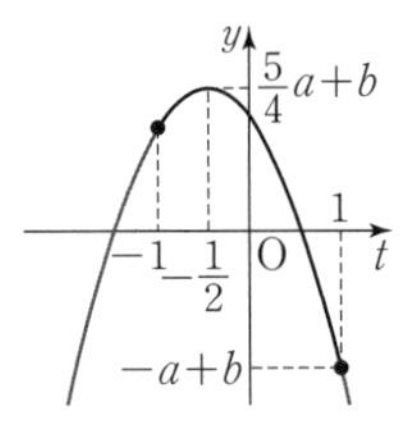

따라서 최댓값은 $t=-\frac{1}{2}$일 때 8, 최솟값은 $t=1$일 때 -1이므로 $\frac{5}{4}a+b=8,\ -a+b=-1$

두 식을 연립하여 풀면 $a=4,\ b=3$

$\therefore a+b=7$

정답_ ③

449

$\sin^2\left(x+\frac{\pi}{2}\right)=\cos^2 x,\ \sin(x+\pi)=-\sin x$이므로

$y=\sin^2\left(x+\frac{\pi}{2}\right)+\sin(x+\pi)=\cos^2 x-\sin x$

$=1-\sin^2 x-\sin x$

이때, $\sin x=t\ (-1\le t\le 1)$로 놓으면

$y=-t^2-t+1=-\left(t+\frac{1}{2}\right)^2+\frac{5}{4}$ ······ ㉠

이때, ㉠의 그래프는 점 $\left(-\frac{1}{2},\ \frac{5}{4}\right)$가 꼭짓점이고 ∩자 모양의 그래프이므로 $-1\le t\le 1$의 부분만 잘라 내면 오른쪽 그림과 같다.

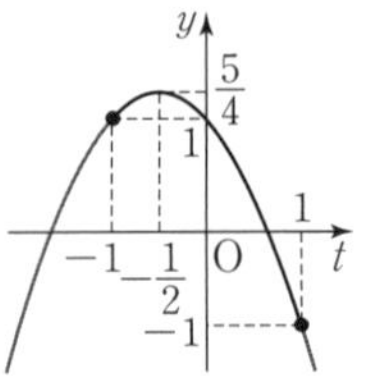

따라서 $t=-\frac{1}{2}$일 때 최댓값은 $\frac{5}{4}$이고, $t=1$일 때 최솟값은 -1이므로

$M=\frac{5}{4},\ m=-1\quad \therefore M+m=\frac{5}{4}+(-1)=\frac{1}{4}$

정답_ ①

450

$\tan(\pi-x)=-\tan x$이므로

$y=\tan^2 x-\tan(\pi-x)+1=\tan^2 x+\tan x+1$

$-\frac{\pi}{4} \le x \le \frac{\pi}{4}$에서 $-1 \le \tan x \le 1$이므로

$\tan x = t\ (-1 \le t \le 1)$로 놓으면

$y = t^2 + t + 1 = \left(t + \frac{1}{2}\right)^2 + \frac{3}{4}$ …… ㉠

이때, ㉠의 그래프는 점 $\left(-\frac{1}{2},\ \frac{3}{4}\right)$이 꼭짓점이고 ∪자 모양의 그래프이므로 $-1 \le t \le 1$의 부분만 잘라 내면 오른쪽 그림과 같다.

따라서 $t=1$일 때 최댓값은 3이고, $t = -\frac{1}{2}$일 때 최솟값은 $\frac{3}{4}$이므로

$M=3,\ m=\frac{3}{4}$ $\quad \therefore M-m = 3 - \frac{3}{4} = \frac{9}{4}$

정답_ ④

451

$\cos\left(\frac{\pi}{2}+\theta\right) = -\sin\theta,\ \sin\left(\frac{3}{2}\pi - \theta\right) = -\cos\theta,$

$\sin(\pi+\theta) = -\sin\theta$이므로

$y = \cos^2\left(\frac{\pi}{2}+\theta\right) + 2\sin^2\left(\frac{3}{2}\pi-\theta\right) + 2\sin(\pi+\theta)$

$= (-\sin\theta)^2 + 2(-\cos\theta)^2 - 2\sin\theta$

$= -\sin^2\theta - 2\sin\theta + 2$

이때, $\sin\theta = t\ (-1 \le t \le 1)$로 놓으면

$y = -t^2 - 2t + 2 = -(t+1)^2 + 3$ …… ㉠

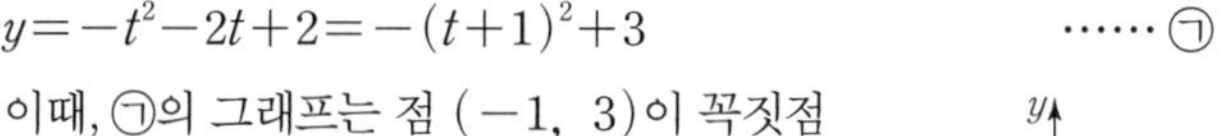

이때, ㉠의 그래프는 점 $(-1,\ 3)$이 꼭짓점이고 ∩자 모양의 그래프이므로 $-1 \le t \le 1$의 부분만 잘라 내면 오른쪽 그림과 같다.

따라서 $t=-1$일 때 최댓값은 3이고, $t=1$일 때 최솟값은 -1이므로

$M=3,\ m=-1$

$\therefore M+m = 3+(-1) = 2$

정답_ ②

452

$\sin x = t\ (-1 \le t \le 1)$로 놓으면

$y = \frac{t+1}{t-2} = \frac{(t-2)+3}{t-2} = \frac{3}{t-2} + 1$ …… ㉠

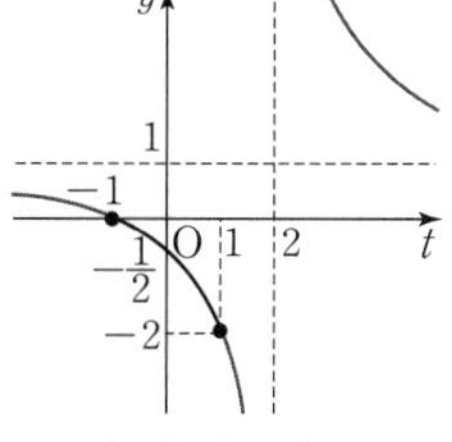

이때, ㉠의 그래프는 $y = \frac{3}{t}$의 그래프를 t축의 방향으로 2만큼, y축의 방향으로 1만큼 평행이동한 것이므로 $-1 \le t \le 1$의 부분만 잘라 내면 오른쪽 그림과 같다.

따라서 $t=-1$일 때 최댓값은 0이고, $t=1$일 때 최솟값은 -2이므로 $M=0,\ m=-2$

$\therefore M+m = -2$

정답_ ①

453

$0 \le x \le \frac{\pi}{4}$에서 $0 \le \tan x \le 1$이므로

$\tan x = t\ (0 \le t \le 1)$로 놓으면

$y = \frac{2t+3}{t+1} = \frac{2(t+1)+1}{t+1} = \frac{1}{t+1} + 2$ …… ㉠

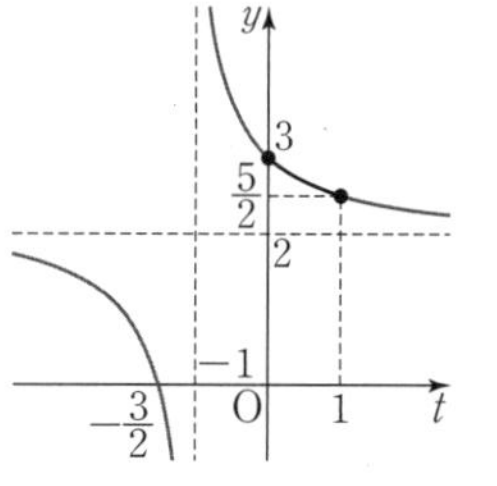

이때, ㉠의 그래프는 $y = \frac{1}{t}$의 그래프를 t축의 방향으로 -1만큼, y축의 방향으로 2만큼 평행이동한 것이므로 $0 \le t \le 1$의 부분만 잘라내면 오른쪽 그림과 같다.

따라서 $t=0$일 때 최댓값은 3이고, $t=1$일 때 최솟값은 $\frac{5}{2}$이므로 $M=3,\ m=\frac{5}{2}$

$\therefore M+m = 3 + \frac{5}{2} = \frac{11}{2}$

정답_ ④

454

(1) $y = \sin x$의 그래프를 그린 후 $0 \le x < 2\pi$의 부분만 잘라내면 오른쪽 그림과 같다.

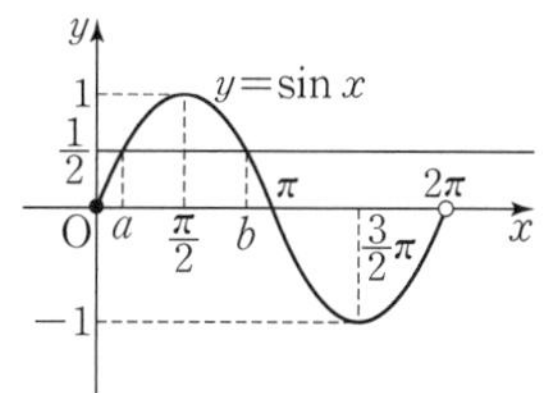

이때, $\sin x = \frac{1}{2}$의 해는 곡선 $y=\sin x$와 직선 $y=\frac{1}{2}$의 교점의 x좌표인 a, b와 같으므로

$x = \frac{\pi}{6}$ 또는 $x = \pi - \frac{\pi}{6} = \frac{5}{6}\pi$

(2) $y = \cos x$의 그래프를 그린 후 $0 \le x < 2\pi$의 부분만 잘라 내면 오른쪽 그림과 같다.

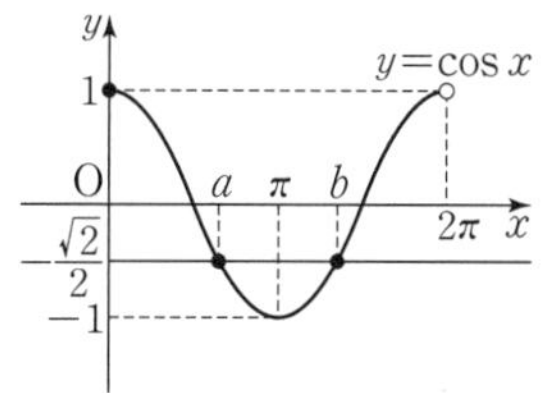

이때, $\cos x = -\frac{\sqrt{2}}{2}$의 해는 곡선 $y=\cos x$와 직선 $y = -\frac{\sqrt{2}}{2}$의 그래프의 교점의 x좌표로 a, b와 같으므로 $x = \pi - \frac{\pi}{4} = \frac{3}{4}\pi$ 또는 $x = \pi + \frac{\pi}{4} = \frac{5}{4}\pi$

(3) $y = \tan x$의 그래프를 그린 후 $0 \le x < 2\pi$의 부분만 잘라 내면 오른쪽 그림과 같다.

이때, $\tan x = \sqrt{3}$의 해는 곡선 $y = \tan x$와 직선 $y = \sqrt{3}$의 그래프의 교점의 x좌표인 a, b와 같으므로

$x = \frac{\pi}{3}$ 또는 $x = \pi + \frac{\pi}{3} = \frac{4}{3}\pi$

정답_ (1) $x=\frac{\pi}{6}$ 또는 $x=\frac{5}{6}\pi$ (2) $x=\frac{3}{4}\pi$ 또는 $x=\frac{5}{4}\pi$

(3) $x=\frac{\pi}{3}$ 또는 $x=\frac{4}{3}\pi$

455

$2\sin x=\sqrt{2}$에서 $\sin x=\frac{\sqrt{2}}{2}$

$0\le x<4\pi$이므로

$x=\frac{\pi}{4}$ 또는 $x=\frac{3}{4}\pi$ 또는 $x=\frac{9}{4}\pi$ 또는 $x=\frac{11}{4}\pi$

따라서 주어진 방정식의 모든 실근의 합은

$\frac{\pi}{4}+\frac{3}{4}\pi+\frac{9}{4}\pi+\frac{11}{4}\pi=6\pi$

$\therefore k=6$

정답_6

456

$\sin x=\cos x$에서 $\frac{\sin x}{\cos x}=1$ $\therefore \tan x=1$

$0\le x<2\pi$이므로 $x=\frac{\pi}{4}$ 또는 $x=\frac{5}{4}\pi$

$\therefore \alpha+\beta=\frac{\pi}{4}+\frac{5}{4}\pi=\frac{3}{2}\pi$

정답_②

457

$2\theta=t$로 놓으면 $2\cos t=\sqrt{2}$, $\cos t=\frac{\sqrt{2}}{2}$

이때, $0\le\theta<2\pi$에서 $0\le 2\theta<4\pi$이므로 $0\le t<4\pi$

$0\le t<4\pi$에서 방정식 $\cos t=\frac{\sqrt{2}}{2}$ 의 해는

$t=\frac{\pi}{4}$ 또는 $t=\frac{7}{4}\pi$ 또는 $t=\frac{9}{4}\pi$ 또는 $t=\frac{15}{4}\pi$

$\therefore \theta=\frac{\pi}{8}$ 또는 $\theta=\frac{7}{8}\pi$ 또는 $\theta=\frac{9}{8}\pi$ 또는 $\theta=\frac{15}{8}\pi$

따라서 θ의 크기가 될 수 없는 것은 ④이다.

정답_④

458

$\sqrt{3}\tan\left(x+\frac{\pi}{6}\right)=3$에서 $x+\frac{\pi}{6}=t$로 놓으면

$\sqrt{3}\tan t=3$, $\tan t=\sqrt{3}$

이때, $0\le x<2\pi$에서 $\frac{\pi}{6}\le x+\frac{\pi}{6}<\frac{13}{6}\pi$이므로

$\therefore \frac{\pi}{6}\le t<\frac{13}{6}\pi$

$\frac{\pi}{6}\le t<\frac{13}{6}\pi$에서 $\tan t=\sqrt{3}$의 해는

$t=\frac{\pi}{3}$ 또는 $t=\frac{4}{3}\pi$

(i) $t=\frac{\pi}{3}$일 때, $x+\frac{\pi}{6}=\frac{\pi}{3}$ $\therefore x=\frac{\pi}{6}$

(ii) $t=\frac{4}{3}\pi$일 때, $x+\frac{\pi}{6}=\frac{4}{3}\pi$ $\therefore x=\frac{7}{6}\pi$

(i), (ii)에서 주어진 방정식을 만족시키는 모든 x의 값의 합은

$\frac{\pi}{6}+\frac{7}{6}\pi=\frac{4}{3}\pi$

정답_②

459

$2\cos^2 x+3\sin x-3=0$에서

$2(1-\sin^2 x)+3\sin x-3=0$

$2\sin^2 x-3\sin x+1=0$, $(2\sin x-1)(\sin x-1)=0$

$\therefore \sin x=\frac{1}{2}$ 또는 $\sin x=1$

$0\le x<2\pi$에서 $\sin x=\frac{1}{2}$의 해는 $x=\frac{\pi}{6}$ 또는 $x=\frac{5}{6}\pi$

$\sin x=1$의 해는 $x=\frac{\pi}{2}$

따라서 주어진 방정식의 모든 근의 합은

$\frac{\pi}{6}+\frac{5}{6}\pi+\frac{\pi}{2}=\frac{3}{2}\pi$

정답_②

460

$2\sin^2 A-3\cos A=3$에서 $2(1-\cos^2 A)-3\cos A=3$

$2\cos^2 A+3\cos A+1=0$

$(2\cos A+1)(\cos A+1)=0$ ······ ㉠

이때, $0<A<\pi$이므로 $-1<\cos A<1$

따라서 ㉠의 해는 $\cos A=-\frac{1}{2}$ $\therefore A=\frac{2}{3}\pi$

한편, 삼각형 ABC에서 $A+B+C=\pi$이므로

$B+C=\pi-A=\pi-\frac{2}{3}\pi=\frac{\pi}{3}$

$\therefore \sin\frac{B+C-2\pi}{2}=\sin\frac{\frac{\pi}{3}-2\pi}{2}=\sin\left(-\frac{5}{6}\pi\right)$

$=-\sin\frac{5}{6}\pi=-\frac{1}{2}$

정답_③

461

$\sin^2 x=1+\sin x\cos x$에서 $1-\cos^2 x=1+\sin x\cos x$

$\cos^2 x+\sin x\cos x=0$, $\cos x(\cos x+\sin x)=0$

$\therefore \cos x=0$ 또는 $\cos x=-\sin x$

(i) $\cos x=0$일 때, $0\le x<\pi$에서 $x=\frac{\pi}{2}$

(ii) $\cos x=-\sin x$일 때, $\frac{\sin x}{\cos x}=-1$ $\therefore \tan x=-1$

$0\le x<\pi$에서 $x=\frac{3}{4}\pi$

(i), (ii)에서 $\alpha=\frac{\pi}{2}$, $\beta=\frac{3}{4}\pi$이므로 $\frac{\beta}{\alpha}=\frac{3}{2}$

정답_③

462

$2\cos\theta-1=\sin\theta$에서 $2\cos\theta=\sin\theta+1$

양변을 제곱하면 $4\cos^2\theta=\sin^2\theta+2\sin\theta+1$

$4(1-\sin^2\theta)=\sin^2\theta+2\sin\theta+1$

$5\sin^2\theta+2\sin\theta-3=0$, $(5\sin\theta-3)(\sin\theta+1)=0$

이때, $0<\theta<\frac{\pi}{2}$에서 $0<\sin\theta<1$이므로

$\sin\theta=\frac{3}{5}$

정답_③

463

$2\sin\theta=\tan\theta$에서 $2\sin\theta=\dfrac{\sin\theta}{\cos\theta}$

양변에 $\cos\theta$를 곱하면

$2\sin\theta\cos\theta=\sin\theta$, $\sin\theta(2\cos\theta-1)=0$

$\therefore \sin\theta=0$ 또는 $\cos\theta=\dfrac{1}{2}$

(i) $\sin\theta=0$일 때, $0\le\theta<2\pi$에서 $\theta=0$ 또는 $\theta=\pi$

(ii) $\cos\theta=\dfrac{1}{2}$일 때, $0\le\theta<2\pi$에서 $\theta=\dfrac{\pi}{3}$ 또는 $\theta=\dfrac{5}{3}\pi$

(i), (ii)에서 주어진 방정식의 모든 근의 합은

$0+\pi+\dfrac{\pi}{3}+\dfrac{5}{3}\pi=3\pi$ 정답_⑤

464

$\tan x+\dfrac{\sqrt{3}}{\tan x}=1+\sqrt{3}$의 양변에 $\tan x$를 곱하여 정리하면

$\tan^2 x-(1+\sqrt{3})\tan x+\sqrt{3}=0$

$(\tan x-1)(\tan x-\sqrt{3})=0$

$\therefore \tan x=1$ 또는 $\tan x=\sqrt{3}$

(i) $\tan x=1$일 때, $0\le x<2\pi$이므로 $x=\dfrac{\pi}{4}$ 또는 $x=\dfrac{5}{4}\pi$

(ii) $\tan x=\sqrt{3}$일 때, $0\le x<2\pi$이므로 $x=\dfrac{\pi}{3}$ 또는 $x=\dfrac{4}{3}\pi$

(i), (ii)에서 주어진 방정식을 만족시키는 x는 $\dfrac{\pi}{4}$, $\dfrac{5}{4}\pi$, $\dfrac{\pi}{3}$, $\dfrac{4}{3}\pi$로 4개이다. 정답_④

465

방정식 $\cos x=\dfrac{1}{8}x$의 실근의 개수는 두 함수 $y=\cos x$, $y=\dfrac{1}{8}x$의 그래프의 교점의 개수와 같다.

이때, $y=\dfrac{1}{8}x$에서 $y=1$이면 $x=8$, $y=-1$이면 $x=-8$이고, $2\pi<8<3\pi$이므로 두 함수의 그래프는 다음 그림과 같다.

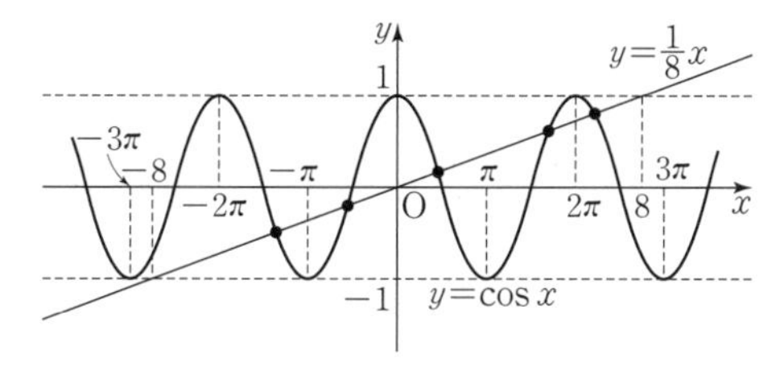

따라서 두 함수 $y=\cos x$, $y=\dfrac{1}{8}x$의 그래프의 교점은 5개이므로 주어진 방정식의 실근의 개수는 5이다. 정답_③

466

방정식 $\sin\pi x=\dfrac{3}{10}x$의 실근의 개수는 두 함수 $y=\sin\pi x$, $y=\dfrac{3}{10}x$의 그래프의 교점의 개수와 같다.

이때, $y=\sin\pi x$의 주기는 $\dfrac{2\pi}{\pi}=2$이고 $y=\dfrac{3}{10}x$에서 $y=1$이면 $x=\dfrac{10}{3}$, $y=-1$이면 $x=-\dfrac{10}{3}$이므로 두 함수의 그래프는 다음 그림과 같다.

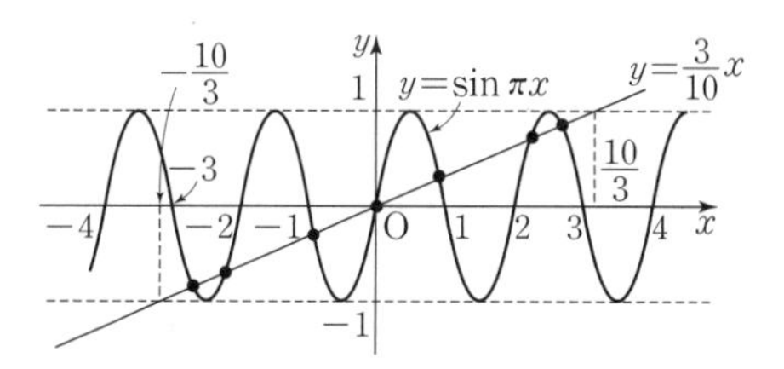

따라서 두 함수 $y=\sin\pi x$, $y=\dfrac{3}{10}x$의 그래프의 교점은 7개이므로 주어진 방정식의 실근의 개수는 7이다. 정답_④

467

방정식 $f(x)=g(x)$의 실근의 개수는 두 함수 $f(x)=\cos\pi x$, $g(x)=\sqrt{\dfrac{x}{10}}$의 그래프의 교점의 개수와 같다.

이때, $f(x)=\cos\pi x$의 주기는 $\dfrac{2\pi}{\pi}=2$이고, $g(x)=\sqrt{\dfrac{x}{10}}$에서 $g(x)=1$이면 $x=10$이므로 두 함수의 그래프는 다음 그림과 같다.

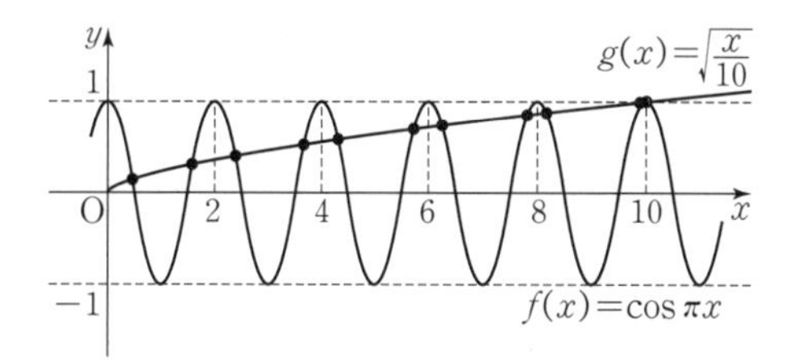

따라서 두 함수 $f(x)=\cos\pi x$, $g(x)=\sqrt{\dfrac{x}{10}}$의 그래프의 교점은 11개이므로 주어진 방정식의 실근의 개수는 11이다. 정답_⑤

468

(1) $\sin x>\dfrac{1}{2}$의 해는 $y=\sin x$의 그래프가 $y=\dfrac{1}{2}$의 그래프보다 위쪽에 있는 x의 값의 범위이므로 $\dfrac{\pi}{6}<x<\dfrac{5}{6}\pi$

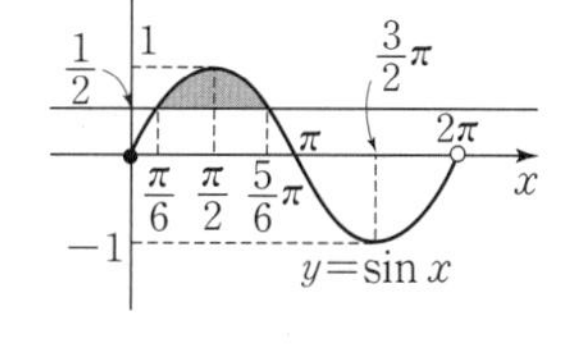

(2) $\cos x\le-\dfrac{\sqrt{2}}{2}$의 해는 $y=\cos x$의 그래프가 $y=-\dfrac{\sqrt{2}}{2}$의 그래프보다 아래쪽에 있는 x의 값의 범위이므로

$\dfrac{3}{4}\pi\le x\le\dfrac{5}{4}\pi$

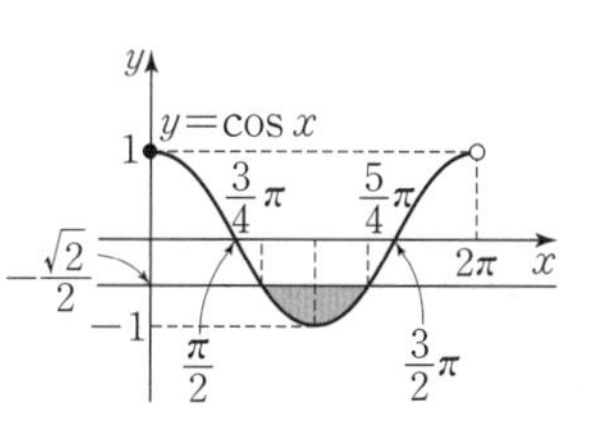

(3) $\tan x>\sqrt{3}$의 해는 $y=\tan x$의 그래프가 $y=\sqrt{3}$의 그래프보다 위쪽에 있는 x의 값의 범위이므로

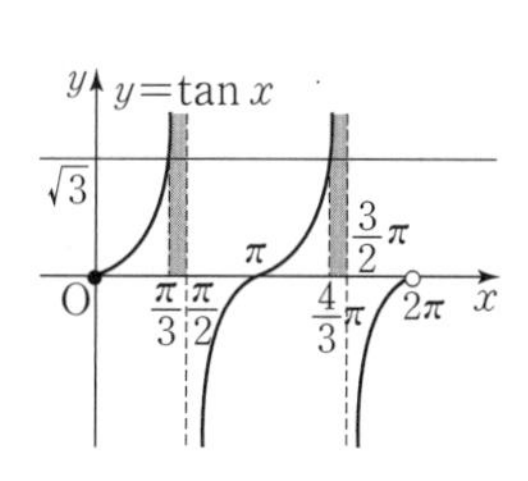

$\dfrac{\pi}{3}<x<\dfrac{\pi}{2}$ 또는 $\dfrac{4}{3}\pi<x<\dfrac{3}{2}\pi$

정답_ (1) $\dfrac{\pi}{6}<x<\dfrac{5}{6}\pi$ (2) $\dfrac{3}{4}\pi\le x\le\dfrac{5}{4}\pi$

(3) $\dfrac{\pi}{3}<x<\dfrac{\pi}{2}$ 또는 $\dfrac{4}{3}\pi<x<\dfrac{3}{2}\pi$

469

$\theta+\dfrac{\pi}{6}=t$로 놓으면 $\sin t>\dfrac{\sqrt{2}}{2}$

$0\le\theta\le\pi$에서 $\dfrac{\pi}{6}\le\theta+\dfrac{\pi}{6}\le\dfrac{7}{6}\pi$이므로 $\dfrac{\pi}{6}\le t\le\dfrac{7}{6}\pi$

$\dfrac{\pi}{6}\le t\le\dfrac{7}{6}\pi$에서 부등식

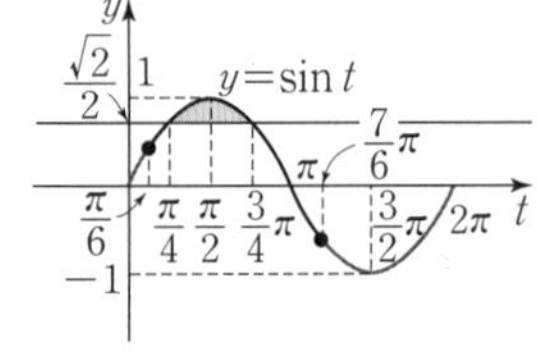

$\sin t>\dfrac{\sqrt{2}}{2}$의 해는

$\dfrac{\pi}{4}<t<\dfrac{3}{4}\pi$이므로

$\dfrac{\pi}{4}<\theta+\dfrac{\pi}{6}<\dfrac{3}{4}\pi$ $\quad\therefore \dfrac{\pi}{12}<\theta<\dfrac{7}{12}\pi$

따라서 $\alpha=\dfrac{\pi}{12}$, $\beta=\dfrac{7}{12}\pi$이므로

$\beta-\alpha=\dfrac{7}{12}\pi-\dfrac{\pi}{12}=\dfrac{\pi}{2}$

정답_ ④

470

$2\cos\left(\dfrac{x}{2}-\dfrac{\pi}{3}\right)<1$에서 $\cos\left(\dfrac{x}{2}-\dfrac{\pi}{3}\right)<\dfrac{1}{2}$

이때, $\dfrac{x}{2}-\dfrac{\pi}{3}=t$로 놓으면 $\cos t<\dfrac{1}{2}$

$0\le x<2\pi$에서 $-\dfrac{\pi}{3}\le\dfrac{x}{2}-\dfrac{\pi}{3}<\dfrac{2}{3}\pi$이므로 $-\dfrac{\pi}{3}\le t<\dfrac{2}{3}\pi$

$-\dfrac{\pi}{3}\le t<\dfrac{2}{3}\pi$에서 부등식

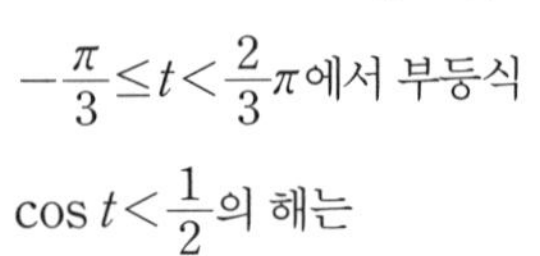

$\cos t<\dfrac{1}{2}$의 해는

$\dfrac{\pi}{3}<t<\dfrac{2}{3}\pi$이므로

$\dfrac{\pi}{3}<\dfrac{x}{2}-\dfrac{\pi}{3}<\dfrac{2}{3}\pi$ $\quad\therefore \dfrac{4}{3}\pi<x<2\pi$

따라서 $a=\dfrac{4}{3}\pi$, $b=2\pi$이므로

$b-a=2\pi-\dfrac{4}{3}\pi=\dfrac{2}{3}\pi$

정답_ ①

471

$x+\dfrac{\pi}{3}=t$로 놓으면 $\tan t<1$

$0\le x<\pi$에서 $\dfrac{\pi}{3}\le x+\dfrac{\pi}{3}<\dfrac{4}{3}\pi$이므로 $\dfrac{\pi}{3}\le t<\dfrac{4}{3}\pi$

$\dfrac{\pi}{3}\le t<\dfrac{4}{3}\pi$에서 부등식

$\tan t<1$의 해는

$\dfrac{\pi}{2}<t<\dfrac{5}{4}\pi$이므로

$\dfrac{\pi}{2}<x+\dfrac{\pi}{3}<\dfrac{5}{4}\pi$

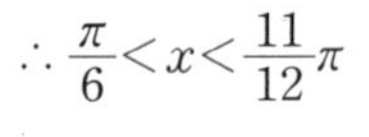

$\therefore \dfrac{\pi}{6}<x<\dfrac{11}{12}\pi$

따라서 $a=\dfrac{\pi}{6}$, $b=\dfrac{11}{12}\pi$이므로

$b-a=\dfrac{11}{12}\pi-\dfrac{\pi}{6}=\dfrac{3}{4}\pi$

정답_ ②

472

$2\cos^2 x+5\sin x+1<0$에서

$2(1-\sin^2 x)+5\sin x+1<0$

$2\sin^2 x-5\sin x-3>0$

$(2\sin x+1)(\sin x-3)>0$

$\sin x-3<0$이므로 $2\sin x+1<0$

$\therefore \sin x<-\dfrac{1}{2}$

$0\le x<2\pi$에서 부등식

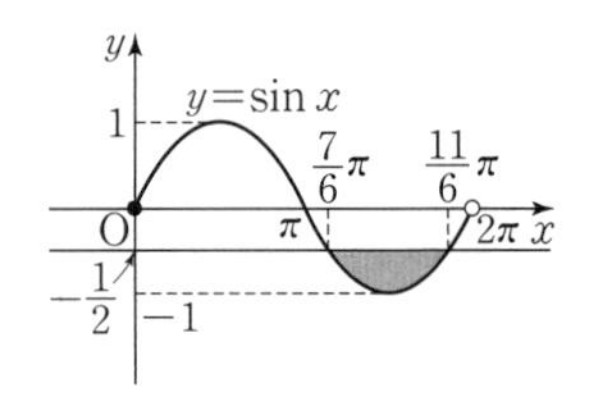

$\sin x<-\dfrac{1}{2}$의 해는

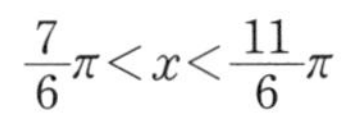

$\dfrac{7}{6}\pi<x<\dfrac{11}{6}\pi$

따라서 $a=\dfrac{7}{6}\pi$, $b=\dfrac{11}{6}\pi$이므로

$a+b=\dfrac{7}{6}\pi+\dfrac{11}{6}\pi=3\pi$

정답_ ⑤

473

$\cos^2\left(\theta+\dfrac{\pi}{2}\right)-\cos\theta-1\ge0$에서 $\sin^2\theta-\cos\theta-1\ge0$

$(1-\cos^2\theta)-\cos\theta-1\ge0$, $\cos^2\theta+\cos\theta\le0$

$\cos\theta(\cos\theta+1)\le0$

$\therefore -1\le\cos\theta\le0$

$0\le x<2\pi$에서 부등식

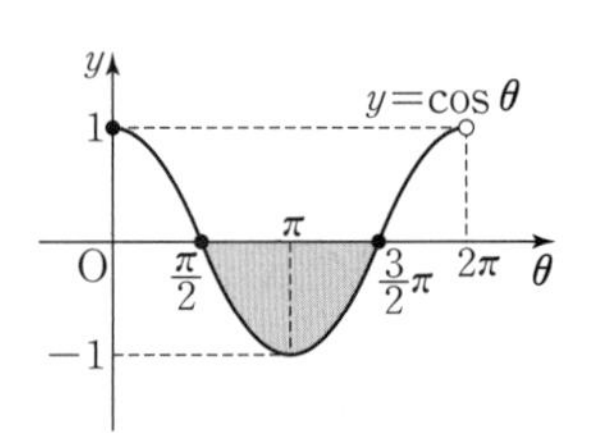

$-1\le\cos\theta\le0$의 해는

$\dfrac{\pi}{2}\le\theta\le\dfrac{3}{2}\pi$

따라서 $\alpha=\dfrac{\pi}{2}$, $\beta=\dfrac{3}{2}\pi$이므로

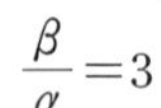

$\dfrac{\beta}{\alpha}=3$

정답_ ⑤

474

$0<x<\dfrac{\pi}{2}$에서 $\cos x>0$이므로 주어진 부등식의 양변을 $\cos^2 x$로 나누어 정리하면

$(\sqrt{3}\tan x-1)(\tan x-\sqrt{3})<0$ $\quad\therefore \dfrac{1}{\sqrt{3}}<\tan x<\sqrt{3}$

오른쪽 그림에서 부등식

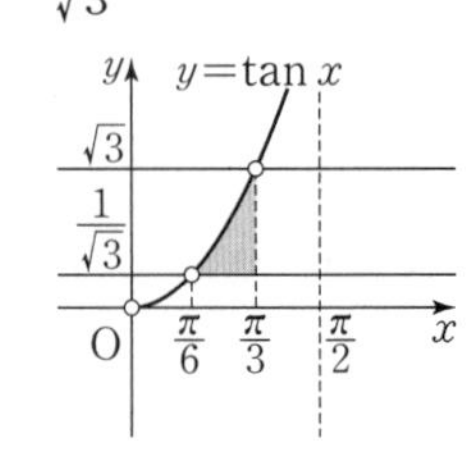

$\dfrac{1}{\sqrt{3}}<\tan x<\sqrt{3}$의 해는

$\dfrac{\pi}{6}<x<\dfrac{\pi}{3}$

따라서 $a=\frac{\pi}{6}$, $b=\frac{\pi}{3}$이므로

$b-a=\frac{\pi}{6}$ 정답_ ①

475

모든 실수 x에 대하여 주어진 부등식이 성립하려면

방정식 $x^2+(2\cos\theta+1)x+1=0$의 판별식 D에 대하여

$D=(2\cos\theta+1)^2-4<0$, $4\cos^2\theta+4\cos\theta-3<0$

$(2\cos\theta+3)(2\cos\theta-1)<0$

이때, $2\cos\theta+3>0$이므로 $2\cos\theta-1<0$

$\therefore \cos\theta<\frac{1}{2}$

$0\le\theta<2\pi$에서

부등식 $\cos\theta<\frac{1}{2}$의 해는

$\frac{\pi}{3}<\theta<\frac{5}{3}\pi$

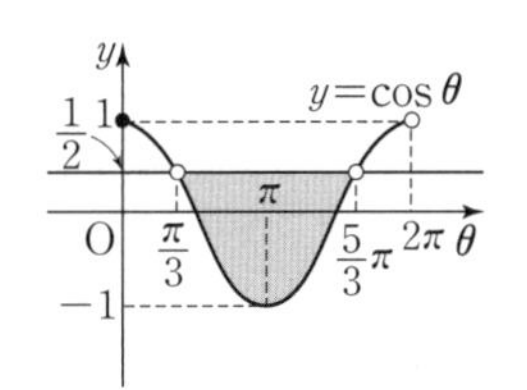

정답_ ②

476

이차방정식 $x^2-4x\sin\theta+3=0$의 판별식 D에 대하여

$\frac{D}{4}=(-2\sin\theta)^2-3=0$ $\therefore \sin^2\theta=\frac{3}{4}$

이때, $0\le\theta<\pi$에서 $\sin\theta\ge0$이므로 $\sin\theta=\frac{\sqrt{3}}{2}$

$0\le\theta<\pi$에서 $\sin\theta=\frac{\sqrt{3}}{2}$의 해는 $\theta=\frac{\pi}{3}$ 또는 $\theta=\frac{2}{3}\pi$

따라서 구하는 모든 θ의 크기의 합은 $\frac{\pi}{3}+\frac{2}{3}\pi=\pi$ 정답_ ③

477

이차방정식 $x^2-(2\sin\theta-1)x+1=0$이 실근을 가지려면

판별식 D에 대하여 $D\ge0$이어야 하므로

$D=(2\sin\theta-1)^2-4\ge0$, $4\sin^2\theta-4\sin\theta-3\ge0$

$\therefore (2\sin\theta+1)(2\sin\theta-3)\ge0$

이때, $-1\le\sin\theta\le1$에서 $2\sin\theta-3<0$이므로

$2\sin\theta+1\le0$ $\therefore \sin\theta\le-\frac{1}{2}$

오른쪽 그림에서 부등식

$\sin\theta\le-\frac{1}{2}$의 해는

$\frac{7}{6}\pi\le\theta\le\frac{11}{6}\pi$

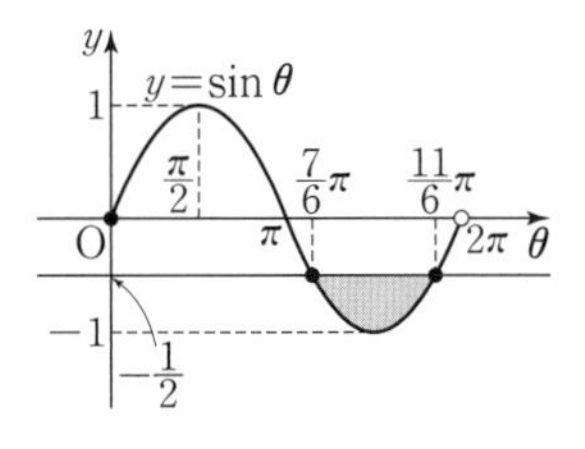

따라서 $\alpha=\frac{7}{6}\pi$, $\beta=\frac{11}{6}\pi$이므로

$\beta-\alpha=\frac{11}{6}\pi-\frac{7}{6}\pi=\frac{2}{3}\pi$ 정답_ $\frac{2}{3}\pi$

478

$\cos\theta=t$ $(-1\le t\le1)$로 놓으면 $t^2-4t-a\ge0$

$f(t)=t^2-4t-a$로 놓으면

$f(t)=(t-2)^2-a-4$

오른쪽 그림과 같이 $-1\le t\le1$에서 함수

$f(t)$는 $t=1$일 때 최솟값 $f(1)=-a-3$

을 가지므로 $-1\le t\le1$인 모든 실수 t에 대하여 부등식

$f(t)\ge0$이 성립하려면 $-a-3\ge0$ $\therefore a\le-3$

따라서 주어진 조건을 만족시키는 실수 a의 최댓값은 -3이다.

정답_ ②

479

함수 $f(x)=a\tan\frac{\pi}{7}x$의 주기는 $\frac{\pi}{\frac{\pi}{7}}=7$이므로

$f(x+7)=f(x)$ ······ ❶

또한, $\tan(-\theta)=-\tan\theta$이므로 $f(-x)=-f(x)$ ······ ❷

$f(6)=f(-1+7)=f(-1)=-f(1)$

$f(12)=f(5+7)=f(5)=f(-2+7)=f(-2)=-f(2)$

$f(16)=f(9+7)=f(9)=f(2+7)=f(2)$

$\therefore f(6)+f(12)+f(16)=-f(1)-f(2)+f(2)$

$=-f(1)=-3$ ······ ❸

정답_ -3

단계	채점 기준	비율
❶	$f(x+7)=f(x)$임을 보이기	30%
❷	$f(-x)=-f(x)$임을 보이기	30%
❸	$f(6)+f(12)+f(16)$의 값 구하기	40%

480

함수 $y=a\sin bx$의 주기가 $\pi-0=\pi$이므로

$\frac{2\pi}{b}=\pi$ $\therefore b=2$ ······ ❶

함수 $y=\tan x$의 그래프가 점 $\left(\frac{\pi}{3}, c\right)$를 지나므로

$c=\tan\frac{\pi}{3}=\sqrt{3}$ ······ ❷

함수 $y=a\sin 2x$의 그래프가 점 $\left(\frac{\pi}{3}, \sqrt{3}\right)$을 지나므로

$\sqrt{3}=a\sin\frac{2}{3}\pi$, $\sqrt{3}=\frac{\sqrt{3}}{2}a$

$\therefore a=2$ ······ ❸

$\therefore abc=2\cdot2\cdot\sqrt{3}=4\sqrt{3}$ ······ ❹

정답_ $4\sqrt{3}$

단계	채점 기준	비율
❶	b의 값 구하기	30%
❷	c의 값 구하기	30%
❸	a의 값 구하기	30%
❹	abc의 값 구하기	10%

481

주어진 그래프에서 최댓값이 2, 최솟값이 -2이고

$a>0$이므로 $a=2$ ❶

주기는 $\frac{5}{6}\pi-\left(-\frac{\pi}{6}\right)=\pi$이고 $b>0$이므로

$\frac{2\pi}{b}=\pi \quad \therefore b=2$ ❷

따라서 주어진 함수의 식은 $y=2\cos(2x+c)$ ······ ㉠

한편, 주어진 그래프는 $y=2\cos 2x$의 그래프를 x축의 방향으로 $-\frac{\pi}{6}$만큼 평행이동한 것이므로

$y=2\cos 2\left(x+\frac{\pi}{6}\right)=2\cos\left(2x+\frac{\pi}{3}\right)$ ······ ㉡

㉠, ㉡이 일치해야 하므로 $c=\frac{\pi}{3}$ ❸

$\therefore abc=2\cdot 2\cdot\frac{\pi}{3}=\frac{4}{3}\pi$ ❹

정답_ $\frac{4}{3}\pi$

단계	채점 기준	비율
❶	a의 값 구하기	30%
❷	b의 값 구하기	30%
❸	c의 값 구하기	30%
❹	abc의 값 구하기	10%

482

$y=\sin^2\pi x+\cos\pi x$

$=(1-\cos^2\pi x)+\cos\pi x$

$=-\cos^2\pi x+\cos\pi x+1$ ❶

이때, $\cos\pi x=t\ (-1\le t\le 1)$로 놓으면

$y=-t^2+t+1=-\left(t-\frac{1}{2}\right)^2+\frac{5}{4}$ ······ ㉠

❷

이때, ㉠의 그래프는 점 $\left(\frac{1}{2}, \frac{5}{4}\right)$가 꼭짓점이고, ∩자 모양의 그래프이므로 $-1\le t\le 1$의 부분만 잘라 내면 오른쪽 그림과 같다.

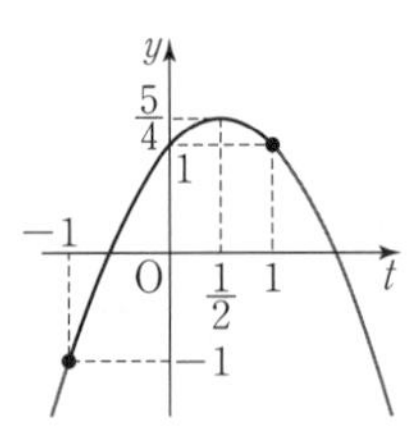

$t=\frac{1}{2}$일 때 최댓값 $\frac{5}{4}$를 가지므로

$t=\cos\pi x=\frac{1}{2}$에서 $\pi x=\frac{\pi}{3}\ (\because 0\le x\le 1)$

$\therefore x=\frac{1}{3}$ ❸

따라서 $a=\frac{1}{3}$, $b=\frac{5}{4}$이므로 $a+b=\frac{1}{3}+\frac{5}{4}=\frac{19}{12}$ ❹

정답_ $\frac{19}{12}$

단계	채점 기준	비율
❶	y를 코사인에 대한 식으로 나타내기	20%
❷	$\cos x=t$로 치환하여 y를 t에 대한 식으로 나타내기	30%
❸	최댓값과 그때의 x의 값 구하기	30%
❹	$a+b$의 값 구하기	20%

483

$2\sin^2 x=1+\cos x$에서 $2(1-\cos^2 x)=1+\cos x$

$2\cos^2 x+\cos x-1=0,\ (\cos x+1)(2\cos x-1)=0$

$\therefore \cos x=-1$ 또는 $\cos x=\frac{1}{2}$

이때, $\frac{3}{2}\pi\le x<2\pi$에서 $0\le\cos x<1$이므로

$\cos x=\frac{1}{2}$ ❶

따라서 $\frac{3}{2}\pi\le x<2\pi$에서 $\cos x=\frac{1}{2}$의 해는 $x=\frac{5}{3}\pi$ ❷

정답_ $x=\frac{5}{3}\pi$

단계	채점 기준	비율
❶	$\cos x$의 값 구하기	60%
❷	방정식의 해 구하기	40%

484

$\cos\theta=t$로 놓으면 $-1\le\cos\theta\le 1$이므로

$-1\le t\le 1$ ❶

$t^2-3t-a+9=\left(t-\frac{3}{2}\right)^2+\frac{27}{4}-a\ge 0$

$f(t)=\left(t-\frac{3}{2}\right)^2+\frac{27}{4}-a$ ❷

로 놓으면 함수 $f(t)$의 그래프는 직선 $t=\frac{3}{2}$에 대하여 대칭이므로

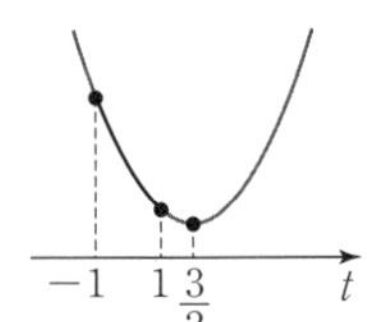

$-1\le t\le 1$에서 $t=1$일 때 최솟값

$f(1)=\frac{1}{4}+\frac{27}{4}-a=7-a$를 갖는다. ❸

따라서 $7-a\ge 0$이므로

$a\le 7$ ❹

정답_ $a\le 7$

단계	채점 기준	비율
❶	$\cos\theta=t$로 놓고 t의 값의 범위 구하기	20%
❷	주어진 부등식의 좌변을 $f(t)$로 나타내기	20%
❸	$f(t)$의 최솟값 구하기	40%
❹	a의 값의 범위 구하기	20%

485

오른쪽 그림과 같이 각 θ를 나타내는 동경 OP와 각 $\frac{3}{2}\pi+\theta$를 나타내는 동경 OP′은 서로 (가) 수직 이다. 그러므로 점 P의 좌표를 (x, y)라고 하면 점 P′의 좌표는 (나) $(y, -x)$ 이다.

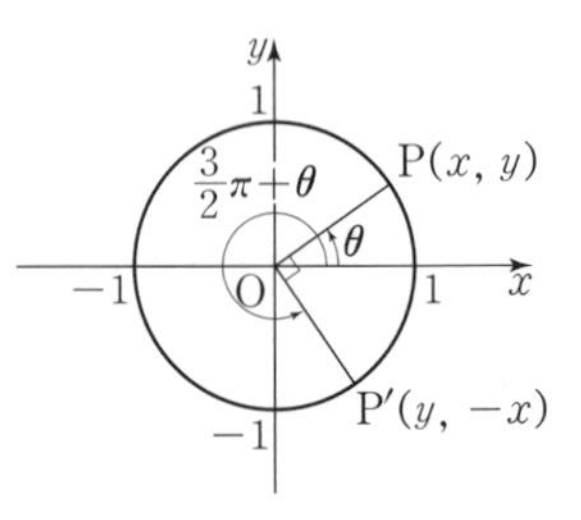

따라서 $\cos\left(\frac{3}{2}\pi+\theta\right)$와 $\sin\theta$를 x, y로 나타내면

$\cos\left(\frac{3}{2}\pi+\theta\right)=\boxed{^{(다)}y}$, $\sin\theta=\boxed{^{(다)}y}$

$\therefore \cos\left(\frac{3}{2}\pi+\theta\right)=\sin\theta$ 정답_④

486

$y=\frac{4\sin^2 x+1}{\cos\left(\frac{\pi}{2}-x\right)}=\frac{4\sin^2 x+1}{\sin x}=4\sin x+\frac{1}{\sin x}$

$0<x<\frac{\pi}{2}$에서 $\sin x>0$이므로 산술평균과 기하평균의 관계에 의해

$4\sin x+\frac{1}{\sin x}\geq 2\sqrt{4\sin x\cdot\frac{1}{\sin x}}$

$=4$ $\left(\text{단, 등호는 } 4\sin x=\frac{1}{\sin x}\text{일 때 성립}\right)$

이므로 주어진 함수의 최솟값은 4이다.

$\therefore b=4$

최솟값을 가질 때의 a의 값을 구하면

$4\sin x=\frac{1}{\sin x}$에서 $4\sin^2 x=1$ $\therefore \sin^2 x=\frac{1}{4}$

이때, $0<x<\frac{\pi}{2}$에서 $\sin x>0$이므로

$\sin x=\frac{1}{2}$ $\therefore a=x=\frac{\pi}{6}$

$\therefore ab=\frac{\pi}{6}\cdot 4=\frac{2}{3}\pi$ 정답_②

487

$\alpha+\beta+\gamma=\pi$이므로

$9\sin^2(\pi+\alpha+\beta)+9\cos\gamma$

$=9\sin^2(\pi+\pi-\gamma)+9\cos\gamma$

$=9\sin^2\gamma+9\cos\gamma$

$=9(1-\cos^2\gamma)+9\cos\gamma$

$=-9\left\{\left(\cos\gamma-\frac{1}{2}\right)^2-\frac{5}{4}\right\}$

한편, $a^2+b^2=3ab\cos\gamma$이므로

$\cos\gamma=\frac{a^2+b^2}{3ab}=\frac{1}{3}\left(\frac{a}{b}+\frac{b}{a}\right)$

이때, a, b는 양수이므로

$\frac{1}{3}\left(\frac{a}{b}+\frac{b}{a}\right)\geq\frac{1}{3}\cdot 2\sqrt{\frac{a}{b}\cdot\frac{b}{a}}=\frac{2}{3}$

(단, 등호는 $a=b$일 때 성립)

즉, $\frac{2}{3}\leq\cos\gamma\leq 1$이므로 $\cos\gamma=\frac{2}{3}$일 때, 주어진 식의 최댓값은

$-9\left\{\left(\frac{2}{3}-\frac{1}{2}\right)^2-\frac{5}{4}\right\}=11$ 정답_③

488

함수 $y=a\sin bt$의 주기가 5초이므로 $\frac{2\pi}{b}=5$ $\therefore b=\frac{2}{5}\pi$

함수 $y=a\sin bt$의 최댓값이 0.6(리터/초)이므로 $a=0.6$

함수 $y=a\sin bt$, 즉 $y=0.6\sin\frac{2}{5}\pi t$에서 처음으로 흡입률이 -0.3(리터/초)일 때는 $-0.3=0.6\sin\frac{2}{5}\pi t$

$\sin\frac{2}{5}\pi t=-\frac{1}{2}$, $\frac{2}{5}\pi t=\frac{7}{6}\pi$ $\therefore t=\frac{35}{12}$(초) 정답_①

489

이차방정식 $x^2+x+a=0$의 한 허근이 $\cos\theta+i\sin\theta$이고 a가 실수이므로 다른 한 허근은 $\cos\theta-i\sin\theta$이다.

근과 계수의 관계에 의해

$(\cos\theta+i\sin\theta)+(\cos\theta-i\sin\theta)=-1$에서

$2\cos\theta=-1$ $\therefore \cos\theta=-\frac{1}{2}$

이때, $0<\theta<\pi$이므로 $\theta=\frac{2}{3}\pi$

$(\cos\theta+i\sin\theta)(\cos\theta-i\sin\theta)=a$에서

$\cos^2\theta+\sin^2\theta=a$ $\therefore a=1$

$\therefore \frac{\theta}{a}=\frac{\frac{2}{3}\pi}{1}=\frac{2}{3}\pi$ 정답_④

490

$y=2\sin\frac{1}{4}(x-\pi)=2\sin\left(\frac{1}{4}x-\frac{\pi}{4}\right)$이므로

$\frac{x}{4}-\frac{\pi}{4}=t$로 놓으면 $y=2\sin t$

$0\leq x\leq 10\pi$에서 $-\frac{\pi}{4}\leq\frac{x}{4}-\frac{\pi}{4}\leq\frac{9}{4}\pi$이므로

$-\frac{\pi}{4}\leq t\leq\frac{9}{4}\pi$

함수 $y=2\sin\frac{1}{4}(x-\pi)$ $(0\leq x\leq 10\pi)$의 그래프와 직선 $y=1$이 만나는 점의 x좌표는 방정식 $2\sin\frac{1}{4}(x-\pi)=1$의 해와 같다.

이때, $-\frac{\pi}{4}\leq t\leq\frac{9}{4}\pi$에서 방정식 $2\sin t=1$, 즉 $\sin t=\frac{1}{2}$의 해는

$t=\frac{\pi}{6}$ 또는 $t=\frac{5}{6}\pi$ 또는 $t=\frac{13}{6}\pi$

(i) $t=\frac{\pi}{6}$일 때, $\frac{x}{4}-\frac{\pi}{4}=\frac{\pi}{6}$ $\therefore x=\frac{5}{3}\pi$

(ii) $t=\frac{5}{6}\pi$일 때, $\frac{x}{4}-\frac{\pi}{4}=\frac{5}{6}\pi$ $\therefore x=\frac{13}{3}\pi$

(iii) $t=\frac{13}{6}\pi$일 때, $\frac{x}{4}-\frac{\pi}{4}=\frac{13}{6}\pi$ $\therefore x=\frac{29}{3}\pi$

따라서 세 점 $\mathrm{A}\left(\frac{5}{3}\pi, 1\right)$, $\mathrm{B}\left(\frac{29}{3}\pi, 1\right)$, $\mathrm{P}(7\pi, -2)$를 삼각형의 꼭짓점으로 할 때, 삼각형 PAB의 넓이는 최대가 되므로 삼각형 PAB의 넓이의 최댓값은

$\frac{1}{2}\times\left(\frac{29}{3}\pi-\frac{5}{3}\pi\right)\times\{1-(-2)\}=12\pi$ 정답_ 12π

491

$\sin^2\theta-2\cos\left(\theta+\frac{3}{2}\pi\right)-a-1=0$에서

$\sin^2\theta-2\sin\theta-a-1=0$

$\therefore \sin^2\theta-2\sin\theta-1=a$

위의 방정식을 만족시키는 θ가 존재하려면 $y=\sin^2\theta-2\sin\theta-1$의 그래프와 직선 $y=a$가 교점을 가져야 한다.

$y=\sin^2\theta-2\sin\theta-1$에서

$\sin\theta=t\ (-1\le t\le 1)$로 놓으면

$y=t^2-2t-1=(t-1)^2-2$

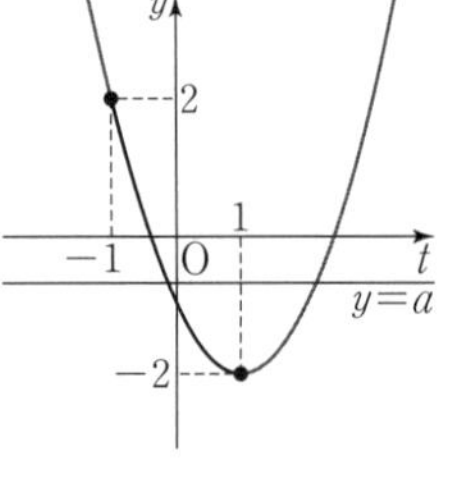

오른쪽 그림에서 주어진 방정식을 만족시키는 θ가 존재하기 위한 a의 값의 범위는

$-2\le a\le 2$

정답_ $-2\le a\le 2$

492

함수 $f(x)=3\sin 2x$의 최댓값과 최솟값은 각각 3, -3이고, 주기는 $\frac{2\pi}{2}=\pi$이므로 $0\le x<2\pi$에서의 그래프는 오른쪽 그림과 같다.

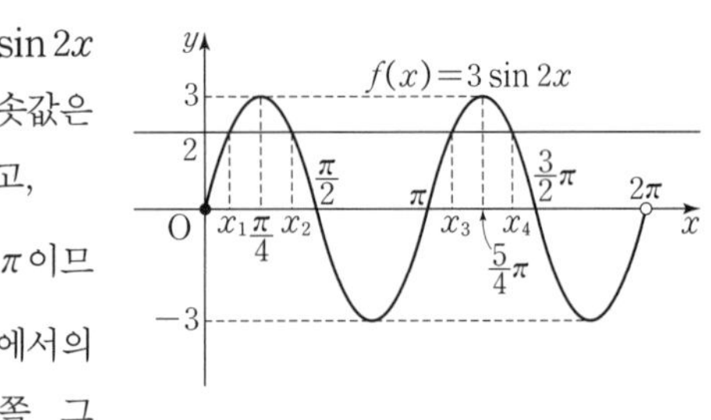

함수 $f(x)=3\sin 2x$의 그래프와 직선 $y=2$의 교점의 x좌표를 작은 것부터 크기순으로 x_1, x_2, x_3, x_4로 놓으면

두 점 $(x_1,\ 0)$, $(x_2,\ 0)$은 직선 $x=\frac{\pi}{4}$에 대하여 대칭이므로

$\frac{x_1+x_2}{2}=\frac{\pi}{4}\qquad \therefore x_1+x_2=\frac{\pi}{2}$ ······ ㉠

두 점 $(x_3,\ 0)$, $(x_4,\ 0)$은 직선 $x=\frac{5}{4}\pi$에 대하여 대칭이므로

$\frac{x_3+x_4}{2}=\frac{5}{4}\pi\qquad \therefore x_3+x_4=\frac{5}{2}\pi$ ······ ㉡

㉠, ㉡에서 $\alpha=x_1+x_2+x_3+x_4=3\pi$

$\therefore \sqrt{2}f\left(\alpha+\frac{\pi}{8}\right)=\sqrt{2}\cdot 3\sin 2\left(3\pi+\frac{\pi}{8}\right)$

$=3\sqrt{2}\sin\frac{\pi}{4}$

$=3\sqrt{2}\cdot\frac{1}{\sqrt{2}}=3$

정답_ 3

493

$y=x^2-2x\sin\theta+1=(x-\sin\theta)^2+1-\sin^2\theta$

위의 함수의 그래프의 꼭짓점의 좌표가 $(\sin\theta,\ 1-\sin^2\theta)$이므로

$1-\sin^2\theta<\sqrt{2}\sin\theta-\frac{1}{2}$

$\sin^2\theta+\sqrt{2}\sin\theta-\frac{3}{2}>0$

$2\sin^2\theta+2\sqrt{2}\sin\theta-3>0$

$(\sqrt{2}\sin\theta-1)(\sqrt{2}\sin\theta+3)>0$

이때, $0\le\theta\le\pi$, $\sqrt{2}\sin\theta+3>0$이므로 $\sqrt{2}\sin\theta-1>0$

$\therefore \sin\theta>\frac{\sqrt{2}}{2}$ ······ ㉠

$0\le\theta\le\pi$에서 부등식 ㉠의 해는

$\frac{\pi}{4}<\theta<\frac{3}{4}\pi$

따라서 $a=\frac{\pi}{4}$, $b=\frac{3}{4}\pi$이므로

$b-a=\frac{\pi}{2}$

정답_ ③

494

이차방정식 $x^2+4x\sin\theta+6\cos\theta=0$의 두 근을 α, β라고 하면 두 근이 모두 음수이므로 판별식 D에 대하여

(i) $\frac{D}{4}=(2\sin\theta)^2-6\cos\theta\ge 0$

$4\sin^2\theta-6\cos\theta\ge 0$

$4(1-\cos^2\theta)-6\cos\theta\ge 0$, $2\cos^2\theta+3\cos\theta-2\le 0$

$\therefore (2\cos\theta-1)(\cos\theta+2)\le 0$

$-1\le\cos\theta\le 1$에서 $\cos\theta+2>0$이므로

$2\cos\theta-1\le 0$

$\therefore \cos\theta\le\frac{1}{2}$

오른쪽 그림에서 부등식 $\cos\theta\le\frac{1}{2}$의 해는

$\frac{\pi}{3}\le\theta\le\frac{5}{3}\pi$ ······ ㉠

(ii) $\alpha+\beta=-4\sin\theta<0$

$\therefore \sin\theta>0$ ······ ㉡

(iii) $\alpha\beta=6\cos\theta>0\qquad \therefore \cos\theta>0$ ······ ㉢

㉡, ㉢에서 θ는 제1사분면의 각이다. 즉, $0<\theta<\frac{\pi}{2}$ ······ ㉣

주어진 조건을 만족시키는 θ의 크기의 범위는 ㉠, ㉣의 공통부분이므로

$\frac{\pi}{3}\le\theta<\frac{\pi}{2}$

정답_ $\frac{\pi}{3}\le\theta<\frac{\pi}{2}$

07 삼각함수의 활용

495

(1) 사인법칙에 의해 $\dfrac{a}{\sin A}=\dfrac{b}{\sin B}$

$\dfrac{a}{\sin 30^\circ}=\dfrac{10}{\sin 45^\circ}$, $a\sin 45^\circ=10\sin 30^\circ$

$a\cdot\dfrac{\sqrt{2}}{2}=10\cdot\dfrac{1}{2}$ $\quad\therefore a=5\sqrt{2}$

(2) 사인법칙에 의해 $\dfrac{b}{\sin B}=\dfrac{c}{\sin C}$

$\dfrac{2}{\sin B}=\dfrac{2\sqrt{2}}{\sin 135^\circ}$, $2\sin 135^\circ=2\sqrt{2}\sin B$

$2\cdot\dfrac{\sqrt{2}}{2}=2\sqrt{2}\sin B$ $\quad\therefore \sin B=\dfrac{1}{2}$

$0^\circ<B<180^\circ$이므로 $B=30^\circ$ 또는 $B=150^\circ$

그런데 $B+C<180^\circ$이므로 $B=30^\circ$

정답_(1) $5\sqrt{2}$ (2) 30°

496

(1) 사인법칙에 의해 $\dfrac{a}{\sin A}=2R$

$\dfrac{3}{\sin 30^\circ}=2R$ $\quad\therefore R=3$

(2) 사인법칙에 의해 $\dfrac{b}{\sin B}=2R$

$\dfrac{6}{\sin B}=2\cdot 2\sqrt{3}$ $\quad\therefore \sin B=\dfrac{\sqrt{3}}{2}$

$0^\circ<B<180^\circ$이므로 $B=60^\circ$ 또는 $B=120^\circ$

(3) 사인법칙에 의해 $\dfrac{c}{\sin C}=2R$

$\dfrac{c}{\sin 120^\circ}=2\cdot 8$ $\quad\therefore c=2\cdot 8\cdot\dfrac{\sqrt{3}}{2}=8\sqrt{3}$

정답_(1) 3 (2) 60° 또는 120° (3) $8\sqrt{3}$

497

$\triangle$ABC의 외접원의 반지름의 길이가 30이므로 사인법칙에 의해

$\dfrac{\overline{BC}}{\sin 150^\circ}=2\cdot 30$ $\quad\therefore \overline{BC}=2\cdot 30\cdot\dfrac{1}{2}=30$ 정답_③

498

$C=180^\circ-(105^\circ+30^\circ)=45^\circ$

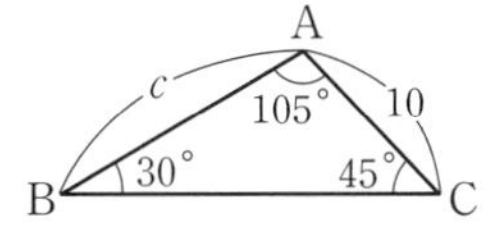

사인법칙에 의해

$\dfrac{10}{\sin 30^\circ}=\dfrac{c}{\sin 45^\circ}=2R$

(i) $\dfrac{10}{\sin 30^\circ}=\dfrac{c}{\sin 45^\circ}$에서 $10\sin 45^\circ=c\sin 30^\circ$

$5\sqrt{2}=\dfrac{1}{2}c$ $\quad\therefore c=10\sqrt{2}$

(ii) $\dfrac{10}{\sin 30^\circ}=2R$에서 $R=\dfrac{5}{\sin 30^\circ}=\dfrac{5}{\frac{1}{2}}=10$

$\therefore cR=10\sqrt{2}\cdot 10=100\sqrt{2}$ 정답_④

499

사인법칙에 의해 $\dfrac{2}{\sin A}=\dfrac{2\sqrt{3}}{\sin 120^\circ}=2R$

(i) $\dfrac{2}{\sin A}=\dfrac{2\sqrt{3}}{\sin 120^\circ}$에서 $2\sqrt{3}\sin A=2\sin 120^\circ$

$2\sqrt{3}\sin A=2\cdot\dfrac{\sqrt{3}}{2}$ $\quad\therefore \sin A=\dfrac{1}{2}$

$0^\circ<A<180^\circ$이므로 $A=30^\circ$ 또는 $A=150^\circ$

그런데 $A+C<180^\circ$이므로 $A=30^\circ$

(ii) $\dfrac{2\sqrt{3}}{\sin 120^\circ}=2R$에서 $R=\dfrac{\sqrt{3}}{\sin 120^\circ}=\dfrac{\sqrt{3}}{\frac{\sqrt{3}}{2}}=2$

$\therefore \dfrac{\tan 2A}{R}=\dfrac{\tan 60^\circ}{2}=\dfrac{\sqrt{3}}{2}$ 정답_③

500

$\overline{BM}=\overline{CM}=k$, $\angle BMA=\theta$로 놓으면

$\triangle$ABM에서 사인법칙에 의해

$\dfrac{k}{\sin\alpha}=\dfrac{12}{\sin\theta}$ $\quad\therefore \sin\alpha=\dfrac{k\sin\theta}{12}$

$\triangle$AMC에서 사인법칙에 의해

$\dfrac{k}{\sin\beta}=\dfrac{8}{\sin(180^\circ-\theta)}=\dfrac{8}{\sin\theta}$ $\quad\therefore \sin\beta=\dfrac{k\sin\theta}{8}$

$\therefore \dfrac{\sin\beta}{\sin\alpha}=\dfrac{\frac{k\sin\theta}{8}}{\frac{k\sin\theta}{12}}=\dfrac{3}{2}$ 정답_⑤

501

$\overline{AC}$가 원 O의 지름이므로 $\angle ABC=90^\circ$

따라서 삼각형 ABC는 $\overline{AB}=\overline{BC}=2\sqrt{2}$인 직각이등변삼각형이므로 $\overline{AC}=\sqrt{(2\sqrt{2})^2+(2\sqrt{2})^2}=4$

삼각형 BCD에서 $\angle CBD=90^\circ-60^\circ=30^\circ$이므로 사인법칙에 의해

$\dfrac{\overline{CD}}{\sin(\angle CBD)}=2R$, $\dfrac{\overline{CD}}{\sin 30^\circ}=4$

$\therefore \overline{CD}=4\cdot\dfrac{1}{2}=2$ 정답_①

502

삼각형 ABC의 외접원의 반지름의 길이를 R라고 하면

$\sin A+\sin B+\sin C=\dfrac{a}{2R}+\dfrac{b}{2R}+\dfrac{c}{2R}=\dfrac{a+b+c}{2R}$

$=\dfrac{20}{2\cdot 5}=2$ 정답_②

503

삼각형 ABC에서 $A:B:C=1:2:3$이므로

$A=180°\cdot\frac{1}{6}=30°$

$B=180°\cdot\frac{2}{6}=60°$

$C=180°\cdot\frac{3}{6}=90°$

사인법칙의 변형에 의해

$\therefore a:b:c=\sin 30°:\sin 60°:\sin 90°$

$=\frac{1}{2}:\frac{\sqrt{3}}{2}:1=1:\sqrt{3}:2$

따라서 $a=k,\ b=\sqrt{3}k,\ c=2k\ (k>0)$로 놓으면

$\frac{b^2}{ac}=\frac{3k^2}{k\cdot 2k}=\frac{3}{2}$

정답_ ⑤

504

$a+b=5k,\ b+c=7k,\ c+a=6k\ (k>0)$ …… ㉠

로 놓고 세 식의 양변을 변끼리 더하면

$2a+2b+2c=18k$

$\therefore a+b+c=9k$ …… ㉡

㉡에서 ㉠의 각 식을 빼면

$a=2k,\ b=3k,\ c=4k$

따라서 사인법칙의 변형에 의해

$\sin A:\sin B:\sin C=a:b:c=2k:3k:4k$

$=2:3:4$

정답_ ②

505

$2a+b-2c=0$ …… ㉠

$a-2b+3c=0$ …… ㉡

㉠$\times 2+$㉡을 하면

$5a-c=0 \quad \therefore c=5a$ …… ㉢

㉢을 ㉠에 대입하면

$2a+b-10a=0 \quad \therefore b=8a$

따라서 사인법칙의 변형에 의해

$\sin A:\sin B:\sin C=a:b:c=a:8a:5a$

$=1:8:5$

정답_ ②

506

(1) 코사인법칙에 의해

$a^2=b^2+c^2-2bc\cos A$

$=2^2+(\sqrt{3})^2-2\cdot 2\cdot\sqrt{3}\cdot\cos 30°$

$=4+3-2\cdot 2\cdot\sqrt{3}\cdot\frac{\sqrt{3}}{2}=1$

$a>0$이므로 $a=1$

(2) 코사인법칙에 의해

$b^2=c^2+a^2-2ca\cos B=(2\sqrt{2})^2+3^2-2\cdot 2\sqrt{2}\cdot 3\cdot\cos 45°$

$=8+9-2\cdot 2\sqrt{2}\cdot 3\cdot\frac{\sqrt{2}}{2}=5$

$b>0$이므로 $b=\sqrt{5}$

(3) 코사인법칙에 의해

$c^2=a^2+b^2-2ab\cos C=2^2+3^2-2\cdot 2\cdot 3\cdot\cos 120°$

$=4+9-2\cdot 2\cdot 3\cdot\left(-\frac{1}{2}\right)=19$

$c>0$이므로 $c=\sqrt{19}$

정답_ (1) 1 (2) $\sqrt{5}$ (3) $\sqrt{19}$

507

코사인법칙에 의해

$\overline{AC}^2=3^2+6^2-2\cdot 3\cdot 6\cdot\cos 120°$

$=9+36-2\cdot 3\cdot 6\cdot\left(-\frac{1}{2}\right)=63$

$\therefore \overline{AC}=\sqrt{63}=3\sqrt{7}\ (\because \overline{AC}>0)$

삼각형 ABC의 외접원의 반지름의 길이를 R라고 하면 사인법칙에 의해

$\frac{3\sqrt{7}}{\sin 120°}=2R \qquad \therefore R=\frac{3\sqrt{7}}{\frac{\sqrt{3}}{2}}\cdot\frac{1}{2}=\sqrt{21}$

따라서 삼각형 ABC의 외접원의 넓이는

$\pi\cdot(\sqrt{21})^2=21\pi$

정답_ ④

508

선분 BD를 그으면 삼각형 ABD에서 코사인법칙에 의해

$\overline{BD}^2=1^2+3^2-2\cdot 1\cdot 3\cdot\cos 120°$

$=1+9-2\cdot 1\cdot 3\cdot\left(-\frac{1}{2}\right)=13$

원에 내접하는 사각형의 대각의 크기의 합이 $180°$이므로 $C=60°$

A, B, C, D, 3, 3, 1, 120°, 60°, x

이때, $\overline{BC}=x$라고 하면 삼각형 BCD에서 코사인법칙에 의해

$\overline{BD}^2=x^2+3^2-2\cdot x\cdot 3\cdot\cos 60°$

$13=x^2+9-2\cdot x\cdot 3\cdot\frac{1}{2},\ x^2-3x-4=0$

$(x-4)(x+1)=0$

$\therefore x=4\ (\because x>0)$

따라서 $\overline{BC}$의 길이는 4이다.

정답_ ③

509

삼각형 ABC에서 코사인법칙에 의해

$\overline{BC}^2=x^2+\frac{16}{x^2}-2\cdot x\cdot\frac{4}{x}\cdot\cos 120°$

$=x^2+\frac{16}{x^2}-2\cdot x\cdot\frac{4}{x}\cdot\left(-\frac{1}{2}\right)=x^2+\frac{16}{x^2}+4$

산술평균과 기하평균의 관계에 의해

$$\overline{BC}^2=x^2+\frac{16}{x^2}+4\ge 2\sqrt{x^2\cdot\frac{16}{x^2}}+4$$

$$=12\left(\text{단, 등호는 } x^2=\frac{16}{x^2}\text{ 일 때 성립}\right)$$

$\therefore \overline{BC}\ge\sqrt{12}=2\sqrt{3}\ (\because \overline{BC}>0)$

따라서 $\overline{BC}$의 길이의 최솟값은 $2\sqrt{3}$이다. 정답_ ④

510

$a:b:c=2:\sqrt{3}:3$이므로 $a=2k,\ b=\sqrt{3}k,\ c=3k\ (k>0)$로 놓으면 코사인법칙의 변형에 의해

$$\cos A=\frac{(\sqrt{3}k)^2+(3k)^2-(2k)^2}{2\cdot\sqrt{3}k\cdot 3k}$$

$$=\frac{8k^2}{6\sqrt{3}k^2}=\frac{4\sqrt{3}}{9}$$

정답_ ⑤

511

사인법칙의 변형에 의해

$a:b:c=\sin A:\sin B:\sin C=5:2:4$

이때, $a=5k,\ b=2k,\ c=4k\ (k>0)$로 놓으면 코사인법칙의 변형에 의해

$$\cos C=\frac{(5k)^2+(2k)^2-(4k)^2}{2\cdot 5k\cdot 2k}=\frac{13k^2}{20k^2}=\frac{13}{20}$$

정답_ ⑤

512

삼각형 ABC의 세 변의 길이가 7, 5, 3이므로 코사인법칙의 변형에 의해

$$\cos B=\frac{7^2+3^2-5^2}{2\cdot7\cdot3}=\frac{11}{14}$$

삼각형 ABD에서 $\cos B=\frac{11}{14}$이므로 코사인법칙에 의해

$$\overline{AD}^2=3^2+2^2-2\cdot3\cdot2\cdot\frac{11}{14}$$

$$=9+4-\frac{66}{7}=\frac{25}{7}$$

$\therefore \overline{AD}=\frac{5}{\sqrt{7}}=\frac{5\sqrt{7}}{7}\ (\because \overline{AD}>0)$ 정답_ $\frac{5\sqrt{7}}{7}$

513

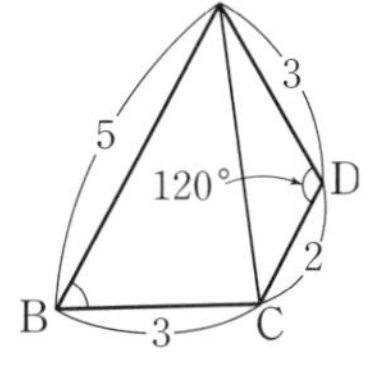

삼각형 ACD에서 코사인법칙에 의해

$$\overline{AC}^2=3^2+2^2-2\cdot3\cdot2\cdot\cos120^\circ$$

$$=9+4-2\cdot3\cdot2\cdot\left(-\frac{1}{2}\right)=19$$

$\therefore \overline{AC}=\sqrt{19}\ (\because \overline{AC}>0)$

삼각형 ABC에서 코사인법칙의 변형에 의해

$$\cos B=\frac{5^2+3^2-(\sqrt{19})^2}{2\cdot5\cdot3}=\frac{1}{2}$$

그런데 $0^\circ<B<180^\circ$이므로 $B=60^\circ$ 정답_ ③

514

세 내각 중 크기가 가장 작은 각의 크기는 가장 짧은 변의 대각의 크기이다. 이때 $\sqrt{2}<2<\sqrt{3}+1$이므로 가장 작은 각의 크기는 $\overline{BC}$의 대각의 크기인 A이다.

코사인법칙의 변형에 의해

$$\cos A=\frac{2^2+(\sqrt{3}+1)^2-(\sqrt{2})^2}{2\cdot2\cdot(\sqrt{3}+1)}=\frac{6+2\sqrt{3}}{4(\sqrt{3}+1)}$$

$$=\frac{2\sqrt{3}(\sqrt{3}+1)}{4(\sqrt{3}+1)}=\frac{\sqrt{3}}{2}$$

그런데 $0^\circ<A<180^\circ$이므로 $A=30^\circ$ 정답_ ②

515

삼각형 ABP에서 $\overline{AB}$가 원 O의 지름이므로 $\angle APB=90^\circ$

$\therefore \overline{BP}=\sqrt{\overline{AB}^2-\overline{AP}^2}=\sqrt{10-9}=1$

한편, $\overline{AB}=\sqrt{10}$이므로 $\overline{OP}=\overline{OB}=\frac{\sqrt{10}}{2}$

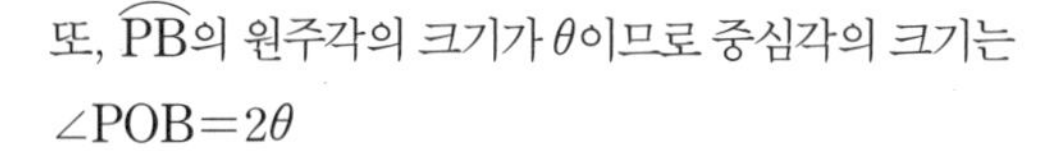

또, $\widehat{PB}$의 원주각의 크기가 θ이므로 중심각의 크기는 $\angle POB=2\theta$

삼각형 OBP에서 코사인법칙의 변형에 의해

$$\cos2\theta=\frac{\left(\frac{\sqrt{10}}{2}\right)^2+\left(\frac{\sqrt{10}}{2}\right)^2-1^2}{2\cdot\frac{\sqrt{10}}{2}\cdot\frac{\sqrt{10}}{2}}=\frac{4}{5}$$

정답_ ⑤

516

함수 $y=\cos x$는 $0^\circ<x<180^\circ$에서 x의 값이 증가함에 따라 y의 값이 감소하므로 C의 크기가 최대일 때 $\cos C$의 값은 최소가 된다.

삼각형 ABC에서 코사인법칙의 변형에 의해

$$\cos C=\frac{a^2+b^2-c^2}{2ab}=\frac{4+b^2-1}{2\cdot2\cdot b}=\frac{b^2+3}{4b}=\frac{b}{4}+\frac{3}{4b}$$

산술평균과 기하평균의 관계에 의해

$$\cos C=\frac{b}{4}+\frac{3}{4b}\ge2\sqrt{\frac{b}{4}\cdot\frac{3}{4b}}=\frac{\sqrt{3}}{2}$$

$$\left(\text{단, 등호는 }\frac{b}{4}=\frac{3}{4b}\text{ 일 때 성립}\right)$$

따라서 C의 크기가 최대, 즉 $\cos C$가 최소일 때 b의 값은

$$\frac{b}{4}=\frac{3}{4b}$$

$b^2=3$에서 $b=\sqrt{3}\ (\because b>0)$ 정답_ ②

517

삼각형 ABC의 외접원의 반지름의 길이를 R라고 하면 사인법칙의 변형에 의해

$$\sin A=\frac{a}{2R},\ \sin B=\frac{b}{2R},\ \sin C=\frac{c}{2R}$$

이것을 $\sin^2 A=\sin^2 B+\sin^2 C$에 대입하면

$\left(\frac{a}{2R}\right)^2=\left(\frac{b}{2R}\right)^2+\left(\frac{c}{2R}\right)^2 \quad \therefore a^2=b^2+c^2$

따라서 삼각형 ABC는 $A=90^\circ$인 직각삼각형이다.

정답_ $A=90^\circ$인 직각삼각형

518

삼각형 ABC의 외접원의 반지름의 길이를 R라고 하면 사인법칙의 변형에 의해

$\sin A=\frac{a}{2R}$, $\sin B=\frac{b}{2R}$, $\sin C=\frac{c}{2R}$

이것을 $a\sin B=b\sin C=c\sin A$에 대입하면

$a\cdot\frac{b}{2R}=b\cdot\frac{c}{2R}=c\cdot\frac{a}{2R} \quad \therefore ab=bc=ca$

(i) $ab=bc$에서 $a=c$

(ii) $ab=ca$에서 $b=c$

$\therefore a=b=c$

따라서 삼각형 ABC는 정삼각형이다. 정답_ ①

519

$\sin^2\theta+\cos^2\theta=1$에서 $\cos^2\theta=1-\sin^2\theta$

$\cos^2 A+1=\cos^2 B+\cos^2 C$에서

$(1-\sin^2 A)+1=(1-\sin^2 B)+(1-\sin^2 C)$

$\therefore \sin^2 A=\sin^2 B+\sin^2 C$ …… ㉠

삼각형 ABC의 외접원의 반지름의 길이를 R라고 하면 사인법칙의 변형에 의해

$\sin A=\frac{a}{2R}$, $\sin B=\frac{b}{2R}$, $\sin C=\frac{c}{2R}$

이것을 ㉠에 대입하면

$\left(\frac{a}{2R}\right)^2=\left(\frac{b}{2R}\right)^2+\left(\frac{c}{2R}\right)^2 \quad \therefore a^2=b^2+c^2$

따라서 삼각형 ABC는 $A=90^\circ$인 직각삼각형이다. 정답_ ②

520

주어진 이차방정식이 중근을 가지므로 판별식 D에 대하여

$\frac{D}{4}=(\sqrt{b}\sin B)^2-a\sin^2 A=0$

$\therefore b\sin^2 B=a\sin^2 A$ …… ㉠

삼각형 ABC의 외접원의 반지름의 길이를 R라고 하면 사인법칙의 변형에 의해

$\sin A=\frac{a}{2R}$, $\sin B=\frac{b}{2R}$

이것을 ㉠에 대입하면

$b\cdot\left(\frac{b}{2R}\right)^2=a\cdot\left(\frac{a}{2R}\right)^2$, $b^3=a^3$

$\therefore a=b$

따라서 삼각형 ABC는 $a=b$인 이등변삼각형이다. 정답_ ④

521

삼각형 ABC의 외접원의 반지름의 길이를 R라고 하면

$\sin A=\frac{a}{2R}$, $\sin C=\frac{c}{2R}$, $\cos B=\frac{c^2+a^2-b^2}{2ca}$

이것을 $2\sin A\cos B=\sin C$에 대입하면

$2\cdot\frac{a}{2R}\cdot\frac{c^2+a^2-b^2}{2ca}=\frac{c}{2R}$

$c^2+a^2-b^2=c^2$, $a^2=b^2 \quad \therefore a=b\ (\because a>0,\ b>0)$

따라서 삼각형 ABC는 $a=b$인 이등변삼각형이다. 정답_ ③

522

코사인법칙의 변형에 의해

$\cos A=\frac{b^2+c^2-a^2}{2bc}$, $\cos B=\frac{c^2+a^2-b^2}{2ca}$

이것을 $a\cos B-b\cos A=c$에 대입하면

$a\cdot\frac{c^2+a^2-b^2}{2ca}-b\cdot\frac{b^2+c^2-a^2}{2bc}=c$

$(c^2+a^2-b^2)-(b^2+c^2-a^2)=2c^2$

$2a^2-2b^2=2c^2 \quad \therefore a^2=b^2+c^2$

따라서 삼각형 ABC는 $A=90^\circ$인 직각삼각형이다. 정답_ ④

523

삼각형 ABC의 외접원의 반지름의 길이를 R라고 하면

$\sin A=\frac{a}{2R}$, $\sin C=\frac{c}{2R}$, $\cos B=\frac{c^2+a^2-b^2}{2ca}$

이것을 $\sin A=\sin C\cos B$에 대입하면

$\frac{a}{2R}=\frac{c}{2R}\cdot\frac{c^2+a^2-b^2}{2ca}$, $2a^2=c^2+a^2-b^2 \quad \therefore c^2=a^2+b^2$

따라서 삼각형 ABC는 $C=90^\circ$인 직각삼각형이다.

이때 코사인법칙에 의해 $a^2=b^2+c^2-2bc\cos A$

이것을 조건 (나)의 $a^2=b^2+c^2-\sqrt{2}bc$와 변끼리 빼서 정리하면

$2\cos A=\sqrt{2} \quad \therefore \cos A=\frac{\sqrt{2}}{2}$

그런데 $0^\circ<A<180^\circ$이므로 $A=45^\circ$

따라서 삼각형 ABC는 $C=90^\circ$인 직각이등변삼각형이다.

정답_ $C=90^\circ$인 직각이등변삼각형

524

(1) $\triangle ABC=\frac{1}{2}ab\sin C=\frac{1}{2}\cdot 10\cdot 6\cdot\sin 30^\circ$

$=\frac{1}{2}\cdot 10\cdot 6\cdot\frac{1}{2}=15$

(2) $\triangle ABC=\frac{1}{2}bc\sin A=\frac{1}{2}\cdot 8\cdot 4\sqrt{2}\cdot\sin 45^\circ$

$=\frac{1}{2}\cdot 8\cdot 4\sqrt{2}\cdot\frac{\sqrt{2}}{2}=16$

(3) $\triangle ABC=\frac{1}{2}ac\sin B=\frac{1}{2}\cdot 2\sqrt{2}\cdot 6\sqrt{6}\cdot\sin 120^\circ$

$=\frac{1}{2}\cdot 2\sqrt{2}\cdot 6\sqrt{6}\cdot\frac{\sqrt{3}}{2}=18$

정답_ (1) 15 (2) 16 (3) 18

525

$\overline{CD}=x$로 놓으면

$\triangle ABC=\triangle ADC+\triangle BCD$

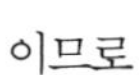

이므로

$\frac{1}{2}\cdot 10\cdot 12\cdot \sin 120^\circ=\frac{1}{2}\cdot 10\cdot x\cdot \sin 60^\circ+\frac{1}{2}\cdot 12\cdot x\cdot \sin 60^\circ$

$30\sqrt{3}=\frac{5\sqrt{3}}{2}x+3\sqrt{3}x \quad \therefore x=\frac{60}{11}$ 정답_③

526

$\overline{BC}=a$로 놓으면 코사인법칙에 의해

$(\sqrt{5})^2=(\sqrt{2})^2+a^2-2\sqrt{2}a\cos 45^\circ$

$5=2+a^2-2a,\ a^2-2a-3=0$

$(a-3)(a+1)=0$

이때, $a>0$이므로 $a=3$

$\therefore \triangle ABC=\frac{1}{2}\cdot\sqrt{2}\cdot 3\cdot \sin 45^\circ=\frac{3}{2}$ 정답_②

527

$\triangle ABC=\frac{1}{2}\cdot\overline{AB}\cdot\overline{AC}\cdot\sin A$이므로

$3\sqrt{3}=\frac{1}{2}\cdot 3\cdot 4\cdot \sin A \quad \therefore \sin A=\frac{\sqrt{3}}{2}$

$0<A<\frac{\pi}{2}$이므로 $A=60^\circ$

코사인법칙에 의해

$\overline{BC}^2=3^2+4^2-2\cdot 3\cdot 4\cdot\cos 60^\circ=9+16-24\cdot\frac{1}{2}=13$

$\therefore \overline{BC}=\sqrt{13}\ (\because \overline{BC}>0)$ 정답_③

528

사인법칙에 의해 $\frac{2\sqrt{3}}{\sin 30^\circ}=\frac{6}{\sin C},\ 2\sqrt{3}\sin C=6\sin 30^\circ$

$2\sqrt{3}\sin C=6\cdot\frac{1}{2} \quad \therefore \sin C=\frac{\sqrt{3}}{2}$

그런데 $C=60^\circ$이면 $A=90^\circ$로 삼각형 ABC는 직각삼각형이 된다. 따라서 삼각형 ABC가 둔각삼각형이 되려면

$C=120^\circ \quad \therefore A=30^\circ$

$\therefore \triangle ABC=\frac{1}{2}\cdot\overline{AB}\cdot\overline{AC}\cdot\sin A$

$=\frac{1}{2}\cdot 6\cdot 2\sqrt{3}\cdot\sin 30^\circ=3\sqrt{3}$ 정답_③

529

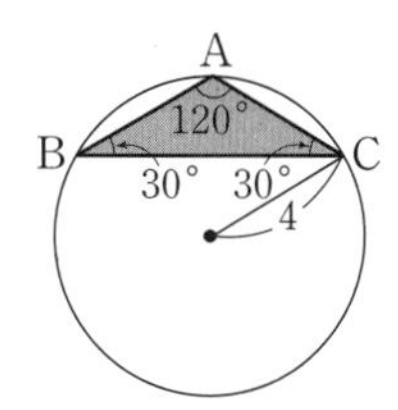

삼각형 ABC에서

$C=180^\circ-(30^\circ+120^\circ)=30^\circ$

삼각형 ABC의 외접원의 반지름의 길이가 $R=4$이므로 사인법칙의 변형에 의해

$\overline{BC}=a=2R\sin A=2\cdot 4\cdot\sin 120^\circ=4\sqrt{3}$

$\overline{AB}=c=2R\sin C=2\cdot 4\cdot\sin 30^\circ=4$

$\therefore \triangle ABC=\frac{1}{2}ca\sin B$

$=\frac{1}{2}\cdot 4\cdot 4\sqrt{3}\cdot\sin 30^\circ=4\sqrt{3}$ 정답_⑤

530

오른쪽 그림과 같이 삼각형 ABC의 꼭짓점과 원의 중심 O를 연결하여 세 개의 삼각형으로 나누어 구하도록 하자.

$\angle AOB=\angle x,\ \angle BOC=\angle y,$

$\angle AOC=\angle z$로 놓으면 부채꼴의 중심각의 크기는 호의 길이에 정비례하므로

$\angle x : \angle y : \angle z=3:4:5$

$\therefore \angle x=360^\circ\cdot\frac{3}{12}=90^\circ$

$y=360^\circ\cdot\frac{4}{12}=120^\circ$

$z=360^\circ\cdot\frac{5}{12}=150^\circ$

$\triangle OAB=\frac{1}{2}\cdot 2\cdot 2\cdot\sin 90^\circ=2$

$\triangle OBC=\frac{1}{2}\cdot 2\cdot 2\cdot\sin 120^\circ=\sqrt{3}$

$\triangle OCA=\frac{1}{2}\cdot 2\cdot 2\cdot\sin 150^\circ=1$

$\therefore \triangle ABC=\triangle OAB+\triangle OBC+\triangle OCA$

$=2+\sqrt{3}+1=3+\sqrt{3}$ 정답_$3+\sqrt{3}$

531

삼각형의 세 변의 길이를 a, b, c라고 하면 내접원의 반지름의 길이가 4이고, 삼각형의 넓이가 12이므로

$12=\frac{a+b+c}{2}\cdot 4 \quad \therefore a+b+c=6$

따라서 삼각형의 세 변의 길이의 합은 6이다. 정답_②

532

코사인법칙에 의해

$a^2=3^2+5^2-2\cdot 3\cdot 5\cdot\cos 120^\circ=9+25-30\cdot\left(-\frac{1}{2}\right)=49$

$\therefore a=7\ (\because a>0)$

삼각형 ABC의 넓이를 S라고 하면

$S=\frac{1}{2}\cdot 3\cdot 5\cdot\sin 120^\circ=\frac{15\sqrt{3}}{4}$

삼각형 ABC의 내접원의 반지름의 길이를 r라고 하면

$S=\frac{a+b+c}{2}\cdot r$에서 $\frac{15\sqrt{3}}{4}=\frac{7+3+5}{2}\cdot r$

$\therefore r=\frac{\sqrt{3}}{2}$ 정답_②

533

삼각형 ABC의 외접원의 반지름의 길이가 $R=4$이므로 사인법칙의 변형에 의해

$$\sin A+\sin B+\sin C=\frac{a}{2R}+\frac{b}{2R}+\frac{c}{2R}$$
$$=\frac{a}{8}+\frac{b}{8}+\frac{c}{8}=\frac{3}{2}$$

$\therefore a+b+c=12$

삼각형 ABC의 내접원의 반지름의 길이가 $r=2$이므로 삼각형 ABC의 넓이를 S라고 하면

$S=\frac{a+b+c}{2}\cdot r=\frac{12}{2}\cdot 2=12$ 정답_ 12

534

삼각형 ABC의 외접원의 반지름의 길이가 $R=2$이고, 삼각형 ABC의 넓이가 3이므로

$S=\frac{abc}{4R}$에서 $3=\frac{abc}{4\cdot 2}$

$\therefore abc=24$ 정답_ ⑤

535

삼각형 ABC의 넓이를 S라고 하면 세 변의 길이가 4, 5, 6이므로

(i) $S=\frac{a+b+c}{2}\cdot r$에서 $S=\frac{4+5+6}{2}\cdot r=\frac{15}{2}r$

$\therefore r=\frac{2}{15}S$

(ii) $S=\frac{abc}{4R}=\frac{4\cdot 5\cdot 6}{4R}=\frac{30}{R}$ $\quad\therefore R=\frac{30}{S}$

$\therefore rR=\frac{2}{15}S\cdot\frac{30}{S}=4$ 정답_ ⑤

536

헤론의 공식에 의해 $s=\frac{5+6+7}{2}=9$이므로 삼각형의 넓이는

$$\sqrt{9(9-5)(9-6)(9-7)}=\sqrt{9\cdot 4\cdot 3\cdot 2}$$
$$=6\sqrt{6}$$

정답_ ⑤

다른 풀이

삼각형 ABC에서 $a=5$, $b=6$, $c=7$로 놓으면 코사인법칙의 변형에 의해

$$\cos A=\frac{6^2+7^2-5^2}{2\cdot 6\cdot 7}=\frac{5}{7}$$

$$\therefore \sin^2 A=1-\cos^2 A=1-\left(\frac{5}{7}\right)^2$$
$$=1-\frac{25}{49}=\frac{24}{49}$$

$0°<A<180°$에서 $\sin A>0$이므로

$$\sin A=\frac{2\sqrt{6}}{7}$$

따라서 삼각형 ABC의 넓이를 S라고 하면

$$S=\frac{1}{2}bc\sin A=\frac{1}{2}\cdot 6\cdot 7\cdot\frac{2\sqrt{6}}{7}=6\sqrt{6}$$

537

헤론의 공식에 의해 $s=\frac{5+7+8}{2}=10$이므로 삼각형의 넓이는

$$\sqrt{10(10-5)(10-7)(10-8)}=\sqrt{10\cdot 5\cdot 3\cdot 2}$$
$$=10\sqrt{3}$$

삼각형의 내접원의 반지름의 길이를 r라고 하면

$S=\frac{a+b+c}{2}\cdot r$에서 $10\sqrt{3}=\frac{5+7+8}{2}\cdot r$

$\therefore r=\sqrt{3}$ 정답_ ③

538

△ABD에서 코사인법칙에 의해

$$\overline{BD}^2=2^2+4^2-2\cdot 2\cdot 4\cdot\cos 60°=4+16-16\cdot\frac{1}{2}=12$$

$\therefore \overline{BD}=\sqrt{12}=2\sqrt{3}$ ($\because \overline{BD}>0$)

$$\triangle ABD=\frac{1}{2}\cdot\overline{AD}\cdot\overline{AB}\cdot\sin 60°=\frac{1}{2}\cdot 2\cdot 4\cdot\frac{\sqrt{3}}{2}=2\sqrt{3}$$

$$\triangle BCD=\frac{1}{2}\cdot\overline{BC}\cdot\overline{BD}\cdot\sin 30°=\frac{1}{2}\cdot 3\cdot 2\sqrt{3}\cdot\frac{1}{2}=\frac{3\sqrt{3}}{2}$$

$$\therefore \square ABCD=\triangle ABD+\triangle BCD$$
$$=2\sqrt{3}+\frac{3\sqrt{3}}{2}=\frac{7\sqrt{3}}{2}$$

정답_ ③

539

△ABC에서 코사인법칙에 의해

$$\overline{AC}^2=4^2+(2+2\sqrt{3})^2-2\cdot 4\cdot(2+2\sqrt{3})\cdot\cos 30°$$
$$=16+16+8\sqrt{3}-2\cdot 4\cdot(2+2\sqrt{3})\cdot\frac{\sqrt{3}}{2}=8$$

$\therefore \overline{AC}=2\sqrt{2}$ ($\because \overline{AC}>0$)

$\angle ACB=x°$, $\angle ACD=y°$로 놓으면

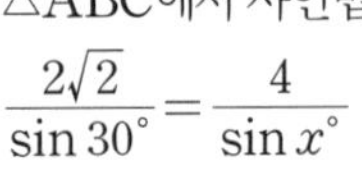

△ABC에서 사인법칙에 의해

$$\frac{2\sqrt{2}}{\sin 30°}=\frac{4}{\sin x°}$$

$2\sqrt{2}\sin x°=4\sin 30°$

$2\sqrt{2}\sin x°=4\cdot\frac{1}{2}$ $\quad\therefore \sin x°=\frac{1}{\sqrt{2}}$

$0°<x°<105°$이므로 $x°=45°$

또, $x°+y°=105°$에서 $y°=60°$

$$\triangle ABC=\frac{1}{2}\cdot 4\cdot(2+2\sqrt{3})\cdot\sin 30°$$
$$=\frac{1}{2}\cdot 4\cdot(2+2\sqrt{3})\cdot\frac{1}{2}=2+2\sqrt{3}$$

$$\triangle ACD=\frac{1}{2}\cdot\sqrt{2}\cdot 2\sqrt{2}\cdot\sin 60°$$
$$=\frac{1}{2}\cdot\sqrt{2}\cdot 2\sqrt{2}\cdot\frac{\sqrt{3}}{2}=\sqrt{3}$$

$$\therefore \square ABCD=\triangle ABC+\triangle ACD$$
$$=(2+2\sqrt{3})+\sqrt{3}$$
$$=2+3\sqrt{3}$$

따라서 $p=2$, $q=3$이므로 $p+q=5$ 정답_ ③

540

원에 내접하는 사각형의 마주 보는 내각의 크기의 합은 $180°$이므로 $B=\theta$로 놓으면 $D=180°-\theta$이다.

$\triangle ABC$에서 코사인법칙에 의해

$\overline{AC}^2=1^2+2^2-2\cdot1\cdot2\cdot\cos\theta$

$=1+4-4\cos\theta=5-4\cos\theta$ …… ㉠

$\triangle ACD$에서 코사인법칙에 의해

$\overline{AC}^2=3^2+4^2-2\cdot3\cdot4\cdot\cos(180°-\theta)$

$=3^2+4^2+2\cdot3\cdot4\cdot\cos\theta$

$=9+16+24\cos\theta=25+24\cos\theta$ …… ㉡

㉠, ㉡에서

$25+24\cos\theta=5-4\cos\theta$

$28\cos\theta=-20$ $\quad\therefore \cos\theta=-\frac{5}{7}$

$\sin^2\theta=1-\cos^2\theta=1-\left(-\frac{5}{7}\right)^2=1-\frac{25}{49}=\frac{24}{49}$

$0°<\theta<180°$에서 $\sin\theta>0$이므로 $\sin\theta=\frac{2\sqrt{6}}{7}$

$\therefore \square ABCD=\triangle ABC+\triangle ACD$

$=\frac{1}{2}\cdot1\cdot2\cdot\sin\theta+\frac{1}{2}\cdot3\cdot4\cdot\sin(180°-\theta)$

$=\sin\theta+6\sin\theta=7\sin\theta$

$=7\cdot\frac{2\sqrt{6}}{7}=2\sqrt{6}$

정답_ ③

541

$\overline{AD}=\overline{BC}=5$이고, 평행사변형 ABCD의 넓이가 10이므로

$\overline{AB}\cdot\overline{AD}\cdot\sin A=4\cdot5\cdot\sin A=10$

$\therefore \sin A=\frac{1}{2}$

$90°<A<180°$이므로 $A=150°$

정답_ ④

542

$\square ABCD=\frac{1}{2}\cdot8\cdot10\cdot\sin135°$

$=\frac{1}{2}\cdot8\cdot10\cdot\frac{\sqrt{2}}{2}$

$=20\sqrt{2}$

정답_ $20\sqrt{2}$

543

등변사다리꼴의 두 대각선의 길이는 같으므로 대각선의 길이를 x라고 하면

$\frac{1}{2}\cdot x\cdot x\cdot\sin30°=10$

$\frac{1}{2}\cdot x\cdot x\cdot\frac{1}{2}=10,\ x^2=40$

$\therefore x=\sqrt{40}=2\sqrt{10}\ (\because x>0)$

정답_ ④

544

$\sin^2\theta=1-\cos^2\theta=1-\left(\frac{1}{3}\right)^2$

$=1-\frac{1}{9}=\frac{8}{9}$

$0°<\theta<180°$에서 $\sin\theta>0$이므로

$\sin\theta=\frac{2\sqrt{2}}{3}$

$\therefore \square ABCD=\frac{1}{2}\cdot4\cdot6\cdot\sin\theta$

$=12\cdot\frac{2\sqrt{2}}{3}=8\sqrt{2}$

정답_ $8\sqrt{2}$

545

사인법칙에 의해 $\frac{b}{\sin B}=2R$

$\frac{4\sqrt{2}}{\sin B}=2\cdot\frac{4\sqrt{6}}{3}$ $\quad\therefore \sin B=\frac{\sqrt{3}}{2}$ …… ❶

삼각형 ABC가 예각삼각형이므로

$B=60°$ …… ❷

사인법칙에 의해 $\frac{c}{\sin C}=2R$

$\frac{c}{\sin45°}=2\cdot\frac{4\sqrt{6}}{3}$

$\therefore c=\frac{8\sqrt{6}}{3}\cdot\frac{1}{\sqrt{2}}=\frac{8\sqrt{3}}{3}$ …… ❸

정답_ $B=60°,\ c=\frac{8\sqrt{3}}{3}$

단계	채점 기준	비율
❶	$\sin B$의 값 구하기	40%
❷	B의 값 구하기	20%
❸	c의 값 구하기	40%

546

삼각형 ABD는 $\angle A=180°-(50°+40°)=90°$인 직각삼각형이므로 $\overline{BD}$는 외접원의 지름이다. …… ❶

따라서 외접원의 반지름의 길이를 R라고 하면

$R=\sqrt{3}$ …… ❷

삼각형 ABC에서 사인법칙에 의해

$\frac{\overline{AC}}{\sin(\angle ABC)}=2R$

$\frac{\overline{AC}}{\sin120°}=2\sqrt{3}$

$\therefore \overline{AC}=2\sqrt{3}\cdot\frac{\sqrt{3}}{2}=3$ …… ❸

정답_ 3

단계	채점 기준	비율
❶	$\overline{BD}$가 외접원의 지름의 길이임을 알아내기	30%
❷	외접원의 반지름의 길이 구하기	20%
❸	$\overline{AC}$의 길이 구하기	50%

547

$a+b=4k,\ b+c=5k,\ c+a=6k\ (k>0)$ …… ㉠

로 놓고 세 식의 양변을 변끼리 더하면

$2a+2b+2c=15k$

$\therefore a+b+c=\frac{15}{2}k$ …… ㉡

㉡에서 ㉠의 각 식을 빼면

$a=\frac{5}{2}k,\ b=\frac{3}{2}k,\ c=\frac{7}{2}k$

$\therefore a:b:c=5:3:7$ ······ ❶

$a=5s,\ b=3s,\ c=7s\ (s>0)$로 놓으면 코사인법칙의 변형에 의해

$\cos C=\frac{(5s)^2+(3s)^2-(7s)^2}{2\cdot 5s\cdot 3s}=\frac{-15s^2}{30s^2}=-\frac{1}{2}$ ······ ❷

그런데 $0°<C<180°$이므로 $C=120°$ ······ ❸

정답_ 120°

단계	채점 기준	비율
❶	$a:b:c$ 구하기	40%
❷	$\cos C$의 값 구하기	40%
❸	C의 값 구하기	20%

548

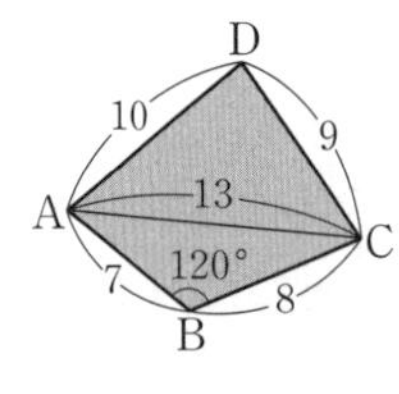

삼각형 ABC에서 코사인법칙에 의해

$\overline{AC}^2=7^2+8^2-2\cdot 7\cdot 8\cdot \cos 120°$

$=49+64-2\cdot 7\cdot 8\cdot\left(-\frac{1}{2}\right)$

$=169$

$\therefore \overline{AC}=13\ (\because \overline{AC}>0)$ ······ ❶

삼각형 ABC의 넓이는

$\frac{1}{2}\cdot 7\cdot 8\cdot \sin 120°=\frac{1}{2}\cdot 7\cdot 8\cdot\frac{\sqrt{3}}{2}=14\sqrt{3}$ ······ ❷

삼각형 ACD의 넓이는 헤론의 공식에 의해

$s=\frac{9+10+13}{2}=16$이므로

$\sqrt{16(16-9)(16-10)(16-13)}=\sqrt{16\cdot 7\cdot 6\cdot 3}$

$=12\sqrt{14}$ ······ ❸

$\therefore \square ABCD=\triangle ABC+\triangle ACD$

$=14\sqrt{3}+12\sqrt{14}$ ······ ❹

정답_ $14\sqrt{3}+12\sqrt{14}$

단계	채점 기준	비율
❶	$\overline{AC}$의 길이 구하기	30%
❷	△ABC의 넓이 구하기	30%
❸	△ACD의 넓이 구하기	30%
❹	□ABCD의 넓이 구하기	10%

549

삼각형 ABC의 넓이를 S라고 하면 헤론의 공식에 의해

$s=\frac{5+6+7}{2}=9$이므로

$S=\sqrt{9(9-5)(9-6)(9-7)}$

$=\sqrt{9\cdot 4\cdot 3\cdot 2}$

$=6\sqrt{6}$ ······ ❶

오른쪽 그림에서

$\triangle ABO=\frac{1}{2}\cdot 5\cdot r=\frac{5}{2}r$

$\triangle AOC=\frac{1}{2}\cdot 6\cdot r$

$=3r$ ······ ❷

$S=\triangle ABO+\triangle AOC$이므로

$6\sqrt{6}=\frac{5}{2}r+3r$

$6\sqrt{6}=\frac{11}{2}r \qquad \therefore r=\frac{12\sqrt{6}}{11}$ ······ ❸

정답_ $\frac{12\sqrt{6}}{11}$

단계	채점 기준	비율
❶	△ABC의 넓이 구하기	40%
❷	△ABO, △AOC의 넓이를 r로 나타내기	30%
❸	r의 값 구하기	30%

550

평행사변형의 두 대각선은 서로 다른 것을 이등분하므로 두 대각선의 교점을 E라고 하면 $\overline{AE}=\overline{CE}=a,\ \overline{BE}=\overline{DE}=b$로 놓을 수 있다.

△ABE에서 코사인법칙에 의해

$\overline{AB}^2=a^2+b^2-2\cdot a\cdot b\cdot \cos 60°$

$\therefore 25=a^2+b^2-ab$ …… ㉠

······ ❶

△AED에서 코사인법칙에 의해

$\overline{AD}^2=a^2+b^2-2\cdot a\cdot b\cdot \cos 120°$

$\therefore 81=a^2+b^2+ab$ …… ㉡

······ ❷

㉡－㉠을 하면 $2ab=56$

$\therefore ab=28$ ······ ❸

따라서 평행사변형 ABCD의 넓이는

$2\cdot\frac{1}{2}ab\sin 60°+2\cdot\frac{1}{2}ab\sin 120°$

$=28\cdot\frac{\sqrt{3}}{2}+28\cdot\frac{\sqrt{3}}{2}=28\sqrt{3}$ ······ ❹

정답_ $28\sqrt{3}$

단계	채점 기준	비율
❶	$\overline{AE}=\overline{CE}=a,\ \overline{BE}=\overline{DE}=b$로 놓고 △ABE에 코사인법칙 적용하기	20%
❷	△AED에 코사인법칙 적용하기	20%
❸	ab의 값 구하기	20%
❹	평행사변형 ABCD의 넓이 구하기	40%

551

$\angle PQB=120^\circ$, $\angle PBQ=30^\circ$이므로 삼각형 QPB는 이등변삼각형이다.

따라서 단축되는 거리는

$(\overline{PQ}+\overline{QB})-60=(2\overline{PQ}-60)$ km

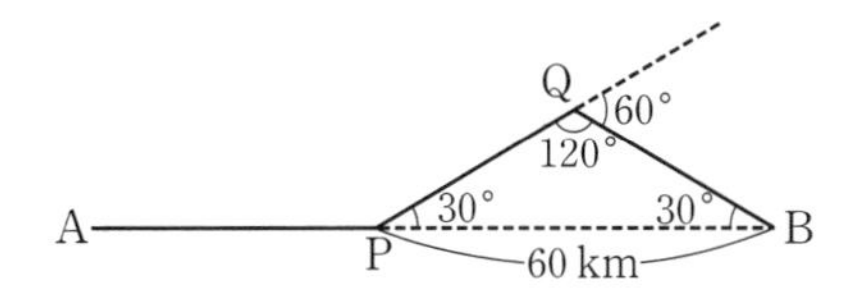

삼각형 QPB에서 사인법칙에 의해

$\dfrac{60}{\sin 120^\circ}=\dfrac{\overline{PQ}}{\sin 30^\circ}$, $\overline{PQ}\sin 120^\circ=60\sin 30^\circ$

$\overline{PQ}\cdot\dfrac{\sqrt{3}}{2}=60\cdot\dfrac{1}{2}$

$\therefore \overline{PQ}=20\sqrt{3}$ (km)

따라서 단축되는 거리는 $(40\sqrt{3}-60)$ km이다. 정답_ ③

552

다음 그림에서 두 점 A, B를 지나는 빛은 평행하므로 평행선의 성질에 의해

$\angle BCA=32^\circ$ $\quad\therefore \angle OCB=148^\circ$

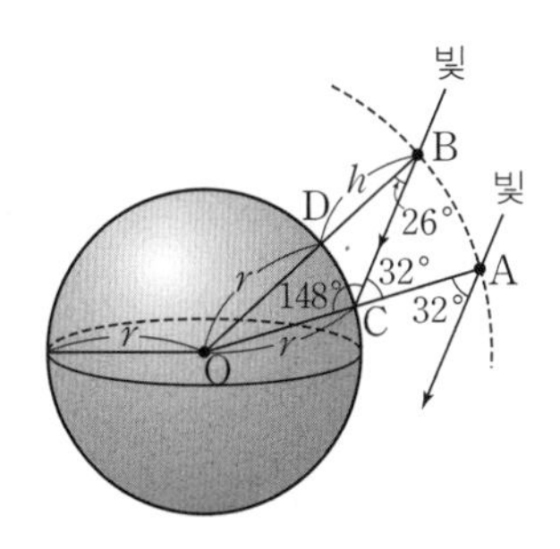

삼각형 OBC에서 사인법칙에 의해

$\dfrac{r+h}{\sin 148^\circ}=\dfrac{r}{\sin 26^\circ}$

$(r+h)\sin 26^\circ=r\sin 148^\circ$

$r\sin 26^\circ+h\sin 26^\circ=r\sin(180^\circ-32^\circ)$

$r\sin 26^\circ+h\sin 26^\circ=r\sin 32^\circ$

$h\sin 26^\circ=(\sin 32^\circ-\sin 26^\circ)r$

$\therefore h=\left(\dfrac{\sin 32^\circ}{\sin 26^\circ}-1\right)r$ 정답_ ④

553

오른쪽 그림과 같이 $\overline{AB}$의 연장선과 $\overline{CD}$의 연장선이 만나는 점을 E라고 하면 삼각형 EBC는 $\angle C=45^\circ$이므로 $\overline{EB}=\overline{BC}=8$인 직각이등변삼각형이다.

$\therefore \overline{EA}=5$, $\overline{ED}=3\sqrt{2}$, $\angle E=45^\circ$

삼각형 EAD에서 코사인법칙에 의해

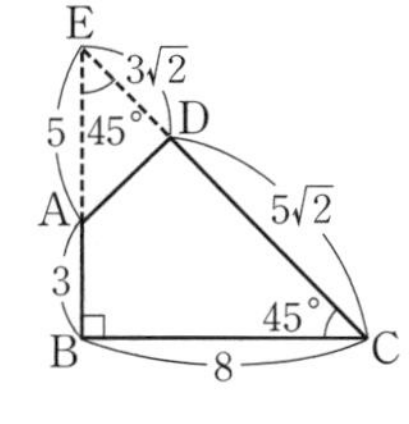

$\overline{AD}^2=5^2+(3\sqrt{2})^2-2\cdot5\cdot3\sqrt{2}\cdot\cos 45^\circ$

$=25+18-2\cdot5\cdot3\sqrt{2}\cdot\dfrac{\sqrt{2}}{2}$

$=13$

$\therefore \overline{AD}=\sqrt{13}$ ($\because \overline{AD}>0$) 정답_ ②

554

정사각형 ABCD의 한 변의 길이를 $3a$라고 하면 직각삼각형 ABE에서

$\overline{BE}=\sqrt{a^2+(3a)^2}=\sqrt{10}a$

직각삼각형 BCF에서

$\overline{BF}=\sqrt{(3a)^2+a^2}=\sqrt{10}a$

직각삼각형 DEF에서

$\overline{EF}=\sqrt{(2a)^2+(2a)^2}=2\sqrt{2}a$

삼각형 BFE에서 코사인법칙의 변형에 의해

$\cos\theta=\dfrac{(\sqrt{10}a)^2+(\sqrt{10}a)^2-(2\sqrt{2}a)^2}{2\cdot\sqrt{10}a\cdot\sqrt{10}a}$

$=\dfrac{12a^2}{20a^2}=\dfrac{3}{5}$

$0<\theta<\dfrac{\pi}{2}$이므로

$\sin\theta=\sqrt{1-\cos^2\theta}=\sqrt{1-\left(\dfrac{3}{5}\right)^2}=\dfrac{4}{5}$ 정답_ ⑤

다른 풀이

정사각형 ABCD의 한 변의 길이를 $3a$라고 하면 직각삼각형 ABE에서

$\overline{BE}=\sqrt{a^2+(3a)^2}=\sqrt{10}a$

이때, $\overline{BE}=\overline{BF}$이므로

$\triangle BEF=\dfrac{1}{2}\cdot\overline{BE}\cdot\overline{BF}\cdot\sin\theta$

$=\dfrac{1}{2}\cdot\sqrt{10}a\cdot\sqrt{10}a\cdot\sin\theta$

$=5a^2\sin\theta$ ...... ㉠

또 $\triangle BEF=\square ABCD-2\triangle ABE-\triangle EFD$

$=9a^2-3a^2-2a^2=4a^2$ ...... ㉡

㉠, ㉡에서 $5a^2\sin\theta=4a^2$ $\quad\therefore \sin\theta=\dfrac{4}{5}$

555

주어진 원뿔의 전개도를 그리면 다음 그림과 같고, 두 점 A, P를 잇는 거리의 최솟값은 $\overline{AP}$이다.

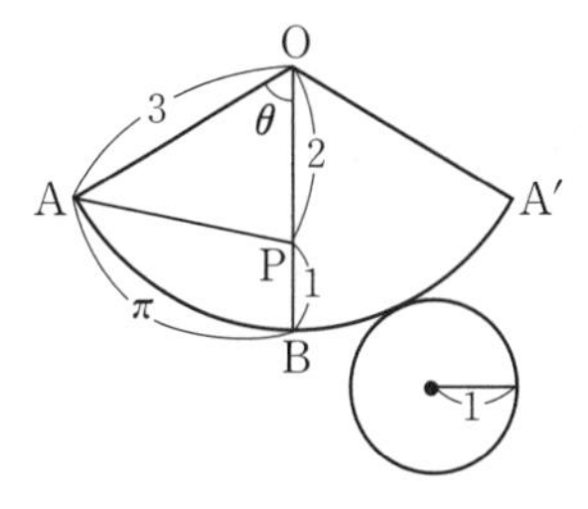

$\overset{\frown}{AA'}$의 길이는 원뿔의 밑면의 둘레의 길이와 같으므로

$\overset{\frown}{\mathrm{AA'}}=2\pi\cdot1=2\pi$

$\therefore \overset{\frown}{\mathrm{AB}}=\pi$

부채꼴 OAB에서 중심각의 크기를 θ, 호의 길이를 l이라고 하면

$l=r\theta$에서 $\quad \pi=3\theta$

$\therefore \theta=\dfrac{\pi}{3}$

삼각형 OAP에서 코사인법칙에 의해

$\overline{\mathrm{AP}}^2=3^2+2^2-2\cdot3\cdot2\cdot\cos\dfrac{\pi}{3}$

$\quad =9+4-12\cdot\dfrac{1}{2}=7$

$\therefore \overline{\mathrm{AP}}=\sqrt{7}\ (\because \overline{\mathrm{AP}}>0)$

정답_②

556

$\overline{\mathrm{PB}}=\overline{\mathrm{PD}}=x$로 놓으면 $\overline{\mathrm{BD}}=\sqrt{2}$이므로 △PDB에서 코사인법칙의 변형에 의해

$\cos\theta=\dfrac{x^2+x^2-(\sqrt{2})^2}{2\cdot x\cdot x}=1-\dfrac{1}{x^2}$

삼각형 BCE는 한 변의 길이가 1인 정삼각형이므로

$\dfrac{\sqrt{3}}{2}\le\overline{\mathrm{PB}}\le1$, 즉 $\dfrac{\sqrt{3}}{2}\le x\le1$

$\dfrac{3}{4}\le x^2\le1,\ 1\le\dfrac{1}{x^2}\le\dfrac{4}{3}$

$-\dfrac{4}{3}\le-\dfrac{1}{x^2}\le-1$

$-\dfrac{1}{3}\le1-\dfrac{1}{x^2}\le0$

$\therefore -\dfrac{1}{3}\le\cos\theta\le0$

따라서 $\cos\theta$의 최댓값은 0, 최솟값은 $-\dfrac{1}{3}$이므로 그 합은

$0+\left(-\dfrac{1}{3}\right)=-\dfrac{1}{3}$

정답_①

557

$\overline{\mathrm{OP}}=x$ m로 놓으면

$\overline{\mathrm{BP}}=\sqrt{x^2+1^2}$ (m)

$\overline{\mathrm{AP}}=\sqrt{x^2+6^2}$ (m)

$\alpha\ge45^\circ$가 되려면

$\cos\alpha\le\dfrac{1}{\sqrt{2}}$ 이어야 하므로

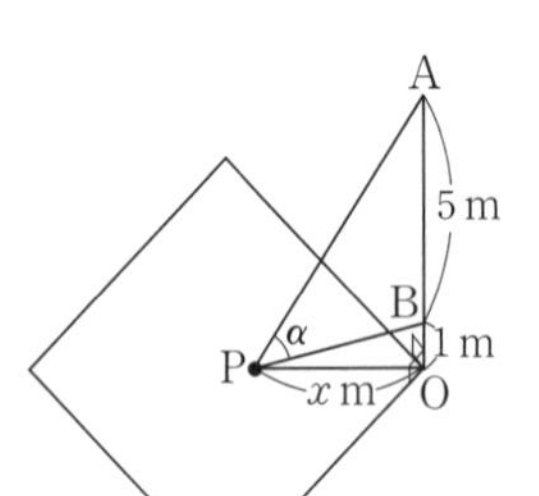

삼각형 PBA에서 코사인법칙의 변형에 의해

$\cos\alpha=\dfrac{(x^2+1^2)+(x^2+6^2)-5^2}{2\cdot\sqrt{x^2+1^2}\cdot\sqrt{x^2+6^2}}$

$\quad =\dfrac{x^2+6}{\sqrt{x^2+1}\sqrt{x^2+36}}\le\dfrac{1}{\sqrt{2}}$

양변을 제곱하면

$\dfrac{(x^2+6)^2}{(x^2+1)(x^2+36)}\le\dfrac{1}{2}$

$2(x^4+12x^2+36)\le x^4+37x^2+36$

$x^4-13x^2+36\le0$

$(x^2-4)(x^2-9)\le0$

$4\le x^2\le9 \qquad \therefore 2\le x\le3$

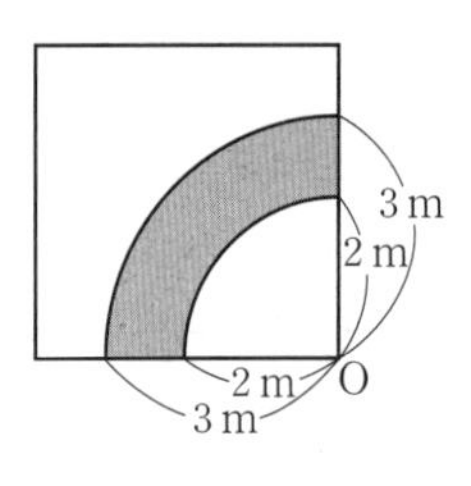

점 P가 존재하는 영역은 $2\le x\le3$에서 오른쪽 그림의 어두운 부분과 같다.

따라서 구하는 넓이는

$\dfrac{1}{4}(9\pi-4\pi)=\dfrac{5}{4}\pi\ (\mathrm{m}^2)$

정답_②

558

삼각형 ABC에서 $\overline{\mathrm{AB}}=c$, $\overline{\mathrm{BC}}=a$라 하고 오른쪽 그림과 같이 c를 20 % 줄이고, a를 r % 늘인 삼각형을 삼각형 DBE라고 하면

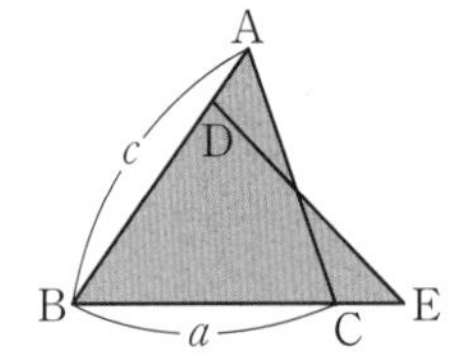

$\overline{\mathrm{BD}}=\left(1-\dfrac{20}{100}\right)c=\dfrac{4}{5}c$

$\overline{\mathrm{BE}}=\left(1+\dfrac{r}{100}\right)a$

$\angle\mathrm{B}=\theta$로 놓으면 △ABC=△DBE에서

$\dfrac{1}{2}ca\sin\theta=\dfrac{1}{2}\cdot\dfrac{4}{5}c\cdot\left(1+\dfrac{r}{100}\right)a\cdot\sin\theta$

$1=\dfrac{4}{5}\cdot\left(1+\dfrac{r}{100}\right),\ 1+\dfrac{r}{100}=\dfrac{5}{4}$

$\dfrac{r}{100}=\dfrac{1}{4}$

$\therefore r=\dfrac{1}{4}\cdot100=25$

정답_⑤

559

$\overline{\mathrm{AP}}=x$, $\overline{\mathrm{AQ}}=y$로 놓으면

$\triangle\mathrm{APQ}=\dfrac{1}{6}\triangle\mathrm{ABC}$에서

$\dfrac{1}{2}xy\sin60^\circ=\dfrac{1}{6}\cdot\left(\dfrac{1}{2}\cdot8\cdot3\cdot\sin60^\circ\right)$

$\therefore xy=4$

삼각형 APQ에서 코사인법칙에 의해

$\overline{\mathrm{PQ}}^2=x^2+y^2-2xy\cos60^\circ$

$\quad =x^2+y^2-2xy\cdot\dfrac{1}{2}$

$\quad =x^2+y^2-4$

산술평균과 기하평균의 관계에 의해

$x^2+y^2\ge2\sqrt{x^2y^2}=2xy$

$\quad =2\cdot4=8$ (단, 등호는 $x=y$일 때 성립)

$\overline{\mathrm{PQ}}^2=x^2+y^2-4\ge8-4=4$

$\therefore \overline{\mathrm{PQ}}\ge2\ (\because \overline{\mathrm{PQ}}>0)$

따라서 $\overline{\mathrm{PQ}}$의 길이의 최솟값은 2이다.

정답_2

560

삼각형 ABC의 넓이가 9이므로

$\frac{1}{2}ac\sin 30^\circ=\frac{1}{2}ac\cdot\frac{1}{2}=9$

$\therefore ac=36$

코사인법칙에 의해

$b^2=a^2+c^2-2ac\cos 30^\circ$

$=a^2+c^2-2ac\cdot\frac{\sqrt{3}}{2}$

$=a^2+c^2-36\sqrt{3}$ …… ㉠

㉠이 최소일 때에는 a^2+c^2이 최소일 때이므로 산술평균과 기하평균의 관계에 의해

$a^2+c^2\geq 2\sqrt{a^2c^2}=2ac=2\cdot 36=72$ …… ㉡

$\therefore b^2\geq 72-36\sqrt{3}$

㉡에서 등호는 $a^2=c^2$, 즉 $a=c$일 때 성립하므로

$ac=36$에서 $a=c=6$

따라서 $\overline{\mathrm{AC}}=b$가 최소일 때

$\overline{\mathrm{AB}}+\overline{\mathrm{BC}}=c+a=6+6=12$

정답_ ④

561

$x>0$, $y>0$, $x+y=8$이므로 산술평균과 기하평균의 관계에 의해

$\frac{x+y}{2}\geq\sqrt{xy}$, $\frac{8}{2}\geq\sqrt{xy}$

$\therefore xy\leq 16$ (단, 등호는 $x=y=4$일 때 성립)

사각형 ABCD의 넓이를 S라고 하면

$S=\frac{1}{2}xy\sin\frac{\pi}{3}=\frac{1}{2}xy\cdot\frac{\sqrt{3}}{2}$

$=\frac{\sqrt{3}}{4}xy\leq\frac{\sqrt{3}}{4}\cdot 16=4\sqrt{3}$

따라서 사각형 ABCD의 넓이의 최댓값은 $4\sqrt{3}$이다.

정답_ ②

III 수열

08 등차수열과 등비수열

562

(1) $a_1=1=2\times 0+1$

$a_2=3=2\times 1+1$

$a_3=5=2\times 2+1$

$a_4=7=2\times 3+1$

⋮

$\therefore a_n=2(n-1)+1=2n-1$

(2) $a_1=5=5\times 1$

$a_2=10=5\times 2$

$a_3=20=5\times 2^2$

$a_4=40=5\times 2^3$

⋮

$\therefore a_n=5\cdot 2^{n-1}$

정답_ (1) $a_n=2n-1$ (2) $a_n=5\cdot 2^{n-1}$

563

3^1의 일의 자리 숫자는 $a_1=3$

$3^2=9$에서 3^2의 일의 자리 숫자는 9이므로 $a_2=9$

$3^3=27$에서 3^3의 일의 자리 숫자는 7이므로 $a_3=7$

$3^4=81$에서 3^4의 일의 자리 숫자는 1이므로 $a_4=1$

$3^5=243$에서 3^5의 일의 자리 숫자는 3이므로 $a_5=3$

⋮

수열 $\{a_n\}$은 3, 9, 7, 1이 차례로 반복된다.

이때, $2018=4\times 504+2$이므로

$a_{2018}=a_2=9$

정답_ ⑤

564

첫째항을 a, 공차를 d라고 하면 $a_n=a+(n-1)d$

(1) $a=3$, $d=8-3=5$이므로

$a_n=3+(n-1)\cdot 5=5n-2$

(2) $a=-2$, $d=-5-(-2)=-3$이므로

$a_n=-2+(n-1)\cdot(-3)=-3n+1$

정답_ (1) $a_n=5n-2$ (2) $a_n=-3n+1$

565

첫째항을 a, 공차를 d라고 하면 $a_n=a+(n-1)d$

$a_3=8$에서 $a+2d=8$ …… ㉠

$a_7=20$에서 $a+6d=20$ …… ㉡

㉠, ㉡을 연립하여 풀면 $a=2, d=3$

$\therefore a_{11}=a+10d=2+10\cdot 3=32$ 정답_②

566

첫째항을 a, 공차를 d라고 하면 $a_n=a+(n-1)d$

(i) $a_1+a_3=6$에서 $a+(a+2d)=6$

$\therefore a+d=3$ ······ ㉠

(ii) $a_3+a_5=26$에서 $(a+2d)+(a+4d)=26$

$\therefore a+3d=13$ ······ ㉡

㉠, ㉡을 연립하여 풀면 $a=-2, d=5$

$\therefore a_{10}=a+9d=-2+9\cdot 5=43$ 정답_⑤

567

첫째항을 a, 공차를 d라고 하면 $a_n=a+(n-1)d$

(가)에서 제3항과 제5항의 비가 1 : 4이므로 $a_3 : a_5=1 : 4$

$a_5=4a_3$, $a+4d=4(a+2d)$ $\therefore 3a+4d=0$ ······ ㉠

(나)에서 제2항과 제4항의 합이 4이므로 $a_2+a_4=4$

$(a+d)+(a+3d)=4$ $\therefore a+2d=2$ ······ ㉡

㉠, ㉡을 연립하여 풀면 $a=-4$, $d=3$

$\therefore a_6=a+5d=-4+5\cdot 3=11$ 정답_③

568

첫째항을 a, 공차를 d라고 하면 $a_n=a+(n-1)d$

제5항이 31이므로 $a+4d=31$ ······ ㉠

제9항이 15이므로 $a+8d=15$ ······ ㉡

㉠, ㉡을 연립하여 풀면 $a=47$, $d=-4$

$\therefore a_n=47+(n-1)\cdot(-4)=-4n+51$

$a_n<0$에서 $-4n+51<0$ $\therefore n>12.75$

따라서 처음으로 음수가 되는 항은 제13항이다. 정답_①

569

등차수열 9, a_1, a_2, a_3, a_4, 24의 첫째항이 9, 제6항이 24이므로 공차를 d라고 하면

$9+5d=24$ $\therefore d=3$ 정답_③

570

n개의 수를 a_1, a_2, $\cdots$, a_n이라고 하면

등차수열 4, a_1, a_2, $\cdots$, a_n, 34는 첫째항이 4, 제$(n+2)$항이 34이고 공차가 2이므로

$4+\{(n+2)-1\}\cdot 2=34$ $\therefore n=14$ 정답_④

571

두 등차수열 $\{a_n\}$, $\{b_n\}$의 공차가 각각 -2, 3이므로

$a_2-a_1=-2$, $b_2-b_1=3$

따라서 등차수열 $\{3a_n+5b_n\}$의 공차는

$(3a_2+5b_2)-(3a_1+5b_1)=3(a_2-a_1)+5(b_2-b_1)$

$=3\cdot(-2)+5\cdot 3=9$ 정답_④

572

두 수열 $\{b_n\}$, $\{c_n\}$의 공차가 각각 d_2, d_3이므로

$d_2=(a_3+a_4)-(a_1+a_2)$

$=\{(a_1+2d_1)+(a_1+3d_1)\}-\{a_1+(a_1+d_1)\}$

$=(2a_1+5d_1)-(2a_1+d_1)=4d_1$

$\therefore d_1=\dfrac{d_2}{4}$ ······ ㉠

$d_3=(a_4+a_5+a_6)-(a_1+a_2+a_3)$

$=\{(a_1+3d_1)+(a_1+4d_1)+(a_1+5d_1)\}$

$-\{a_1+(a_1+d_1)+(a_1+2d_1)\}$

$=(3a_1+12d_1)-(3a_1+3d_1)=9d_1$

$\therefore d_1=\dfrac{d_3}{9}$ ······ ㉡

㉠, ㉡에서 $\dfrac{d_2}{4}=\dfrac{d_3}{9}$이므로 $9d_2=4d_3$ 정답_⑤

573

첫째항이 3, 공차가 d이므로 $a_n=3+(n-1)d$

$a_n=3d$에서 $3+(n-1)d=3d$

$\therefore (n-4)d=-3$

이때, n, d가 자연수이므로 d는 3의 양의 약수이어야 한다.

따라서 $d=1$ 또는 $d=3$이므로 구하는 d의 값의 합은

$1+3=4$ 정답_②

574

$x-1$, x^2-2x, $x-3$이 이 순서대로 등차수열을 이루므로

$2(x^2-2x)=(x-1)+(x-3)$, $2x^2-4x=2x-4$

$2x^2-6x+4=0$, $x^2-3x+2=0$, $(x-1)(x-2)=0$

$\therefore x=1$ 또는 $x=2$ 정답_ $x=1$ 또는 $x=2$

575

6, a, b가 이 순서대로 등차수열을 이루므로

$2a=6+b$ $\therefore b=2a-6$ ······ ㉠

a^2, 10, b^2이 이 순서대로 등차수열을 이루므로

$20=a^2+b^2$ ······ ㉡

㉠을 ㉡에 대입하면 $a^2+(2a-6)^2=20$

$5a^2-24a+16=0 \quad \therefore (5a-4)(a-4)=0$

이때, a는 자연수이므로 $a=4$

$a=4$를 ㉠에 대입하면 $b=2$

$\therefore ab=4\cdot 2=8$ 정답_ ④

576

오른쪽 표와 같이 빈칸에 써넣을 6개의 수를 각각 a, b, c, d, e, f라고 하자.

3	a	7
b	c	d
e	11	f

3, a, 7이 등차수열을 이루므로 $a=5$

$a=5$, c, 11이 등차수열을 이루므로 $c=8$

3, $c=8$, f가 등차수열을 이루므로 $f=13$

7, $c=8$, e가 등차수열을 이루므로 $e=9$

3, b, $e=9$가 등차수열을 이루므로 $b=6$

7, d, $f=13$이 등차수열을 이루므로 $d=10$

$\therefore a+b+c+d+e+f=5+6+8+10+9+13=51$

정답_ ③

577

원의 접선의 기울기를 m이라고 하면 점 $(2, 0)$을 지나므로 접선의 방정식은 $y=m(x-2)$

$\therefore mx-y-2m=0$

이때, 원의 중심 $(0, 0)$과 직선 $mx-y-2m=0$ 사이의 거리는 원의 반지름의 길이 $\sqrt{2}$와 같으므로

$\dfrac{|0-0-2m|}{\sqrt{m^2+(-1)^2}}=\sqrt{2}$, $|2m|=\sqrt{2m^2+2}$

양변을 제곱하면 $4m^2=2m^2+2$, $m^2=1$

$\therefore m=\pm 1$

따라서 직선 AP의 방정식은 $y=-x+2$이므로 $\mathrm{A}(0, 2)$이고, 직선 BP의 방정식은 $y=x-2$이므로 $\mathrm{B}(0, -2)$이다.

한편, 직선 $y=-x+2$와 직선 $y=kx$의 교점을 $\mathrm{Q}(a, b)$라고 하면 $-a+2=ka$에서 $(k+1)a=2$이므로

$a=\dfrac{2}{k+1}$, $b=\dfrac{2k}{k+1} \quad \therefore \mathrm{Q}\left(\dfrac{2}{k+1}, \dfrac{2k}{k+1}\right)$

$S_1=\dfrac{1}{2}\cdot 2\cdot \dfrac{2}{k+1}=\dfrac{2}{k+1}$

$S_2=\dfrac{1}{2}\cdot 2\cdot \dfrac{2k}{k+1}=\dfrac{2k}{k+1}$

$S_3=\dfrac{1}{2}\cdot 2\cdot 2=2$

S_1, S_2, S_3이 이 순서대로 등차수열을 이루므로

$2S_2=S_1+S_3$

$2\cdot \dfrac{2k}{k+1}=\dfrac{2}{k+1}+2$, $\dfrac{4k}{k+1}=\dfrac{2k+4}{k+1}$

$4k=2k+4$, $k=2$

$\therefore 100k=200$ 정답_ 200

578

삼차방정식 $x^3+3x^2-6x-k=0$의 세 근을 $a-d$, a, $a+d$로 놓으면 근과 계수의 관계에 의해

$(a-d)+a+(a+d)=-3 \quad \therefore a=-1$

따라서 주어진 방정식의 한 근이 -1이므로 $x=-1$을 대입하면

$-1+3+6-k=0 \quad \therefore k=8$ 정답_ ④

579

직각삼각형의 세 변의 길이를 $a-d$, a, $a+d$로 놓으면

(i) 빗변의 길이가 15이므로 $a+d=15$ ······ ㉠

(ii) 피타고라스 정리에 의해

$(a-d)^2+a^2=(a+d)^2 \quad \therefore a^2=4ad$

이때, $a>0$이므로 $a=4d$ ······ ㉡

㉠, ㉡을 연립하여 풀면 $a=12$, $d=3$

따라서 세 변의 길이는 9, 12, 15이므로 직각삼각형의 넓이는

$\dfrac{1}{2}\cdot 9\cdot 12=54$ 정답_ ①

580

네 사람에게 나누어 준 사탕의 개수를 각각

$a-3d$, $a-d$, $a+d$, $a+3d$

로 놓으면

(i) 가장 적게 받는 사람의 사탕의 개수가 가장 많이 받는 사람의 사탕의 개수의 $\dfrac{5}{11}$이므로

$a-3d=\dfrac{5}{11}(a+3d) \quad \therefore a=8d$ ······ ㉠

(ii) 나누어 준 사탕은 총 96개이므로

$(a-3d)+(a-d)+(a+d)+(a+3d)=96$

$\therefore a=24$ ······ ㉡

㉡을 ㉠에 대입하면 $24=8d \quad \therefore d=3$

따라서 사탕을 가장 많이 받는 사람의 사탕의 개수는

$a+3d=24+3\cdot 3=33$ 정답_ ⑤

참고

네 사람에게 나누어 준 사탕의 개수를 각각

a, $a+d$, $a+2d$, $a+3d$

로 놓고 풀어도 된다.

581

다섯 사람에게 나누어 주는 빵의 수를 각각

$a-2d$, $a-d$, a, $a+d$, $a+2d$

로 놓으면

(i) 나누어 줄 빵이 총 120개이므로

$(a-2d)+(a-d)+a+(a+d)+(a+2d)=120$

$5a=120 \quad \therefore a=24$ ······ ㉠

(ii) 가장 적게 배당받는 사람과 그 다음으로 적게 배당받는 사람의 몫의 합이 나머지 세 사람의 몫의 합의 $\frac{1}{7}$이므로

$(a-2d)+(a-d)=\frac{1}{7}\{a+(a+d)+(a+2d)\}$

$14a-21d=3a+3d$

$\therefore 11a=24d$ ······ ㉡

㉠을 ㉡에 대입하면 $11\cdot24=24d \quad \therefore d=11$

따라서 가장 많이 배당받는 사람의 몫은

$a+2d=24+2\cdot11=46$ 정답_ ②

582

첫째항부터 제n항까지의 합을 S_n이라고 하자.

(1) $S_7=\frac{7(5+35)}{2}=140$

(2) $S_9=\frac{9\{2\cdot(-16)+(9-1)\cdot5\}}{2}=36$

정답_ (1) 140 (2) 36

583

(1) 첫째항이 2, 공차가 $5-2=3$이므로 29를 제n항이라고 하면

$2+(n-1)\cdot3=29,\ 3n-1=29 \quad \therefore n=10$

따라서 항수가 10이므로 첫째항부터 제10항까지의 합은

$\frac{10(2+29)}{2}=155$

(2) 첫째항이 -19, 공차가 $-17-(-19)=2$이므로 1을 제n항이라고 하면

$-19+(n-1)\cdot2=1,\ 2n-21=1 \quad \therefore n=11$

따라서 항수가 11이므로 첫째항부터 제11항까지의 합은

$\frac{11(-19+1)}{2}=-99$

정답_ (1) 155 (2) −99

584

첫째항이 -5, 공차가 $-1-(-5)=4$인 등차수열의 첫째항부터 제n항까지의 합이 72이므로

$\frac{n\{2\cdot(-5)+(n-1)\cdot4\}}{2}=72$

$2n^2-7n-72=0 \quad \therefore (n-8)(2n+9)=0$

이때, n은 자연수이므로 $n=8$ 정답_ ②

585

등차수열 $\{a_n\}$, $\{b_n\}$의 공차를 각각 d, d'이라고 하면

$a_1+b_1=-10,\ d+d'=4$

$\therefore (a_1+a_2+\cdots+a_{10})+(b_1+b_2+\cdots+b_{10})$

$=\frac{10(2a_1+9d)}{2}+\frac{10(2b_1+9d')}{2}$

$=\frac{10\{2(a_1+b_1)+9(d+d')\}}{2}$

$=\frac{10\{2\cdot(-10)+9\cdot4\}}{2}=80$ 정답_ ③

참고

$(a_1+b_1)+(a_2+b_2)+\cdots+(a_{10}+b_{10})$으로 놓고, 첫째항이 10, 공차가 4인 등차수열의 합을 생각하여 풀 수도 있다.

586

등차수열 $\{a_n\}$의 첫째항을 a, 공차를 d라고 하면

(i) $S_5=20$에서 $\frac{5(2a+4d)}{2}=20$

$\therefore a+2d=4$ ······ ㉠

(ii) $S_{10}=90$에서 $\frac{10(2a+9d)}{2}=90$

$\therefore 2a+9d=18$ ······ ㉡

㉠, ㉡을 연립하여 풀면 $a=0, d=2$

$\therefore S_{20}=\frac{20(2\cdot0+19\cdot2)}{2}=380$ 정답_ ④

587

주어진 등차수열의 첫째항을 a, 공차를 d, 첫째항부터 제n항까지의 합을 S_n이라고 하면

(i) 첫째항부터 제10항까지의 합이 140이므로

$\frac{10(2a+9d)}{2}=140$

$\therefore 2a+9d=28$ ······ ㉠

(ii) 제11항부터 제20항까지의 합이 340이므로

$S_{20}-S_{10}=\frac{20(2a+19d)}{2}-140=340$

$\therefore 2a+19d=48$ ······ ㉡

㉠, ㉡을 연립하여 풀면 $a=5,\ d=2$

따라서 제21항부터 제30항까지의 합은

$S_{30}-S_{20}=\frac{30(2\cdot5+29\cdot2)}{2}-(140+340)$

$=540$ 정답_ ④

다른 풀이

첫째항부터 제10항까지의 합을 A라고 하면

$A=a+(a+d)+(a+2d)+\cdots+(a+9d)$
제11항부터 제20항까지의 합을 B라고 하면
$B=(a+10d)+(a+11d)+\cdots+(a+19d)$
제21항부터 제30항까지의 합을 C라고 하면
$C=(a+20d)+(a+21d)+\cdots+(a+29d)$
이때, A, B, C는 $10\times 10d$를 공차로 하는 등차수열을 이루므로
$2B=A+C$에서 $2\cdot 340=140+C$
$\therefore C=540$

588

첫째항이 31, 공차가 $27-31=-4$이므로 주어진 등차수열을 $\{a_n\}$이라고 하면
$a_n=31+(n-1)\cdot(-4)=-4n+35$
$a_n<0$에서 $-4n+35<0$ $\quad\therefore n>\frac{35}{4}=8.75$
따라서 제9항부터는 음수이므로 첫째항부터 제8항까지의 합이 최대가 된다.
$\therefore a=8$
이때, 구하는 최댓값은 첫째항부터 제8항까지의 합이므로
$b=\frac{8\{2\cdot 31+7\cdot(-4)\}}{2}=136$
$\therefore \frac{b}{a}=\frac{136}{8}=17$ 정답_ 17

589

첫째항을 a, 공차를 d라고 하면 $a_n=a+(n-1)d$에서
(i) 제11항이 -10이므로 $a+10d=-10$ ······ ㉠
(ii) 첫째항부터 제10항까지의 합이 65이므로
$\frac{10(2a+9d)}{2}=65$ $\quad\therefore 2a+9d=13$ ······ ㉡
㉠, ㉡을 연립하여 풀면 $a=20,\ d=-3$
즉, 첫째항이 20, 공차가 -3이므로 주어진 등차수열을 $\{a_n\}$이라고 하면 $a_n=20+(n-1)\cdot(-3)=-3n+23$
$a_n<0$에서 $-3n+23<0$ $\quad\therefore n>7.66\cdots$
따라서 제8항부터는 음수이므로 첫째항부터 제7항까지의 합이 최대이다. 정답_ ③

590

100 이하의 자연수 중에서 3으로 나누었을 때의 나머지가 2인 수를 차례로 나열하면
2, 5, 8, 11, ⋯, 95, 98
이때, $2=3\times 0+2,\ 98=3\times 32+2$이므로 항수는 33이다.
따라서 구하는 값은 첫째항이 2, 끝항이 98, 항수가 33인 등차수열의 합이므로 $\frac{33(2+98)}{2}=1650$ 정답_ ③

591

50과 100 사이의 자연수 중에서 3으로 나누어떨어지는 수를 차례로 나열하면
51, 54, 57, ⋯, 99
이때, $51=3\times 17,\ 99=3\times 33$이므로 항수는 $33-16=17$이다.
따라서 그 합은 첫째항이 51, 끝항이 99, 항수가 17인 등차수열의 합이므로 $\frac{17(51+99)}{2}=1275$
50과 100 사이의 자연수 중에서 7로 나누어떨어지는 수를 차례로 나열하면
56, 63, 70, ⋯, 98
이때, $56=7\times 8,\ 98=7\times 14$이므로 항수는 $14-7=7$이다.
따라서 그 합은 첫째항이 56, 끝항이 98, 항수가 7인 등차수열의 합이므로 $\frac{7(56+98)}{2}=539$
50과 100 사이의 자연수 중에서 21로 나누어떨어지는 수는 63, 84이므로 그 합은 $63+84=147$
따라서 구하는 합은
(3의 배수의 합)+(7의 배수의 합)−(21의 배수의 합)
$=1275+539-147=1667$ 정답_ 1667

592

수열 $1,\ a_1,\ a_2,\ \cdots,\ a_n,\ 2$가 합이 24인 등차수열을 이룬다고 하면 첫째항이 1, 끝항이 2, 항수가 $n+2$이므로
$\frac{(n+2)(1+2)}{2}=24$ $\quad\therefore n=14$ 정답_ ④

593

등차수열 $-3,\ a_1,\ a_2,\ \cdots,\ a_n,\ 11$에서 첫째항은 -3, 끝항은 11, 항수는 $n+2$이고, 이 수열의 모든 항의 합이 32이므로
$\frac{(n+2)(-3+11)}{2}=32$ $\quad\therefore n=6$
즉, 등차수열 $-3,\ a_1,\ a_2,\ \cdots,\ a_6,\ 11$에서 제8항이 11이므로
$-3+7d=11$ $\quad\therefore d=2$ 정답_ ④

594

선미가 매일 푸는 문제 수는 전날보다 d만큼씩 증가하므로 공차가 d인 등차수열을 이룬다.
(i) 첫째 날에 15문제를 푸는 경우, 아홉째 날까지 문제를 풀고 나면 24문제가 남으므로
$x=15+(15+d)+(15+2d)+\cdots+(15+8d)+24$
$=\frac{9(2\cdot 15+8d)}{2}+24=36d+159$ ······ ㉠

(ii) 첫째 날에 30문제를 푸는 경우, 일곱째 날까지 문제를 풀고 나면 39문제가 남으므로

$x=30+(30+d)+(30+2d)+\cdots+(30+6d)+39$

$=\frac{7(2\cdot30+6d)}{2}+39$

$=21d+249$ …… ㉡

㉠=㉡에서 $36d+159=21d+249$ $\therefore d=6$

$\therefore x=36d+159=36\cdot6+159=375$ 정답_ ③

595

탑의 각 층의 벽돌의 개수는 한 층씩 위로 올라갈수록 일정한 개수만큼 줄어들므로 등차수열을 이룬다.

n층의 벽돌의 개수를 a_n, 공차를 d라고 하면

(i) 15층의 벽돌의 개수가 9이므로

$a_{15}=a_1+14d=9$ …… ㉠

(ii) 탑 전체 벽돌의 개수는 3층 벽돌의 개수의 10배이므로

$\frac{15(2a_1+14d)}{2}=10(a_1+2d)$

$3(a_1+7d)=2(a_1+2d)$

$\therefore a_1+17d=0$ …… ㉡

㉠, ㉡을 연립하여 풀면 $a_1=51, d=-3$

따라서 탑 전체 벽돌의 개수는

$\frac{15(2a_1+14d)}{2}=\frac{15\{2\cdot51+14\cdot(-3)\}}{2}=450$ 정답_ ⑤

596

(1) 첫째항이 3, 공비가 $\frac{9}{3}=3$이므로

$a_n=3\cdot3^{n-1}=3^n$

(2) 첫째항이 16, 공비가 $\frac{8}{16}=\frac{1}{2}$이므로

$a_n=16\cdot\left(\frac{1}{2}\right)^{n-1}=\left(\frac{1}{2}\right)^{n-5}$

정답_ (1) $a_n=3^n$ (2) $a_n=\left(\frac{1}{2}\right)^{n-5}$

597

첫째항을 a, 공비를 r라고 하면 $a_n=ar^{n-1}$

$a_2+a_3=6$에서 $ar+ar^2=6$

$a=1$이므로 $r+r^2=6$, $r^2+r-6=0$

$(r+3)(r-2)=0$ $\therefore r=-3$ 또는 $r=2$

모든 항이 양수이므로 $r>0$ $\therefore r=2$

$\therefore a_6=ar^5=2^5=32$ 정답_ ③

598

첫째항을 a, 공비를 r라고 하면 $a_n=ar^{n-1}$

제4항이 6이므로 $ar^3=6$ …… ㉠

제7항이 12이므로 $ar^6=12$ …… ㉡

㉡÷㉠을 하면 $\frac{ar^6}{ar^3}=\frac{12}{6}$ $\therefore r^3=2$

$r^3=2$를 ㉠에 대입하면 $a=3$

$\therefore a_{10}=ar^9=a\cdot(r^3)^3=3\cdot2^3=24$ 정답_ ④

599

첫째항을 a, 공비를 r라고 하면 $a_n=ar^{n-1}$

제2항이 6이므로 $ar=6$ …… ㉠

제5항이 48이므로 $ar^4=48$ …… ㉡

㉡÷㉠을 하면 $\frac{ar^4}{ar}=\frac{48}{6}$ $\therefore r^3=8$

이때, r는 실수이므로 $r=2$

$r=2$를 ㉠에 대입하면 $a=3$

$\therefore a_n=3\cdot2^{n-1}$

1536이 제n항이라고 하면 $3\cdot2^{n-1}=1536$

$2^{n-1}=512=2^9$, $n-1=9$ $\therefore n=10$ 정답_ ④

600

첫째항을 a, 공비를 r라고 하면 $a_n=ar^{n-1}$

$a_1+a_2=\frac{5}{8}$에서 $a+ar=\frac{5}{8}$ …… ㉠

$a_1a_2a_3=\frac{1}{8}$에서 $a\cdot ar\cdot ar^2=\frac{1}{8}$ $\therefore (ar)^3=\frac{1}{8}$

이때, $ar=a_2$로 실수이므로 $ar=\frac{1}{2}$ …… ㉡

㉡을 ㉠에 대입하면 $a+\frac{1}{2}=\frac{5}{8}$ $\therefore a=\frac{1}{8}$

$a=\frac{1}{8}$을 ㉡에 대입하면 $r=4$

$\therefore a_n=\frac{1}{8}\cdot4^{n-1}$

2^7을 제n항이라고 하면 $\frac{1}{8}\cdot4^{n-1}=2^7$, $4^{n-1}=2^{10}$

$4^{n-1}=(2^2)^5$, $n-1=5$ $\therefore n=6$ 정답_ ②

601

조건 (나)에서 $a_{n+1}=3a_n$이므로 수열 $\{a_n\}$은 공비가 3인 등비수열이다.

조건 (가)에서 $a_1=a_2+4$이므로

$a_1=a_1\cdot3+4$, $2a_1=-4$

$\therefore a_1=-2$

$\therefore a_5=(-2)\cdot3^4=-162$ 정답_ ④

602

공비를 $r(r>0)$라고 하면 첫째항이 3, 제5항이 768이므로

$3r^4=768$, $r^4=256$ $\quad\therefore r=4\ (\because r>0)$

따라서 $a_1=12$, $a_2=48$, $a_3=192$이므로

$a_1+a_2+a_3=12+48+192=252$

정답_ ③

603

한 변의 길이가 3인 정사각형의 넓이는 $3\times3=9$이고, 한 번 시행할 때마다 $\frac{1}{9}$만큼을 제거하므로 $\frac{8}{9}$만큼이 남는다.

1회 시행 후 남아 있는 도형의 넓이는 $9\cdot\frac{8}{9}$

2회 시행 후 남아 있는 도형의 넓이는 $9\cdot\left(\frac{8}{9}\right)^2$

⋮

n회 시행 후 남아 있는 도형의 넓이는 $9\cdot\left(\frac{8}{9}\right)^n$

따라서 20회 시행 후 남아 있는 도형의 넓이는

$9\cdot\left(\frac{8}{9}\right)^{20}=\frac{8^{20}}{9^{19}}=\frac{2^{60}}{3^{38}}$

정답_ ④

604

$x-2$, x, 9가 이 순서대로 등비수열을 이루므로

$x^2=9(x-2)$, $x^2-9x+18=0$

$(x-3)(x-6)=0$ $\quad\therefore x=3$ 또는 $x=6$

정답_ $x=3$ 또는 $x=6$

605

이차방정식 $x^2-kx+125=0$의 두 근이 α, β이므로 근과 계수의 관계에 의해

$\alpha+\beta=k$, $\alpha\beta=125$ ······ ㉠

α, $\beta-\alpha$, β가 등비수열을 이루므로

$(\beta-\alpha)^2=\alpha\beta$ ······ ㉡

$(\beta-\alpha)^2=\beta^2-2\alpha\beta+\alpha^2=(\alpha+\beta)^2-4\alpha\beta$이므로 ㉡에서

$(\alpha+\beta)^2-4\alpha\beta=\alpha\beta$ $\quad\therefore (\alpha+\beta)^2=5\alpha\beta$

위의 식에 ㉠을 대입하면 $k^2=5\cdot125$

$k^2=625$ $\quad\therefore k=25\ (\because k>0)$

정답_ ③

606

등비수열 $\{a_n\}$은 첫째항이 a이고 공비가 $\frac{1}{2}$이므로

$a_3=a\cdot\left(\frac{1}{2}\right)^2=\frac{a}{4}$, $a_7=a\cdot\left(\frac{1}{2}\right)^6=\frac{a}{64}$

a_3, 2, a_7이 이 순서대로 등비수열을 이루므로

$2^2=a_3\cdot a_7$, $4=\frac{a}{4}\cdot\frac{a}{64}$

$a^2=16\cdot64=32^2$

$\therefore a=32$ 또는 $a=-32$

그런데 $a>0$이므로 $a=32$

정답_ ⑤

607

a, 0, b가 등차수열을 이루므로 $2\cdot0=a+b$

$a+b=0$ $\quad\therefore b=-a$ ······ ㉠

$2b$, a, -7이 등비수열을 이루므로 $a^2=2b\cdot(-7)$

$\therefore a^2=-14b$ ······ ㉡

㉠을 ㉡에 대입하면 $a^2=-14\cdot(-a)$

$a^2=14a$, $a(a-14)=0$ $\quad\therefore a=0$ 또는 $a=14$

그런데 $a=0$이면 $b=0$이 되어 0, 0, -7이 등비수열을 이루지 않으므로

$a=14$

정답_ ③

608

세 수를 a, ar, ar^2으로 놓으면

(i) 세 수의 합이 $\frac{7}{2}$이므로

$a+ar+ar^2=\frac{7}{2}$

$\therefore a(1+r+r^2)=\frac{7}{2}$ ······ ㉠

(ii) 세 수의 곱이 1이므로

$a\cdot ar\cdot ar^2=1$ $\quad\therefore (ar)^3=1$

이때, ar는 실수이므로 $ar=1$ ······ ㉡

㉠÷㉡을 하면 $\frac{a(1+r+r^2)}{ar}=\frac{7}{2}$

$2r^2-5r+2=0$, $(r-2)(2r-1)=0$

$\therefore r=2$ 또는 $r=\frac{1}{2}$ ······ ㉢

㉢을 ㉡에 대입하면 $a=\frac{1}{2}$ 또는 $a=2$

따라서 세 수는 $\frac{1}{2}$, 1, 2이므로 세 수의 제곱의 합은

$\frac{1}{4}+1+4=\frac{21}{4}$

정답_ ⑤

609

삼차방정식 $x^3+4x^2-8x+k=0$의 세 근을 a, ar, ar^2으로 놓으면 근과 계수의 관계에 의해

(i) $a+ar+ar^2=-4$

$\therefore a(1+r+r^2)=-4$ ······ ㉠

(ii) $a\cdot ar+ar\cdot ar^2+ar^2\cdot a=-8$

$\therefore a^2r(1+r+r^2)=-8$ ······ ㉡

(iii) $a\cdot ar\cdot ar^2=-k$

$\therefore k=-(ar)^3$ ······ ㉢

㉡÷㉠을 하면 $\dfrac{a^2r(1+r+r^2)}{a(1+r+r^2)}=\dfrac{-8}{-4}$

$\therefore ar=2$ ······ ㉣

㉣을 ㉢에 대입하면 $k=-2^3=-8$

정답_ ①

610

(1) 첫째항부터 제7항까지의 합은

$$\frac{3(2^7-1)}{2-1}=3(2^7-1)=381$$

(2) 첫째항부터 제6항까지의 합은

$$\frac{4\{1-(-3)^6\}}{1-(-3)}=1-(-3)^6=-728$$

정답_ (1) 381 (2) −728

611

(1) 첫째항이 2, 공비가 $\dfrac{4}{2}=2$이므로 256을 제n항이라고 하면

$2\cdot 2^{n-1}=2^n$에서

$2^n=256,\ 2^n=2^8\quad \therefore n=8$

따라서 항수가 8이므로 첫째항부터 제8항까지의 합은

$$\frac{2(2^8-1)}{2-1}=510$$

(2) 첫째항이 1, 공비가 $\dfrac{1}{3}$이므로 $\dfrac{1}{243}$을 제n항이라고 하면

$1\cdot\left(\dfrac{1}{3}\right)^{n-1}=\left(\dfrac{1}{3}\right)^{n-1}$에서

$\left(\dfrac{1}{3}\right)^{n-1}=\dfrac{1}{243},\ \left(\dfrac{1}{3}\right)^{n-1}=\left(\dfrac{1}{3}\right)^5\quad \therefore n=6$

따라서 항수가 6이므로 첫째항부터 제6항까지의 합은

$$\frac{1\cdot\left\{1-\left(\frac{1}{3}\right)^6\right\}}{1-\frac{1}{3}}=\frac{364}{243}$$

정답_ (1) 510 (2) $\dfrac{364}{243}$

612

첫째항을 a, 공비를 r라고 하면 $a_n=ar^{n-1}$

$a_1+a_2+a_4=55$에서 $a+ar+ar^3=55$

$r=2$이므로 $a+2a+8a=55,\ 11a=55$

$\therefore a=5$

따라서 등비수열 $\{a_n\}$의 첫째항이 5, 공비가 2이므로 첫째항부터 제5항까지의 합은 $\dfrac{5(2^5-1)}{2-1}=155$

정답_ ⑤

613

첫째항을 a, 공비를 r라고 하면

$S_2=\dfrac{a(r^2-1)}{r-1}=\dfrac{a(r+1)(r-1)}{r-1}=a(r+1)$

$S_4=\dfrac{a(r^4-1)}{r-1}=\dfrac{a(r+1)(r-1)(r^2+1)}{r-1}$

$=a(r+1)(r^2+1)$

$\dfrac{S_4}{S_2}=10$이므로 $\dfrac{a(r+1)(r^2+1)}{a(r+1)}=10$

$r^2+1=10,\ r^2=9\quad \therefore r=\pm 3$

모든 항이 양수이므로 $r=3$

$\therefore \dfrac{a_6}{a_4}=\dfrac{ar^5}{ar^3}=r^2=9$

정답_ ⑤

614

첫째항을 a, 공비를 r라고 하면

(i) $S_3=8$이므로

$S_3=\dfrac{a(r^3-1)}{r-1}=8$ ······ ㉠

(ii) $S_6=72$이므로

$S_6=\dfrac{a(r^6-1)}{r-1}$

$=\dfrac{a(r^3+1)(r^3-1)}{r-1}=72$ ······ ㉡

㉠을 ㉡에 대입하면 $r^3+1=9\quad \therefore r^3=8$

r는 실수이므로 $r=2$

$\therefore S_9=\dfrac{a(r^9-1)}{r-1}$

$=\dfrac{a(r^3-1)(r^6+r^3+1)}{r-1}$

$=8(2^6+2^3+1)=584$

정답_ ②

615

첫째항을 a, 공비를 r라고 하면 $a_8=ar^7$

$S_{10}=\dfrac{a(r^{10}-1)}{r-1},\ S_8=\dfrac{a(r^8-1)}{r-1}$

$\dfrac{a_8}{S_{10}-S_8}=\dfrac{ar^7}{\dfrac{a(r^{10}-1)}{r-1}-\dfrac{a(r^8-1)}{r-1}}$

$=\dfrac{r^7(r-1)}{r^{10}-r^8}=\dfrac{r-1}{r^3-r}=\dfrac{1}{r(r+1)}$

이므로 $\dfrac{1}{r(r+1)}=\dfrac{4}{3}$

$4r^2+4r-3=0,\ (2r+3)(2r-1)=0$

이때, r는 1이 아닌 양수이므로 $r=\dfrac{1}{2}$

$\therefore a_2=10\cdot\dfrac{1}{2}=5$

정답_ ③

616

$800=2^5\times 5^2$이므로

$x=(5+1)(2+1)=18$

$y=(1+2+2^2+\cdots+2^5)(1+5+5^2)$

$=\dfrac{1\cdot(2^6-1)}{2-1}\times31=1953$

$\therefore x+y=18+1953=1971$ 정답_③

617

$15^{100}=(3\times5)^{100}=3^{100}\times5^{100}$이므로 15^{100}의 양의 약수의 총합은

$(1+3+3^2+\cdots+3^{100})(1+5+5^2+\cdots+5^{100})$

$=\dfrac{1\cdot(3^{101}-1)}{3-1}\times\dfrac{1\cdot(5^{101}-1)}{5-1}$

$=\dfrac{3\cdot3^{100}-1}{2}\times\dfrac{5\cdot5^{100}-1}{4}$

$=\dfrac{(3A-1)(5B-1)}{8}$ 정답_④

618

이동 거리를 전날의 10 %씩 줄여서 여행하므로

첫째 날 이동 거리는 10 km

둘째 날 이동 거리는 10×0.9 (km)

셋째 날 이동 거리는 10×0.9^2 (km)

⋮

30째 날 이동 거리는 10×0.9^{29} (km)

따라서 30일 동안 이동할 거리는

$10+10\times0.9+10\times0.9^2+\cdots+10\times0.9^{29}$

$=\dfrac{10(1-0.9^{30})}{1-0.9}=\dfrac{10(1-0.04)}{0.1}$

$=96$ (km) 정답_④

619

첫째 해의 연봉은 a원

2년째 해의 연봉은 $a\times1.08$원

3년째 해의 연봉은 $a\times1.08^2$원

⋮

19년째 해의 연봉은 $a\times1.08^{18}$원

따라서 입사 19년째 해까지의 연봉의 합은

$a+a\times1.08+a\times1.08^2+\cdots+a\times1.08^{18}$

$=\dfrac{a(1.08^{19}-1)}{1.08-1}$

$=\dfrac{a(4\times1.08-1)}{0.08}$

$=\dfrac{a(4.32-1)}{0.08}$

$=\dfrac{83}{2}a$(원) ······ ㉠

20년째 해의 연봉은 $\dfrac{2}{3}a\times1.08^{18}$(원)이므로 20년째 해부터 28년째 해까지 9년 동안의 연봉의 합은

$\dfrac{2}{3}a\times1.08^{18}\times9=\dfrac{8}{3}a\times9=24a$(원) ······ ㉡

따라서 구하는 연봉의 총합은 ㉠과 ㉡의 합이므로

$\dfrac{83}{2}a+24a=\dfrac{131}{2}a$ 정답_④

620

한 달마다 복리로 계산하므로 한 달 단위로 생각해야 한다. 2년은 24개월이므로 24개월 후의 적립금의 원리합계를 S라고 하면

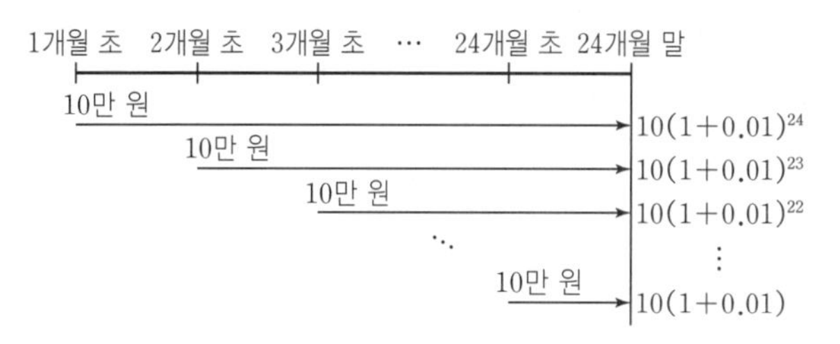

$S=10\times1.01+10\times1.01^2+10\times1.01^3+\cdots+10\times1.01^{24}$

$=\dfrac{10\times1.01(1.01^{24}-1)}{1.01-1}$

$=1010(1.01^{24}-1)$

$=1010(1.3-1)=303$(만 원) 정답_③

621

10년 후의 적립금의 원리합계를 S라고 하면

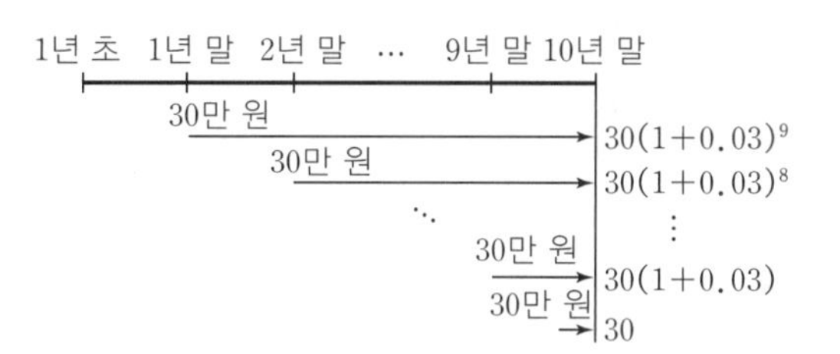

$S=30+30\times1.03+30\times1.03^2+\cdots+30\times1.03^9$

$=\dfrac{30(1.03^{10}-1)}{1.03-1}$

$=1000(1.03^{10}-1)$

$=1000(1.34-1)=340$(만 원) 정답_④

622

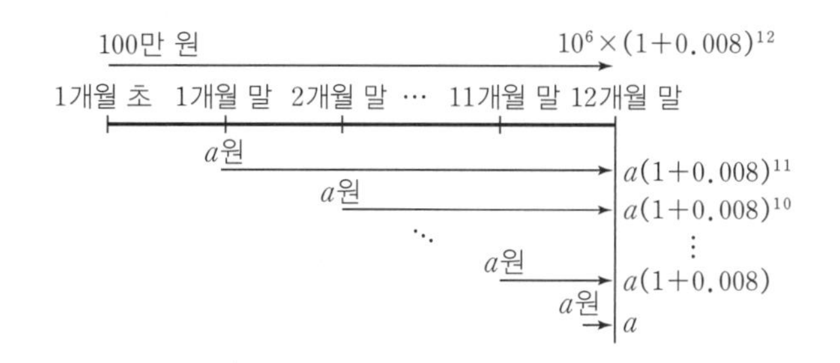

100만 원의 12개월 후의 원리합계는

$10^6\times1.008^{12}=1.1\times10^6$(원) ······ ㉠

매월 말에 a원씩 상환한다고 하면 12개월 말까지 상환할 금액의 원리합계는

$a+a\times1.008+a\times1.008^2+\cdots+a\times1.008^{11}$

$=\dfrac{a(1.008^{12}-1)}{1.008-1}=\dfrac{a(1.1-1)}{0.008}$

$=\dfrac{25}{2}a$(원) ······ ㉡

㉠=㉡이어야 하므로 $\dfrac{25}{2}a=1.1\times10^6$

$\therefore a=1.1\times10^6\times\dfrac{2}{25}=88000$(원)

따라서 매달 88000원씩 상환해야 한다. 정답_③

623

올해 초에 한꺼번에 받는 금액을 S만 원이라고 하면 S만 원의 10년 후의 원리합계와 매년 말에 100만 원씩 10년 동안 받는 금액의 원리합계가 같아야 한다.

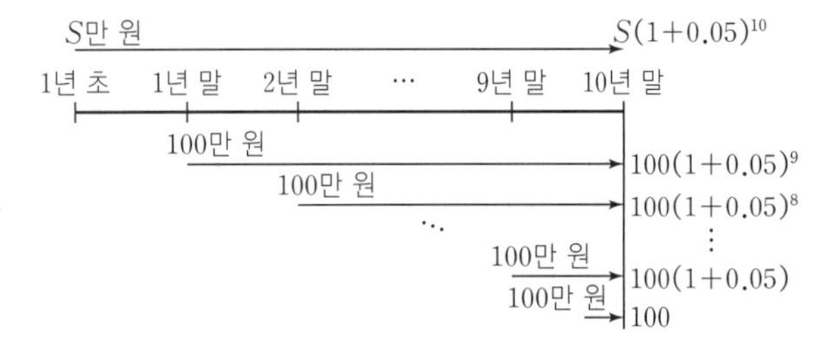

S만 원의 10년 후의 원리합계는

$S\times1.05^{10}=1.6S$(만 원) ······ ㉠

매년 말에 100만 원씩 10년 동안 받는 금액의 원리합계는

$100+100\times1.05+100\times1.05^2+\cdots+100\times1.05^9$

$=\dfrac{100(1.05^{10}-1)}{1.05-1}=\dfrac{100(1.6-1)}{0.05}$

$=1200$(만 원) ······ ㉡

㉠=㉡이어야 하므로

$1.6S=1200$

$\therefore S=750$(만 원) 정답_②

624

김부장이 매년 말에 받을 금액을 a만 원이라고 하면 2억 2천만 원의 20년 후의 원리합계와 매년 말에 a만 원씩 20년간 받는 금액의 원리합계가 같아야 한다.

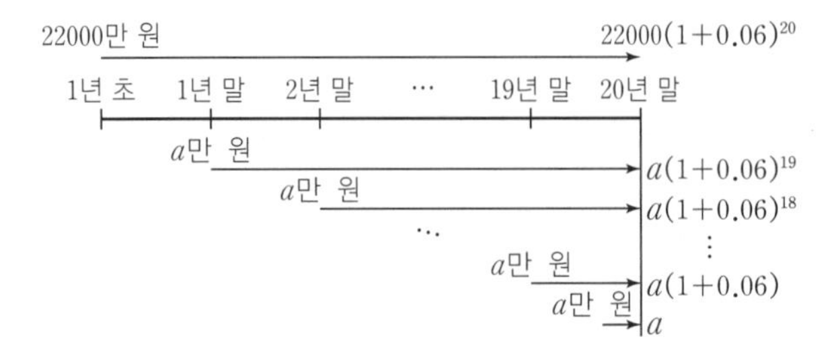

2억 2천만 원의 20년 후의 원리합계는

$22000\times1.06^{20}=22000\times3.2$(만 원) ······ ㉠

매년 말에 a만 원씩 20년간 받는 금액의 원리합계는

$a+a\times1.06+a\times1.06^2+\cdots+a\times1.06^{19}$

$=\dfrac{a(1.06^{20}-1)}{1.06-1}=\dfrac{a(3.2-1)}{0.06}$

$=\dfrac{2.2}{0.06}a$(만 원) ······ ㉡

㉠=㉡이어야 하므로 $\dfrac{2.2}{0.06}a=22000\times3.2$

$\therefore a=22000\times3.2\times\dfrac{0.06}{2.2}=1920$(만 원) 정답_②

625

적립액은 매년 5 %의 비율로 증가한다.

2014년 초 적립액은 200만 원

2015년 초 적립액은 $200(1+0.05)$(만 원)

2016년 초 적립액은 $200(1+0.05)^2$(만 원)

⋮

적립액에 대하여 매년 5 %의 이자를 받는다.

2014년 초 적립액은 20년 동안 이자를 받으므로 원리합계는

$200\times(1+0.05)^{20}=200\times1.05^{20}$(만 원)

2015년 초 적립액은 19년 동안 이자를 받으므로 원리합계는

$200(1+0.05)\times(1+0.05)^{19}=200\times1.05^{20}$(만 원)

2016년 초 적립액은 18년 동안 이자를 받으므로 원리합계는

$200(1+0.05)^2\times(1+0.05)^{18}=200\times1.05^{20}$(만 원)

⋮

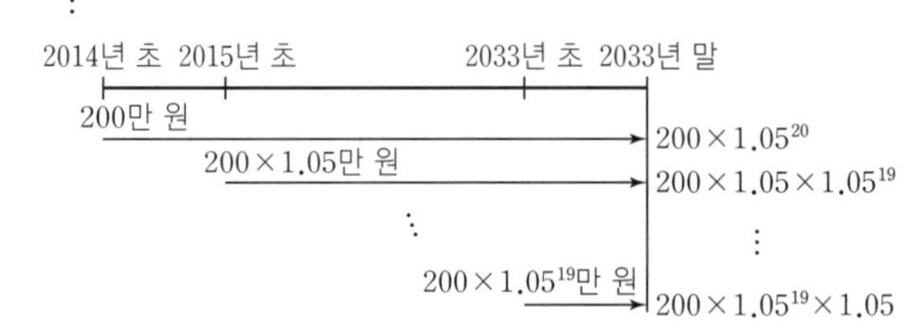

적립액이 증가한 만큼 이자를 받는 기간이 줄어들므로 매년 초 적립액은 결국 모두 200×1.05^{20}(만 원)이 된다.

따라서 2033년 말까지 적립되는 금액의 원리합계는

$200\times1.05^{20}\times20=4000\times2.65=10600$(만 원) 정답_②

626

적립액은 매년 6 %의 비율로 증가한다.

2018년 초 적립액은 100억 원

2019년 초 적립액은 $100(1+0.06)$(억 원)

2020년 초 적립액은 $100(1+0.06)^2$(억 원)

⋮

적립액에 대하여 매년 6 %의 이자를 받는다.

2018년 초 적립액은 10년간 이자를 받으므로 원리합계는

$100\times(1+0.06)^{10}=100\times1.06^{10}$(억 원)

2019년 초 적립액은 9년간 이자를 받으므로 원리합계는

$100(1+0.06)\times(1+0.06)^{9}=100\times1.06^{10}$(억 원)

2020년 초 적립액은 8년간 이자를 받으므로 원리합계는

$100(1+0.06)^{2}\times(1+0.06)^{8}=100\times1.06^{10}$(억 원)

⋮

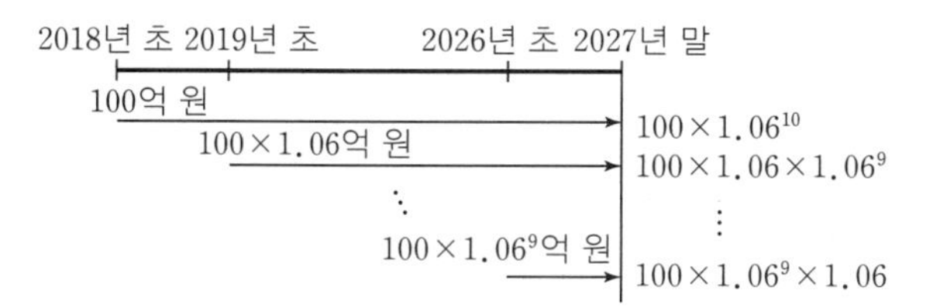

적립액이 증가한 만큼 이자를 받는 기간이 줄어드므로 매년 초 적립액은 모두 100×1.06^{10}(억 원)이 된다.

따라서 2027년 말까지 적립되는 금액의 원리합계는

$100\times1.06^{10}\times10=100\times1.8\times10=1800$(억 원) 정답_②

627

$S_n=n^2+2n$에서

$a_{10}=S_{10}-S_9$

$=(10^2+20)-(9^2+18)=21$ 정답_21

628

$S_n=3^n+3,\ S_{n-1}=3^{n-1}+3$이므로

$a_n=S_n-S_{n-1}=(3^n+3)-(3^{n-1}+3)$

$=2\cdot3^{n-1}\ (n\ge2)$

$a_1=S_1$

$=3^1+3=6$

$a_2=2\cdot3^{2-1}=6$

$a_4=2\cdot3^{4-1}=54$

$\therefore\ \dfrac{a_2+a_4}{a_1}=\dfrac{6+54}{6}=10$ 정답_①

629

$S_n=2n^2-3n+k-3$에서

(i) $n\ge2$일 때

$a_n=S_n-S_{n-1}$

$=(2n^2-3n+k-3)-\{2(n-1)^2-3(n-1)+k-3\}$

$=4n-5$ …… ㉠

(ii) $n=1$일 때

$a_1=S_1=2-3+k-3=k-4$ …… ㉡

이때, 수열 $\{a_n\}$이 첫째항부터 등차수열을 이루려면 ㉠에 $n=1$을 대입한 것과 ㉡이 같아야 하므로

$-1=k-4\quad\therefore\ k=3$ 정답_③

다른 풀이

수열 $\{a_n\}$이 첫째항부터 등차수열을 이루려면 S_n의 상수항 $k-3$이 0이어야 하므로 $k=3$

참고

수열 $\{a_n\}$이 첫째항부터 등차수열을 이루려면

$S_n=An^2+Bn+C$의 상수항이 0이어야 하는 이유는 등차수열의 합의 공식을 떠올리면 이해할 수 있다.

$S_n=\dfrac{n\{2a+(n-1)d\}}{2}=An^2+Bn$

630

$S_n=2^{n-1}+k$에서

(i) $n\ge2$일 때

$a_n=S_n-S_{n-1}=(2^{n-1}+k)-(2^{n-2}+k)$

$=\dfrac{1}{4}\cdot2^n(2-1)=\dfrac{1}{4}\cdot2^n$ …… ㉠

(ii) $n=1$일 때

$a_1=S_1=2^0+k=1+k$ …… ㉡

이때, 수열 $\{a_n\}$이 첫째항부터 등비수열을 이루려면 ㉠에 $n=1$을 대입한 것과 ㉡이 같아야 하므로

$\dfrac{1}{4}\cdot2=1+k\quad\therefore\ k=-\dfrac{1}{2}$ 정답_③

631

첫째항을 a, 공차를 d라고 하면 $a_n=a+(n-1)d$

제3항과 제8항은 절댓값이 같고 부호가 반대이므로

$a_3=-a_8,\ a+2d=-(a+7d)$

$\therefore\ 2a+9d=0$ …… ㉠

제5항이 -2이므로 $a_5=-2$

$\therefore\ a+4d=-2$ …… ㉡

…… ❶

㉠, ㉡을 연립하여 풀면 $a=-18,\ d=4$ …… ❷

$\therefore\ a_n=-18+(n-1)\cdot4=4n-22$

246을 제n항이라고 하면 $4n-22=246$

$\therefore\ n=67$ …… ❸

정답_67

단계	채점 기준	비율
❶	첫째항 a, 공차 d에 대한 연립방정식 세우기	50%
❷	a, d의 값 구하기	20%
❸	246이 제 몇 항인지 구하기	30%

632

$f(x)=ax^2+x+1$을 일차식 $x+1,\ x-2,\ x-3$으로 나누었을 때의 나머지는 각각

$r_1=f(-1)=a,\ r_2=f(2)=4a+3,\ r_3=f(3)=9a+4$ …… ❶

r_2가 r_1과 r_3의 등차중항이므로 $2r_2=r_1+r_3$

$2(4a+3)=a+(9a+4) \qquad \therefore a=1$ ❷

정답_ 1

단계	채점 기준	비율
❶	r_1, r_2, r_3을 a에 대한 식으로 나타내기	50%
❷	a의 값 구하기	50%

633

첫째항을 a, 공차를 d라고 하면 $a_n=a+(n-1)d$

$a_3=26$에서 $a+2d=26$ ······ ㉠

$a_9=8$에서 $a+8d=8$ ······ ㉡

㉠, ㉡을 연립하여 풀면 $a=32,\ d=-3$ ❶

$\therefore a_n=32+(n-1)\cdot(-3)=-3n+35$ ❷

$a_n<0$에서 $-3n+35<0 \qquad \therefore n>11.66\cdots$

따라서 제12항부터는 음수이므로 첫째항부터 제11항까지의 합이 최대이다.

$\therefore n=11$ ❸

정답_ 11

단계	채점 기준	비율
❶	첫째항과 공차 구하기	40%
❷	a_n 구하기	20%
❸	n의 값 구하기	40%

634

첫째항이 50, 공차가 -3이므로

$a_n=50+(n-1)\cdot(-3)=-3n+53$

$a_n<0$에서 $-3n+53<0 \qquad \therefore n>17.66\cdots$

따라서 제18항부터는 음수이다. ❶

첫째항부터 제n항까지의 합을 S_n이라고 하면 구하는 값은

$|a_1|+|a_2|+\cdots+|a_{30}|$

$=a_1+a_2+\cdots+a_{17}-a_{18}-a_{19}-\cdots-a_{30}$

$=(a_1+a_2+\cdots+a_{17})-(a_{18}+a_{19}+\cdots+a_{30})$

$=S_{17}-(S_{30}-S_{17})=2S_{17}-S_{30}$

$=2\cdot\dfrac{17\{2\cdot50+16\cdot(-3)\}}{2}-\dfrac{30\{2\cdot50+29\cdot(-3)\}}{2}$

$=689$ ❷

정답_ 689

단계	채점 기준	비율
❶	처음으로 음수가 되는 항 구하기	40%
❷	각 항의 절댓값의 합 구하기	60%

635

이차방정식 $x^2-mx+n=0$의 두 근이 α, β이므로 근과 계수의 관계에 의해

$\alpha+\beta=m,\ \alpha\beta=n$ ❶

α, 2, β는 이 순서대로 등차수열을 이루므로

$4=\alpha+\beta \qquad \therefore m=4$ ❷

α, 3, β는 이 순서대로 등비수열을 이루므로

$9=\alpha\beta \qquad \therefore n=9$ ❸

$\therefore m+n=\mathbf{13}$ ❹

정답_ 13

단계	채점 기준	비율
❶	$\alpha+\beta$, $\alpha\beta$의 값 구하기	30%
❷	m의 값 구하기	30%
❸	n의 값 구하기	30%
❹	$m+n$의 값 구하기	10%

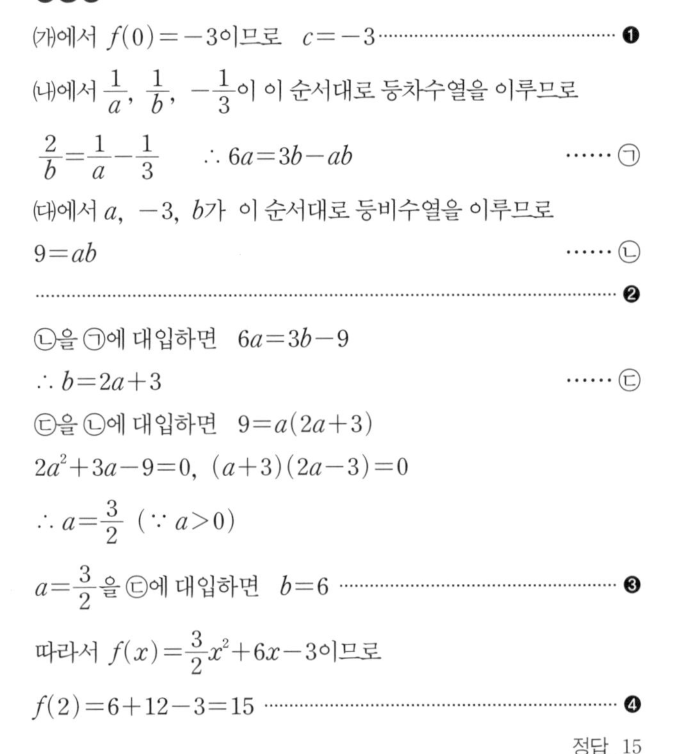

636

(가)에서 $f(0)=-3$이므로 $c=-3$ ❶

(나)에서 $\dfrac{1}{a}$, $\dfrac{1}{b}$, $-\dfrac{1}{3}$이 이 순서대로 등차수열을 이루므로

$\dfrac{2}{b}=\dfrac{1}{a}-\dfrac{1}{3} \qquad \therefore 6a=3b-ab$ ······ ㉠

(다)에서 a, -3, b가 이 순서대로 등비수열을 이루므로

$9=ab$ ······ ㉡

❷

㉡을 ㉠에 대입하면 $6a=3b-9$

$\therefore b=2a+3$ ······ ㉢

㉢을 ㉡에 대입하면 $9=a(2a+3)$

$2a^2+3a-9=0,\ (a+3)(2a-3)=0$

$\therefore a=\dfrac{3}{2}\ (\because a>0)$

$a=\dfrac{3}{2}$을 ㉢에 대입하면 $b=6$ ❸

따라서 $f(x)=\dfrac{3}{2}x^2+6x-3$이므로

$f(2)=6+12-3=15$ ❹

정답_ 15

단계	채점 기준	비율
❶	c의 값 구하기	10%
❷	a, b에 대한 연립방정식 세우기	40%
❸	a, b의 값 구하기	40%
❹	$f(2)$의 값 구하기	10%

637

200만 원 중 100만 원은 일시불로 지불하였으므로 나머지 100만 원만 생각하면 된다.

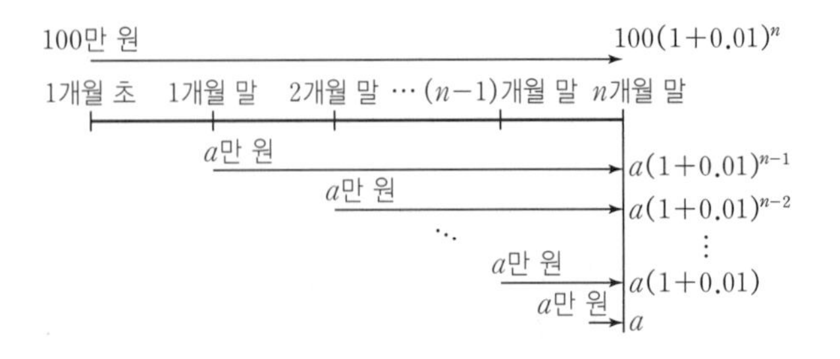

100만 원의 n개월 후의 원리합계는

100×1.01^n(만 원) ...... ㉠

.... ❶

매월 말에 a만 원씩 갚아야 한다고 하면 n개월 말까지 갚아야 할 금액의 원리합계는

$a+a\times1.01+a\times1.01^2+\cdots+a\times1.01^{n-1}$

$=\dfrac{a(1.01^n-1)}{1.01-1}=100a(1.01^n-1)$(만 원) ...... ㉡

.... ❷

㉠=㉡이어야 하므로 $100a(1.01^n-1)=100\times1.01^n$

$\therefore a=\dfrac{1.01^n}{1.01^n-1}$(만 원) .... ❸

정답_ $\dfrac{1.01^n}{1.01^n-1}$만 원

단계	채점 기준	비율
❶	100만 원의 n개월 후의 원리합계 구하기	40%
❷	매월 말 a만 원씩 n개월 말까지 갚아야 할 금액의 원리합계 구하기	40%
❸	매월 말 갚아야 할 금액을 n에 대한 식으로 나타내기	20%

638

ㄱ은 옳지 않다.

등차수열 $\{a_n\}$의 공차가 d이므로

$a_2-a_1=a_4-a_3=d$

$\therefore T_4=(a_1-a_2)+(a_3-a_4)=-d-d=-2d$

ㄴ은 옳다.

$a_3-a_2=a_5-a_4=d$이므로

$T_5=a_1+(-a_2+a_3)+(-a_4+a_5)=a_1+2d=a_3$

ㄷ도 옳다.

ㄱ과 같은 방법으로 생각하면

$T_2=-d,\ T_4=-2d,\ T_6=-3d,\ \cdots$

이므로 수열 $\{T_{2n}\}$은 공차가 $-d$인 등차수열이다.

따라서 옳은 것은 ㄴ, ㄷ이다. 정답_ ⑤

639

접선 l과 선분 AB가 이루는 예각의 크기가 $18°$이고, $l\perp\overline{OA}$이므로 $\angle OAB=\angle OBA=90°-18°=72°$

$\therefore \angle AOB=180°-(72°+72°)=36°$

삼각형 OAC에서 $\angle OAC=\alpha$, $\angle OCA=\beta$라고 하면 가장 긴 변이 선분 OA이므로 가장 큰 내각의 크기는 β이다.

이때, $\angle AOC=36°$이므로 $\alpha+\beta+36°=180°$

$\therefore \alpha+\beta=144°$ ...... ㉠

삼각형 OAC의 세 내각의 크기가 등차수열을 이루므로

(i) $36°,\ \alpha,\ \beta$가 이 순서대로 등차수열을 이룰 때

$2\alpha=\beta+36°$ ...... ㉡

㉠, ㉡을 연립하여 풀면 $\alpha=60°,\ \beta=84°$

(ii) $\alpha,\ 36°,\ \beta$가 이 순서대로 등차수열을 이룰 때

$\alpha+\beta=72°$가 되므로 ㉠에 모순이다.

(i), (ii)에 의해 가장 큰 내각의 크기는 $\beta=84°$ 정답_ ⑤

640

$S_n=\dfrac{n\{2a+(n-1)\cdot(-4)\}}{2}=-2n^2+(a+2)n$

$S_n<800$에서 $-2n^2+(a+2)n<800$

$\therefore 2n^2-(a+2)n+800>0$ ...... ㉠

모든 자연수 n에 대하여 ㉠이 성립하려면

$2n^2-(a+2)n+800=0$의 판별식을 D라고 할 때,

$D=(a+2)^2-6400<0$이어야 하므로

$-80<a+2<80$ $\therefore -82<a<78$

따라서 자연수 a의 최댓값은 77이다. 정답_ 77

641

(가)에서 처음 4개 항의 합은 26이므로

$a_1+a_2+a_3+a_4=26$ ...... ㉠

(나)에서 마지막 4개 항의 합은 134이므로

$a_{n-3}+a_{n-2}+a_{n-1}+a_n=134$ ...... ㉡

㉠+㉡을 하면

$a_1+a_2+a_3+a_4+a_{n-3}+a_{n-2}+a_{n-1}+a_n=160$

이때, 수열 $\{a_n\}$은 등차수열이므로

$a_1+a_n=a_2+a_{n-1}=a_3+a_{n-2}=a_4+a_{n-3}$

즉, $4(a_1+a_n)=160$이므로 $a_1+a_n=40$

(다)에서 $a_1+a_2+a_3+\cdots+a_n=260$이므로

$\dfrac{n(a_1+a_n)}{2}=260,\ \dfrac{40n}{2}=260$

$\therefore n=13$ 정답_ 13

642

(가)에서 $e=\sqrt{cd}$, 즉 $e^2=cd$이므로 e는 c와 d의 등비중항이다.

$\therefore c,\ e,\ d$ 또는 $d,\ e,\ c$ ...... ㉠

(나)에서 $\dfrac{a}{e}=\dfrac{c}{d}$이므로 ㉠에 의해

$a,\ c,\ e,\ d$ 또는 $d,\ e,\ c,\ a$ ...... ㉡

(다)에서 $a<b$이므로 ㉠, ㉡에 의해

$a,\ c,\ e,\ d,\ b$ 또는 $d,\ e,\ c,\ a,\ b$

따라서 b는 제5항이다. 정답_ ⑤

643

등비수열 $\{a_n\}$의 첫째항을 a, 공비를 r라고 하면

$A=a_1+a_2+a_3+\cdots+a_n$

$=a+ar+ar^2+\cdots+ar^{n-1}=\dfrac{a(r^n-1)}{r-1}$

$B=a_{n+1}+a_{n+2}+a_{n+3}+\cdots+a_{2n}$

$=ar^n+ar^{n+1}+ar^{n+2}+\cdots+ar^{2n-1}=\dfrac{ar^n(r^n-1)}{r-1}$

$C=a_{2n+1}+a_{2n+2}+a_{2n+3}+\cdots+a_{3n}$

$=ar^{2n}+ar^{2n+1}+ar^{2n+2}+\cdots+ar^{3n-1}=\dfrac{ar^{2n}(r^n-1)}{r-1}$

이므로 A, B, C는 공비가 $\boxed{(가)\ r^n}$인 등비수열을 이룬다.

등비중항의 성질에 의해 $\boxed{(나)\ B^2}=AC$

$A=p,\ B=q-p,\ C=S_{3n}-q$를 $B^2=AC$에 대입하면

$(q-p)^2=p(S_{3n}-q),\ q^2-2pq+p^2=pS_{3n}-pq$

$pS_{3n}=p^2-pq+q^2 \qquad \therefore S_{3n}=\boxed{(다)\ \dfrac{p^2-pq+q^2}{p}}$

정답_③

644

$a,\ n,\ x$가 이 순서대로 등비수열을 이루므로 $n^2=ax$

$\therefore \dfrac{a}{n}=\boxed{(가)\ \dfrac{n}{x}}$

한편, $n\neq0,\ a\neq0$이므로

$1\leq n<\dfrac{n}{a}=\dfrac{1}{\boxed{(가)\ \dfrac{n}{x}}}=\dfrac{x}{n}=\dfrac{n+a}{n}=1+\boxed{(나)\ \dfrac{a}{n}}<2$

$\therefore 1\leq n<2$

이때, n은 정수이므로 $n=1$

$n=1$을 $\dfrac{a}{n}=\boxed{(가)\ \dfrac{n}{x}}$에 대입하면

$\dfrac{a}{1}=\dfrac{1}{x} \qquad \therefore ax=1$ ······㉠

$x=n+a=1+a$에서 $a=x-1$ ······㉡

㉡을 ㉠에 대입하면 $(x-1)x=1 \qquad \therefore x=\dfrac{1\pm\sqrt{5}}{2}$

이때, $x>0$이므로 $x=\boxed{(다)\ \dfrac{\sqrt{5}+1}{2}}$

정답_④

645

$n\geq2$일 때, $a_{n+1}=S_{n+1}-S_n,\ a_n=S_n-S_{n-1}$이므로

$S_{n+1}-S_{n-1}=a_{n+1}+a_n$

$(S_{n+1}-S_{n-1})^2=4a_na_{n+1}+9$에서

$(a_{n+1}+a_n)^2=4a_na_{n+1}+9,\ (a_{n+1})^2-2a_na_{n+1}+(a_n)^2=9$

$\therefore (a_{n+1}-a_n)^2=9$

$a_1<a_2<a_3<\cdots<a_n<\cdots$이므로 $a_{n+1}-a_n=3$

한편, $a_2-a_1=5-2=3$이므로 모든 자연수 n에 대하여

$a_{n+1}-a_n=3$이 성립한다.

따라서 수열 $\{a_n\}$은 첫째항이 2, 공차가 3인 등차수열이므로

$a_{10}=2+9\cdot3=29$

정답_⑤

09 여러 가지 수열의 합

646

$\sum_{k=1}^{10} a_k=a_1+a_2+a_3+\cdots+a_{10}$

ㄱ. $\sum_{k=1}^{5} a_k+\sum_{k=6}^{10} a_k=(a_1+a_2+\cdots+a_5)+(a_6+a_7+\cdots+a_{10})$

ㄴ. $\sum_{k=1}^{5}(a_k+a_{k+5})$

$=(a_1+a_6)+(a_2+a_7)+\cdots+(a_5+a_{10})$

$=a_1+a_2+\cdots+a_{10}$

ㄷ. $\sum_{k=1}^{5}(a_{2k-1}+a_{2k})$

$=(a_1+a_2)+(a_3+a_4)+\cdots+(a_9+a_{10})$

$=a_1+a_2+\cdots+a_{10}$

따라서 $\sum_{k=1}^{10} a_k$의 값과 같은 것은 ㄱ, ㄴ, ㄷ이다.

정답_⑤

647

ㄱ은 옳다.

$\sum_{i=1}^{3} i^2=1^2+2^2+3^2=\sum_{j=1}^{3} j^2$

ㄴ은 옳지 않다.

$\sum_{i=1}^{3} ij=j+2j+3j=6j$

$\sum_{j=1}^{3} ij=i+2i+3i=6i$

$\therefore \sum_{i=1}^{3} ij\neq\sum_{j=1}^{3} ij$

ㄷ도 옳다.

$\sum_{i=0}^{3} i^3=0^3+1^3+2^3+3^3=1^3+2^3+3^3=\sum_{i=1}^{3} i^3$

따라서 옳은 것은 ㄱ, ㄷ이다.

정답_③

648

(1) $\sum_{k=1}^{5}(5a_k+b_k)=5\sum_{k=1}^{5} a_k+\sum_{k=1}^{5} b_k=5\cdot4+14=34$

(2) $\sum_{k=1}^{5}(a_k-3b_k)=\sum_{k=1}^{5} a_k-3\sum_{k=1}^{5} b_k=4-3\cdot14=-38$

정답_(1) 34 (2) −38

649

$\sum_{k=1}^{10}(2a_k-p)^2=\sum_{k=1}^{10}(4a_k^2-4pa_k+p^2)$

$=4\sum_{k=1}^{10} a_k^2-4p\sum_{k=1}^{10} a_k+\sum_{k=1}^{10} p^2$

$=4\cdot20-4p\cdot10+10p^2=50$

$10p^2-40p+30=0,\ p^2-4p+3=0$

$(p-1)(p-3)=0 \qquad \therefore p=1$ 또는 $p=3$

따라서 구하는 모든 실수 p의 값의 합은

$1+3=4$ 정답_④

650

$\sum_{k=1}^{10}(a_k{}^2+b_k{}^2)=\sum_{k=1}^{10}\{(a_k+b_k)^2-2a_kb_k\}$

$=\sum_{k=1}^{10}(a_k+b_k)^2-2\sum_{k=1}^{10}a_kb_k$

$=50-2\cdot10=30$ 정답_③

651

(1) $\sum_{k=1}^{10}(k-1)(k+2)=\sum_{k=1}^{10}(k^2+k-2)$

$=\sum_{k=1}^{10}k^2+\sum_{k=1}^{10}k-\sum_{k=1}^{10}2$

$=\frac{10\cdot11\cdot21}{6}+\frac{10\cdot11}{2}-2\cdot10$

$=385+55-20=420$

(2) $\sum_{k=1}^{10}(k+2)(k-2)=\sum_{k=1}^{10}(k^2-4)$

$=\sum_{k=1}^{10}k^2-\sum_{k=1}^{10}4=\frac{10\cdot11\cdot21}{6}-4\cdot10$

$=385-40=345$

정답_(1) 420 (2) 345

652

$\sum_{k=1}^{9}\frac{k^3}{k+1}+\sum_{k=1}^{9}\frac{1}{k+1}$

$=\sum_{k=1}^{9}\frac{k^3+1}{k+1}=\sum_{k=1}^{9}\frac{(k+1)(k^2-k+1)}{k+1}$

$=\sum_{k=1}^{9}(k^2-k+1)=\sum_{k=1}^{9}k^2-\sum_{k=1}^{9}k+\sum_{k=1}^{9}1$

$=\frac{9\cdot10\cdot19}{6}-\frac{9\cdot10}{2}+1\cdot9$

$=285-45+9=249$ 정답_⑤

653

$\sum_{n=1}^{10}\frac{1^3+2^3+3^3+\cdots+n^3}{n^2+n}$

$=\sum_{n=1}^{10}\frac{\left\{\frac{n(n+1)}{2}\right\}^2}{n(n+1)}=\sum_{n=1}^{10}\frac{n(n+1)}{4}$

$=\frac{1}{4}\left(\sum_{n=1}^{10}n^2+\sum_{n=1}^{10}n\right)$

$=\frac{1}{4}\left(\frac{10\cdot11\cdot21}{6}+\frac{10\cdot11}{2}\right)=110$ 정답_②

654

$\sum_{k=1}^{n}(k^2-2)-\sum_{k=1}^{n-1}(k^2+3)$

$=\sum_{k=1}^{n}(k^2-2)-\left\{\sum_{k=1}^{n}(k^2+3)-(n^2+3)\right\}$

$=\left\{\sum_{k=1}^{n}(k^2-2)-\sum_{k=1}^{n}(k^2+3)\right\}+(n^2+3)$

$=\sum_{k=1}^{n}\{(k^2-2)-(k^2+3)\}+(n^2+3)$

$=\sum_{k=1}^{n}(-5)+(n^2+3)=53$

$-5n+(n^2+3)=53,\ n^2-5n-50=0$

$(n+5)(n-10)=0 \qquad \therefore n=-5$ 또는 $n=10$

이때, n은 자연수이므로 $n=10$ 정답_③

655

$f(x)=\sum_{k=1}^{10}(x-k)^2$

$=\sum_{k=1}^{10}(x^2-2kx+k^2)$

$=\sum_{k=1}^{10}x^2-2x\sum_{k=1}^{10}k+\sum_{k=1}^{10}k^2$

$=10x^2-2x\cdot\frac{10\cdot11}{2}+\frac{10\cdot11\cdot21}{6}$

$=10x^2-110x+385$

$=10\left(x-\frac{11}{2}\right)^2-10\cdot\left(\frac{11}{2}\right)^2+385$

이 이차함수는 $x=\frac{11}{2}$에서 최솟값을 가지므로

$a=\frac{11}{2}$ 정답_③

656

(1) 주어진 수열의 제k항을 a_k라고 하면

$a_k=k(k+1)=k^2+k$

따라서 구하는 합은 첫째항부터 제15항까지의 합이므로

$\sum_{k=1}^{15}a_k=\sum_{k=1}^{15}(k^2+k)$

$=\sum_{k=1}^{15}k^2+\sum_{k=1}^{15}k$

$=\frac{15\cdot16\cdot31}{6}+\frac{15\cdot16}{2}$

$=1240+120=1360$

(2) 주어진 수열의 제k항을 a_k라고 하면

$a_k=k(2k+1)=2k^2+k$

따라서 구하는 합은 첫째항부터 제10항까지의 합이므로

$\sum_{k=1}^{10}a_k=\sum_{k=1}^{10}(2k^2+k)=2\sum_{k=1}^{10}k^2+\sum_{k=1}^{10}k$

$=2\cdot\frac{10\cdot11\cdot21}{6}+\frac{10\cdot11}{2}$

$=770+55=825$ 정답_(1) 1360 (2) 825

657

주어진 수열의 제k항을 a_k라고 하면

$a_k=2+4+6+\cdots+2k=2(1+2+3+\cdots+k)$

$=2\cdot\frac{k(k+1)}{2}=k^2+k$

따라서 첫째항부터 제n항까지의 합은

$\sum_{k=1}^{n}a_k=\sum_{k=1}^{n}(k^2+k)=\sum_{k=1}^{n}k^2+\sum_{k=1}^{n}k$

$=\frac{n(n+1)(2n+1)}{6}+\frac{n(n+1)}{2}$

$=\frac{n(n+1)\{(2n+1)+3\}}{6}$

$=\frac{1}{3}n(n+1)(n+2)$ 정답_②

658

$9=10-1,\ 99=100-1=10^2-1,\ 999=1000-1=10^3-1,$

$\cdots$이므로 주어진 수열의 제k항을 a_k라고 하면

$a_k=10^k-1$

따라서 첫째항부터 제9항까지의 합은

$\sum_{k=1}^{9}a_k=\sum_{k=1}^{9}(10^k-1)=\sum_{k=1}^{9}10^k-\sum_{k=1}^{9}1$

$=\frac{10(10^9-1)}{10-1}-9=\frac{1}{9}(10^{10}-91)$ 정답_③

659

주어진 수열의 제k항을 a_k라고 하면

$a_k=1+2+2^2+\cdots+2^{k-1}=\frac{1\cdot(2^k-1)}{2-1}=2^k-1$

따라서 첫째항부터 제10항까지의 합은

$\sum_{k=1}^{10}a_k=\sum_{k=1}^{10}(2^k-1)=\sum_{k=1}^{10}2^k-\sum_{k=1}^{10}1$

$=\frac{2(2^{10}-1)}{2-1}-10=2036$ 정답_③

660

수열 $1\cdot n,\ 2\cdot(n-1),\ 3\cdot(n-2),\ \cdots,\ (n-1)\cdot 2,\ n\cdot 1$의 제$k$항을 a_k라고 하면

$a_k=k\{n-(k-1)\}=-k^2+(n+1)k$

주어진 식은 첫째항부터 제n항까지의 합이므로

$\sum_{k=1}^{n}a_k=\sum_{k=1}^{n}\{-k^2+(n+1)k\}=-\sum_{k=1}^{n}k^2+(n+1)\sum_{k=1}^{n}k$

$=-\frac{n(n+1)(2n+1)}{6}+(n+1)\cdot\frac{n(n+1)}{2}$

$=\frac{n(n+1)\{-(2n+1)+3(n+1)\}}{6}$

$=\frac{1}{6}n(n+1)(n+2)$ 정답_⑤

661

수열 $\{a_n\}$은 첫째항이 1이고 공비가 2인 등비수열이므로

$a_n=2^{n-1}$

$\therefore \sum_{k=1}^{5}a_{2k-1}=\sum_{k=1}^{5}2^{(2k-1)-1}=\frac{1}{4}\sum_{k=1}^{5}4^k$

$=\frac{1}{4}\cdot\frac{4(4^5-1)}{4-1}$

$=\frac{1}{3}(2^{10}-1)=341$ 정답_①

662

다항식 $(x+2)^n$을 $x-1$로 나눈 나머지는 $(x+2)^n$에 $x=1$을 대입한 값과 같으므로 $a_n=3^n$

$\therefore \sum_{n=1}^{5}a_n=\sum_{n=1}^{5}3^n=\frac{3(3^5-1)}{3-1}=363$ 정답_④

663

$S_n=\sum_{k=1}^{n}a_k=n^2-n$으로 놓으면

(i) $n\geq 2$일 때

$a_n=S_n-S_{n-1}=n^2-n-\{(n-1)^2-(n-1)\}$

$=2n-2$ ⋯⋯ ㉠

(ii) $n=1$일 때

$a_1=S_1=1-1=0$

이때, $a_1=0$은 ㉠에 $n=1$을 대입한 것과 같으므로

$a_n=2n-2\ (n\geq 1)$

$\therefore \sum_{k=1}^{10}ka_{4k+1}=\sum_{k=1}^{10}k\{2(4k+1)-2\}$

$=\sum_{k=1}^{10}8k^2=8\cdot\frac{10\cdot 11\cdot 21}{6}$

$=3080$ 정답_④

664

$S_n=\sum_{k=1}^{n}a_k=2^n-1$로 놓으면

(i) $n\geq 2$일 때

$a_n=(2^n-1)-(2^{n-1}-1)$

$=(2-1)\cdot 2^{n-1}=2^{n-1}$ ⋯⋯ ㉠

(ii) $n=1$일 때

$a_1=S_1=2^1-1=1$

이때, $a_1=1$은 ㉠에 $n=1$을 대입한 것과 같으므로

$a_n=2^{n-1}\ (n\geq 1)$

$a_n=2^{n-1}$에서 $a_{2k+1}=2^{(2k+1)-1}=4^k$이므로

$\sum_{k=1}^{5}a_{2k+1}=\sum_{k=1}^{5}4^k=\frac{4(4^5-1)}{4-1}$

$=\frac{4\cdot 1023}{3}=1364$ 정답_③

665

3^{n-1}의 모든 양의 약수의 합이 a_n이므로

$$a_n=1+3+3^2+\cdots+3^{n-1}=\frac{1\cdot(3^n-1)}{3-1}=\frac{1}{2}(3^n-1)$$

$$\therefore \sum_{n=1}^{4}a_n=\sum_{n=1}^{4}\left\{\frac{1}{2}(3^n-1)\right\}=\frac{1}{2}\sum_{n=1}^{4}3^n-\sum_{n=1}^{4}\frac{1}{2}$$

$$=\frac{1}{2}\cdot\frac{3(3^4-1)}{3-1}-2$$

$$=60-2=58$$

정답_ 58

666

$$\sum_{k=1}^{5}\left\{\sum_{l=1}^{5}(k+l)\right\}=\sum_{k=1}^{5}\left(\sum_{l=1}^{5}k+\sum_{l=1}^{5}l\right)=\sum_{k=1}^{5}\left(5k+\frac{5\cdot6}{2}\right)$$

$$=5\sum_{k=1}^{5}k+\sum_{k=1}^{5}15=5\cdot\frac{5\cdot6}{2}+15\cdot5$$

$$=75+75=150$$

정답_ ③

667

$$\sum_{i=1}^{6}a_i=\sum_{i=1}^{6}(2^i-10)=\frac{2(2^6-1)}{2-1}-60=66$$

$$\sum_{j=1}^{6}b_j=\sum_{j=1}^{6}(2j-6)=2\cdot\frac{6\cdot7}{2}-36=6$$

$$\therefore \sum_{i=1}^{6}\left(\sum_{j=1}^{6}a_ib_j\right)=\sum_{i=1}^{6}\left(a_i\sum_{j=1}^{6}b_j\right)=\sum_{i=1}^{6}(a_i\cdot6)$$

$$=6\sum_{i=1}^{6}a_i=6\cdot66=396$$

정답_ ⑤

668

$$\sum_{i=1}^{6}\left\{\sum_{j=1}^{i}\left(\sum_{k=1}^{j}6\right)\right\}$$

$$=\sum_{i=1}^{6}\left(\sum_{j=1}^{i}6j\right)=\sum_{i=1}^{6}\left\{6\cdot\frac{i(i+1)}{2}\right\}$$

$$=3\sum_{i=1}^{6}(i^2+i)=3\left(\sum_{i=1}^{6}i^2+\sum_{i=1}^{6}i\right)$$

$$=3\left(\frac{6\cdot7\cdot13}{6}+\frac{6\cdot7}{2}\right)=336$$

정답_ ③

669

$$\sum_{k=1}^{n}2^{k-n}=\sum_{k=1}^{n}\frac{2^k}{2^n}=\frac{1}{2^n}\sum_{k=1}^{n}2^k$$

$$=\frac{1}{2^n}\cdot\frac{2(2^n-1)}{2-1}=2\left(1-\frac{1}{2^n}\right)$$

$$\therefore p=\sum_{n=1}^{5}\left(\sum_{k=1}^{n}2^{k-n}\right)=\sum_{n=1}^{5}2\left(1-\frac{1}{2^n}\right)=2\left\{\sum_{n=1}^{5}1-\sum_{n=1}^{5}\left(\frac{1}{2}\right)^n\right\}$$

$$=2\cdot5-2\cdot\frac{\frac{1}{2}\left\{1-\left(\frac{1}{2}\right)^5\right\}}{1-\frac{1}{2}}$$

$$=10-2+\frac{1}{16}=8+\frac{1}{16}$$

따라서 p의 정수 부분은 8이다.

정답_ ④

670

$$\sum_{k=1}^{7}\frac{1}{(k+1)(k+2)}$$

$$=\sum_{k=1}^{7}\left(\frac{1}{k+1}-\frac{1}{k+2}\right)$$

$$=\left(\frac{1}{2}-\frac{1}{3}\right)+\left(\frac{1}{3}-\frac{1}{4}\right)+\cdots+\left(\frac{1}{8}-\frac{1}{9}\right)$$

$$=\frac{1}{2}-\frac{1}{9}=\frac{7}{18}$$

정답_ ⑤

671

$$\sum_{k=1}^{n}\frac{2}{k(k+1)}$$

$$=2\sum_{k=1}^{n}\left(\frac{1}{k}-\frac{1}{k+1}\right)$$

$$=2\left\{\left(\frac{1}{1}-\frac{1}{2}\right)+\left(\frac{1}{2}-\frac{1}{3}\right)+\left(\frac{1}{3}-\frac{1}{4}\right)+\cdots+\left(\frac{1}{n}-\frac{1}{n+1}\right)\right\}$$

$$=2\left(1-\frac{1}{n+1}\right)=\frac{2n}{n+1}$$

$\frac{2n}{n+1}=\frac{15}{8}$이므로

$$\frac{n}{n+1}=\frac{15}{16}\qquad\therefore n=15$$

정답_ ③

672

주어진 수열의 제k항을 a_k라고 하면

$$a_k=\frac{1}{(3k-2)(3k+1)}=\frac{1}{3}\left(\frac{1}{3k-2}-\frac{1}{3k+1}\right)$$

따라서 첫째항부터 제10항까지의 합은

$$\sum_{k=1}^{10}a_k=\frac{1}{3}\sum_{k=1}^{10}\left(\frac{1}{3k-2}-\frac{1}{3k+1}\right)$$

$$=\frac{1}{3}\left\{\left(1-\frac{1}{4}\right)+\left(\frac{1}{4}-\frac{1}{7}\right)+\cdots+\left(\frac{1}{28}-\frac{1}{31}\right)\right\}$$

$$=\frac{1}{3}\left(1-\frac{1}{31}\right)=\frac{10}{31}$$

정답_ ②

673

분모가 세 토막인 문제는 가운데 토막을 앞으로 끄집어내어 부분 분수로 변형한다.

수열 $\frac{1}{1\cdot2\cdot3},\ \frac{1}{2\cdot3\cdot4},\ \frac{1}{3\cdot4\cdot5},\ \cdots,\ \frac{1}{8\cdot9\cdot10}$의 제$k$항을 a_k라고 하면

$$a_k=\frac{1}{k(k+1)(k+2)}$$

$$=\frac{1}{k+1}\cdot\frac{1}{k(k+2)}$$

$$=\frac{1}{k+1}\cdot\frac{1}{2}\left(\frac{1}{k}-\frac{1}{k+2}\right)$$

$$=\frac{1}{2}\left\{\frac{1}{k(k+1)}-\frac{1}{(k+1)(k+2)}\right\}$$

주어진 식은 첫째항부터 제8항까지의 합이므로

$$S=\sum_{k=1}^{8} a_k=\frac{1}{2}\sum_{k=1}^{8}\left\{\frac{1}{k(k+1)}-\frac{1}{(k+1)(k+2)}\right\}$$

$$=\frac{1}{2}\left\{\left(\frac{1}{1\cdot2}-\frac{1}{2\cdot3}\right)+\left(\frac{1}{2\cdot3}-\frac{1}{3\cdot4}\right)+\cdots+\left(\frac{1}{8\cdot9}-\frac{1}{9\cdot10}\right)\right\}$$

$$=\frac{1}{2}\left(\frac{1}{2}-\frac{1}{90}\right)=\frac{11}{45}$$

$\therefore 45S=45\cdot\frac{11}{45}=11$ 정답_④

674

$a_k=\log_2\frac{k+1}{k}=\log_2(k+1)-\log_2 k$이므로

$$\sum_{k=1}^{15} a_k=\sum_{k=1}^{15}\{\log_2(k+1)-\log_2 k\}$$

$$=(\log_2 2-\log_2 1)+(\log_2 3-\log_2 2)+(\log_2 4-\log_2 3)+\cdots+(\log_2 16-\log_2 15)$$

$$=\log_2 16-\log_2 1=4$$ 정답_②

675

이차방정식의 근과 계수의 관계에 의해

$\alpha_n+\beta_n=1,\ \alpha_n\beta_n=n(n+1)$

$$\therefore \sum_{n=1}^{50}\left(\frac{1}{\alpha_n}+\frac{1}{\beta_n}\right)$$

$$=\sum_{n=1}^{50}\frac{\alpha_n+\beta_n}{\alpha_n\beta_n}=\sum_{n=1}^{50}\frac{1}{n(n+1)}$$

$$=\sum_{n=1}^{50}\left(\frac{1}{n}-\frac{1}{n+1}\right)$$

$$=\left(\frac{1}{1}-\frac{1}{2}\right)+\left(\frac{1}{2}-\frac{1}{3}\right)+\left(\frac{1}{3}-\frac{1}{4}\right)+\cdots+\left(\frac{1}{50}-\frac{1}{51}\right)$$

$$=1-\frac{1}{51}=\frac{50}{51}$$ 정답_④

676

$S_n=\sum_{k=1}^{n} a_k=2n^2+n$으로 놓으면

(i) $n\geq2$일 때

$a_n=2n^2+n-\{2(n-1)^2+(n-1)\}$

$=4n-1$ ······㉠

(ii) $n=1$일 때

$a_1=S_1=2\cdot1^2+1=3$

이때, $a_1=3$은 ㉠에 $n=1$을 대입한 것과 같으므로

$a_n=4n-1\ (n\geq1)$

$$\therefore \sum_{k=1}^{10}\frac{1}{a_k a_{k+1}}=\sum_{k=1}^{10}\frac{1}{(4k-1)(4k+3)}$$

$$=\frac{1}{4}\sum_{k=1}^{10}\left(\frac{1}{4k-1}-\frac{1}{4k+3}\right)$$

$$=\frac{1}{4}\left\{\left(\frac{1}{3}-\frac{1}{7}\right)+\left(\frac{1}{7}-\frac{1}{11}\right)+\cdots+\left(\frac{1}{39}-\frac{1}{43}\right)\right\}$$

$$=\frac{1}{4}\left(\frac{1}{3}-\frac{1}{43}\right)=\frac{10}{129}$$

따라서 $p=129,\ q=10$이므로 $p+q=139$ 정답_①

677

$f(x)=\sqrt{x}+\sqrt{x+1}$이므로

$$\frac{1}{f(k)}=\frac{1}{\sqrt{k}+\sqrt{k+1}}=\frac{\sqrt{k+1}-\sqrt{k}}{(\sqrt{k+1}+\sqrt{k})(\sqrt{k+1}-\sqrt{k})}$$

$$=\sqrt{k+1}-\sqrt{k}$$

$$\therefore \sum_{k=1}^{99}\frac{1}{f(k)}=\sum_{k=1}^{99}(\sqrt{k+1}-\sqrt{k})$$

$$=(\sqrt{2}-1)+(\sqrt{3}-\sqrt{2})+(\sqrt{4}-\sqrt{3})+\cdots+(\sqrt{100}-\sqrt{99})$$

$$=\sqrt{100}-1=9$$ 정답_⑤

678

$$\sum_{k=1}^{80}\frac{2}{\sqrt{k-1}+\sqrt{k+1}}$$

$$=\sum_{k=1}^{80}\frac{2(\sqrt{k-1}-\sqrt{k+1})}{(\sqrt{k-1}+\sqrt{k+1})(\sqrt{k-1}-\sqrt{k+1})}$$

$$=-\sum_{k=1}^{80}(\sqrt{k-1}-\sqrt{k+1})$$

$$=-\{(\sqrt{0}-\sqrt{2})+(\sqrt{1}-\sqrt{3})+(\sqrt{2}-\sqrt{4})+\cdots+(\sqrt{78}-\sqrt{80})+(\sqrt{79}-\sqrt{81})\}$$

$$=-(\sqrt{0}+\sqrt{1}-\sqrt{80}-\sqrt{81})$$

$$=-(0+1-4\sqrt{5}-9)=8+4\sqrt{5}$$ 정답_①

679

수열 $\{a_n\}$은 첫째항과 공차가 모두 2인 등차수열이므로

$a_n=2+(n-1)\cdot2=2n$

$$\therefore \sum_{k=1}^{15}\frac{1}{\sqrt{a_{k+1}}+\sqrt{a_k}}$$

$$=\sum_{k=1}^{15}\frac{1}{\sqrt{2k+2}+\sqrt{2k}}$$

$$=\sum_{k=1}^{15}\frac{\sqrt{2k+2}-\sqrt{2k}}{(\sqrt{2k+2}+\sqrt{2k})(\sqrt{2k+2}-\sqrt{2k})}$$

$$=\sum_{k=1}^{15}\frac{\sqrt{2k+2}-\sqrt{2k}}{2}=-\frac{1}{2}\sum_{k=1}^{15}(\sqrt{2k}-\sqrt{2k+2})$$

$$=-\frac{1}{2}\{(\sqrt{2}-\sqrt{4})+(\sqrt{4}-\sqrt{6})+\cdots+(\sqrt{30}-\sqrt{32})\}$$

$$=-\frac{1}{2}(\sqrt{2}-\sqrt{32})=-\frac{1}{2}(\sqrt{2}-4\sqrt{2})=\frac{3\sqrt{2}}{2}$$ 정답_①

680

주어진 식을 S로 놓고 양변에 $\frac{1}{2}$을 곱하여 빼면

$$S=\frac{1}{2}+\frac{2}{2^2}+\frac{3}{2^3}+\cdots+\frac{10}{2^{10}}$$
$$-)\frac{1}{2}S=\quad\frac{1}{2^2}+\frac{2}{2^3}+\cdots+\frac{9}{2^{10}}+\frac{10}{2^{11}}$$
$$\frac{1}{2}S=\frac{1}{2}+\frac{1}{2^2}+\frac{1}{2^3}+\cdots+\frac{1}{2^{10}}-\frac{10}{2^{11}}$$
$$=\frac{\frac{1}{2}\left\{1-\left(\frac{1}{2}\right)^{10}\right\}}{1-\frac{1}{2}}-\frac{10}{2^{11}}$$
$$=1-\frac{1}{1024}-\frac{5}{1024}=\frac{509}{512}$$

$\therefore S=\frac{509}{256}$ 정답_ ②

681

주어진 식을 S로 놓고 양변에 2를 곱하여 빼면

$$S=1\cdot1+2\cdot2+3\cdot2^2+\cdots+7\cdot2^6$$
$$-)2S=\quad1\cdot2+2\cdot2^2+\cdots+6\cdot2^6+7\cdot2^7$$
$$-S=1+2+2^2+2^3+\cdots+2^6-7\cdot2^7$$
$$=\frac{1\cdot(2^7-1)}{2-1}-7\cdot2^7=-769$$

$\therefore S=769$ 정답_ ③

682

주어진 식의 양변에 $x=2$를 대입한 후 양변에 2를 곱하여 빼면

$$f(2)=1+3\cdot2+5\cdot2^2+\cdots+21\cdot2^{10}$$
$$-)2f(2)=\quad1\cdot2+3\cdot2^2+\cdots+19\cdot2^{10}+21\cdot2^{11}$$
$$-f(2)=1+2\cdot2+2\cdot2^2+\cdots+2\cdot2^{10}-21\cdot2^{11}$$
$$=1+2(2+2^2+\cdots+2^{10})-21\cdot2^{11}$$
$$=1+2\cdot\frac{2(2^{10}-1)}{2-1}-21\cdot2^{11}$$
$$=1+2\cdot2^{11}-4-21\cdot2^{11}$$
$$=-19\cdot2^{11}-3$$

$\therefore f(2)=19\cdot2^{11}+3$ 정답_ ④

683

$$\sum_{k=1}^{n}f(k+1)=f(2)+f(3)+\cdots+f(n)+f(n+1)$$
$$\sum_{k=2}^{n+1}f(k-2)=f(0)+f(1)+\cdots+f(n-2)+f(n-1)$$

$$\therefore \sum_{k=1}^{n}f(k+1)-\sum_{k=2}^{n+1}f(k-2)$$
$$=f(n)+f(n+1)-f(0)-f(1)$$
$$=(n^2+n)+\{(n+1)^2+(n+1)\}-0-2$$
$$=2n^2+4n$$ ❶

$2n^2+4n=720$에서 $n^2+2n-360=0$

$(n+20)(n-18)=0$ $\quad\therefore n=-20$ 또는 $n=18$

이때, n은 자연수이므로 $n=18$ ❷

정답_ 18

단계	채점 기준	비율
❶	$\sum_{k=1}^{n}f(k+1)-\sum_{k=2}^{n+1}f(k-2)$를 n에 대한 식으로 나타내기	60%
❷	n의 값 구하기	40%

684

$1\le n<4$일 때, $1\le\sqrt{n}<2$ $\quad\therefore [\sqrt{n}]=1$

$4\le n<9$일 때, $2\le\sqrt{n}<3$ $\quad\therefore [\sqrt{n}]=2$

$9\le n<16$일 때, $3\le\sqrt{n}<4$ $\quad\therefore [\sqrt{n}]=3$

$\vdots$

$36\le n<49$일 때, $6\le\sqrt{n}<7$ $\quad\therefore [\sqrt{n}]=6$

$n=49,\ 50$일 때, $7\le\sqrt{n}<8$ $\quad\therefore [\sqrt{n}]=7$ ❶

$$\therefore \sum_{n=1}^{50}[\sqrt{n}]=(1\cdot3+2\cdot5+3\cdot7+\cdots+6\cdot13)+7\cdot2$$
$$=\sum_{k=1}^{6}k(2k+1)+7\cdot2=2\sum_{k=1}^{6}k^2+\sum_{k=1}^{6}k+14$$
$$=2\cdot\frac{6\cdot7\cdot13}{6}+\frac{6\cdot7}{2}+14=217$$ ❷

정답_ 217

단계	채점 기준	비율
❶	n의 값에 따른 $[\sqrt{n}]$의 값 구하기	50%
❷	$\sum_{n=1}^{50}[\sqrt{n}]$의 값 구하기	50%

685

주어진 수열의 제k항을 a_k라고 하면

$$a_k=\frac{1}{1+2+3+\cdots+k}=\frac{1}{\frac{k(k+1)}{2}}$$
$$=\frac{2}{k(k+1)}=2\left(\frac{1}{k}-\frac{1}{k+1}\right)$$ ❶

따라서 첫째항부터 제10항까지의 합은

$$\sum_{k=1}^{10}a_k=2\sum_{k=1}^{10}\left(\frac{1}{k}-\frac{1}{k+1}\right)$$
$$=2\left\{\left(1-\frac{1}{2}\right)+\left(\frac{1}{2}-\frac{1}{3}\right)+\cdots+\left(\frac{1}{10}-\frac{1}{11}\right)\right\}$$
$$=2\left(1-\frac{1}{11}\right)=\frac{20}{11}$$ ❷

$p=11,\ q=20$이므로 $p+q=31$ ❸

정답_ 31

단계	채점 기준	비율
❶	일반항 구하기	40%
❷	첫째항부터 제10항까지의 합 구하기	50%
❸	$p+q$의 값 구하기	10%

686

이차방정식의 근과 계수의 관계에 의해

$a_n=\frac{3n^2+2n}{n}=3n+2$ ❶

$\therefore \sum_{n=1}^{10} a_n=\sum_{n=1}^{10}(3n+2)=3\sum_{n=1}^{10} n+\sum_{n=1}^{10} 2$

$=3\cdot\frac{10\cdot 11}{2}+20=165+20=185$ ❷

정답_ 185

단계	채점 기준	비율
❶	a_n 구하기	40%
❷	$\sum_{n=1}^{10} a_n$의 값 구하기	60%

687

수열 $\{a_n\}$은 첫째항이 1이고 공차가 2인 등차수열이므로

$a_n=1+(n-1)\cdot 2=2n-1$ ❶

$\therefore a_{n+1}=2(n+1)-1=2n+1,$

$a_{n+2}=2(n+2)-1=2n+3$ ❷

$\therefore \sum_{n=1}^{10}\frac{1}{a_{n+1}a_{n+2}}$

$=\sum_{n=1}^{10}\frac{1}{(2n+1)(2n+3)}=\sum_{n=1}^{10}\frac{1}{2}\left(\frac{1}{2n+1}-\frac{1}{2n+3}\right)$

$=\frac{1}{2}\left\{\left(\frac{1}{3}-\frac{1}{5}\right)+\left(\frac{1}{5}-\frac{1}{7}\right)+\left(\frac{1}{7}-\frac{1}{9}\right)+\cdots+\left(\frac{1}{21}-\frac{1}{23}\right)\right\}$

$=\frac{1}{2}\left(\frac{1}{3}-\frac{1}{23}\right)=\frac{10}{69}$ ❸

정답_ $\frac{10}{69}$

단계	채점 기준	비율
❶	a_n 구하기	20%
❷	a_{n+1}, a_{n+2} 구하기	30%
❸	$\sum_{n=1}^{10}\frac{1}{a_{n+1}a_{n+2}}$의 값 구하기	50%

688

주어진 식을 S로 놓고 양변에 3을 곱하여 빼면

$$\begin{aligned} S&=1\cdot 1+3\cdot 3+5\cdot 3^2+7\cdot 3^3+\cdots+19\cdot 3^9 \\ -)\ 3S&=\quad 1\cdot 3+3\cdot 3^2+5\cdot 3^3+\cdots+17\cdot 3^9+19\cdot 3^{10} \\ \hline -2S&=1+2\cdot 3+2\cdot 3^2+2\cdot 3^3+\cdots+2\cdot 3^9-19\cdot 3^{10} \end{aligned}$$

$=1+2(3+3^2+3^3+\cdots+3^9)-19\cdot 3^{10}$

$=1+2\cdot\frac{3(3^9-1)}{3-1}-19\cdot 3^{10}$

$=1+3^{10}-3-19\cdot 3^{10}=-18\cdot 3^{10}-2$ ❶

$\therefore S=9\cdot 3^{10}+1=3^{12}+1$ ❷

정답_ $3^{12}+1$

단계	채점 기준	비율
❶	주어진 식을 S로 놓고 $S-3S$를 계산하기	80%
❷	S의 값 구하기	20%

689

다항식 $f(x)$를 $x+1$, $x-2$로 나눈 나머지가 각각 2, 5이므로

$f(-1)=2, f(2)=5$

다항식 $f(x)$를 $(x+1)(x-2)$로 나눈 몫을 $Q(x)$, 나머지를 $R(x)=ax+b$ (a, b는 상수)라고 하면

$f(x)=(x+1)(x-2)Q(x)+ax+b$ …… ㉠

㉠의 양변에 $x=-1$, $x=2$를 각각 대입하면

$f(-1)=-a+b=2, f(2)=2a+b=5$

위의 두 식을 연립하여 풀면 $a=1$, $b=3$

$\therefore R(x)=x+3$

$\therefore \sum_{k=1}^{10} R(k)=\sum_{k=1}^{10}(k+3)=\sum_{k=1}^{10} k+\sum_{k=1}^{10} 3$

$=\frac{10\cdot 11}{2}+3\cdot 10=85$

정답_ ②

690

등차수열 $\{a_n\}$의 공차를 d라고 하면 $a_n=3+(n-1)d$

$\therefore a_{n+1}=3+nd$, $a_{n+2}=3+(n+1)d$

이차방정식의 근과 계수의 관계에 의해

$\alpha_n+\beta_n=a_n-a_{n+1}$, $\alpha_n\beta_n=a_{n+2}$

$\therefore \sum_{n=1}^{10}(\alpha_n+1)(\beta_n+1)=\sum_{n=1}^{10}(\alpha_n\beta_n+\alpha_n+\beta_n+1)$

$=\sum_{n=1}^{10}(a_n-a_{n+1}+a_{n+2}+1)$

이때,

$a_n-a_{n+1}+a_{n+2}$

$=\{3+(n-1)d\}-(3+nd)+\{3+(n+1)d\}$

$=3+nd$

이므로

$\sum_{n=1}^{10}(\alpha_n+1)(\beta_n+1)=\sum_{n=1}^{10}(3+nd+1)=\sum_{n=1}^{10} 4+d\sum_{n=1}^{10} n$

$=40+\frac{10\cdot 11}{2}d=40+55d$

따라서 $40+55d=150$이므로 $d=2$

$\therefore a_5=3+4\cdot 2=11$

정답_ ④

691

수열 $\{a_n\}$이 등차수열이므로 $2a_2=a_1+a_3$

즉, $\frac{4}{3}k=(k-4)+(2k-1)$이므로

$4k=9k-15$ $\therefore k=3$

따라서 $a_1=-1$, $a_2=2$, $a_3=5$이므로 수열 $\{a_n\}$은 첫째항이 -1, 공차가 3인 등차수열이다.

$\therefore a_n=-1+(n-1)\cdot 3=3n-4$

$\therefore \sum_{n=1}^{5} a_n=\sum_{n=1}^{5}(3n-4)=3\sum_{n=1}^{5} n-\sum_{n=1}^{5} 4$

$=3\cdot\frac{5\cdot 6}{2}-20=45-20=25$ 정답_⑤

692

다음에서 알 수 있는 것처럼 a가 자연수일 때, $a-10\cdot\left[\frac{a}{10}\right]$는 a의 일의 자리 숫자를 나타낸다. 예를 들면

- $a=123$일 때

$a-10\cdot\left[\frac{a}{10}\right]=123-10[12.3]=123-120=3$

- $a=345$일 때

$a-10\cdot\left[\frac{a}{10}\right]=345-10[34.5]=345-340=5$

x가 자연수일 때, $f(x)=3^x-10\cdot\left[\frac{3^x}{10}\right]$은 3^x의 일의 자리 숫자를 나타내므로 $f(2k)$는 $3^{2k}=9^k$의 일의 자리 숫자를 나타낸다.

9^1의 일의 자리 숫자는 9

$9\times 9=81$이므로 9^2의 일의 자리 숫자는 1

$1\times 9=9$이므로 9^3의 일의 자리 숫자는 9

$9\times 9=81$이므로 9^4의 일의 자리 숫자는 1

⋮

따라서 9^k의 일의 자리 숫자는 9, 1이 반복되므로

$\sum_{k=1}^{100} f(2k)=(9+1)\times 50=500$ 정답_③

693

오른쪽 그림과 같이 위에서 내려다 보며 추가되는 정육면체의 개수를 관찰하면 좀더 쉽게 생각할 수 있다. n층 탑을 쌓을 때, 맨 위층에서부터 각 층에 필요한 정육면체의 개수를 a_n이라고 하면

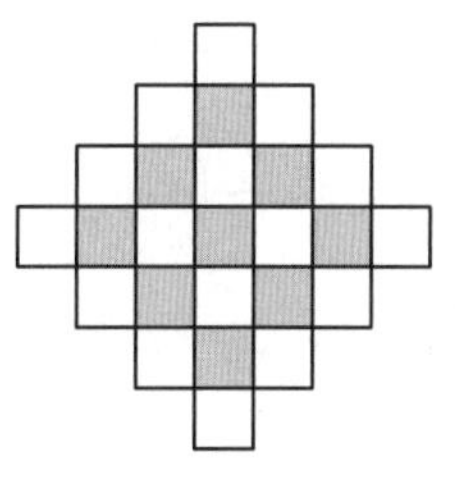

$a_1=1$

$a_2=1+4$

$a_3=1+4+8$

$a_4=1+4+8+12$

⋮

$a_n=1+4+8+12+\cdots+4(n-1)$

$=1+\sum_{k=1}^{n-1} 4k=1+4\cdot\frac{(n-1)n}{2}=2n^2-2n+1$

따라서 10층 탑을 쌓는 데 필요한 정육면체의 개수는

$\sum_{n=1}^{10} a_n=\sum_{n=1}^{10}(2n^2-2n+1)=2\sum_{n=1}^{10} n^2-2\sum_{n=1}^{10} n+\sum_{n=1}^{10} 1$

$=2\cdot\frac{10\cdot 11\cdot 21}{6}-2\cdot\frac{10\cdot 11}{2}+10$

$=670$ 정답_②

10 수학적 귀납법

694

$n=1$일 때, $a_2=2a_1+1=2\cdot 1+1=3$

$n=2$일 때, $a_3=2a_2+1=2\cdot 3+1=7$ 정답_④

695

$n=1$일 때, $a_3=2a_1-a_2=2\cdot 2-3=1$

$n=2$일 때, $a_4=2a_2-a_3=2\cdot 3-1=5$

$n=3$일 때, $a_5=2a_3-a_4=2\cdot 1-5=-3$ 정답_②

696

$n=1$일 때, $a_2=\frac{1+1}{1+a_1}+1=\frac{1+1}{1+1}+1=2$

$n=2$일 때, $a_3=\frac{2+1}{1+a_2}+1=\frac{2+1}{1+2}+1=2$

$n=3$일 때, $a_4=\frac{3+1}{1+a_3}+1=\frac{3+1}{1+2}+1=\frac{7}{3}$ 정답_②

697

$a_{n+1}=a_n+3$이므로 수열 $\{a_n\}$은 공차가 3인 등차수열이다.

이때, 첫째항이 2이므로

$a_n=2+(n-1)\cdot 3=3n-1$

$\therefore a_{10}=3\cdot 10-1=29$ 정답_⑤

698

$a_n=a_{n+1}-6$에서 $a_{n+1}=a_n+6$이므로 수열 $\{a_n\}$은 공차가 6인 등차수열이다.

이때, 첫째항이 3이므로

$a_n=3+(n-1)\cdot 6=6n-3$

$a_k=111$에서 $6k-3=111$ $\therefore k=19$ 정답_②

699

$2a_{n+1}=a_n+a_{n+2}$이므로 수열 $\{a_n\}$은 등차수열이다.

이 등차수열의 첫째항을 a, 공차를 d라고 하면

$a_n=a+(n-1)d$

$a_2=-1$에서 $a+d=-1$ ······ ㉠

$a_3=2$에서 $a+2d=2$ ······ ㉡

㉠, ㉡을 연립하여 풀면 $a=-4, d=3$

$\therefore a_n=-4+(n-1)\cdot 3=3n-7$

따라서 수열 $\{a_n\}$의 첫째항부터 제10항까지의 합은

$\sum_{k=1}^{10}(3k-7)=3\cdot\frac{10\cdot 11}{2}-7\cdot 10=165-70=95$ 정답_①

700

$a_n=2a_{n+1}$에서 $a_{n+1}=\frac{1}{2}a_n$이므로 수열 $\{a_n\}$은 공비가 $\frac{1}{2}$인 등비수열이다.

이때, 첫째항이 8이므로

$a_n=8\cdot\left(\frac{1}{2}\right)^{n-1}=\left(\frac{1}{2}\right)^{n-4}$

$\therefore a_{10}=\left(\frac{1}{2}\right)^6=\frac{1}{64}$ 정답_③

701

$a_{n+1}{}^2=a_na_{n+2}$에서 수열 $\{a_n\}$은 등비수열이다.

이때, $a_1=1$, $\frac{a_2}{a_1}=2$에서 첫째항이 1, 공비가 2이므로

$a_n=1\cdot 2^{n-1}=2^{n-1}$

$\therefore a_6=2^{6-1}=2^5=32$ 정답_②

702

$a_{n+1}{}^2=a_na_{n+2}$에서 수열 $\{a_n\}$은 등비수열이다.

이때, $a_1=1$, $\frac{a_2}{a_1}=\frac{10}{1}=10$에서 첫째항이 1, 공비가 10이므로

$a_n=1\cdot 10^{n-1}=10^{n-1}$

$a_k=100^{100}=10^{200}$에서 $10^{k-1}=10^{200}$

$k-1=200$ $\therefore k=201$ 정답_⑤

703

$a_{n+1}-a_n=2n-1$이므로 양변에 n 대신 1, 2, 3, ⋯, $n-1$을 차례로 대입하여 변끼리 더하면

$$\begin{aligned} a_2-a_1&=2\cdot1-1\\ a_3-a_2&=2\cdot2-1\\ a_4-a_3&=2\cdot3-1\\ &\vdots\\ +)\ a_n-a_{n-1}&=2(n-1)-1\\ \hline a_n-a_1&=\sum_{k=1}^{n-1}(2k-1) \end{aligned}$$

$\therefore a_n=a_1+\sum_{k=1}^{n-1}(2k-1)$

$a_1=2$이므로

$a_n=2+\sum_{k=1}^{n-1}(2k-1)=2+2\cdot\frac{(n-1)n}{2}-(n-1)$

$=n^2-2n+3$

$\therefore a_{10}=10^2-2\cdot10+3=83$ 정답_③

704

$a_n-a_{n-1}=3^{n-1}(n=2, 3, 4, \cdots)$이므로 양변에 n 대신 $n+1$을 대입하면 $a_{n+1}-a_n=3^n\ (n=1, 2, 3, \cdots)$

따라서 양변에 n 대신 1, 2, 3, ⋯, $n-1$을 차례로 대입하여 변끼리 더하면

$$\begin{aligned} a_2-a_1&=3^1\\ a_3-a_2&=3^2\\ a_4-a_3&=3^3\\ &\vdots\\ +)\ a_n-a_{n-1}&=3^{n-1}\\ \hline a_n-a_1&=\sum_{k=1}^{n-1}3^k \end{aligned}$$

$\therefore a_n=a_1+\sum_{k=1}^{n-1}3^k$

$a_1=1$이므로

$a_n=1+\sum_{k=1}^{n-1}3^k=1+\frac{3\cdot(3^{n-1}-1)}{3-1}=\frac{3^n-1}{2}$

$a_k=364$에서 $\frac{3^k-1}{2}=364$ $\therefore k=6$ 정답_②

705

$a_{n+1}-a_n=\frac{1}{n(n+1)}=\frac{1}{n}-\frac{1}{n+1}$이므로 양변에 n 대신 1, 2, 3, ⋯, $n-1$을 차례로 대입하여 변끼리 더하면

$$\begin{aligned} a_2-a_1&=\frac{1}{1}-\frac{1}{2}\\ a_3-a_2&=\frac{1}{2}-\frac{1}{3}\\ a_4-a_3&=\frac{1}{3}-\frac{1}{4}\\ &\vdots\\ +)\ a_n-a_{n-1}&=\frac{1}{n-1}-\frac{1}{n}\\ \hline a_n-a_1&=1-\frac{1}{n} \end{aligned}$$

$\therefore a_n=a_1+\left(1-\frac{1}{n}\right)$

$a_1=1$이므로 $a_n=2-\frac{1}{n}$

따라서 $a_{10}=2-\frac{1}{10}=\frac{19}{10}$이므로 $p=10$, $q=19$

$\therefore p+q=29$ 정답_③

706

$a_{n+1}-a_n=f(n)$이므로 양변에 n 대신 1, 2, 3, ⋯, $n-1$을 차례로 대입하여 변끼리 더하면

$$\begin{aligned} a_2-a_1&=f(1)\\ a_3-a_2&=f(2)\\ a_4-a_3&=f(3)\\ &\vdots\\ +)\ a_n-a_{n-1}&=f(n-1)\\ \hline a_n-a_1&=\sum_{k=1}^{n-1}f(k) \end{aligned}$$

$\therefore a_n=a_1+\sum_{k=1}^{n-1} f(k)$

$a_1=1$이므로

$a_n=1+\sum_{k=1}^{n-1} f(k)$

$\therefore a_{20}=1+\sum_{k=1}^{19} f(k)=1+19(19+1)=381$ 정답_ ④

707

$a_n=\frac{n-1}{n+1}a_{n-1}$의 양변에 n 대신 2, 3, 4, ⋯, $n-1$, n을 차례로 대입하여 변끼리 곱하면

$a_2=\frac{1}{3}a_1$

$a_3=\frac{2}{4}a_2$

$a_4=\frac{3}{5}a_3$

⋮

$a_{n-1}=\frac{n-2}{n}a_{n-2}$

$\times)\ a_n=\frac{n-1}{n+1}a_{n-1}$

$a_n=\frac{1}{3}\times\frac{2}{4}\times\frac{3}{5}\times\cdots\times\frac{n-2}{n}\times\frac{n-1}{n+1}\times a_1$

$=\frac{1\cdot 2}{n(n+1)}\times a_1=\frac{1}{n(n+1)}$

$\therefore a_{10}=\frac{1}{10\cdot 11}=\frac{1}{110}$ 정답_ ①

708

$a_{n+1}=2^n a_n$의 양변에 n 대신 1, 2, 3, ⋯, $n-1$을 차례로 대입하여 변끼리 곱하면

$a_2=2^1 a_1$

$a_3=2^2 a_2$

$a_4=2^3 a_3$

⋮

$\times)\ a_n=2^{n-1}a_{n-1}$

$a_n=2^1\times 2^2\times 2^3\times\cdots\times 2^{n-1}\times a_1$

$=2^{1+2+3+\cdots+(n-1)}\times 1$

$=2^{\frac{n(n-1)}{2}}$

$\therefore a_4=2^{\frac{3\cdot 4}{2}}=2^6=64$ 정답_ ②

709

$\sqrt{n}a_{n+1}=\sqrt{n+1}a_n$에서 $a_{n+1}=\frac{\sqrt{n+1}}{\sqrt{n}}a_n$

양변에 n 대신 1, 2, 3, ⋯, $n-1$을 차례로 대입하여 변끼리 곱하면

$a_2=\frac{\sqrt{2}}{\sqrt{1}}a_1$

$a_3=\frac{\sqrt{3}}{\sqrt{2}}a_2$

$a_4=\frac{\sqrt{4}}{\sqrt{3}}a_3$

⋮

$\times)\ a_n=\frac{\sqrt{n}}{\sqrt{n-1}}a_{n-1}$

$a_n=\frac{\sqrt{2}}{\sqrt{1}}\times\frac{\sqrt{3}}{\sqrt{2}}\times\frac{\sqrt{4}}{\sqrt{3}}\times\cdots\times\frac{\sqrt{n}}{\sqrt{n-1}}\times a_1=2\sqrt{n}$

$\therefore a_{100}=2\sqrt{100}=20$ 정답_ ③

다른 풀이

$\sqrt{n}a_{n+1}=\sqrt{n+1}a_n$에서 $\frac{a_{n+1}}{\sqrt{n+1}}=\frac{a_n}{\sqrt{n}}$ ⋯⋯ ㉠

$\frac{a_n}{\sqrt{n}}=b_n$으로 놓으면 ㉠에서 $b_{n+1}=b_n$

$\therefore b_n=b_{n-1}=\cdots=b_3=b_2=b_1$

이때, $b_1=\frac{a_1}{\sqrt{1}}=2$이므로 $b_n=2$

$\therefore a_n=b_n\sqrt{n}=2\sqrt{n}$

$\therefore a_{100}=2\sqrt{100}=20$

710

$a_{n+1}=3a_n+2$를 $a_{n+1}-k=3(a_n-k)$ 꼴로 변형하자.

$a_{n+1}-k=3(a_n-k)$를 전개하면 $a_{n+1}=3a_n-2k$

$a_{n+1}=3a_n+2$와 비교하면 $k=-1$

$\therefore a_{n+1}+1=3(a_n+1)$ ⋯⋯ ㉠

$a_n+1=b_n$으로 놓으면 ㉠에서 $b_{n+1}=3b_n$

따라서 수열 $\{b_n\}$은 공비가 3인 등비수열이다.

이때, $b_1=a_1+1=2+1=3$이므로 $b_n=3\cdot 3^{n-1}=3^n$

따라서 $a_n=b_n-1=3^n-1$이므로 $a_{20}=3^{20}-1$ 정답_ ①

711

$a_{n+1}=2a_n-1$을 $a_{n+1}-k=2(a_n-k)$ 꼴로 변형하자.

$a_{n+1}-k=2(a_n-k)$를 전개하면 $a_{n+1}=2a_n-k$

$a_{n+1}=2a_n-1$과 비교하면 $k=1$

$\therefore a_{n+1}-1=2(a_n-1)$ ⋯⋯ ㉠

$a_n-1=b_n$으로 놓으면 ㉠에서 $b_{n+1}=2b_n$

따라서 수열 $\{b_n\}$은 공비가 2인 등비수열이다.

이때, $b_1=a_1-1=2-1=1$이므로 $b_n=1\cdot 2^{n-1}=2^{n-1}$

$\therefore a_n=b_n+1=2^{n-1}+1$

$a_{n+1}-a_n=(2^n+1)-(2^{n-1}+1)=2^n-2^{n-1}=2^{n-1}$이므로

$2^{n-1}\ge 100$ ⋯⋯ ㉡

$2^6=64$, $2^7=128$이므로 ㉡을 만족시키는 최소의 자연수 n의 값은 8이다. 정답_ ②

712

$a_{n+2}+4a_n=5a_{n+1}$에서 $a_{n+2}-5a_{n+1}+4a_n=0$

$\therefore a_{n+2}-a_{n+1}=4(a_{n+1}-a_n)$ ······ ㉠

$a_{n+1}-a_n=b_n$으로 놓으면 ㉠에서 $b_{n+1}=4b_n$

따라서 수열 $\{b_n\}$은 공비가 4인 등비수열이다.

이때, $b_1=a_2-a_1=2-1=1$이므로

$b_n=1\cdot 4^{n-1}=4^{n-1}$

$a_{n+1}-a_n=b_n$에서 $a_{n+1}-a_n=4^{n-1}$이므로 양변에 n 대신 1, 2, 3, ⋯, $n-1$을 차례로 대입하여 변끼리 더하면

$$\begin{array}{rl} & a_2-a_1=4^0 \\ & a_3-a_2=4^1 \\ & a_4-a_3=4^2 \\ & \vdots \\ +) & a_n-a_{n-1}=4^{n-2} \\ \hline & a_n-a_1=\sum_{k=1}^{n-1}4^{k-1} \end{array}$$

$\therefore a_n=a_1+\sum_{k=1}^{n-1}4^{k-1}$

$a_1=1$이므로

$a_n=1+\sum_{k=1}^{n-1}4^{k-1}=1+\frac{1\cdot(4^{n-1}-1)}{4-1}=\frac{4^{n-1}+2}{3}$

$\therefore 3a_{10}=4^9+2=2^{18}+2$ 정답_④

713

$2a_{n+2}-3a_{n+1}+a_n=0$에서 $2(a_{n+2}-a_{n+1})=a_{n+1}-a_n$

$\therefore a_{n+2}-a_{n+1}=\frac{1}{2}(a_{n+1}-a_n)$ ······ ㉠

$a_{n+1}-a_n=b_n$으로 놓으면 ㉠에서 $b_{n+1}=\frac{1}{2}b_n$

따라서 수열 $\{b_n\}$은 공비가 $\frac{1}{2}$인 등비수열이다.

이때, $b_1=a_2-a_1=2a_1-a_1=a_1$이므로 $b_n=a_1\cdot\left(\frac{1}{2}\right)^{n-1}$

$a_{n+1}-a_n=b_n$에서 $a_{n+1}-a_n=a_1\cdot\left(\frac{1}{2}\right)^{n-1}$이므로 양변에 n 대신 1, 2, 3, ⋯, $n-1$을 차례로 대입하여 변끼리 더하면

$$\begin{array}{rl} & a_2-a_1=a_1\cdot\left(\frac{1}{2}\right)^0 \\ & a_3-a_2=a_1\cdot\left(\frac{1}{2}\right)^1 \\ & a_4-a_3=a_1\cdot\left(\frac{1}{2}\right)^2 \\ & \vdots \\ +) & a_n-a_{n-1}=a_1\cdot\left(\frac{1}{2}\right)^{n-2} \\ \hline & a_n-a_1=\sum_{k=1}^{n-1}a_1\cdot\left(\frac{1}{2}\right)^{k-1} \end{array}$$

$\therefore a_n=a_1+\sum_{k=1}^{n-1}a_1\cdot\left(\frac{1}{2}\right)^{k-1}=a_1+\frac{a_1\left\{1-\left(\frac{1}{2}\right)^{n-1}\right\}}{1-\frac{1}{2}}$

$=a_1+2a_1\left\{1-\left(\frac{1}{2}\right)^{n-1}\right\}=3a_1-a_1\cdot\left(\frac{1}{2}\right)^{n-2}$

$a_8=191$에서 $3a_1-a_1\cdot\left(\frac{1}{2}\right)^6=191$

$3a_1-\frac{1}{64}a_1=191$ $\therefore a_1=64$ 정답_⑤

714

$a_{n+1}=\frac{a_n}{2a_n+1}$의 양변에 역수를 취하면

$\frac{1}{a_{n+1}}=\frac{2a_n+1}{a_n}$ $\therefore \frac{1}{a_{n+1}}=\frac{1}{a_n}+2$ ······ ㉠

$\frac{1}{a_n}=b_n$으로 놓으면 ㉠에서 $b_{n+1}=b_n+2$

따라서 수열 $\{b_n\}$은 공차가 2인 등차수열이다.

이때, $b_1=\frac{1}{a_1}=-\frac{1}{2}$이므로 $b_n=-\frac{1}{2}+(n-1)\cdot 2=\frac{4n-5}{2}$

$\therefore a_n=\frac{1}{b_n}=\frac{2}{4n-5}$

$\therefore a_{20}=\frac{2}{4\cdot 20-5}=\frac{2}{75}$ 정답_③

715

$a_{n+1}=\frac{3a_n}{a_n+3}$의 양변에 역수를 취하면

$\frac{1}{a_{n+1}}=\frac{a_n+3}{3a_n}$ $\therefore \frac{1}{a_{n+1}}=\frac{1}{a_n}+\frac{1}{3}$ ······ ㉠

$\frac{1}{a_n}=b_n$으로 놓으면 ㉠에서 $b_{n+1}=b_n+\frac{1}{3}$

따라서 수열 $\{b_n\}$은 공차가 $\frac{1}{3}$인 등차수열이다.

이때, $b_1=\frac{1}{a_1}=\frac{1}{3}$이므로 $b_n=\frac{1}{3}+(n-1)\cdot\frac{1}{3}=\frac{n}{3}$

$\therefore a_n=\frac{1}{b_n}=\frac{3}{n}$

$a_k=\frac{1}{3}$에서 $\frac{3}{k}=\frac{1}{3}$ $\therefore k=9$ 정답_②

716

$a_na_{n+1}=a_n-a_{n+1}$의 양변을 a_na_{n+1}로 나누면

$\frac{1}{a_{n+1}}-\frac{1}{a_n}=1$ ······ ㉠

$\frac{1}{a_n}=b_n$으로 놓으면 ㉠에서 $b_{n+1}-b_n=1$

따라서 수열 $\{b_n\}$은 공차가 1인 등차수열이다.

이때, $b_1=\frac{1}{a_1}=1$이므로 $b_n=1+(n-1)\cdot 1=n$

$\therefore a_n=\frac{1}{n}$

$\therefore a_{10}=\frac{1}{10}$ 정답_③

717

$a_{n+1}a_n-2a_{n+2}a_n+a_{n+1}a_{n+2}=0$의 양변을 $a_na_{n+1}a_{n+2}$로 나누면

$\frac{1}{a_{n+2}}-\frac{2}{a_{n+1}}+\frac{1}{a_n}=0$ $\quad\therefore \frac{2}{a_{n+1}}=\frac{1}{a_n}+\frac{1}{a_{n+2}}$ ...... ㉠

$\frac{1}{a_n}=b_n$으로 놓으면 ㉠에서 $2b_{n+1}=b_n+b_{n+2}$

따라서 수열 $\{b_n\}$은 등차수열이다.

이때, $b_1=\frac{1}{a_1}=\frac{1}{2}$, $b_2-b_1=\frac{1}{a_2}-\frac{1}{a_1}=1-\frac{1}{2}=\frac{1}{2}$이므로

수열 $\{b_n\}$의 첫째항은 $\frac{1}{2}$, 공차는 $\frac{1}{2}$이다.

$\therefore b_n=\frac{1}{2}+(n-1)\cdot\frac{1}{2}=\frac{n}{2}$ $\quad\therefore \frac{1}{a_n}=\frac{n}{2}$

$\therefore \sum_{k=1}^{20}\frac{1}{a_k}=\sum_{k=1}^{20}\frac{k}{2}=\frac{1}{2}\sum_{k=1}^{20}k=\frac{1}{2}\cdot\frac{20\cdot21}{2}=105$ 정답_ ⑤

718

$a_{n+1}=3a_n+3^{n+1}$의 양변을 3^{n+1}으로 나누면

$\frac{a_{n+1}}{3^{n+1}}=\frac{a_n}{3^n}+1$ ...... ㉠

$\frac{a_n}{3^n}=b_n$으로 놓으면 ㉠에서 $b_{n+1}=b_n+1$

따라서 수열 $\{b_n\}$은 공차가 1인 등차수열이다.

이때, $b_1=\frac{a_1}{3^1}=\frac{1}{3}$이므로 $b_n=\frac{1}{3}+(n-1)\cdot1=n-\frac{2}{3}$

$\therefore a_n=3^nb_n=3^n\left(n-\frac{2}{3}\right)$

$\therefore a_4=3^4\left(4-\frac{2}{3}\right)=270$ 정답_ ④

719

$a_{n+1}=S_{n+1}-S_n$이므로 $2S_n=a_{n+1}-1$에서

$2S_n=S_{n+1}-S_n-1$, $S_{n+1}=3S_n+1$

$\therefore S_{n+1}+\frac{1}{2}=3\left(S_n+\frac{1}{2}\right)$

따라서 수열 $\left\{S_n+\frac{1}{2}\right\}$은 공비가 3인 등비수열이다.

이때, $S_1+\frac{1}{2}=a_1+\frac{1}{2}=1+\frac{1}{2}=\frac{3}{2}$이므로

$S_n+\frac{1}{2}=\frac{3}{2}\cdot3^{n-1}=\frac{1}{2}\cdot3^n$ $\quad\therefore S_n=\frac{1}{2}(3^n-1)$

$\therefore S_{10}=\frac{1}{2}(3^{10}-1)$ 정답_ ③

720

n년 후의 연봉을 a_n만 원이라고 하자. 이때, 올해 연봉은 5000만 원이고, 매년 전해의 연봉의 1.2배보다 400만 원씩 덜 받으므로

(i) 1년 후의 연봉은 $a_1=5000\times1.2-400=5600$

(ii) $(n+1)$년 후의 연봉은 $a_{n+1}=1.2a_n-400$

$\therefore a_{n+1}-2000=1.2(a_n-2000)$ ...... ㉠

㉠에서 수열 $\{a_n-2000\}$은 공비가 1.2인 등비수열이다.

이때, $a_1-2000=5600-2000=3600$이므로

$a_n-2000=3600\times1.2^{n-1}$

$\therefore a_n=3600\times1.2^{n-1}+2000$

$\therefore a_{10}=3600\times1.2^9+2000=3600\times5.25+2000$
$=20900$(만 원)

따라서 10년 후 K군의 연봉은 2억 900만 원이다. 정답_ ③

721

n시간 후의 미생물의 수를 a_n마리라고 하자. 이때, 처음에 6마리가 있었고, 1시간마다 2마리는 죽고 나머지는 각각 3마리로 분열하므로

(i) 1시간 후의 미생물의 수는 $a_1=3(6-2)=12$

(ii) $(n+1)$시간 후의 미생물의 수는 $a_{n+1}=3(a_n-2)$

$\therefore a_{n+1}-3=3(a_n-3)$ ...... ㉠

㉠에서 수열 $\{a_n-3\}$은 공비가 3인 등비수열이다.

이때, $a_1-3=12-3=9$이므로 $a_n-3=9\cdot3^{n-1}=3^{n+1}$

$\therefore a_n=3^{n+1}+3$

$a_n>1000$에서 $3^{n+1}+3>1000$ $\quad\therefore 3^{n+1}>997$

이때, $3^6=729$, $3^7=2187$이므로 $n+1\geq7$ $\quad\therefore n\geq6$

따라서 처음으로 1000마리가 넘게 관찰되는 것은 6시간 후이다.

정답_ ②

722

명제 $p(n)$이 모든 홀수에 대하여 성립함을 증명하려면 일단 $p(1)$이 참임을 보여야 한다.

$p(1)$이 참일 때, ㄷ을 보이면 $p(1), p(3), p(5), p(7), \cdots$이 참이다.

따라서 보기에서 반드시 보여야 할 것은 ㄱ, ㄷ이다. 정답_ ②

참고

$p(1)$이 참일 때, ㄹ을 보이면 $p(1), p(3), p(7), p(15), \cdots$가 참이다.

723

(i) $p(1)$이 참이므로 (나)에 의해

$p(1+3)$, $p(1+3\cdot2)$, $\cdots$, $p(1+3l)$이 참이다.

(단, l은 자연수이다.)

(ii) $p(2)$가 참이므로 (나)에 의해

$p(2+3)$, $p(2+3\cdot2)$, $\cdots$, $p(2+3m)$이 참이다.

(단, m은 자연수이다.)

(i), (ii)에 의해 $p(1+3l)$ 꼴과 $p(2+3m)$ 꼴인 명제는 반드시 참이다.

$11=2+3\cdot3$, $20=2+3\cdot6$, $31=1+3\cdot10$

이므로 $p(11)$, $p(20)$, $p(31)$은 반드시 참이지만 $p(15)$는 반드시 참이라고 할 수 없다.

따라서 보기에서 반드시 참인 명제는 ㄱ, ㄷ, ㄹ이다. 정답_⑤

724

$p(k)$와 $p(k+1)$이 참일 때, $p(k+2)$가 참이므로 다음과 같이 연쇄 반응이 일어난다.

$p(3)$, $p(4) \to p(5)$

$p(4)$, $p(5) \to p(6)$

$p(5)$, $p(6) \to p(7)$

$\vdots$

따라서 명제 $p(n)$이 3 이상의 모든 자연수 n에 대하여 성립함을 증명하기 위해서는 $p(3)$, $p(4)$가 참임을 반드시 보여야 한다.

정답_④

725

(i) $n=1$일 때, (좌변)$=\frac{1}{1\cdot3}=\frac{1}{3}$, (우변)$=\frac{1}{2\cdot1+1}=\frac{1}{3}$이므로 주어진 등식이 성립한다.

(ii) $n=k$일 때, 주어진 등식이 성립한다고 가정하면

$$\frac{1}{1\cdot3}+\frac{1}{3\cdot5}+\cdots+\frac{1}{(2k-1)(2k+1)}=\frac{k}{2k+1}$$

위의 식의 양변에 $\boxed{(가)\ \frac{1}{(2k+1)(2k+3)}}$을 더하면

$$\frac{1}{1\cdot3}+\frac{1}{3\cdot5}+\cdots+\frac{1}{(2k-1)(2k+1)}+\boxed{(가)\ \frac{1}{(2k+1)(2k+3)}}$$

$$=\frac{k}{2k+1}+\frac{1}{(2k+1)(2k+3)}=\frac{2k^2+3k+1}{(2k+1)(2k+3)}$$

$$=\frac{(2k+1)(k+1)}{(2k+1)(2k+3)}=\boxed{(나)\ \frac{k+1}{2k+3}}$$

즉, $n=k+1$일 때에도 주어진 등식이 성립한다.

따라서 (i), (ii)에 의해 임의의 자연수 n에 대하여 주어진 등식이 성립한다.

$\therefore$ (가) : $\frac{1}{(2k+1)(2k+3)}$, (나) : $\frac{k+1}{2k+3}$

따라서 $f(k)=\frac{1}{(2k+1)(2k+3)}$, $g(k)=\frac{k+1}{2k+3}$이므로

$f(1)=\frac{1}{15}$, $g(1)=\frac{2}{5}$ $\quad\therefore \frac{g(1)}{f(1)}=\frac{\frac{2}{5}}{\frac{1}{15}}=6$ 정답_②

726

(i) $n=1$일 때, (좌변)$=(2\times1-1)\times2^0=1$,

(우변)$=(2\times1-3)\times2^1+3=1$이므로 (*)이 성립한다.

(ii) $n=m$일 때, (*)이 성립한다고 가정하면

$$\sum_{k=1}^{m}(2k-1)2^{k-1}=(2m-3)2^m+3$$

$n=m+1$일 때, (*)이 성립함을 보이자.

$$\sum_{k=1}^{m+1}(2k-1)2^{k-1}=\sum_{k=1}^{m}(2k-1)2^{k-1}+\{2(m+1)-1\}2^m$$

$$=\sum_{k=1}^{m}(2k-1)2^{k-1}+(\boxed{(가)\ 2m+1})\times2^m$$

$$=(2m-3)2^m+3+(\boxed{(가)\ 2m+1})\times2^m$$

$$=\{(2m-3)+(2m+1)\}2^m+3$$

$$=(\boxed{(나)\ 2m-1})\times2^{m+1}+3$$

즉, $n=m+1$일 때에도 (*)이 성립한다.

따라서 (i), (ii)에 의해 모든 자연수 n에 대하여 (*)이 성립한다.

$\therefore$ (가) : $2m+1$, (나) : $2m-1$

따라서 $f(m)=2m+1$, $g(m)=2m-1$이므로

$f(4)\times g(2)=9\cdot3=27$ 정답_⑤

727

(i) $n=1$일 때,

(좌변)$=\left(\sum_{k=1}^{1}a_k\right)^2=(1+1)^2=\boxed{(가)\ 4}$,

(우변)$=\sum_{k=1}^{1}(a_k)^3-2\sum_{k=1}^{1}a_k=(1+1)^3-2\cdot2=\boxed{(가)\ 4}$

이므로 (*)이 성립한다.

(ii) $n=m\ (m\ge1)$일 때, (*)이 성립한다고 가정하면

$\left(\sum_{k=1}^{m}a_k\right)^2=\sum_{k=1}^{m}(a_k)^3-2\sum_{k=1}^{m}a_k$이므로

$$\left(\sum_{k=1}^{m+1}a_k\right)^2$$

$$=\left(\sum_{k=1}^{m}a_k+a_{m+1}\right)^2$$

$$=\left(\sum_{k=1}^{m}a_k\right)^2+2\left(\sum_{k=1}^{m}a_k\right)a_{m+1}+(a_{m+1})^2$$

$$=\sum_{k=1}^{m}(a_k)^3-2\sum_{k=1}^{m}a_k+2\left(\sum_{k=1}^{m}a_k\right)a_{m+1}+(a_{m+1})^2$$

$$=\sum_{k=1}^{m}(a_k)^3+2(a_{m+1}-1)\sum_{k=1}^{m}a_k+(a_{m+1})^2$$

$$=\sum_{k=1}^{m}(a_k)^3+2(m+2-1)\sum_{k=1}^{m}a_k+(a_{m+1})^2$$

$$=\sum_{k=1}^{m}(a_k)^3+(\boxed{(나)\ 2m+2})\sum_{k=1}^{m}a_k+(a_{m+1})^2$$

$$=\sum_{k=1}^{m}(a_k)^3+(2m+2)\sum_{k=1}^{m}(k+1)+(m+2)^2$$

$$=\sum_{k=1}^{m}(a_k)^3+(m+1)\{m(m+1)+2m\}+(m^2+4m+4)$$

$$=\sum_{k=1}^{m}(a_k)^3+m^3+5m^2+7m+4$$

$$=\sum_{k=1}^{m}(a_k)^3+(m+2)^3-(m^2+5m+4)$$

$$=\sum_{k=1}^{m}(a_k)^3+(a_{m+1})^3-(m^2+5m+4)\ (\because a_n=n+1)$$

$$=\sum_{k=1}^{m+1}(a_k)^3-2\sum_{k=1}^{m+1}a_k$$

즉, $n=m+1$일 때에도 (*)이 성립한다.

따라서 (i), (ii)에 의해 모든 자연수 n에 대하여 (*)이 성립한다.

∴ (가) : 4, (나) : $2m+2$

따라서 $p=4$, $f(m)=2m+2$이므로

$f(p)=f(4)=2\cdot4+2=10$ 정답_ ①

728

$1^4+2^4+3^4+\cdots+k^4+(k+1)^4$

$=\frac{(k+1)(k+2)(2k+3)(3k^2+9k+5)}{30}$ …… ㉠

㉠의 양변의 k 대신 $k-1$을 대입하면

$1^4+2^4+3^4+\cdots+k^4$

$=\frac{k(k+1)\{2(k-1)+3\}\{3(k-1)^2+9(k-1)+5\}}{30}$

$=\frac{k(k+1)(2k+1)(3k^2+3k-1)}{30}$ …… ㉡

이때, ㉠은 $n=k+1$일 때 주어진 등식이 성립하는 식이므로 ㉡은 $n=k$일 때 주어진 등식이 성립하는 식이다.

따라서 (가)에 알맞은 식은

$\frac{n(n+1)(2n+1)(3n^2+3n-1)}{30}$

$\therefore a=3,\ b=3,\ c=-1$

$\therefore a+b-c=3+3-(-1)=7$ 정답_ 7

729

(i) $n=$ (가) 2 일 때, (좌변)$=(1+h)^2=1+2h+h^2$, (우변)$=1+2h$

이때, $h^2>0$이므로 $(1+h)^{(가)\,2}>$ (나) $1+2h$

즉, 주어진 부등식이 성립한다.

(ii) $n=k(k\geq$ (가) 2 $)$일 때, 주어진 부등식이 성립한다고 가정하면

$(1+h)^k>1+kh$

위의 식의 양변에 (다) $1+h$ 를 곱하면

$(1+h)^{k+1}>(1+kh)($(다) $1+h)$

우변을 전개하여 정리하면

$1+(k+1)h+kh^2>1+(k+1)h$

$\therefore (1+h)^{k+1}>1+(k+1)h$

즉, $n=k+1$일 때에도 주어진 부등식이 성립한다.

따라서 (i), (ii)에 의해 $n\geq2$인 모든 자연수 n에 대하여 주어진 부등식이 성립한다.

∴ (가) : 2, (나) : $1+2h$, (다) : $1+h$

따라서 $p=2$, $f(h)=1+2h$, $g(h)=1+h$이므로

$f(p)\times g(p)=f(2)\times g(2)=5\cdot3=15$ 정답_ ④

730

(i) $n=2$일 때, (좌변)$=\frac{1}{1^2}+\frac{1}{2^2}=\frac{5}{4}$, (우변)$=2-\frac{1}{2}=\frac{3}{2}$

이므로 주어진 부등식이 성립한다.

(ii) $n=k(k\geq2)$일 때, 주어진 부등식이 성립한다고 가정하면

$\frac{1}{1^2}+\frac{1}{2^2}+\frac{1}{3^2}+\cdots+\frac{1}{k^2}<2-\frac{1}{k}$

위의 식의 양변에 (가) $\frac{1}{(k+1)^2}$ 을 더하면

$\frac{1}{1^2}+\frac{1}{2^2}+\frac{1}{3^2}+\cdots+\frac{1}{k^2}+$ (가) $\frac{1}{(k+1)^2}$

$<2-\frac{1}{k}+$ (가) $\frac{1}{(k+1)^2}$

$\left(2-\frac{1}{k+1}\right)-\left\{2-\frac{1}{k}+\text{(가) }\frac{1}{(k+1)^2}\right\}$

$=-\frac{1}{k+1}+\frac{1}{k}-\frac{1}{(k+1)^2}$

$=\frac{-k(k+1)+(k+1)^2-k}{k(k+1)^2}$

$=$ (나) $\frac{1}{k(k+1)^2}$ >0에서

$2-\frac{1}{k}+$ (가) $\frac{1}{(k+1)^2}$ $<2-\frac{1}{k+1}$

$\therefore \frac{1}{1^2}+\frac{1}{2^2}+\frac{1}{3^2}+\cdots+\frac{1}{(k+1)^2}<2-\frac{1}{k+1}$

즉, $n=k+1$일 때에도 주어진 부등식이 성립한다.

따라서 (i), (ii)에 의해 $n\geq2$인 모든 자연수 n에 대하여 주어진 부등식은 성립한다. 정답_ ④

731

(i) $n=2$일 때, $2^3-2=6$이므로 3의 배수이다.

(ii) $n=k(k\geq2)$일 때, k^3-k가 3의 배수라고 가정하면

$(k+1)^3-(k+1)=(k^3+3k^2+3k+1)-(k+1)$

$=k^3+3k^2+2k$

$=k^3-k+3k^2+3k$

$=$ (가) k^3-k $+3($(나) $k^2+k)$

이때, (가) k^3-k, $3($(나) $k^2+k)$는 모두 3의 배수이므로

$(k+1)^3-(k+1)$도 3의 배수이다.

즉, $n=k+1$일 때에도 n^3-n은 3의 배수이다.

따라서 (i), (ii)에 의해 2 이상의 모든 자연수 n에 대하여 n^3-n은 3의 배수이다.

∴ (가) : k^3-k, (나) : k^2+k

따라서 $f(k)=k^3-k$, $g(k)=k^2+k$이므로

$f(2)\times g(1)=6\cdot2=12$ 정답_ ②

732

(i) $n=1$일 때

$a_4=2a_3+a_2=2(2a_2+a_1)+a_2=5a_2+2a_1$

$=5\cdot2+2\cdot1=$ (가) 12

이므로 12의 배수이다.

(ii) $n=k$일 때, a_{4k}가 12의 배수라고 가정하면

$$a_{4(k+1)}=2a_{4k+3}+a_{4k+2}=2(2a_{4k+2}+a_{4k+1})+a_{4k+2}$$
$$=5a_{4k+2}+2a_{4k+1}=5(2a_{4k+1}+a_{4k})+2a_{4k+1}$$
$$=\boxed{^{(나)}12}\,a_{4k+1}+\boxed{^{(다)}5}\,a_{4k}$$

이때, $12a_{4k+1}$과 $5a_{4k}$가 모두 12의 배수이므로 $a_{4(k+1)}$도 12의 배수이다.

즉, $n=k+1$일 때에도 a_{4n}은 12의 배수이다.

따라서 (i), (ii)에 의해 모든 자연수 n에 대하여 a_{4n}은 12의 배수이다.

∴ (가) : 12, (나) : 12, (다) : 5

따라서 (가), (나), (다)에 알맞은 수들의 합은

$12+12+5=29$ 정답_ ④

733

$a_1=2$이고 $a_1=2\ge2$이므로 $a_2=\frac{1}{2}a_1=\frac{1}{2}\cdot2=1$

$a_2=1<2$이므로 $a_3=\sqrt{2}a_2=\sqrt{2}$

$a_3=\sqrt{2}<2$이므로 $a_4=\sqrt{2}a_3=\sqrt{2}\cdot\sqrt{2}=2=a_1$ ······ ❶

따라서 수열 $\{a_n\}$은 2, 1, $\sqrt{2}$가 순서대로 반복된다. ······ ❷

$2018=3\cdot672+2$이므로 $a_{2018}=a_2=1$ ······ ❸

정답_ 1

단계	채점 기준	비율
❶	a_2, a_3, a_4의 값 구하기	30%
❷	수열 $\{a_n\}$의 규칙 찾기	30%
❸	a_{2018}의 값 구하기	40%

734

$a_{n+1}-a_n=f(n)$이므로 양변에 n 대신 1, 2, 3, ⋯, $n-1$을 차례로 대입하여 변끼리 더하면

$$a_2-a_1=f(1)$$
$$a_3-a_2=f(2)$$
$$a_4-a_3=f(3)$$
$$\vdots$$
$$+\underline{)\ a_n-a_{n-1}=f(n-1)}$$
$$a_n-a_1=\sum_{k=1}^{n-1}f(k)$$

$$\therefore a_n=a_1+\sum_{k=1}^{n-1}f(k)$$

$a_1=1$이므로 $a_n=1+\sum_{k=1}^{n-1}f(k)$ ······ ㉠

······ ❶

㉠의 양변에 n 대신 $n+1$을 대입하면

$$a_{n+1}=1+\sum_{k=1}^{n}f(k)$$
$$=1+(n^2-1)=n^2\ (n=1,\ 2,\ 3,\ \cdots)$$ ······ ❷

$\therefore a_{100}=a_{99+1}=99^2$ ······ ❸

정답_ 99^2

단계	채점 기준	비율
❶	a_n을 $f(k)$에 대한 식으로 나타내기	50%
❷	a_{n+1}을 n에 대한 식으로 나타내기	40%
❸	a_{100}의 값 구하기	10%

735

$a_{n+1}=\left\langle\frac{10}{2n-1}\right\rangle\times a_n$의 양변에 n 대신 1, 2, 3, ⋯, 99를 차례로 대입하여 변끼리 곱하면

$$a_2=\left\langle\frac{10}{1}\right\rangle a_1$$
$$a_3=\left\langle\frac{10}{3}\right\rangle a_2$$
$$a_4=\left\langle\frac{10}{5}\right\rangle a_3$$
$$\vdots$$
$$\times\underline{)\ a_{100}=\left\langle\frac{10}{197}\right\rangle a_{99}}$$
$$a_{100}=\left\langle\frac{10}{1}\right\rangle\times\left\langle\frac{10}{3}\right\rangle\times\left\langle\frac{10}{5}\right\rangle\times\cdots\times\left\langle\frac{10}{197}\right\rangle\times a_1$$ ······ ❶

$\left\langle\frac{10}{1}\right\rangle=10$, $\left\langle\frac{10}{3}\right\rangle=4$

$\left\langle\frac{10}{5}\right\rangle=2$, $\left\langle\frac{10}{7}\right\rangle=2$, $\left\langle\frac{10}{9}\right\rangle=2$

$\left\langle\frac{10}{11}\right\rangle=1$, $\left\langle\frac{10}{13}\right\rangle=1$, ⋯, $\left\langle\frac{10}{197}\right\rangle=1$ ······ ❷

$$\therefore a_{100}=\left\langle\frac{10}{1}\right\rangle\times\left\langle\frac{10}{3}\right\rangle\times\left\langle\frac{10}{5}\right\rangle\times\cdots\times\left\langle\frac{10}{197}\right\rangle\times a_1$$
$$=10\times4\times2\times2\times2\times1\times\cdots\times1\times\frac{1}{2}$$
$$=160$$ ······ ❸

정답_ 160

단계	채점 기준	비율
❶	a_{100}과 a_1 사이의 관계식 구하기	40%
❷	$n=1,\ 2,\ \cdots,\ 99$일 때 $\left\langle\frac{10}{2n-1}\right\rangle$의 값 구하기	40%
❸	a_{100}의 값 구하기	20%

736

(1) $a_{n+2}-4a_{n+1}+3a_n=0$에서

$a_{n+2}-a_{n+1}=3(a_{n+1}-a_n)$ ······ ㉠

$a_{n+1}-a_n=b_n$으로 놓으면 ㉠에서 $b_{n+1}=3b_n$

따라서 수열 $\{b_n\}$은 공비가 3인 등비수열이다.

이때, $b_1=a_2-a_1=2-1=1$이므로 $b_n=1\cdot3^{n-1}=3^{n-1}$

$a_{n+1}-a_n=b_n$에서 $a_{n+1}-a_n=3^{n-1}$이므로 양변에 n 대신 1, 2, 3, ⋯, $n-1$을 차례로 대입하여 변끼리 더하면

$a_2-a_1=3^0$
$a_3-a_2=3$
$a_4-a_3=3^2$
$\vdots$
$+)\ a_n-a_{n-1}=3^{n-2}$

$a_n-a_1=\sum_{k=1}^{n-1}3^{k-1}$

$\therefore a_n=a_1+\sum_{k=1}^{n-1}3^{k-1}=1+\sum_{k=1}^{n-1}3^{k-1}$

$=1+\frac{1\cdot(3^{n-1}-1)}{3-1}=\frac{3^{n-1}+1}{2}$ ……… ❶

(2) $a_{n+1}=\frac{a_n}{3a_n+1}$의 양변에 역수를 취하면

$\frac{1}{a_{n+1}}=\frac{3a_n+1}{a_n}$ $\therefore \frac{1}{a_{n+1}}=\frac{1}{a_n}+3$ …… ㉠

$\frac{1}{a_n}=b_n$으로 놓으면 ㉠에서 $b_{n+1}=b_n+3$

따라서 수열 $\{b_n\}$은 공차가 3인 등차수열이다.

이때, $b_1=\frac{1}{a_1}=\frac{1}{2}$이므로 $b_n=\frac{1}{2}+(n-1)\cdot3=\frac{6n-5}{2}$

$\therefore a_n=\frac{1}{b_n}=\frac{2}{6n-5}$ ……… ❷

정답_(1) $a_n=\frac{3^{n-1}+1}{2}$ (2) $a_n=\frac{2}{6n-5}$

단계	채점 기준	비율
❶	$a_{n+2}-4a_{n+1}+3a_n=0$인 수열 a_n의 일반항 구하기	50%
❷	$a_{n+1}=\frac{a_n}{3a_n+1}$인 수열 a_n의 일반항 구하기	50%

737

$3a_na_{n+1}=a_n-a_{n+1}$의 양변을 a_na_{n+1}로 나누면

$\frac{1}{a_{n+1}}-\frac{1}{a_n}=3$ …… ㉠

……… ❶

$\frac{1}{a_n}=b_n$으로 놓으면 ㉠에서 $b_{n+1}-b_n=3$

따라서 수열 $\{b_n\}$은 공차가 3인 등차수열이다.

이때, $b_1=\frac{1}{a_1}=1$이므로 $b_n=1+(n-1)\cdot3=3n-2$

$\therefore a_n=\frac{1}{b_n}=\frac{1}{3n-2}$ ……… ❷

$a_1a_2+a_2a_3+a_3a_4+\cdots+a_ka_{k+1}$

$=\frac{1}{1\cdot4}+\frac{1}{4\cdot7}+\frac{1}{7\cdot10}+\cdots+\frac{1}{(3k-2)(3k+1)}$

$=\frac{1}{3}\left\{\left(1-\frac{1}{4}\right)+\left(\frac{1}{4}-\frac{1}{7}\right)+\left(\frac{1}{7}-\frac{1}{10}\right)+\cdots\right.$

$\left.+\left(\frac{1}{3k-2}-\frac{1}{3k+1}\right)\right\}$

$=\frac{1}{3}\left(1-\frac{1}{3k+1}\right)=\frac{k}{3k+1}$ ……… ❸

$\frac{k}{3k+1}>\frac{33}{100}$에서 $k>33$

따라서 주어진 부등식을 만족시키는 자연수 k의 최솟값은 34이다. ……… ❹

정답_ 34

단계	채점 기준	비율
❶	$\frac{1}{a_{n+1}}$과 $\frac{1}{a_n}$ 사이의 관계식 구하기	20%
❷	a_n 구하기	30%
❸	$a_1a_2+a_2a_3+\cdots+a_ka_{k+1}$을 k에 대한 식으로 나타내기	30%
❹	k의 최솟값 구하기	20%

738

n번째 1분 동안 흘러간 거리를 a_n m라고 하면

(i) 처음 1분 동안 흘러간 거리는 $a_1=150$ ……… ❶

(ii) $(n+1)$번째 1분 동안 흘러간 거리는

$a_{n+1}=0.8a_n+20$ ……… ❷

$\therefore a_{n+1}-100=0.8(a_n-100)$ …… ㉠

㉠에서 수열 $\{a_n-100\}$은 공비가 0.8인 등비수열이다.

이때, $a_1-100=150-100=50$이므로 $a_n-100=50\cdot0.8^{n-1}$

$\therefore a_n=50\cdot0.8^{n-1}+100$ ……… ❸

따라서 10분 동안 용암이 흘러간 총거리는

$a_1+a_2+a_3+\cdots+a_{10}=\sum_{k=1}^{10}(50\cdot0.8^{k-1}+100)$

$=\frac{50(1-0.8^{10})}{1-0.8}+100\times10$

$=\frac{50(1-0.1)}{1-0.8}+1000$

$=225+1000$

$=1225$ (m) ……… ❹

정답_ 1225 m

단계	채점 기준	비율
❶	n번째 1분 동안 흘러간 거리를 a_nm라고 할 때, a_1의 값 구하기	10%
❷	a_n과 a_{n+1} 사이의 관계식 구하기	30%
❸	a_n 구하기	30%
❹	10분 동안 용암이 흘러간 총거리 구하기	30%

739

$a_{n+1}-a_n=2^n$이므로 양변에 n 대신 1, 2, 3, …, $n-1$을 차례로 대입하여 변끼리 더하면

$a_2-a_1=2^1$
$a_3-a_2=2^2$
$a_4-a_3=2^3$
$\vdots$
$\times)\ a_n-a_{n-1}=2^{n-1}$

$a_n-a_1=\sum_{k=1}^{n-1}2^k$

$\therefore a_n=a_1+\sum_{k=1}^{n-1}2^k$

$a_1=1$이므로 $a_n=1+\sum_{k=1}^{n-1}2^k=1+\frac{2(2^{n-1}-1)}{2-1}=2^n-1$

P_{10}은 0에서 $a_1+a_2+a_3+\cdots+a_{10}=\sum_{k=1}^{10}a_k$만큼 움직인 점의 위치이므로

$\sum_{k=1}^{10}a_k=\sum_{k=1}^{10}(2^k-1)=\frac{2(2^{10}-1)}{2-1}-10=2036$

이때, $2036=10\cdot 203+6$이므로 구하는 수는 6이다.

정답_ ④

740

$2S_n=(n+1)a_n$ ……㉠

$2S_{n+1}=(n+2)a_{n+1}$ ……㉡

㉡－㉠을 하면

$2(S_{n+1}-S_n)=(n+2)a_{n+1}-(n+1)a_n$

$2a_{n+1}=(n+2)a_{n+1}-(n+1)a_n$

$na_{n+1}=(n+1)a_n \qquad \therefore a_{n+1}=\frac{n+1}{n}a_n$

양변에 n 대신 1, 2, 3, ⋯, $n-1$을 차례로 대입하여 변끼리 곱하면

$a_2=\frac{2}{1}a_1$

$a_3=\frac{3}{2}a_2$

$a_4=\frac{4}{3}a_3$

⋮

$\times)\ a_n=\frac{n}{n-1}a_{n-1}$

$a_n=\frac{2}{1}\times\frac{3}{2}\times\frac{4}{3}\times\cdots\times\frac{n}{n-1}\times a_1=3n$

$\therefore a_{12}=3\cdot 12=36$

정답_ ③

741

제품 P_n을 한 개 만드는 데 걸리는 시간을 a_n이라고 하면 $a_1=1$

이때, 제품 P_{2n}을 한 개 만드는 데 걸리는 시간은 제품 P_n을 두 개 만드는 데 걸리는 시간과 연결하는 데 걸리는 시간 $2n$의 합이므로 $a_{2n}=2a_n+2n$

위의 식의 양변에 n 대신 1, 2, 4, 8을 대입하면

$a_2=2a_1+2\cdot 1=2\cdot 1+2=4$

$a_4=2a_2+2\cdot 2=2\cdot 4+4=12$

$a_8=2a_4+2\cdot 4=2\cdot 12+8=32$

$a_{16}=2a_8+2\cdot 8=2\cdot 32+16=80$

따라서 제품 P_{16}을 한 개 만드는 데 걸리는 시간은 80이다.

정답_ ③

742

$a_n+a_{n+1}=n^2+5$이므로 수열 $\{a_n\}$의 첫째항부터 제n항까지의 합을 S_n이라고 하면

$S_{20}=a_1+a_2+a_3+a_4+\cdots+a_{19}+a_{20}$

$=(a_1+a_2)+(a_3+a_4)+\cdots+(a_{19}+a_{20})$

$=(1^2+5)+(3^2+5)+\cdots+(19^2+5)$

$=\sum_{k=1}^{10}\{(2k-1)^2+5\}$

$=\sum_{k=1}^{10}(4k^2-4k+6)$

$=4\cdot\frac{10\cdot 11\cdot 21}{6}-4\cdot\frac{10\cdot 11}{2}+6\cdot 10$

$=1540-220+60=1380$

$S_{19}=a_1+a_2+a_3+a_4+a_5+\cdots+a_{18}+a_{19}$

$=a_1+(a_2+a_3)+(a_4+a_5)+\cdots+(a_{18}+a_{19})$

$=a_1+(2^2+5)+(4^2+5)+\cdots+(18^2+5)$

$=4+\sum_{k=1}^{9}\{(2k)^2+5\}$

$=4+\sum_{k=1}^{9}(4k^2+5)$

$=4+4\cdot\frac{9\cdot 10\cdot 19}{6}+5\cdot 9$

$=4+1140+45=1189$

$\therefore a_{20}=S_{20}-S_{19}=1380-1189=191$

정답_ ①

743

ㄱ은 옳지 않다.

6은 짝수이므로 $a_{2n}=a_n+2$에서 $a_6=a_3+2$

3은 홀수이므로 $a_{2n+1}=a_n-2$에서

$a_3=a_1-2=2-2=0 \qquad \therefore a_6=0+2=2$

ㄴ은 옳다.

2^k (k는 자연수)은 짝수이고 2^{k-r} ($r<k$, r는 자연수)도 짝수이므로

$a_n=a_{2^k}=a_{2^{k-1}}+2=a_{2^{k-2}}+2+2=\cdots=a_{2^0}+2k$

$=a_1+2k=2+2k$

ㄷ도 옳다.

$a_{2n}=a_n+2$, $a_{2n+1}=a_n-2$이므로

$a_{2n}-a_{2n+1}=4$

$a_{2^k}-a_{2^k+1}=4$, $a_{2^k+1}=a_{2^k}-4$

따라서 $n=2^k+1$일 때, ㄴ을 이용하면

$a_n=a_{2^k+1}=a_{2^k}-4=(2k+2)-4=2k-2$

따라서 옳은 것은 ㄴ, ㄷ이다.

정답_ ④

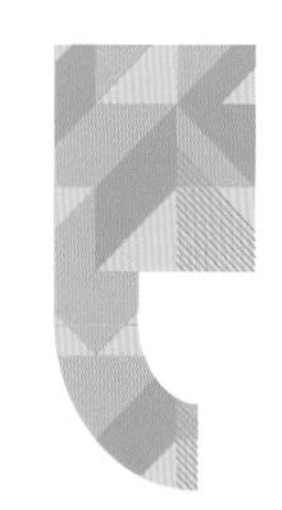

엄선된 유형을 **한 권**에 **가득!**

필수유형